Vocabula Amatoria

JOHN S. FARMER

the only known photograph,
courtesy of G. Legman

Vocabula Amatoria

A FRENCH-ENGLISH GLOSSARY

OF

WORDS, PHRASES, AND ALLUSIONS

OCCURRING IN THE WORKS OF

**RABELAIS, VOLTAIRE, MOLIÈRE, ROUSSEAU,
BÉRANGER, ZOLA, and others,**

WITH ENGLISH EQUIVALENTS AND SYNONYMS

COMPILED & EDITED BY
JOHN S. FARMER

INTRODUCTION BY
LEE REVENS

UNIVERSITY BOOKS

VOCABULA AMATORIA
is Vol. VIII of
Dictionary Of Slang and Its Analogues

First Printing, April 1966
Library of Congress Catalog Card Number: 65-24476

INTRODUCTION

What can they know of England, who only England know? asked that master craftsman, Kipling, so aware that only by stepping outside the milieu could one focus on its essence.

John S. Farmer thus not only provides the English-speaking culture with a chrestomathy to the erotic arcana of French literature, but simultaneously re-defines for the connoisseur of English erotic vocabulary the nuances and distinctions of England's own rich storehouse of words of venery.

The principles of this compilation are simple and classical: under each alphabetical entry the careful literal definition is generally followed by a precisely matching English slang equivalent. This is followed by quotations, in chronological order, from French works. French offers a plethora of independent words and phrases to express a relatively few anatomical parts, in their unilateral aspects or mutual relation; Farmer's match in English provides a masterful selection from the equally opulent expressions that English provides for the knowledgeable devotee. Many of the terms that Farmer uses to convey the overtones and the varied impact prove to be English slang that has not been systematically noted or catalogued elsewhere — often not even by the author and his collaborator, William E. Henley, in their own classic *Dictionary*. This should not be unexpected, since the *Dictionary of Slang* was not primarily a thesaurus of sex terms. The synonymies at various points *(monosyllable, etc.)* were utilized to cram in vast strings of authentic, vital, and diversely flavored equivalents; but necessarily stopped short of citing every nonce word, happy or brutal literary invention, or choice rarity, however graphic. In this bilingual work, by contrast, since the topic is specifically sexual terms, and the format requires matching English to French, Farmer could give the widest license to his unsurpassed knowledge of slang terms.

The display of learning is, as ever, prodigious. It takes credulity to record that an Englishman could read so extensively in a foreign tongue, and pick up all the playfulnesses, double entendres, euphemisms, ancient cant, and echoes of vulgar speech as they occur in the works of masterful social commentators like Molière, boisterous satirists like Rabelais, and in the evocative dreams or bitter mockery of poets from François Villon through Beranger to Baudelaire. Even the court graces of La Fontaine, the transcriptive accuracy of Balzac and Zola, are neatly netted and skilfully harvested.

The fair question is whether these are terms that represent the language or only the rare use. That is, how often will the general reader encounter the vocabulary in reading other than the authors carefully culled by the compiler?

Farmer stresses their occurrence in French classics. But even in our times, such is the viability of oral tradition, and the stability of human values, word after word that Farmer cites because it was otherwise undefined, obscure, or secret, turns up (perhaps slightly modified) as the argot of the milieu (the vocabulary of those who live by these matters) or the language of the people. Sometimes, indeed, the word survives in a purer sense, as when *cul terreux* shifts from being a prostitute who comes from the country, to any peasant or hick, male or female, prostitute or straight. From the 17th century, *culbuter* was to copulate; and in contemporary French underworld slang it is still to copulate, with the refinement that it is only a casual, indifferent act — not with a beloved, but a cool exploitation of a chance opportunity, *en passant*. *Gagner* was, as far back as the 16th century, to be a prostitute, to live by the sweat of one's body. Remarkably, *gagneuse* is, in contemporary argot, a hardworking prostitute, one who earns a fair, steady income by her faithful attention to business, quite in the tradition of the door-to-door salesman whose dogged ringing of bells and making his pitch must, by the law of averages, bring him a good day's pay. So that beyond the uses the compiler announces, this dictionary is a substantial help to reading realistic novels, (even Genet!). The stability of "Frenchy" points of view is beautifully noted by the entry "faire la chouette" which is still used in today's underworld. *Chouette* is used to designate the anal sphincter, not anatomically, but from the erotic point of view. Hence the expressions, *prendre du chouette, filer du chouette,* and also the phrase, with reference to a pretty girl, to describe the minimum program required as testimony to her charms: *un coup dans le chouette, et un dans le regulier!* (From Albert Simonin: *Le Petit Simonin Illustré*).

Though it must be noted that such words as *gamahuche* have since become so matter-of-fact in French, as not to be given space in a specialized slang dictionary.

As to the English. It is a temptation to deplore the lack of an equally good discursive dictionary of English venery. Many self-explanatory metaphors, that Farmer matches to the equally unmistakable French, clamor for citation somewhere as tribute to the inevitable creativity (aye, poetic and misogynist both) that are resurgently connected with the subject. Thus, the *fort,* the *cloister, cunnyborough,* the *ingle-nook,* the *kitchen,* the *dumb-squint,* the *garden,* the *money-bag,* the *jam-pot,* the *divine scar,* and endless others, here to be found as honest matches for the French, are recognized, even out of context, as synonyms of the central monosyllable.

Language is charmingly human communication, and literary byways are irresistibly profitable and amusing to traverse. But the range of published sources here covering more than five centuries provides the magnificent documentation that there is nothing new under the sun; *or* that our ancestors were every bit as corrupt as our bravely untrammelled sexomanic swinging sixties. There are synonyms for prostitute under every letter of the alphabet, permitting precise classification from the novice to the noisome hag, from the specialist in erotic variations to the bilking man-hater who keeps her own mistress on her earnings from her despised clients. That sociological necessity, the pimp, is richly represented; the homosexual, active or passive, mounter or mouther, is named explicitly and skillfully differentiated. Anomalies are recorded with spirit and humor, and sometimes with stupefying matter-of-factness, as under *bourrelet.* That pregnancies might be unwanted or a misfortune is accepted in the sardonic phrases that describe its

occurring. That there are skills to masturbation, artists and
blunderers in love-making, cold and raging hot in tempera-
ments, virgins and seducers in both sexes, amplenesses and
skimpinesses in physical equipment, is well noted.

Apart from the stability of the language of venery, the
verbal testimony that mankind has not changed all that
much in half a millenium, and the connoisseur's delight in
tallying the depth and subtlety of Farmer's linguistic master-
ies, the re-issuance of this volume, as part of the *Dictionary
of Slang* may, without presumption, be said to herald the
final closing of a parenthesis on more than a century of
aberrational, irrational, and socially damaging prudishness.
In the pathetic slowness of psychological changes, it took
the decade of the 1910's to lift the skirts four inches, and
discard one layer of undergarment; the 20's to lift the skirt
to the knee, and discard all but the flimsiest undergarments.
The 30's, inevitably, wavered between keeping the advances
made in the Jazz Decade, and reacting to the reaction, with
new prudishness. Luckily, the retrogression was short-lived.
The teachings, and even more, the vocabulary of the psycho-
analysts, prevented a serious backward swing of the pendu-
lum. America, and Western culture generally, emerged from
the Second World War with new, publicly accepted stand-
ards of candor in speech, wholesome (as opposed to
prurient) interest in the charms of the human body, and
the ability to hear and see the four-letter words without
equating this to inviting the Apocalypse.

The maturity that permits TV references to homosexu-
ality and extramarital relations; the absence of threat to
society in permitting magazine publication of unretouched
nudes, provide, as a blessed by-product, a challenge to
better writing, better stagecraft, better photographic creativity: since this enlightened permissiveness means that the
mere use of the salty language, the mere display of the body,
is no longer a guarantee of a market. Just as the repeal of
prohibition meant that better liquor would displace the
crudities the bootlegger offered, so the withdrawal of cen-
sorship reveals the trivial inanities of the girly magazines, the
shallownesses of the Lenny Bruces, and the insufficiencies

of the Kerouacs. That the vocabulary of love is not automatically censored equally means that use of the crudest vocabulary is not automatically an assurance of black-market, inflated acceptance. The craftsman, now as with Villon, Rabelais, Balzac and Zola, is told by his prospective audience that he has all the freedom he needs to express himself, and that it is up to him to use this freedom to break through to new comprehensions of the intricate, infinitely rich, psychologically inexhaustible, sociologically still groping, wonders of the prime fact that there are two sexes, anatomically different, but irrevocably programmed to make a unified fulfilment.

*   *   *

John S. Farmer prepared this volume for publication originally in 1896, during the period of his monumental *Dictionary of Slang and Its Analogues*. Unlike the *Dictionary,* however, which from the first appeared under the name of Farmer and his collaborator, W. E. Henley, *Vocabula Amatoria* appeared anonymously. It appears here for the first time under the author's own name. As with the central volumes of the *Dictionary,* there is some mystery as to where *Vocabula Amatoria* was originally printed. For these bibliographical details, and a full-length study of John S. Farmer and his work, the reader is referred to the introductory essays by G. Legman and the present writer, which appear in volume one of the University Books edition of the *Dictionary of Slang and Its Analogues.*

February 1966, New York   **Lee Revens**

It is a matter of some note that many words and phrases constantly met with in French classics—in the works, amongst others, of RABELAIS, VOLTAIRE, MOLIÈRE, ROUSSEAU, and BÉRANGER—find no place either in ordinary French-English dictionaries or in Argot-Slang glossaries. Moreover, French lexicons professing to deal with such words treat the subject so exclusively from a suggestive point of view that they utterly fail to command the attention of the honest student.

Vocabula Amatoria fills this gap, the words receiving plain, yet orderly definition, whilst thousands of apt and illustrative quotations show usage and application. Besides the ordinary dictionary definition, in most cases an English equivalent is given, together with other notes of value and interest to the student, for whom alone this work is intended.

Vocabula Amatoria

BANDONNER (S').
To surrender one-self to the sexual embrace: of women only.

Si ma femme, impatiente de ma langueur, à autrui s'abandonne.—RABELAIS.

Ce n'est pas le droit naturel
A fille de s'abandonner.
Farces et Moralités.

Une femme mariée, belle et honnête et d'étoffe, s'abandonna à un honnête gentilhomme.—BRANTÔME.

Lise, qui partout s'abandonne,
Ne fait qu'en flatter son mari.
THÉOPHILE.

Croyez-vous qu'il y ait des femmes assez osées pour s'abandonner sans pudeur?—DIDEROT.

Eh bien! presse-moi sur ton cœur,
A tes baisers je m'abandonne.
PARNY.

De retour, elle se met dans la tête de ne s'abandonner absolument qu'à ceux qui lui donneraient dans la vue.—TALLEMENT DES RÉAUX.

— ABANDONNER = to desert a mistress; 'to bury a moll'.

Il faut qu'une femme sache deviner quand on ne l'aime plus, et qu'elle prévienne, s'il se peut, la honte d'être abandonnée, en usant de diligence. Il y a dans l'abandon une sorte de mépris auquel nous ne devrions jamais nous exposer: il faut quitter, mais ne pas l'être.—MME DE RIEUX.

ABATTEUR DE BOIS (or DE FEMME),
m. A wencher; a 'performer'.

Il n'était pas grand abatteur de bois, aussi était-il toujours cocu.—TALLEMENT DES RÉAUX.

Les beaux abatteurs de bois sont, comme les rois et les poètes, des *raræ aves.*—BARON WODEL.

Ce Jacques était un grand abatteur de bois remuant.—*Moyen de parvenir.*

Il lui présenta cent mille choses que ces abatteurs de femmes savent tout courant et par cœur.—*Les Cent Nouvelles nouvelles.*

On dit que le sentant si ferme abatteur de bois, elle eût désiré n'avoir point machiné contre lui.—*Le Synode nocturne des tribades.*

Ce grand abatteur de bois, qui dans une nuit fut cinquante fois gendre de son hôte.—DE LARIVEY.

Je me connais en gens:
Vous êtes, je le vois grand abatteur de quilles.—REGNIER.

ABATTRE. To copulate. Also ABAT-
TRE DU BOIS.

Et de fait, quelque part qu'il ren-
contrât sa femme, il l'abattait.—*Les
Cent Nouvelles nouvelles.*

Il fut trouver la dame en sa chambre,
laquelle, sans trop grand effort de lutte,
fut abattue.—BRANTÔME.

Je me laissai abattre par un garçon
de taverne sur belles promesses.—*Variétés historiques et littéraires.*

Ma coignée aujourd'hui fait d'estran-
ges effets: quand elle abat du bois, elle
en fait venir d'autre.--*Cabinet satyrique.*

Et semble qu'il ne fauldroit
Qu'abattre femme en my rue.
G. COQUILLART.

— S'ABATTRE = 'to weaken'.

Tu vois qu'ici dans le plus grand combat,
Dieu t'abandonne et ton cheval s'abat.
VOLTAIRE.

ABBAYE DE CLUNIS (L'), *f.* The
breach.

ABBAYE DE S'OFFRE A TOUS, *f.*
A brothel.

ABBESSE, *f.* The mistress of a
brothel; 'mother'. *Cf.* NONNE
and SACRISTAIN.

Lorsque tu vas rentrer, ton abbesse en
courroux
Te recevra bien mal et te foutra des coups.
LOUIS PROTAT.

ABEILARD, *m.* A eunuch.

ABEILARDISER. To castrate.

D'un colonel vous courtisez la femme:
Surpris, il vous abeilardisera.
POMMEREUL.

ABOUCHER. To kiss the posteriors.

— ABOUCHER (s'). To copulate.

On veut chercher
A s'aboucher.
COLLÉ.

ABOUTIR. 1. To wanton; and (2)
to ejaculate.

. . . . bandant comme un carme,
le prosélyte se met en devoir d'obéir au
destin . . . il aboutit.—A. DE NERCIAT,
Mon Noviciat.

ABREUVER (also S'—). To experience the sexual orgasm; 'to
spend'.

Voici ce que maman disait, Abreuve-
moi, mon cher abbé, remplis-moi de
cette manne céleste, donne-moi un de
ces baisers brûlants, savoureux, etc.,
etc.—C. MERCIER DE COMPIÈGNE.

ABRICOT DE LA JARDINIÈRE (L'),
m. The female *pudendum.*

ABRICOT FENDU, *m.* The female
pudendum [= split-apricot].

ABUSER (D'UNE FEMME). 1. To
violate; and (2) to copulate.

Vous êtes un infâme, vous avez
lâchement abusé de moi pendant mon
sommeil . . .—Vous m'en voulez donc?
. . .—Oui, parce qu'il fallait attendre
que je fusse réveillée.—BARON WODEL.

Il a les filles abusées,
Monsieur, de quoi c'est grand pitié.
Farces et Moralités.

— 2. To deceive; to seduce.

ACADÉMIE D'AMOUR, *m.* A brothel;
'a finishing school'.

Allons-nous à l'Académie, ce soir?
Non, je ne suis pas en queue.—J. LE
VALLOIS.

ACCESSOIRES (LES), *m.* The testi-
cles; 'the cods'.

ACCIDENT, *m.* A pause, from
breathlessness, during the sexual
congress; also a 'weakening' at
the moment of ejaculation.

La malheureuse Hortense
Vient de perdre, à Paphos,
Un procès d'importance
Qu'on jugeait à huis-clos;
Son avocat, dit-elle,
Resta court en plaidant:
Voilà ce qui s'appelle
Un accident. COLLÉ.

— ACCIDENT FÉMININ, *m.* Menses showing inopportunely.

Nul autre que Pinange ne m'avait enfilée; peu de jours avant de le rendre heureux, j'avais eu mon accident féminin; il était donc bien avéré que ce qui allait se développer dans mes flancs était son paternel ouvrage.—A. DE NERCIAT.

ACCLAMPER. To copulate. [RABELAIS].

ACCOINTANCES (AVOIR DES). To copulate. Also ACCOINTER and S'ACCOINTER. [RABELAIS].

Je supposai qu'elle avait eu des accointances avec le baron ou avec son laquais.—A. LIREUX.

De quelque valet l'accointance
Serait-ce bien votre désir?
           THÉOPHILE.

C'est qu'à l'ombre du crucifix,
Souvent faites filles ou fils,
En accointant les belles-mères.
           G. COQUILLART.

Il faut que quelqu'un se soit accointé que notre ménage a ainsi renforcé.—*Les Cent Nouvelles nouvelles.*

Bien si souvient et bien si membre
De celle chambre où il fust ja,
Quant à la dame s'accointa.
         Anciens Fabliaux.

Si bien qu'ils ne purent jamais avoir l'accointance mystique l'un de l'autre. —BÉROALDE DE VERVILLE.

Et s'il ne peut à son aise l'avoir,
Il sait très-bien d'autre accointance avoir.
           SAINT-GELAIS.

ACCOLADE, *f.* A passionate embrace.

Une catin s'offrant à l'accolade,
A quarante ans il dit son introit.
           PIRON.

ACCOLER. I. To copulate. [RABELAIS].

Quand le jeune et charmant champion,
Accola la charmante Armide,
Notre morpion se hâta
De gagner la forêt humide
Qui devant lui se présenta.
           B. DE MAURIA.

Lequel l'avait accolée deux fois à bon escient.—*Les Cent Nouvelles nouvelles.*

Et d'autre ami ne serai-je accolée,
Et aimerais mieux être décollée
     Contre raison.
           MAROT.

C'était un adieu que lui disaient toutes les femmes, filles et garces qu'il avait accolées.—BÉROALDE DE VERVILLE.

N'avez-vous point de honte d'accoler ainsi votre femme devant tout le monde. —D'OUVILLE.

L'amour altère, et tour à tour
L'on boit et l'on accole.
           COLLÉ.

— 2. To embrace.

Si mie besiez et accolez,
Et fêtes plus si vos voiez.
         Anciens Fabliaux.

Sus, de par Dieu, mon cœur le veut,
Accolez-moi donc à deux bras.
       Ancien Théâtre français.

Dans un chemin un pays traversant
Perrot tenait sa Jeannette accolée.
           REGNIER.

Et s'approchant pour la tenir et accoler amoureusement.—BONAVENTURE DESPERRIERS.

ACCOMMODER (UNE FEMME). To content a woman; to copulate. [RABELAIS].

Mon drôle met pied à terre, descend la demoiselle, et l'accommode de toutes pièces.—D'OUVILLE.

Ils accommodaient à cœur gai ces fillettes.—BÉROALDE DE VERVILLE.

— ACCOMMODER AU SAFRAN = to be unfaithful; to cuckold. [In allusion to the traditional colour of cuckoldry].

ACCOMPLIR SON DÉSIR (or PLAISIR). 'To have one's will'; to copulate. Also ACCOMPLIR.

Il disait à ses gens de la tenir par les bras, tandis que Robin accomplirait son désir.—CH. SOREL.

Elle aimait son mari pour le bien et aise qu'elle avait eu d'être accomplie. —BÉROALDE DE VERVILLE.

Car autrement n'aurions loisir
De accomplir notre désir.
       Ancien Théâtre français.

Il lui désigna le lieu où il avait accompli son désir.

Je ne saurais avoir loisir
D'accomplir en rien mon plaisir.
Farces et Moralités.

— ACCOMPLIR UNE FEMME = to deflower. [RABELAIS].

ACCORDER. ACCORDER SA FLÛTE.
1. To induce sexual excitement; *see* FLÛTE; and (2) to copulate.

Allons, mon bel ami, accordez votre jolie flûte.—DURAND.

Mais Jeannot plus se délectait
D'accorder sa flûte avec elle.
THÉOPHILE.

— ACCORDER SES FAVEURS. To surrender oneself; 'to grant the favor': of women only.

Ne sera-ce qu'une déclaration de sentiment? Faudra-t-il lui accorder les faveurs?—LA POPELINIÈRE.

ACCOUPAUDIR. To copulate. [RABELAIS].

ACCOUPLEMENT (L'), *m.* Coition.

A tout prix je voulus la renvoyer chez elle;
Mais elle résista—ce fut mon châtiment,
Et jusqu'au rayon bleu de l'aurore nouvelle,
J'ai dû subir l'horreur de notre accouplement.
HENRI MURGER.

ACCOUPLER (S'). To copulate.

Il en est de certains hommes comme des animaux; ils n'aiment pas, ils s'accouplent aux femmes, qui pour eux ne sont que des femelles.—BARON WODEL.

L'avez-vous quelquefois poussée pour vous accoupler avec elle?—BÉROALDE DE VERVILLE.

El lorsque vous les trouverez
Avec leurs amis accouplées.
Variétés historiques et littéraires.

ACCOUTRER. To copulate.

Il l'accoutra charnellement.
BÉROALDE DE VERVILLE.

ACCROC AU MARIAGE (FAIRE UN). To cuckold; 'to plant the bull's feather'.

Mais quand tu s'ras dans ton ménage,
Faut pas pour ça t' priver d'amant,
Car les accrocs faits au mariage,
C'est du nanan.
E. DEBRAUX.

ACCROCHE-CŒURS, *m.* Small curls on the temples; 'heart-breakers': as worn by prostitutes' bullies. *See* ROUFLAQUETTE.

Sur nos nombreux admirateurs
Dirigeons nos accroche-cœurs.
LOUIS FESTEAU.

ACCROCHER. To copulate. [RABELAIS].

Et elle rit quand on parle d'accrocher.—*Moyen de parvenir.*

Deux minutes encore, et je l'accrochais sans vergogne sur la mousse.—EM. DURAND.

ACCROCHEUSE, *f.* A prostitute. [RABELAIS].

ACCUEILLIR. To copulate.

Ainz l'a accueuillie debout.
Anciens Fabliaux.

ACHETER UNE CONDUITE. To reinstate oneself by marriage after a life of prostitution.

Les filles qui ont fait des économies en suant le plus possible du con, peuvent seules s'acheter une conduite; il y a des messieurs qui ne sont pas plus délicats que Vespasien et qui, comme cet empereur, prétendent que l'argent n'a pas d'odeur.—A. FRANÇOIS.

ACHEVER. To give content.

Tu l'as éreinté, ton homme; encore un coup, et tu l'achèveras.—LEMERCIER DE NEUVILLE.

ACOUPI, *m.* A cuckold. [RABELAIS].

ACOUPIR. To debauch a married woman. [RABELAIS].

ACTE, *m.* The sexual embrace; 'the act of kind'. Also ACTE VÉNÉRIEN.

Quand nous en arriverons à l'acte, je te prouverai, carogne, que les petits en ont plus gros que les grands.—EM. DURAND.

Après le premier acte Biran le remarqua.—*La France galante.*

— ACTE MOUVANT DE BELU-TAGE = the sexual embrace.

Elles les interprètent et réfèrent à l'acte mouvant de belutage.—RABELAIS.

— FAIRE L'ACTE NATUREL = to copulate: as distinguished from the act of sodomy.

Il faillit, pour peu que je m'y fusse prêtée, se désister de ses prétensions sur l'italien, me donner la préférence . . . . . même pour l'acte naturel.—A. DE NER-CIAT, *Mon Noviciat.*

ACTÉONISER. To cuckold.

Une marchande qui dès le lende-main de ses noces a actéonisé son mari. —*Les Caquets de l'accouchée.*

Quand son maître arriva sans savoir qu'il avait été actéonisé.—*Variétés his-toriques et littéraires.*

ACTEUR (L'), *m.* A devotee of Venus; 'a performer'. [RABE-LAIS].

Lui, un acteur! dit la dame, qui savait à quoi s'en tenir sur le jeu secret du sire. C'est un cabotin vulgaire, plutôt, qui s'est usé en jouant avec des drôlesses. —LÉON SERMET.

A peine fut cette scène achevée,
Que l'autre acteur par sa prompte arrivée,
Jeta la dame en quelque étonnement.
LA FONTAINE.

La dame trouva qu'il était un bon acteur dans la comédie qu'ils devaient jouer ensemble.—*La Femme galante.*

ACTION (L'), *m.* The sexual con-gress. Also L'ACTION FRÉQUENTE and L'ACTION HONTEUSE.

Arrivons tout de suite à l'action, veux-tu?—LA POPELINIÈRE.

Et puis l'action ordinaire
Est si sale après la façon.
THÉOPHILE.

L'œil pour regarder l'action honteuse avec une chaleur vive et représenter à la personne aimée l'image du plaisir de son âme . . . .—MILILOT.

Ce qui lui semble de l'action notable de délectation.—BÉROALDE DE VERVILLE.

Dans l'action même elle le voyait.
TALLEMENT DES RÉAUX.

Et dans l'ardeur de l'action
Montrait mille tours de souplesse.
LE. P. NICOLLE.

Or ai-je des nonnains mis en vers
l'aventure,
Mais non avec des traits dignes de
l'action.
LA FONTAINE.

ADMINISTRER UNE DOUCHE. To eja-culate.

Le dieu des jardins en ce lieu
Une heureuse douche administre.
Le Cabinet satyrique.

Je lui administrai une douche qui l'inonda et lui fit crier comme à Panurge : Je *naye*, je *naye*, je *naye!*—BARON WODEL.

— S'ADMINISTRER UNE DOUCHE = to masturbate.

ADONIS, *m.* A lady's man; 'a car-pet-knight'; 'a tame cat'.

Qu'on se représente un Adonis de dix-neuf ans, dont les traits étaient par-faits, la physionomie noble, le regard vif et doux dont le teint aurait fait hon-neur à la plus jolie femme. Qu'on s'imagine un front dessiné par les grâces, et merveilleusement accompagné d'une chevelure unique ; une taille haute, svelte, pleine de grâces. Une jambe, un pied ! . . . . Mais, tout cela ne donne encore qu'une idée imparfaite du charmant neveu de M . . . Quels yeux, quelles dents, quel sourire, que de charmes dans les moin-dres mouvements, etc . . .—DE NERCIAT, *Félicia.*

ADONISER (S'). To be over-parti-cular in dress; 'to tittivate': of old men dressing young.

Il passe tout son temps à s'adoniser. On dit aussi: faire *l'Adonis*, pour faire le beau. Au figuré: Être amoureux de sa propre personne: s'écouter, se plaire, s'adoniser.—*Le Petit Citateur.*

ADONNER (S') A SES SALETÉS. To void.

J'ai une femme pire qu'un dragon, laquelle est si vilaine, qu'elle ose bien s'adonner à ses saletés devant mes yeux. —CH. SOREL.

ADROITE EN AMOUR (ÊTRE). To be expert in venery; 'to be a bird of the game'.

Adroite en amour,
Elle y sait plus d'un tour.
C'est une aisance!
Une indécence!
L'on croit voir une femme de cour!
                COLLÉ.

ADVOCATIÈRE, *f.* A prostitute's bully. [RABELAIS].

AFFAIRE, *f.* 1. The act of kind; (2) the female *pudendum*; and (3) the *penis*.

Le grand cordelier ayant achevé son affaire.—*Moyen de parvenir*

Macette, on ne voit point en l'amoureuse affaire
Femme qui vous surpasse en trait d'agilité.
        Cabinet satyrique.

Pense que peut en cela faire
Qui se plaît à l'affaire.
                JODELLE.

Elle disait qu'il n'y avait si grand plaisir en cette affaire que quand elle était à demi forcée et abattue.—BRANTÔME.

Dites-vous que l'amour parfait
Consiste en l'amoureuse affaire?
             THÉOPHILE.

Le jeune homme puceau l'appelle son affaire.—PROTAT.

Mon cher ami, j'ai l'habitude
De me couvrir, en me baignant,
D'un sac qui me cache et me serre
Des pieds jusques à l'estomac...
—Parbleu! c'est prudent, dit Voltaire,
Et votre affaire est dans le sac.
           G. FOURNIER.

Si m'eurent depuis longtemps monseigneur et madame ensemble, sans qu'elle sût jamais avoir eu affaire au chevalier étrange.—*Les Cent Nouvelles nouvelles.*

Aussi je ne prends point plaisir d'avoir affaire avec elle.—BÉROALDE DE VERVILLE.

Cette réponse fut d'esprit et d'envie d'avoir affaire à son roi.—BRANTÔME.

Je ne pense pas qu'Eustache soit si méchant d'avoir affaire à elle que premièrement il ne lui ait promis foi de mariage.—TOURNEBU.

Là-dessus il lui dit le nom de tous ceux qui avaient eu affaire avec elle. —*La France galante.*

Que voulez-vous que je vous donne pour me permettre d'arracher un poil de votre affaire?—D'OUVILLE.

Mieux eût valu tousser après l'affaire.
          LA FONTAINE.

Il s'accusa qu'une jeune nonnaine
L'avait prié de l'amoureuse affaire.
              PIRON.

Li prêtre prent par son afère.
        Anciens Fabliaux.

Quand il verrait sa femme en l'affaire, il dirait que ce sont ses lunettes qui le trompent.—TABARIN.

— L'AFFAIRE AVEC QUOI L'HOMME PISSE = the *penis*.

N'en as-tu pas vu quelqu'un qui pissât, et cette affaire avec quoi il pisse? —MILILOT.

— AFFAIRE DE CŒUR (or DE CUL) = copulation.

Vous êtes en affaire? me cria-t-il à travers la porte, pendant que j'accolais ma drôlesse et la suppéditais avec énergie. Oui, répondis-je en précipitant mes coups, je suis en affaire de cœur.—J. LE VALLOIS.

— FAIRE L'AFFAIRE = to copulate.

— AVOIR SON AFFAIRE = 1. to possess a mistress of resource; (2) of women, to have a generous and fond lover; and (3) to be infected—with clap or pox.

AFFAIRES (AVOIR SES). To menstruate.

> Ce n'est pas le jour des affaires
> Qu'il paraît le plus effaré.
>   EUGÈNE VACHETTE.

AFFILER LE BANDAGE. To have an *erectio penis;* 'to get the horn'. Also to copulate. [RABELAIS].

> Ainsi que des amants temporels pigeonnaient la mignotise d'amour, affilant le bandage.—*Moyen de parvenir.*

AFFRANCHIR. To corrupt; to debauch: specifically, to seduce a girl; and, generally, to make expert in the arts and wiles of venery.

AFFRIANDER. To tempt to venery; 'to give the flavour'.

> Serais-je étonnée de te voir un caprice pour ces princesses-là (des fesses)? Va, va, mon cher, elles en ont affriandé bien d'autres.—A. DE NERCIAT.

AFFRIOLER. To inflame the senses; to rouse desire.

> Quand je chante un brin la gaudriole,
> En riant, l'voisin rit comme un fou,
> La voisin' qui sent qu' ça l'affriole
> Tendrement me serre le genou.
>   *Dida.*

AFFRONT (FAIRE UN), *m.* 1. To weaken without emission: of men only.

> Tourner en ridicule
> Ceux qui n'avancent pas
> Plus d'un pas,
> Ou qui font
> Un affront
> Au second.
>   COLLÉ.

— 2. To cuckold a husband; to deceive a wife or mistress.

> Plus d'une fois, elle vit trop clairement qu'on lui faisait ce que les gens à préjugés ont la sottise de nommer des affronts.—*Félicia.*

> .... Et j'appris que mon front
> D'un très beau bois de cerf avait subi
>   l'affront.

AFFRONTER. To copulate. [RABELAIS].

AFFUTIAU, *m.* The *penis;* 'the trifle'. [RABELAIS].

AFORER LE TONNEL. To deflower; 'to stretch leather'. Also to copulate.

> Aforé li ai son tonel.—*Anciens Fabliaux.*

AGACERIES (LES), *f.* The arts of venery; 'the artillery of Venus' —all that inflames the senses.

> Il ne restait jamais seul avec Sylvina, qu'elle ne lui fît quelque forte agacerie. Elle s'était mise sur le pied de le caresser de la manière la plus libre, et de ne se gêner avec lui, non plus que s'il eût été du même sexe.—*Félicia.*

AGACER LE PRÉLAT. To masturbate. Also AGACER UN HOMME (or UNE FEMME).

> Le chevalier ne faisant nulle attention à sa maîtresse, elle eût beau jeu pour agacer le prélat. Celui-ci répondit avec empressement aux avances qu'on lui faisait.—*Félicia.*

AGENOUILLÉE, *f.* A fellatrix.

AGENT, *m.* 1. The *penis;* (2) a 'performer'; (3) an active sodomite; and (4) the finger, when used to 'slewther' the female *pudendum.*

> Mais en un mot, si Monrose, agent de plein gré, ne devint pas patient avec autant de résignation que le père, c'est que .... —*Félicia.*

AGER, *m.* The female *pudendum;* 'the garden'. [RABELAIS].

AGIR. To copulate.

Les poètes chantent la femme, les goujats la baisent ; les uns agissent pendant que les autres pensent : les goujats sont plus heureux que les poètes.— BARON WODEL.

Or ai-je dit un jeune homme, et par cause;
Car plus sera d'âge pour bien agir,
Moins laissera de venir sans nul doute.
LA FONTAINE.

AGNÈS, *f.* A mock-modest wanton ; one who shams innocence in matters of sex.

Je n'aime pas ces Agnès-là, je leur préfère des garces franchement déclarées.
LIREUX.

AGRÉMENTS NATURELS, *m.* I. The *penis* and *testes.*

Il arrive de province ce matin, et la fatigue du voyage fait un peu de tort à ses agréments naturels.—*Les Aphrodites.*

— 2. Female charms.

AIDE-MARI, *m.* A married woman's lover ; 'an apple-squire'; a 'tame cat'.

Il est assez égal que les enfants qu'elle pourra donner à son époux soient de lui ou du plus fécond des aide-maris qu'elle favorise.—A. DE NERCIAT.

AIGRETTE CONJUGALE, *f.* Horns, the badge of cuckoldry ; 'a bull's feather'. [RABELAIS].

X . . . a couché avec madame Z . . .? Encore fleuron à ajouter à l'aigrette conjugale de son mari.—*Diable au corps.*

AIGUILLE, *f.* The *penis.* [RABELAIS].

Mariette est femme très honnête,
Et si ce n'est un jour de fête,
Elle a toujours l'aiguille en main.
THÉOPHILE.

Un vieil homme est comme une vieille horloge, plus elle va avant, plus aiguille se raccourcit.—TABARIN.

AIGUILLETTE (NOUER L'). *See* NOUER.

AIGUILLON, *m.* The *penis;* 'the prickle'. [RABELAIS].

Et profitant d'un moment de faiblesse,
Il lui glissa son fringant aiguillon.
PIRON.

Les doux chatouillements que mon roide aiguillon
Lui donnait tout à coup dessous son cotillon.
Le Cabinet satyrique.

Quand de la chair le fougueux aiguillon
Se révoltant, veut forcer sa prison.
GRÉCOURT.

— AIGUILLON DE LA CHAIR = Violent sexual desire; 'a thorn in the flesh': specifically, unsatisfied desire.

Aiguillon de la chair le point,
Si que d'atenence n'a point.
Anciens Fabliaux.

Se laissant emporter aux chatouilleux aiguillons et ardeurs bestiales de la chair. —*Le Synode nocturne des tribades.*

La plus bigote femme du monde eut été émue des aiguillons de la chair en les lisant.—CH. SOREL.

AIGUILLONNER. To gamahuche; to tongue.

. . . . Dès lors, il a le nez sur la céleste mappemonde, et sa langue amoureuse aiguillonne le brûlant bijou.— *Aphrodites.*

AIGUISER. AIGUISER SES OUTILS SUR LES MEULES. To excite a woman; 'to beat Daddy-mammy'. *See* TAMBOURINER.

AIMANTS, *m. pl.* The sexual parts.

Quand mes baisers passionnés lui coupent la parole, quand mes téméraires mains et le reste ont mis le feu partout . . . nos aimants se joignent, s'attirent, s'unifient . . . L'univers est oublié ! . . . —MONROSE.

AIMANTÉE, *adj.* Desirable.

AIMER. To copulate: conventional.

— AIMER ÇA = to be full of desire and fond of women; 'to be warm',

Monsieur, tout ce qu'il vous plaira.
J'aime assez ça,
J'aime bien ça.   COLLÉ.

— AIMER LA FEMME = to be amorous or 'hot'.

Que voulez-vous, mon père? j'aime la femme et je le lui prouve le plus souvent que je peux.—J. DU BOYS.

— AIMER LA MARÉE = to be given to gamahuchery : of men only. An allusion to the vaginal odour.

De l'écume des mers, dit-on,
Naquit la belle Cythérée :
C'est depuis ce temps que le con
Sent toujours un peu la marée. —
                     SAINT AULAIRE.

— AIMER LE COTILLON = to be amorous.

Vous aimez trop le cotillon, mon cher, il vous en cuira.—E. DURAND.

— AIMER LA TERRE JAUNE = to be addicted to sodomy. Also AIMER LE GOUDRON.

Pour Jupiter, façon vraiment divine,
Le con lui pue, il aime le goudron.
          Chanson anonyme moderne.

— AIMER L'HOMME = to be fond of men; 'to play well'; 'to be expert in the game': of women only.

Les femmes qui aiment l'homme sont assez rares, aujourd'hui que les femmes aiment si volontiers la femme et que les tribades ont remplacé les jouisseuses.—A. FRANÇOIS.

— AIMER ET JOUIR DEBOUT = to masturbate before connection.

. . . Je brave le fantôme menaçant de la goutte, qui promet sa société à ceux qui osent ainsi rêver seuls, aimer et jouir debout, et ma langue desséchée balbutie : Ah ! Manon, c'est pour offrir un holocauste à tes charmes que cette liqueur précieuse, dont T . . . et mainte autre louve n'ont jamais assez, s'échappe à grands flots de ses réservoirs.—*Veillées du couvent.*

— AIMER LE SOLIDE = to prefer a vulgar, amorous man to one colder but more gallant.

Va donc ! et s'il y a par là-bas quelqu'un de convenable, envoie-le-moi tout de suite. Point de marmots, du solide, entends-tu?—A DE NERCIAT, *Les Aphrodites.*

AIMEUSE, *f.* A whore.

Les Juifs avaient leurs Madeleines ;
Les fils d'Homère leurs Phrynés.
Délaçons pour tous les baleines
De nos corsets capitonnés.
Rousses, blondes, brunes ou noires,
Sous tous les poils, sous tous les teints....
Qu'il pourrait raconter d'histoires !
Le cercle de nos yeux éteints !
    Folâtres ou rêveuses,
    Nous charmons ;
    Nous sommes les aimeuses :
    Aimons !
                     EUG. IMBERT.

AIR COCHON (AVOIR UN). To be wanton in appearance; 'to look pricks in the eyes'. Also AIR POLISSON.

Je vous ai un petit air cochon comme tout.—LEMERCIER DE NEUVILLE.

On sonne ; parbleu ! c'est madame,
Avec son p'tit air polisson . . .
Et je comprends qu'elle réclame
Une façon de ma façon.
                     J. DUBOYS.

AIRS DE ROSIÈRE (SE DONNER DES). *See* SAINT-NITOUCHE and FAIRE L'ENTROITE.

AJOURNEMENT DE FESSES, *m.* An assignation.

De chambrières ou de maîtresses,
C'est un ajournement de fesses.
          Ancien Théâtre français.

AJUSTER. To copulate. [RABELAIS].

ALCIBIADISER (SE LAISSER). To play the passive rôle in pederasty : as Alcibiades to Socrates.

ALENTOURS (LES PETITS), *m.* Feminine charms.

ALICAIRE, *f.* A prostitute. [RABE-
LAIS]. Latin *alica*.

ALLER. ALLER A LA CAMPAGNE. I.
To be sent to St. Lazare; and (2)
among students and their associates, *see* quot.

Elles ont disparu depuis quatre ou
six mois. On les savait malheureuses.
Elles reparaissent tout à coup plus fières
et plus fringantes que jamais; elles ont
été passé une saison à la campagne, —
dans une maison de prostitution de
province.—A. VERMOREL.

— ALLER A CYTHÈRE. To copulate.

J'aime, dit Ros', quand on m'mène à
Cythère,
Qu'on se promèn' pendant plusieurs
instants;
Dès qu'on r'ssort, ça n'm'amuse guère.
DIDA.

— ALLER A DAME = to copulate;
'to womanize'.

— ALLER A LA CHARGE = to copulate; 'to do business'. [SHAK-
SPEARE].

Ils ne veulent plus aller à la charge.
—TABARIN.

— ALLER A LA VISITE = to
undergo the periodical inspection
obligatory on public women under the French code.

C'est demain, ô mes sœurs, le jour
de la visite.—ALBERT GLATIGNY.

— ALLER A PINADA = to copulate. [A DADA (*q.v.*), sur un
PINE (*q.v.*)].

— ALLER A SES AFFAIRES = to
go to the W.C.

S'il est vrai que de quinze jours
vous ne puissiez aller à vos affaires.
BÉROALDE DE VERVILLE.

— ALLER AU BAIN = a pretext
to seclude oneself to receive a
lover: *cf.* 'to go shopping'.

En thèse générale, méfiez-vous des
femmes qui disent et répètent : Je vais
au bain, je reviens du bain. Sur cent,
il y en a la moitié qui passent devant
l'établissement et donnent le cachet à
leur femme de chambre.—JOACHIM
DUFLOT.

— ALLER AU BEURRE = to copulate; 'to take in cream'. [*Ba-
ratte* = churn = female *pudendum*].

Zut! je veux aller au persil pour
aller au beurre, moi, na!—LEMERCIER
DE NEUVILLE.

— ALLER AU BONHEUR = to
enjoy the favour: the Pompeiian
brothels bore the inscription, *Hic
habitat felicitas.*

Tu as donc envie d'aller au bonheur,
mon petit homme?—LEMERCIER DE
NEUVILLE.

— ALLER AU CAFÉ (or PRENDRE
SA DEMI-TASSE AU CAFÉ DES
DEUX COLONNES) = to gama-
huche. [*Café des Deux Colonnes*
= female *pudendum* or 'Coffee-
house': *cf.* DEUX COLONNES].
Also ALLER AU PLAT.

— ALLER AU CHOC = to copulate; 'to have a double fight'.

L'autre jour, pour aller au choc,
Je troussais mon froc.
COLLÉ.

— ALLER AU CIEL = to copulate; 'to find one's way to heaven' (HEAVEN = female *pudendum*).

— ALLER AU FAIT = to copulate; 'to do the act of darkness'.
[SHAKSPEARE].

Il crut qu'au fait il pouvait droit aller
Sans blesser sa délicatesse.
PIRON.

Ils vont au fait, et, pleins d'ardeur,
Les faits toujours les justifient.
PARNY.

— ALLER AU GRATIN = to whore.

— ALLER AU PERSIL = to seek a client; to 'go shopping': of women only.

— ALLER AU VICE = to visit a brothel; 'to go on the loose'.

— ALLER AUX ARMES = to copulate; 'to have a bout'.

Et puis vient à son compagnon qui n'attendait que l'heure d'aller aux armes.—*Les Cent Nouvelles nouvelles.*

— ALLER AUX ÉPINARDS = to visit a mistress; 'to go for one's greens': of men only. *Cf.* ALLER AU PERSIL.

— ALLER CHEZ LE VOISIN = to sodomize a woman, knowingly or otherwise.

Tiens . . . me voilà . . . Pas comme ça, donc! Tu vas chez le voisin . . . Laisse-moi te conduire.—H. MONNIER.

— ALLER D'ATTAQUE (Y) = to copulate with vigor; 'to perform with spirit'.

La limace (chemise) là, bien blanche, avec ses creux et ses montagnes, ça m'met sens sus d'sous . . . Allons-y d'attaque!—LEMERCIER DE NEUVILLE.

— ALLER DE SON BEURRE = to ejaculate more than once before withdrawal: of women only.

— ALLER DE SON VOYAGE = (1) to receive a client: of women in brothels; and (2) to copulate with pleasure: also of women.

— ALLER DU CUL = to give play to the buttocks.

Il se trémoussa vers moi en se baissant, et moi vers lui en me haussant; les culs nous allaient à tous deux comme s'il eût eu déjà le vit au con.—MILILOT.

— ALLER ET RETOUR (DONNER OU FAIRE L') = to ejaculate twice before withdrawal.

C'est un pauvre homme, dit-elle; il ne peut pas même faire l'aller et retour sans être sur les dents.—A. FRANÇOIS.

— ALLER L'AMBLE = to copulate; 'to ride' gently.

— ALLER SE FAIRE COUPER LES CHEVEUX = to visit a brothel; to 'go and get one's hair cut'.

— ALLER TROP VITE À L'OFFRANDE ET FAIRE CHOIR LE CURÉ = to ejaculate on the point of possession.

— ALLER VOIR MORICAUD = to go for the weekly inspection. [From the name of an official attached to the *Bureau des mœurs*].

ALLONGER (S'). To have an *erectio penis;* 'to get the horn'.

ALLUMELLE, *m.* The *penis;* 'the torch of Cupid'. [RABELAIS].

Plusieurs n'aimassent tout autant
Pour chatouiller leur allumelle
Le réservoir d'une pucelle.
Heures de Paphos.

ALLUMER (S'). To have an *erectio penis;* 'to have a must'.

Il ne s'allume pas! . . . Je ne s'rais pourtant pas fâchée qu'il m'baise, car il a un rude membre.—LEMERCIER DE NEUVILLE.

— ALLUMER LA CHANDELLE = to excite desire; to wanton. Also ALLUMER.

Elle! elle n'allumerait pas même un homme en amadou.—LEMERCIER.

Il prend sa chose, et puis s'approchant d'elle,
Vieille, dit il, allumez ma chandelle.
MAROT.

— ALLUMER LE FLAMBEAU D'A-
MOUR = to copulate; 'to light
the torch of Love'.

J'm'approch' crân'ment et j'lui propose
D'allumer le flambeau d' l'amour;
Cédant au désir qui m'allèche,
De mon feu n'jaillit qu'un' flammèche.
F. DE CALONNE.

ALLUMETTE, *f.* The *penis.*

N'approche pas de moi ton allumette:
tu me brûlerais, et je n'y suis pas disposée.
—BARON WODEL.

Modeste appelle une allumette
Ce que lui montre son amant.
E. T. SIMON.

ALPHONSE, *m.* A prostitute's bully;
'a fancy-man'. [ALEX. DUMAS,
FILS].

AMANCHÉ (ÊTRE BIEN or MAL). To
be favored by nature; 'to be
well-hung': or, the reverse. [O. F.].

Cet homme est monstrueusement
amanché... onze pouces de long sur
sept pouces six lignes de circonférence.
—DE NERCIAT, *Le Diable au corps.*

AMANT, *m.* I. A client; and (2) a
bed-fellow.

Un vieux monsieur millionnaire,
Remplaçant le prince Charmant
Rêvé par toute pensionnaire,
De Manette eût été l'amant.
ALFRED DELVAU.

— AMANT DE CŒUR = I. a
prostitute's bully or 'fancy-man';
and (2) a married woman's lover.

AMARRIS, *m.* The female *pudendum.* 'Nature's workshop'. Old
Fr. Also AMATRIX.

Et madame qui perd l'attente
Du bien que donnent les maris
Soupire de son amarris.
J. GREVIN.

C'est ma maîtresse
Qui a mal à son amatrix.
Ancien Théâtre français.

AMATINER (S'). To prostitute oneself to all comers: 'to dog'.

AMBASSADRICE D'AMOUR, *f.* A
bawd. [RABELAIS].

AMBLE, *m.* The act of kind. [RABE-
LAIS].

Qui peut-être aimait l'amble.—BÉ-
ROALDE DE VERVILLE.

AMBUBAGE, *f.* A prostitute. [RA-
BELAIS].

AMI, *m.* A client; and (conventional) a bed-fellow.

Les autres qui auront plus de hâte
et prendront des amis par avance pour en
essayer...—MILILOT.

— AMI DU PRINCE = a procurer.

Il eut l'emploi, qui certes n'est pas mince,
Et qu'à la cour, où tout se peint en beau,
Nous appelons être l'ami du prince.
VOLTAIRE.

AMORABAQUINE (JOUER L'). To copulate. [RABELAIS].

AMORCER LE SIPHON. To masturbate or tongue a man in order to
tempt him to the natural act.

AMOUR. AMOUR PHYSIQUE (L'), *m.*
Copulation.

En style énergique
Mon amour physique
S'explique.
COLLÉ.

— AMOUR PLATONIQUE = Pla-
tonic love; friendship without
thought of sex.

Je fais grand cas
De l'amour pur et platonique
Mais je n'en use pas.
COLLÉ.

— AMOUR SOCRATIQUE = pederasty: *cf.* ALCIBIADISER.

AMOUREUSE ENTREPRISE (L'), *f.* The sexual embrace; 'the four-legged frolic'.

AMOUREUX. AMOUREUX DES ONZE MILLE VIERGES, *m.* A mastur-bator, self-enflamed by imaginary connection with women.

Je n'ai jamais sérieusement aimé qu'une femme, la mienne; et cependant, comme tous les jeunes gens, j'ai été amoureux des onze mille vierges.—A. FRANÇOIS.

— AMOUREUX LARCIN = the act of kind.

Dans ses amoureux larcins,
Le papelard se rengorge;
Quand sa main flân' sur ma gorge,
Il dit qu'il ador' les saints.
JULES POINCLOUD.

— AMOUREUX SILLON (L') = 'the intercrural trench'.

— AMOUREUX TRANSI = a man valiant only in words; 'a fumbler': of young men only.

Il arrive de là que ceux qui aiment le plus, comme ces amoureux transis, sont ceux qui chevauchent le moins.— MILILOT.

AMUSER. 1. To excite the senses; 'to firkytoodle'.

Dans mon bordel il vient souvent beau-
coup de vieux,
Ce sont ceux-là, d'ailleurs, qui nous
payènt le mieux.
Sais-tu par quels moyens, petite, on les
amuse:
Et de quelle façon à leur égard on use?
LOUIS PROTAT.

— 2. To teach the arts of venery.

Mademoiselle, auriez-vous un amant?
De mon neveu le jockey vous amuse:
Songez-y bien, je fais mon testament!
BÉRANGER.

— S'AMUSER = to masturbate.

AMUSETTE (FAIRE L'). 1. To indulge in mutual endearments; 'to play with' one another; and (2) to tittilate the vagina with the *penis*.

Lorsque nous avions couru quelques postes et que j'avais quelque peine à remonter sur ma bête, elle, qui n'était ni fatiguée ni rassasiée s'emparait avec autorité de ma lavette et faisait l'amu-sette.—A. FRANÇOIS.

ANANDRYNE, *f.* A woman who prefers one of her own sex to a man: such was Sappho; also the Roman vestals and the Gymno-pedists of Sparta.

ANCHOIS, *m.* The *penis:* an impli-cation of puniness. [RABELAIS].

Approche ton anchois, mon mignon...
là... bien... tu y es... Le sens-tu frétiller?
—LÉON SERMET.
De près il l'examine, et dit: Par saint
François!
Voilà, je crois, de l'ordre un des plus
beaux anchois.
PIRON.

ANDOUILLE, *f.* The *penis;* 'a chitterling'. Also L'ANDOUILLE DES CARMES. [RABELAIS].

De tout le gibier, Fanchon,
N'aime rien que le cochon;
Surtout devant une andouille,
Qu'aux carmes l'on choisira,
Elle s'agenouille, nouille,
Elle s'agenouillera.
COLLÉ.

Je crois que ce soit votre andouille.
—*Anciens Fabliaux.*

Je lui eusse farci le ventre d'an-douilles.—BÉROALDE DE VERVILLE.

Ça, mon cœur, que je te chatouille,
Pour faire dresser ton andouille.
THÉOPHILE.

Et toute vieille que vous me voyez, je n'ai point l'estomac si cru que je ne digère bien une andouille.—P. DE LARIVEY.

Les femmes vous donnent toujours deux gros jambons pour une andouille.
—TABARIN.

ANDRIN, *m.* A pederast.

Les andrins sont les jacobins de la galanterie : les janicoles en sont les monarchiens démocrates, et les francs sectateurs du beau sexe sont les royalistes de Cythère.—*Diable au corps.*

ANDROGYNE, *m.* 1. An hermaphrodite; (2) in matters sexual : one uniting the rôle of a passive pederast with that of whoremonger.

Nés tout parfaits, et nommés androgynes,
Également des deux sexes pourvus,
Se suffiraient par leurs propres vertus.
VOLTAIRE.

— FAIRE L'ANDROGYNE = to copulate; 'to make the beast with two backs'. [SHAKSPEARE and RABELAIS].

ANGLAIS, *m.* A chance client; a stranger : generic.

Amélie ne te recevra pas, Polyte ; elle est avec son Anglais.—WATRIPON.

— ANGLAIS (AVOIR SES). To have one's menses, or 'reds'. [In allusion to the colour of the uniform of English soldiers]. LES ANGLAIS ONT DÉBARQUÉ = the menstrual flux is on, 'the road is up for repairs'.

Il n'y a pas moyen ce soir, mon chéri : les Anglais ont débarqué.—LYNOL.

ANGORA, *m.* The female *pudendum;* 'the pussy'.

ANGUILLE, *f.* The *penis:* 'the live sausage'. [RABELAIS].

ANHASTER. To copulate; 'to go pile-driving'. [RABELAIS].

ANIMAL, *m.* 1. The clitoris; (2) the *penis;* and (3) the female *pudendum.*

On voit remuer de lui-même cet animal, quand il est en appétit.—BRANTÔME.

J'ai dans certain endroit un certain animal.—LA FONTAINE.

Toutes les femmes sont à califourchon sur cet animal-là.—DIDEROT.

— ANIMAL A QUATRE YEUX. A man and woman in the sexual congress; 'four bare legs in a bed'. [RABELAIS]. *See* BETE A DEUX DOS.

— ANIMAL PORTE-PINE, *m.* A man; 'a beast with three legs'.

Je te parle donc à peine de deux cent soixante à quatre-vingts animaux porte-pine par an.—*Aphrodites.*

ANIMELLES, *f.* The *testes.* [RABELAIS].

ANNEAU, *m.* The female *pudendum ;* 'the ring'. Also L'ANNEAU D'HANS CARVEL.

Une femme aimable est un anneau qui circule dans la société et que chacun peut mettre à son doigt.—SOPHIE ARNOULD.

Fais que tu aies continuellement l'anneau de ta femme au doigt.—RABELAIS.

Il a couru six fois, cela n'est-il pas beau ?
Et toutes les six fois j'ai mis dedans
l'anneau.
TROTTEREL.

Il était couvert par l'anneau à travers lequel il avait passé son pauvre nez.—VOISENON.

— L'AUTRE ANNEAU = the breach; 'the monocular eye-glass'.

Il se met en expert, non pas l'anneau d'Hans Carvel, — mais l'autre.—*Diable au corps.*

— ANNEAU DU MARIAGE = the virginity.

Chantons l'anneau du mariage,
Bijou charmant, bijou béni ;
C'est un meuble utile au ménage,
Par lui seul un couple est uni.

Avant quinze ans, jeune fillette
Veut que l'on pense à son trousseau,
Et, qu'on lui mette, mette, mette,
Mette le doigt dans cet anneau.
BÉRANGER.

— L'ANNEAU RÉTIF = the breach.

Mouille donc; fais comme tu l'entendras, mais qu'il soit mis! Mouillé, 'agent de ma fantaisie réussit à passer la tête dans mon rétif anneau; mais je suis martyrisée, près de me trouver mal.—A. DE NERCIAT.

ANTENNE, *f.* The *penis:* specifically one of dimensions.

Il se servait dans ses combats d'une antenne, au lieu d'une lance.—TALLEMENT DES RÉAUX.

ANTIFFLER. *See* ENTIFFLER.

ANTILLES (LES). The *testes:* Old French.

ANTIQUAILLE (SONNER L'). To copulate; 'to wear an old hat'. [RABELAIS].

ANTIQUE. *See* CHEVAUCHER.

ANTRE, *m.* The female *pudendum.* Also L'ANTRE DE PRIAPE.

Et éclairer leur antro obscur.—BRANTÔME.

Doux antre, où mon âme guindée
Met son désir audacieux.
Le Cabinet satyrique.

A peine un noir duvet de sa mousse
légère
Couvrait l'antre sacré que tout mortel
révère.
PIRON.

ANUISTE, *m.* A sodomist or pederast.

ANUS, *m.* The breach.

Déferle ton entrecuisse,
Que j' contemple
Le saint temple
De Vénus,
Et ton anus.
G. DE LA LANDELLE.

APAISER SA BRAISE. To copulate; 'to draw one's fireworks'.

Ainsi, prenant les affaires à l'aise,
Il apaisait son amoureuse braise.
LA FONTAINE.

APHIDOS, *m.* The *penis.* [RABELAIS].

APISTOLER. To cuckold. [RABELAIS].

APHRODISIAQUES, *m.* Provocatives to venery: as truffles, musk, phosphorus, Spanish fly, etc. Also APHRODISIADES.

Puis, ce sont encor des parfums
Aphrodisiaques en diable.
ALFRED DELVAU.

Quand chaque semaine le libraire F . . . publie, pour votre délassement, deux ou trois volumes de priapées ou aphrodisiades.—A. DELABERGE.

APOTHICAIRE, *m.* A sodomist or pederast.

APÔTRE DE L'ANUS, *m.* A sodomite; 'an usher of the back-door'.

Ah! dans toute chrétienté,
Il faut que la société
Envoie des missionnaires,
De saints apôtres de l'anus,
Qui, tirant les vits des ornières,
Prêchent l'Évangile des culs.
COLLÉ.

APPAREILLEUSE, *f.* A bawd. [RABELAIS].

Ils furent delà prendre des courtisanes chez une appareilleuse.—*La France galante.*

APPAS (LES). 1. Female charms; specifically the paps.

Ah! Marton, malgré tes appas,
Non, non, je n'y survivrai pas.
BÉRANGER.

— 2. The female *pudendum.*

Une jupe de simple toile
Aux plus secrets appas sert à peine de
voile.
DE LA SABLIÈRE.
Et d'une main qu'amour rendait hardie
Je découvris ses plus secrets appas.
PIRON.
D'un sens qui s'enfle elles montrent les lis
Et doucement par l'onde balancée
Livrent à l'œil des appas plus chéris.
PARNY.

APPÉTIT (AVOIR). To be sexually
excited; 'to have the flavour'.

Te sens-tu en appétit ce soir? — Un
appétit énorme! — Alors, allons à la
Patte de chat.—LEMERCIER.
Ce n'était qu'un prétexte, et, selon qu'on
m'a dit,
Cette dépositaire ayant grand appétit,
Faisait sa position des talents de ce rustre.
LA FONTAINE.

Vous n'entendez pas qu'un homme
de cinquante ans ne peut, sans exposer
sa vie, satisfaire une très-jeune femme,
dont les appétits sont immodérés.—
LOUVET.

**APPLIQUER. APPLIQUER LA PEAU
D'UN GARÇON (s').** To effect intromission.

C'est un grand soulagement d'être
aimée, et je trouve, pour moi, que je
m'en trouve mieux de la moitié depuis
que je me suis appliquée la peau d'un
garçon dessus.—MILILOT.

— **APPLIQUER UN HOMME SUR
L'ESTOMAC (s')** = to receive a
man; 'to get a plaster of warm
guts'. [GROSE].

Et fût-il coiffeur ou laquais, d'aussi
huppées que vous se l'appliqueront sur
l'estomac sans lui demander ses preuves.
—A. DE NERCIAT.

APPOINTER. To copulate; 'to give
hard for soft'. [RABELAIS].

APPRENTIF-CÉLADON, *m.* A timo-
rous and inexperienced wencher.

La dame était jolie, bien faite et
suffisamment spirituelle, mais avait le
travers d'une intrigue avec un officier,

un de ces hommes pour qui le bonheur
suprême est d'être montrés au doigt, d'être
canonisés par d'antiques femmes à passions, et révérés des apprentifs céla-
dons....—A. DE N. *Félicia.*

APPRIVOISER. 1. To deflower. Also
(2) to copulate.

Malgré les grands parents, malgré les
fortes grilles,
Mon cher, je connais l'art d'apprivoiser
les filles.
LÉON SERMET.

Puisse tirer en quelque coin
Pour apprivoiser la femelle.
G. COQUILLART.

APPROCHER. To copulate; 'to get
home'.

J'ai grand désir vous approcher
Entre deux draps, mon joli con.
Ancien Théâtre français.
Marthe, en travail d'enfant, promettait
à la Vierge,
A tous les saints du paradis,
De n'approcher jamais de ces hommes
maudits.
REGNIER-DESMARAIS.

APPROVISIONNER. To copulate; 'to
feed the dumb glutton'.

Ainsi que toutes les femmes après
avoir été approvisionnées.—BÉROALDE DE
VERVILLE.

ARAIGNÉE. *See* PATTE D'ARAIGNÉE.

ARBALÈTE, *m.* The *penis.* [RABE-
LAIS].

Bandez votre arbalète, mon doux
ami, et visez-moi dans le noir.—E. DU-
RAND.

Que si quelqu'un par aventure ne
bandait son arbalète bien vite.— NOEL DE
FAIL.

ARC-BOUTANT, *m.* The *penis*; 'the
gaying instrument'.

Cet arc-boutant de la nature,
Ce principe de mouvement,
Immobile et sans sentiment,
Perd sa vigeur et sa figure.
GRÉCOURT.

ARC TENDU, *m.* An *erectio penis.*

Mais nos arcs sont bien tendus,
Pour le service des dames.
GAUTIER-GARGUILLE.

J'exige qu'on tende
Mon arc tour à tour,
Archers, que l'on bande.
BÉRANGER.

ARCHITRICLINE, *f.* The mistress of a brothel.

En ce moment, on entra, c'était l'architricline, suivie de quatre figures si comiques, que nous fûmes sur le point d'oublier notre incognito . . .—A. DE NERCIAT.

ARÇON, *m.* The *penis;* 'the lance of love'. [RABELAIS].

ARDEUR, *f.* Sexual desire; 'heat'.
Tel enflammé de sa lubrique ardeur,
L'œil tout en feu l'aumônier ravisseur
Allait cherchant les restes de sa joie.
VOLTAIRE.

ARDILLON, *m.* The *penis;* 'the unruly member'.

Au lieu de sentir lever son ardillon, il se sentait plus froid qu'à l'ordinaire.—D'OUVILLE.

Je sens ton ardillon . . . Ah ! je le sens . . . Chien ! chien ! tu me brûles. — BARON WODEL.

ARDRE. To be in a state of erection. [Old French].

Et ils en ardent davantage.—BRANTÔME.

Au jouvenceau faisait joyeux accueil,
Ardait tout vif en son sacré fauteuil.
PIRON.

ARGUMENT, *m.* 1. The *penis;* 'the solicitor-general'.

— 2. The female *pudendum;* 'the dumb oracle'.

— POUSSER UN ARGUMENT NATUREL ET IRRÉSISTIBLE = to copulate; 'to be there'.

Sans brusquer une fillette,
Moi j'attends patiemment
Qu'elle soit bien en goguette
Pour pousser mon argument.
E. C. PITON.

ARIETER. To copulate; 'to engage three to one'. [RABELAIS].

ARISTOFFE (L'), *m.* Gonorrhœa; 'clap'.

J'en ai eu quatorze depuis celle-là, et de toutes couleurs, car quoi qu'en disent les malins, les aristoffes se suivent et ne se ressemblent pas.—LEMERCIER DE NEUVILLE.

ARME, *f.* 1. The *penis;* 'the bayonet'.

A ces mots me relevant,
Plus dispos qu'auparavant,
Je me saisis de mon arme.
La France galante.

Elle me rappelait le tambour de ma compagnie à astiquer et fourbir ainsi mon arme.—LEMERCIER.

— 2. The sexual embrace; 'twatting'.

Quand les armes d'entre la bonne femme et son serviteur furent achevées.—*Les Cent Nouvelles nouvelles.*

— ARMES DE VULCAN, *f.* The horns of a cuckold. [RABELAIS].

ARNOUL, *m.* A cuckold. [RABELAIS].

AROIDIER. To be in a state of erection; 'warm'; *cf.* RAIDIR.

Son vit commence à paumoier
Tant qu'il l'avait fait aroidier.
Anciens Fabliaux.

ARRACHER. ARRACHER SON COPEAU. To lecher; 'to go grousing'.

— ARRACHER SON PAVÉ = to copulate.

Oui, c'est ainsi toutes les fois que j'arrache mon pavé avec une demoiselle.—LEMERCIER DE NEUVILLE.

ARRANGER. To satisfy. ÊTRE AR-
RANGÉE = contented.

Ah ! monsieur, je suis saccagée !
Vous n'en viendrez jamais à bout !
La comtesse était arrangée,
Et criait encor d'un ton doux :
    Arrangez-vous.   COLLÉ.

Tu dois bien arranger une femme,
hein ?—LEMERCIER DE NEUVILLE.

Qu'il soit vioc ou non,
Arrange-le tout d' même.
        DUMOULIN.

ARRÉRAGES (PAYEUR D'), *m.* A man
valiant in venery. [RABELAIS].

ARRESSER. 1. To copulate ; 'to do
a bedward bit'. [RABELAIS].

— 2. To get an erection. [RA-
BELAIS].

ARRIÈRE-BOUTIQUE, *f.* The breach.

A l'instant cette demoiselle, ouvrant
son arrière-boutique, laissa aller un
vent.—D'OUVILLE.

ARRIÈRE-CHARMES, *m.* The buttocks and breach.

. . .Il me vint le capricieux désir
d'apprendre d'Alexis ce que peut éprouver une femme qui prête ses arrière-
charmes.—A. DE NERCIAT, *Joies de
Lolotte.*

ARRIÈRE-VÉNUS, *m.* The posteriors.

Aucune femme n'avoue son goût
pour l'arrière-Vénus, c'est là même
une de ces choses dont on est convenu
de rougir. Lorsque deux amies se font
part de leurs plus secrètes voluptés, et
se dévoilent l'une à l'autre les mystères
du lit conjugal, elles gardent toujours
le plus parfait silence sur cette question.
Par malheur, il n'en est pas moins
vrai que lorsqu'une femme a goûté une
fois ce plaisir anti-naturel, accompagné
simultanément de l'action du doigt sur
le clitoris, elle le préfère souvent à tous
les autres. Il y a aussi des hommes
extrêmement passionnés pour cette
jouissance ; mais on peut dire, sans être
prude, que les femmes ne sont pas faites
pour êtres prises de ce côté-là.—LA
COMTESSE DE N. . . *Vade-mecum des
femmes mariées.*

Craignant que je ne l'accuse d'avoir
voulu user de l'arrière-Vénus.—BRAN-
TÔME.

ARRIVER. ARRIVER A SES FINS.
To copulate ; 'to come to the
end of the sentimental journey'.

Là ! tu en es arrivé à tes fins, petit
cochon !—WATRIPON.

— ARRIVER AU BUT = 1. to
ejaculate ; and (2) to copulate.

Dans le plaisir Apollon le devance,
Arrive au but, et soudain recommence.
        PARNY.

— ARRIVER AU NOIR = 1. to
be utterly entranced in the sexual
embrace ; and (2) to be brutally
treated by a once-devoted lover
or husband.

ARROSER. To ejaculate ; 'to spend'.
Also ARROSER LE BOUTON.

Pourquoi ne voudraient-elles pas
être arrosées ?—CYRANO DE BERGERAC.

Son directeur, dit-on,
Craignant qu'on lui ravisse
Sa Rose, sa Clarisse,
Lui aros' le bouton.
      JOACHIM DUFLOT.

ARSER. To be in a state of erection.

De sa chemise la descuevre,
Puis il commence à arecier.
      Anciens Fabliaux.

J'ai grand' peur que devant qu'il
soit nuit vous n'aurez grande envie
d'arresser.—RABELAIS.

Je pense que ce pauvre moine
n'arsait pas à cette heure.—BÉROALDE
DE VERVILLE.

Je ne puis sans arser le reste ici
décrire.—*Le Cabinet satyrique.*

ARSONNEMENT, *m.* Masturbation.

ARSONNER (S'). To masturbate.

ARSURE, *f.* Sexual excitement ;
'must'.

Dont elle print telle arsure
Qu'elle brûlait par la luxure.
MATHEOLUS.

ARTHUR, *m.* Generic for AMANT DE CŒUR (*q.v.*).

Toute lorette, inévitablement, a son Arthur, comme toute fille publique, son maquereau, comme toute pomme pourrie, son ver.—BARON WODEL.

ARTHURINE, *f.* Generic for a prostitute.

ARTICLE. FAIRE L'ARTICLE. To solicit: of bawdy-house touts.

Tu resteras sur le seuil du bazar et tu feras l'article pour nos demoiselles.—LEMERCIER.

— ÊTRE FORT SUR L'ARTICLE = to be very amorous; 'to be a hot member'.

Et sur l'article, ah ! que j'étais solide ;
Dis-moi, Marton, dis-moi, t'en souviens-
tu ?
Chanson anonyme moderne.

— ÊTRE FROIDE SUR L'ARTICLE = to be sexually cold.

La marquise est froide sur l'article.—LOUVET.

ARTILLERIE. ARTILLERIE DE CUPIDE (or DE VÉNUS), *f.* The arts and accompaniments of venery.

AS DE PIQUE (L'), *m.* The breach.

Ce mot s'adressait jadis à un imbécile, à un homme dépourvu de toute capacité : ' Taisez-vous, as de pique ! '—MOLIÈRE.

ASPERGE, *f.* The *penis;* 'the man-root'. [WHITMAN].

ASPERGÈS, *m.* The *penis;* 'the Rector of the females'. [RABELAIS].

C'est bien dit ; car, comme j'estime,
L'aspergès d'un moine sans doute
Est si bon, qu'il n'en jette goutte
Qu'elle ne soit bénie deux fois.
Ancien Théâtre français.

ASPIRER. To swallow semen when tongueing a man.

ASSAILLER. To copulate; 'to do a lassie's by-job' [BURNS]: of women only. [RABELAIS]. Also ASSAILLIR.

Jean cette nuit, comme m'a dit ma mère,
Doit m'assaillir.
GAUTIER-GARGUILLE.

Après que ce premier assaut fut donné, la belle recouvra la parole.—CH. SOREL.

Et si roidement l'assailli
C'un grant pet du cul lui sailli.
Anciens Fabliaux.

Défendez-vous, car assaillir
On vous vient par cruel effort.
Farces et Moralités.

ASSASSINER LE PLAISIR. To masturbate: of women only; 'to commit simple infanticide'.

Pour mâter les fougueux désirs dont on me faisait hommage, souvent *ma main* avait une *complaisance* qui ne fut, au surplus, jamais trop de mon goût ; c'est ce me semble assassiner le plaisir que de rendre aux hommes cet humiliant service.—A. DE NERCIAT.

ASSAUT, *m.* The sexual embrace; ' cock fighting '. *See* also DONNER and MONTER.

Et nuit et jour assaut livrent
Tant qu'il en fut en grant ahan.
Anciens Fabliaux.

Enfin je concluais qu'elle avait soutenu
Beaucoup d'assauts d'amour, combattant
nu à nu.
THÉOPHILE.

Car elle ne sait pas encore comme il faut
Se parer finement de l'amoureux assaut.
TROTTEREL.

Mais Trichet du premier assaut
Se contenta. Chétive était la dose
Au gré d'Alix.   VADÉ.

ASSEOIR SUR LE BOUCHON (S'). *See* BOUCHON.

Viens t'asseoir sur le bouchon, garce, et si tu ne jouis pas, c'est que tu ne le voudras pas.—V. CAILLAUD.

ASTICOT, *m.* 1. The *penis;* and (2) a prostitute. Also ASTIC.

Tu écorches mon asticot, salope!—LEMERCIER.

— ATTRAPER L'ASTICOT = to get a pox.

ASTICOTTER. To 'take liberties'; to provoke a woman till she surrenders at will.

ASTIQUER. 1. To make love; and (2) to copulate.

— S'ASTIQUER = to masturbate.

Deux gendarmes, un beau dimanche,
S'astiquaient le l'ong d'un sentier ;
L'un branlait une pine blanche
Et l'autre un vit de cordelier.
Parnasse satyrique du XIXe siècle.

— ASTIQUER LA BAGUETTE = to masturbate a man; 'to play daddy-mammy'.

Celle-ci, d'un tambour astiquait la baguette.—LOUIS PROTAT.

ATELIER, *m.* The female *pudendum;* 'Nature's workshop'. Also ATELIER DE VÉNUS.

Quand on entre à l'atelier, il faut avoir son outil en bon état afin de besogner convenablement, et toi, tu ne bandes seulement pas!—A. MANVOY.

Quoi, c'est là tout le stratagème ? dit un valet, voyant le drôle à l'atelier.—PIRON.

ATRE, *m.* The female *pudendum;* 'home-sweet-home'.

On sait que de Cléopâtre,
Antoine embellit le sort,
En faisant cuire à son âtre,
Des *marrons* qu'elle aimait fort.
ALPHONSE.

ATTRAITS (LES), *m.* Female charms.

ATTRAPER. ATTRAPER QUELQUE CHOSE. To be 'poxed' or 'clapped'; 'to go by Clapham and come home by way of Had'em'.

Que ces drôlesses-là sont souvent de bons greniers à chaudes-pisses ! ce qu'on appelle de véritables attrape-michés.—COMTE DE CAYLUS.

Si j'attrape quéque chose, au moins j'l'aurai pas volé.—LEMERCIER DE NEUVILLE.

AUBADE (DONNER or FAIRE L'). To copulate; 'to have a live sausage for breakfast'. [RABELAIS].

C'est pour donner un tordion,
Et faire une aubade de nuit.
G. COQUILLART.

AUBUN, *m.* The seminal secretion.

Ce poise moi, c'est grant domages,
L'aubun m'en cort parmi les nages.
Anciens Fabliaux.

AUMÔNE AMOUREUSE, *f.* The act of kind; 'benevolence'.

Belle dame, faites-moi l'aumône amoureuse, je vous en supplie, je bande trop ! — J'en suis fâchée, mon cher, mais j'ai mes pauvres.—SEIGNEURGENS.

Il demanda l'aumône amoureuse.
Les Cent Nouvelles nouvelles.

AUMOYRE, *m.* The female *pudendum;* 'the corner cupboard'. [Old Fr. = armoire].

Vienne, fust-il moine ou convers,
Je lui presterai mon aumoyre.
Ancien Théâtre français.

AUTEL, *m.* 1. The female *pudendum;* 'the altar of love'. Also L'AUTEL DE VÉNUS and L'AUTEL VELU.

Et dévotement sur l'autel,
Je pose mes lèvres tremblantes:
De ma langue, en flammes ardentes,
S'élançent...
A. FRANÇOIS.

A l'autel de la volupté
Soudain s'approche une inconnue
Du morpion silencieux.
B. DE MAURICE.

Si tous les autels de Vénus étaient
aussi dégoûtants.—*Les Maris à la mode.*

— 2. A place devoted to the
rites of venery.

...Il m'entraîna doucement, je me
trouvai sur l'autel où Vénus attendait
que je fusse immolée.—A. DE NERCIAT,
Félicia.

Autel, que l'on sert à genoux,
Dont l'offrande est le sang de nous.
GRÉCOURT.

Un amant qui déshonore par ses discours
l'autel 'sur lequel il a sacrifié est une
espèce d'impie qui ne mérite aucune
croyance.—DIDEROT.

Déjà dans l'ardeur qui m'anime
Je m'avançais vers cet autel sacré
Où l'amour seul peut rendre un culte
légitime.
COLARDEAU.

— AUTEL DE PLUME = A bed;
'Feathers Inn'.

Avez-vous pu l'en croire à son serment?
Ceux que l'on fait sur un autel de plume
Sont aussitôt emportés par le vent.
COLLÉ.

AUTRE (L'), *m.* The female *pudendum:* L'UN = *penis.* [RABE-
LAIS]. Also L'AUTRE-CHOSE(*q.v.*).

Et celui d'auprès je le nommerais
l'autre.—BÉROALDE DE VERVILLE.

AUTRE-CHOSE (L'). 1. The act of
kind; (2) the *penis;* and (3) the
female *pudendum.*

C'est où je vous attends; je sais trop
comme vient
Du baiser le toucher, du toucher l'autre-
chose.
J. LE SCHÉLANDRE.

Personne ne pensait plus ni à dormir,
ni à l'autre-chose.—PIGAULT LEBRUN.

Madame, cachez votre sein
Avec le beau bouton de rose,
Car si quelqu'un y met la main
Il y voudra mettre autre-chose.
COLLÉ.

Ma trinité, c'est la bouche de rose,
Le sein de lis, puis encore autre chose.
PARNY.

AVALER. AVALER LA PILULE. To
swallow semen.

— AVALER LE POISSON SANS
SAUCE = to copulate with a man
who fails to ejaculate; 'to get a
dry bob'.

Ah! combien l'apparence est fausse!
Au chaponneau point de cresson.
Et mon amphitryon sans sauce
Me fit avaler le poisson.
MARCILLAC.

— AVALER LES ENFANTS DES
AUTRES = to act as fellator to
a woman fresh from the embrace
of another man; 'to gamahuche
a buttered bun'.

Au lavabo, tout de suite! je ne tiens
pas à avaler les enfants des autres.—J.
LE VALLOIS.

AVANCE, *f.* The *penis;* 'the middle
leg'.

AVANCES, *f.* Familiarities; 'firky-
toodlings'.

J'ai un caprice, il ne sait le deviner;
je le lui explique aux trois quarts; il ne
comprend rien, et mon butor me quitte
après mes avances humiliantes.—A. DE
NERCIAT.

Un monsieur qu'était dans l'aisance,
Désirant lui fair' quelqu'avance,
S'approch' d'elle une bourse en main.
PERCHELOT.

AVANTAGES (LES), *m.* Well developed breasts; 'dairies'.

C'est trop petit ici: la société y sera
comme les avantages de madame dans
son corset.—AUGUSTE VILLEMOT.

AVANT-CŒUR, *m.* The bosom: in
pl. = the paps.

N'étouffons-nous pas un petit brin ? lui dit-il en mettant la main sur le haut de busc ; les avant-cœur sont bien pressés, maman.—BALZAC.

AVANT-GOÛT DES PLAISIRS, *m.*
1. Reading provocative of desire.

Mollement couchée entre deux beaux draps fins, lis cet ouvrage, il servira à allumer tes désirs et te procurera l'avant-goût de ces plaisirs qui seraient plus vifs, si j'avais moi-même le bonheur d'arroser des pleurs de l'amour ce jardin planté des mains de la nature.—MER-CIER DE COMPIÈGNE.

— 2. Familiarities preceding coition.

AVANT-POSTES, *m.* The paps ; 'the out-posts'.

AVANT-SCÈNE, *f.* The bosom : in *pl.* = the paps.

Ce ne sont pas les avant-scènes qui lui manquent, mâtin !—BARTHET.

AVEC (L'). The female *pudendum ;* 'the wherewithal'.

Allons, cher ange, montre-moi ton avec, je te montrerai le mien et nous les marierons ensemble.—A. FRANÇOIS.

AVENTURES. AVOIR EU DES AVEN-TURES. To have been wenching ; and (of women) 'to have played the game'.

Cette femme avait eu déjà bien des aventures.—CHAMPFLEURY.

Il vint, et les tendres ébats
Agitant draps et couverture,
Le psautier descendant plus bas,
Se trouve au fort de l'aventure.
                                PIRON.

AVEUGLES (LOGER LES). To copu-late ; 'to take a leap in the dark'. [RABELAIS].

AVITAILLÉ, *adj.* and *adv.* Used of a man favored by nature ; 'well-hung'.

Duvigny était bien avitaillé et grand abasteur de bois.—TALLEMENT DES RÉAUX.

AVOINE, *f.* The semen ; 'seed'.

Et donne à Morel de l'avaine
De la meillior, de la plus saine.
                        Anciens Fabliaux.

Elle commence à sentir l'avoine d'une lieue loin.—TABARIN.

AVOINE (DONNER L'). To copulate ; 'to give one beans'. [RABELAIS].

AVOIR (or AVOIR EU). To enjoy the favour ; 'to have had it'.

Fais donc que j'aie cette fille, et je te rendrai riche.—P. DE LARIVEY.

Eh bien ! ma mie, tu vois comme je t'aime, je laisse ma prébende pour t'avoir.
                        BÉROALDE DE VERVILLE.

D'une Alix a été déçu ;
Fille qu'il pensait avoir seul.
                                JODELLE.

L'on veut avoir la jeune Flore,
On s'abîme, on lui donne tout.
                                COLLÉ.

On a Galla pour deux écus,
Mais avec deux autres en sus
On en peut disposer de toutes les
                                manières.
                                POMMEREUL.

Comment donc faire pour avoir cette fillette.—PIGAULT-LEBRUN.

Et puis enfin on les a ces menteuses.
                        H. DE BALZAC.

— **AVOIR A SA BONNE** = to be in love ; 'to be mashed on'.

Surtout, p'tit cochon,
N'fais pas l'paillasson :
Je sais qu' t'as Clarisse à la bonne ;
Mais dis-lui d' ma part
Qu'lle craign' le pétard...
                        A. DEMOULIN.

— **AVOIR COMMERCE** = to copu-late ; 'to do business'. [SHAK-SPEARE].

Jean, tu m'accusais l'autre jour
D'avoir dit à certaine dame
Qu'Anne, avant que d'être ta femme,
Avait eu commerce d'amour.
                        LA MONNOYE.

A-t-elle eu commerce avec le chevalier de Lorraine? qu'on la brûle.—*La France galante.*

— AVOIR COMPAGNIE = to make love.

A moins enfin qu'elle n'ait à souhait
Compagnie d'homme.
LA FONTAINE.

Il lui est métier et nécessité qu'elle ait compagnie d'homme.—*Les Cent Nouvelles nouvelles.*

— AVOIR CONTENTEMENT = to copulate; ' to take the starch out of '.

Avez-vous eu contentement?—P. GRÉVIN.

— AVOIR DE L'AGRÉMENT = to wanton.

Tu vas avoir de l'agrément, mon chéri, je t'en réponds.—LEMERCIER DE NEUVILLE.

— AVOIR DES BONTÉS = to grant the favour; ' to use benevolence '. Also = to desire.

Tu as eu des bontés pour lui, ça prouve ton bon cœur.—VOISENON.

Une femme sensible se décide difficilement à laisser pendre un homme pour qui elle a eu des bontés.
PIGAULT-LEBRUN.

Ayez des bontés pour moi, et mademoiselle Hortense est mariée.—H. DE BALZAC.

Vous êtes un ingrat; je regrette d'avoir eu des bontés pour vous, et de vous avoir ainsi donné le droit de me mépriser.—J. DU BOYS.

— AVOIR DES SENS = to be ardent in congress; ' to spread well '.

Et d'ailleurs, Marotte a des sens
Récompensants
Les insolents
Qui montrent des talents.
COLLÉ.

— AVOIR DU CHIEN = to regard amorously; ' to look pricks in the eyes '.

Il faut être sincère, même avec des drôlesses de cette espèce; Julia a du chien, beaucoup de chien.—LYNOL.

— AVOIR DU MAL = to have a surfeit of venery: of women in brothels.

Ce qu' nous avons d'bon ici, c'est d'êt' ben nourries. Si on a du mal, on n' meurt pas d' faim, comme dans des maisons où j'ai été.—HENRY MONNIER.

— AVOIR DU PLAISIR = to copulate; ' to get touched up '.

Il a eu du plaisir pour son argent.
PIGAULT-LEBRUN.

— AVOIR ENCORE (L') = to retain one's virginity.

Ça me rappellera... le temps où je l'avais encore.—LEMERCIER DE NEUVILLE.

— AVOIR EU QUELQUE CHOSE = to be infected.

Tu me feras peut-être accroire que tu n'as rien eu avec Henriette?—GAVARNI.

— AVOIR FORFAIT = to copulate; ' to do the naughty '.

Dame Alison accusait sa commère
D'avoir forfait avec frère Mathieu.
GRÉCOURT.

— AVOIR LA CHEVILLE AU TROU = to copulate; ' to play at the same old game '.

Tu sembles aux saints de la paroisse,
Toujours as la cheville au trou.
Ancien Théâtre français.

— AVOIR LA COURTE HALEINE = to be an indifferent bed-fellow.

Vous avez la courte haleine;
Parler d'amour une fois.
C'est me donner la migraine.
COLLÉ.

— AVOIR LA JOUISSANCE = to copulate; ' to have one's will of '.

Vouz avez eu bien finement
La jouissance des deux nôtres.
Farces et Moralités.

— AVOIR LA MAIN OCCUPÉE = to masturbate while reading a licentious book: also to take surreptitious liberties with a woman.

·Souvent entre deux draps
Rêvant à ses appas,
Et d'une voix entrecoupée,
Je me dis, la main occupée,
Ah ! comme on tirait
Chez elle du vin clairet !
E. DE PRADEL.

— AVOIR LA QUEUE VERTE =
to be valiant in the service of
Venus.

— AVOIR LA RAGE AU CUL =
to be sexually excited : to a violent
degree.

Si vous avez au cul la rage,
Retournez à votre village.
La Satyre Ménippée.

— AVOIR LA VACHE ET LE VEAU
= to marry a woman with child
by another.

— AVOIR L'EAU A LA BOUCHE =
to be sexually excited.

O quantes dames auront bien l'eau
à la bouche quand elles orront les bons
tours que leurs compagnes auront faits.—
BONAVENTURE DESPERRIERS.

— AVOIR LE CUL TENDRE = to
be amorous : of women only.

On m'a fait entendre,
Puis un peu, qu'elle a le cul tendre.
Ancien Théâtre français.

— AVOIR LES BONNES GRACES =
to copulate; 'to get a bit of
pudding'.

Ce qui me le fait croire, c'est que
je n'ai jamais donné à chacune de mes
maîtresses plus de cent pistoles pour
avoir leurs bonnes grâces.—BUSSY-RA-
BUTIN.

— AVOIR LE SOLAZ = to copulate; 'to do a rush up the straight'.

Chascuns désire le solaz
De dame Yfamain avoir.
Anciens Fabliaux.

— AVOIR LES TALONS COURTS =
1. to surrender one's person voluntarily : of women; and (2) to
hornify readily : of men.

Elle a les talons si courts, qu'il ne
faut la pousser guère fort pour la faire
cheoir.—*Les Caquets de l'accouchée.*

Pour les beautés de la cour
C'est d'avoir le talon court.
La Comédie de Chansons.

— AVOIR LE VENTE (or VENTRE)
PLEIN = to be pregnant; 'to
have a belly-full'. Also EN AVOIR
DANS LE VENTRE.

Je crois, ma chère, que j'ai le ventre
plein : cet imbécile d'Hippolyte n'aura
pas mouché la chandelle.—E. JULLIEN.

Et la gouvernante avait à tout bout
de champ le ventre plein.—TALLEMENT
DES RÉAUX.

Elle s'aperçut qu'elle en avait dans
le ventre.—BONAVENTURE DESPERRIERS.

— AVOIR MAL AUX CUISSES =
to be fatigued after congress. Also
AVOIR LES CUISSES COUPÉES and
AVOIR LES JAMBES BRISÉES.

— AVOIR PERDU SA FLEUR = to
have been seduced.

— AVOIR PIGNON SUR RUE = to
be well-developed in the bosom.

— AVOIR QUELQU'UN = 1. to
have a 'fancy man' or lover; and
(2) to have a mistress.

J'ai pas d'amant . . . veux-tu me l'et'? . . .
Non ! T'as quéqu'un? . . . Oui !
N'en parlons plus.
HENRY MONNIER.

Voilà ce qu'une femme qui se sent
poursuivie devrait se dire à elle-même,
à tous les moments du jour : Un tel me
suit, il me cherche, je le trouve partout;
donc il veut m'avoir et me mettre sur sa
liste.—LA POPELINIÈRE.

Une duchesse à l'œil noir
L'an passé voulut m'avoir.
BÉRANGER.

— AVOIR RÔTI LE BALAI = to
have led a voluptuous life; to be
expert in the arts of venery.

C'est une fille qui a rôti le balai.
LEMERCIER.

— AVOIR SEPT POUCES MOINS LA
TÊTE (EN) = to be favored by
nature; 'to be well-hung'.

> ... La belle Urinette
> Au corps content, mais pas de peu,
> Car il lui faut sept pouces, moins la tête,
> Pour qu'elle ait un beau jeu.
> LEMERCIER DE NEUVILLE.

— AVOIR SON PLAISIR = to copulate; 'to have one's will'.

> Et sachez bien que je mourusse
> Si mon plaisir de lui n'eusse.
> *Ancien Fabliaux.*
> Mais Marguerite eut de moi son plaisir.
> MAROT.
>
> Polyxène, sans être vue de personnes,
> tira le prêtre en sa maison pour en avoir
> son plaisir.—P. DE LARIVEY.

— AVOIR SON PAQUET = to be
pregnant; 'to have a hump in
front'.

— AVOIR UNE BONNE FORTUNE
= 1. to copulate; 'to have a little
of one with t'other'. [DURFEY].

> Il n'y a pas à douter que vous
> n'ayez eu toutes les bonnes fortunes, dont
> vous vous vantez.—DIDEROT.

— 2. To meet with a woman
who, not professionally gay, is
willing to surrender to a chance
lover.

— AVOIR TOUJOURS L'ANNEAU or
LA BAGUE AU DOIGT = to pass
one's days in lechery.

— AVOIR UN ARLEQUIN or UN
POLICHINELLE DANS LA SOUPEN-
TE or LE TIROIR = to be preg-
nant; 'to have a Jack in the box'.

— AVOIR UN BON DOIGTÉ = to
be expert in the masturbation of
women.

— AVOIR UN CHEVEU = to have
a liking for; 'to be spoons on'.

> Elle a un cheveu pour lui.—CHARLES
> MONSELET.

— AVOIR UNE CRANE GIBERNE =
to be well-buttocked; 'to be broad
in the beam'.

> Elle a une crâne giberne, ton adorée,
> faut lui rendre justice; tout est-il à elle,
> dis?—CHARLES MONSELET.

— AVOIR UN FRUIT = to be with
child: *cf.* FLEUR.

— AVOIR VENT EN POUPE =
to be sexually excited; 'to have
the horn'.

> Et qu'il eut vent en poupe.
> RABELAIS.

— AVOIR VU LE LOUP = to
have lost one's maidenhead; 'to
have seen the wolf'.

> Toujours est-il que le loup, qui
> rôdait par-là depuis quelque temps, sous
> la blouse bleue et le pantalon de velours
> épinglé d'un grand gars de notre village,
> sortit surnoisement du bois des châtai-
> gniers se montra tout à coup à l'ombre
> de la haie d'aubépines, et — qu'elle vit
> le loup.—ALFRED DELVAU.

AVRIL. *See* POISSON.

AYNES. *See* SAIGNER.

ABINES (LES), *f.* The *labia majora.*

Les deux babines un peu retroussées et colorées d'un rouge attrayant qui passe un peu au dehors entre les cuisses.
MILILOT.

BABIOLE, *f.* A dildo.

BACHELIÈRE, *f.* A student's mistress.

BADIGEONNER. To copulate; 'to play one's ace'.

Je veux qu'on me paye, moi! je veux qu'on me badigeonne, moi! et que l'on me donne des gants.—LEMERCIER DE NEUVILLE.

BADINAGE (or BADINAGE AMOUREUX), *m.* Familiarities preceding copulation; 'firkytoodling'. Also the 'act of kind' itself.

Cessez ce badinage, Henri, ou je sonne pour appeler mes gens, et vous faire jeter à la porte.—PONSON.

Manon surtout, et c'était grand dommage,
N'avait encor tâté du badinage.
GRÉCOURT.

Il se servit de l'heure du berger,
Et commençait l'amoureux badinage.
LA FONTAINE.

De notre amoureux badinage
Ne gardez pas le témoignage,
Vous me feriez trop de jaloux.
PARNY.

Lorsque, par un amoureux langage,
Je veux exciter la jeune Iris au badinage.
VADÉ.

BADINAGE D'AMOUR, *m.* 1. Copulation; 'pickle-me-tickle-me'. [URQUHART].

Jamais, en effet, l'amour
Ne trouverait un séjour
Plus propre à son badinage.
PIRON.

— 2. The *penis;* 'the merrymaker'. [RABELAIS].

De quoi est-il fait ce badinage d'amour ?—BÉROALDE DE VERVILLE.

BADINE, *f.* A female debauchee; 'a sportswoman'.

Celles qui font les badines
Je les fourre aux feuillantines.
TALLEMENT DES RÉAUX.

BADINER. 1. To copulate; 'to have a bit of fun'.

On fut obligé de la marier plus tôt qu'on ne pensait, parce qu'en badinant avec son accordé elle devint grosse.—TALLEMENT DES RÉAUX.

— 2. To grope a woman; 'to touch up'.

Rions, plaisantons, badinons, mais n'allons pas plus loin.—HENRI MONNIER.

Si vous osez étendre encor vos ailes,
Songez-y bien, j'y mettrai le holà?
Je ne veux pas qu'on alarme les belles...
Badinez, mais restez-en là.
EMILE DEBRAUX.

BADOUILLE, *f.* A hen-pecked husband.

BAGAGE, *m.* The *penis.* [RABELAIS].

Mais je suis exposé au vent et à l'orage,
Madame, tout le moins logez-moi mon
bagage.
La Comédie de Chansons.

BAGASSE, *f.* A prostitute; 'a smock-servant'. [RABELAIS].

. . . La plus grande bagasse de la
ville.—BRANTÔME.

O Dieu! que l'homme est malheureux qui épouse de telles chiennes et
bagasses.—TOURNEBU.

Et la bajasse tost accort
A sa dame que li clerc tient.
Anciens Fabliaux.

BAGATELLE (LA), *f.* Sexual intercourse; 'bush-faking'.

Aimeriez-vous toujours la bagatelle?
PANNARD.

Si j'effleure, dit-elle,
L'asphalte du trottoir,
C'est pour la bagatelle:
Entrez dans mon boudoir.
A. MONTÉMONT.

Vous avez fermé les portes contre
ma volonté, et monsieur le duc aura
vu sans doute que vous vous êtes
émancipé à quelque bagatelle.—*La
France galante.*

BAGOS, *m.* A procurer. [RABELAIS].

BAGUE, *f.* 1. The female *pudendum;* 'the hairy ring'.

Il s'en alla chercher une place éloignée
Pour enfiler la bague et rembourrer le bas
De celle qu'il avait choisie pour ses ébats.
THÉOPHILE.

— 2. A whore; 'laced mutton'.

Mais çà dy, Claude; à la voir,
Quelle bague!—JODELLE.

See COURSIER and COURIR.

— BAGUE-CON = BAGUE (*q.v.*).

Carvel, j'ai pitié de ton cas,
Tiens cette bague et ne la lâche ;
Car tandis qu'au doigt tu l'auras
Ce que tu crains point ne seras.
LA FONTAINE.

BAGUER. To copulate; 'to do a bit of ladies' tailoring'.

Du chevalier s'est accusée, qui
comme l'autre l'avait bien baguée.—
Les Cent Nouvelles nouvelles.

BAGUETTE, *f.* The *penis;* 'the ramrod'.

Dans un coin ell' tient les baguettes
Des deux tambours du régiment.
BÉRANGER.

BAHUT, *m.* 1. The female *pudendum;* 'the treasury of love'.

— 2. The common living-room in a brothel.

BAHUTER LA PINE (S'). 1. To masturbate; and (2) 'to exalt the horn'.

BAIGNE DANS LE BEURRE, *m.* A pander.

BAISER (LE), *m.* Sexual intercourse; 'a kiss'. [RABELAIS].

Va, si tu veux, chercher un fiancé
stupide,
Cours offrir un cœur vierge à ses cruels
baisers ;
Et pleine de remords et d'horreur, et
livide,
Tu me rapporteras tes seins stigmatisés...
CH. BAUDELAIRE.

— *Verb.* = to copulate; 'to kiss'.

. . . Et l'homme marié
Baise tout simplement, quand il peut, sa
moitié.— PROTAT.

. . . Le galant, en effet,
Crut que par là baiserait la commère.
LA FONTAINE.

Parbleu, qu'un autre la baise.
J'aime mieux baiser mes sœurs.
COLLÉ.

Chaud de boisson, certain docteur en
                              droit,
Voulant un jour baiser sa chambrière,
Fourbit très bien d'abord le bon endroit.
                              PIRON.

Avoir ne peut plus que lui plaire,
En despit du jaloux la baise.
                              MATHEOLUS.

Rire, jouer, mignonner et baiser
Et nud à nud, pour mieux du corps *s'ayser*.
                              F. VILLON.

Il me branlait et baisait aussi le jeu
En homme vif, comme vous pourriez faire.
                              MAROT.

Lise, cette insigne punaise,
Me fait montre de ses ducats,
Et c'est afin que je la baise.
                              Le Cabinet satyrique.

Encor n'ai-je eu loisir
De la baiser à mon plaisir.
                              J. GREVIN.

Cela n'y fait rien, j'ai baisé toutes
vos tantes, et je ne vous aime pas plus
pour cela.—TALLEMENT DES RÉAUX.

Point d'éloges incomplets,
S'écriera cette brunette,
A moins de douze couplets,
Au diable une chansonnette !
Quoi ! douze, ou rien ? dit un sot.
Oui c'est l'humeur de Margot.
Nous t'en promettons treize :
Viens, Margot, viens qu'on te baise.
                              BÉRANGER.

— BAISER A BLANC = to masturbate.

— BAISER A LA FLORENTINE =
' to tip the velvet'.

— BAISER A LA PAPA = to copulate in a conventional manner.

— BAISER A L'ŒIL = to get the
favour 'for love'.

Quand on est jeune on doit baiser à l'œil ;
A soixante ans la chose est chère et rare ;
Aux pauvres vieux l'amour devient avare.
                              Chansons d'étudiants.

— BAISER A VIT SEC = to copulate without emission.

Ainsi, femme qui dit que le vit sec est bon
Voudrait ôter la sauce et le sel au jambon,
Ce qu'il est de plus doux en toute la nature
Et qui donne la vie à toute créature.
                              MILILOT.

— BAISER EN ÉPICIER = to copulate for duty's sake.

Quel moyen puis-je employer
Pour plaire à mon Antoinette ?
Je la baise en épicier . . .
Le bougre lui fait minette.
                              GUSTAVE NADAUD.

— BAISER (or FOUTRE) A COUIL-
LONS RABATTUS (or COMME UN
DIEU) = to perform with vigour.

Et maintenant, gonzesse, que je t'ai
foutue à couillons rabattus, comme tu
n'es pas foutue d'être foutue jamais de
ta garce de vie.—LEMERCIER DE NEUVILLE.

Les hommes, lorsqu'ils ont foutu
A double couillon rabattu,
Se lavent dans une terrine.
                              DUMOULIN-DARCY.

Madame Durut, sentant les appro-
ches du suprême bonheur, se livre au
transport, et s'agitant à l'avenant,
s'écrie : Foutre ! c'est trop de plaisir !
il fout comme un Dieu !—A. DE NERCIAT.

— BAISER (or FOUTRE) A LA DRA-
GONNE (or EN MAÇON) = to do
the act of kind by storm, without
preliminaries, or thought of one's
companion.

— BAISER (or FOUTRE) EN AIS-
SELLE = to use the armpit as
a *pudendum muliebre.*

En aisselle, en tétons, le Turc met
son braquemard.—LOUIS PROTAT.

— BAISER DES QUATRE SŒURS =
the interlacing of the limbs of
two persons when sleeping together.

. . . Le soir elle retroussait nos
chemises pour appuyer ses fesses contre
les miennes, et me donner le baiser des
quatre sœurs.—MIRABEAU, *Rideau levé.*

BAISEUR, —SE, *m.* and *f.* A devotee
of Venus : male or female.

Je ne suis rien qu'un ivrogne,
Quoiqu'on m'estime baiseur.
                              Parnasse des Muses.

BAISOLOGIE, *f.* Venery.

— *See* also PARESSEUSE, CYGNE, LEVRETTE, TÉTONS and POUCE.

BALADEUSE, *f.* A whore.

Elle t'a trahi, sans te trahir : c'est une baladeuse . . .—G. DE NERVAL.

BALAFRE, *f.* The female *pudendum,* 'the gash'.

On ne conçoit pas d'abord où ces dames à grandes balafres peuvent loger.—*Aphrodites.*

BALANCES DE BOUCHER, *f.* A prostitute; 'a public ledger'. [RABELAIS].

Florinde a bien la mise de ces ficheuses qui ressemblent les balances d'un boucher, qui pèsent toutes sortes de viandes.—*La Comédie de Chansons.*

BALANCER LE CHINOIS (SE). To masturbate.

BALANCER SA LARGUE (or UNE FEMME). To get rid of a mistress; 'to bury a moll'.

Elle m'a traité de mufle.—Alors, il faut la balancer.—CHARLES MONSELET.

— BALANCER UN HOMME = to desert a lover: of women.

Toujours d'avance exigeras
Qu'il fasse tinter son argent ;
Sinon tu le balanceras. . .
On ne vit pas de l'air du temps.
Parnasse satyrique.

BALANÇOIRES, *f.* Empty promises of lascivious pleasure.

Car je connais ces balançoires,
Je suis roublard,
Et j'pourrais écrir' les mémoires
Du lupanar.
LEMERCIER DE NEUVILLE.

BALANE, *m.* The *penis* with prepuce retired. [RABELAIS].

BALAYER SES ENFANTS. To sweep up semen that has fallen to the floor.

BALAYEUSE, *f.* A street-walker.

BALCON (FAIRE LE). To sit at a window 'making eyes' at passers-by.

Je vous dis que vous faites la fenêtre ; on vous a vue au balcon.
— Ah ! M. le commissaire, comme on vous a trompé : — Je ne vais jamais à ce bal là !
J. CH.-X.

BALLES (LES), *f.* The *testes;* 'the balls'.

On a beau butter an treize jamais les balles n'y entrent.—TABARIN.

BALLESTROU, *m.* The *penis;* 'the broom-handle. [From *balayer* + *trou*].

Et saint Ballestrou, qui dedans y repose, décrottera toutes les femmes.—RABELAIS.

BALLOCHES (LES), *f.* The *testes;* 'love-apples'. [RABELAIS].

BALLON (AVOIR DU). To be well-hipped; 'to be broad in the beam'.

BALLOTTER. To copulate; 'to have a double fight'.

Ils virent en leur présence ballotter leurs femmes, sans y pouvoir apporter remède.—*Les Caquets de l'accouchée.*

BALLOTTES (LES), *f.* 1. The *testes;* 'the cannon-balls'. [RABELAIS].

Elle lui met la main sur les ballottes qu'il a au-dessous de cet engin et les soulève mignardement en les passant et repassant doucement entre les doigts.—MILILOT.

Les deux tétons, jolies ballottes du plaisir.—*Moyen de parvenir.*

— 2. The paps. [RABELAIS].

BANDAGE, *m.* The *penis.*

Pensez-vous qu'ayant ainsi parlé de
turpitudes, le bandage ne les stimule
pas ?—BÉROALDE DE VERVILLE.

— *See* AFFILER.

BANDAILLER. *See* BANDOCHER.

BANDE-A-L'AISE, *m.* I. A man valiant in the service of Venus;
and (2) an indifferent performer.

Qu'on me baise,
Mon con, Nicaise,
Se présente à toi . . . :
Viens, bande à l'aise :
Vite, mets-le moi . . .
PIRON.

Monsieur dit des bons mots souvent,
Mais monsieur bande rarement ;
Monsieur a de l'esprit : j'en suis
Bien aise, bien aise,
Mais comme la peste, je fuis
Un bande-à-l'aise !
COLLÉ.

Va, ton . . . . est un vrai bande-à-l'aise,
Qui, l'autre jour,
Pour m'enfiler à la façon française
Me fit la cour.
Chanson moderne.

BANDER (LE), *m.* An erection.

Le toucher léger rend le bander
énergique,
Facilite beaucoup l'éjaculation.
Compendium érotique.

. . . . . . Soulevez sa chemise,
Caressez doucement et comme par
méprise,
Son cul tout chaud encor des ardeurs de
la nuit.
A ce contact si doux, le bander se produit.
Idem.

— *Verb.* To have an *erectio penis;*
'to get the horn'.

Que tout bande, que tout s'embrasse.
PIRON.

Le paillard outil d'un amant qui
se bande sans guindal de lui-même.
BÉROALDE DE VERVILLE.

Sitôt que je vois ma maîtresse
Le vit me bande en un instant.
Le Cabinet satyrique.

Qu'on le passe aux verges,
Dit Vénus à part ;
Qu'il soit de ma bande
Banni sans retour :
Jamais il ne bande.
Les Archers de l'Amour.

Y bande encore . . . est-y gentil !
HENRY MONNIER.

Tout vis-à-vis,
Je vends des vits
Toujours bandants.
COLLÉ.

— FAIRE BANDER = to provoke
erection, by word or deed.

— BANDER COMME UN CARME =
to hornify with power.

— BANDER DE LA GORGE = to
show desire by the hardening of
the nipples : of women.

— BANDER SON ARC = to hornify.

Alors, bandant mon arc sous un autre
balcon,
Je ne daignerai plus, vers le but de ton con,
Lancer la flèche de ma pine.
EMMANUEL DES ESSARTS.

BANDEUR, *m.* A womanizer; a
general lover.

Mais pour gagner de gros salaires
On doit oublier la pudeur
Et baiser avec ses affaires :
Rien n'est sacré pour un bandeur.
EM. HÉMERY.

BANDILLES (LES). *f.* The *testes.*

BANDOCHER. To be impotent; 'to
fumble'.

. . . Elle recréait son impotente
lubricité en lui chatouillant le scrotum
et les testicules, ce qui le faisait bandocher.
Anti-Justine, p. 123.

BANNIÈRE DE VULCAIN, *f.* The
world of cuckolds. [RABELAIS].

BAQUET, *m.* The female *pudendum;* 'the leaving shop'.

. . . Dans le baquet desquelles il
eût volontiers lavé son vit.—*Contes de
la reine de Navarre.*

BARATTER. To copulate; 'to go
prick-scouring'.

BARBARIN. *See* CLYSTÈRE.

BARBE. FAIRE UNE BARBE. To
copulate; 'to take a flyer'.

— BARBE DE LA FEMME = the
merkin; 'Bushey-park'.

Sur ta laine annelée et fine
Que l'art toujours voulut raser ;
Ô douce barbe féminine !
Reçois mon vers comme un baiser.
　　　　　　TH. GAUTHIER.

BARBEAU, *m.* A pander.

Pégr' et barbeaux, aboulez au Sauvage,
Et sans traquer livrez-vous au plaisir ;
On aurait tort de vouloir être sage
Puisqu'après tout, on sait qu'il faut raidir.
　　　　　　A. DUMOULIN.

BARBILLON, *m.* A pander.

Quoi ! pour aller danser, ma chère,
Tu abandonnes le persil,
Et de ton barbillon de père,
Tu ne conserves aucun souci.
　　　　　　A. DUMOULIN.

BARBUE, *f.* The *mons veneris.*

BARDACHE, *m.* An ingle; a pederast.

Pour, sous le titre de novice, avoir
toujours un bardache ou une garce.—
　　　　　　H. ÉTIENNE.

Le prince de Bidache
Criait aux Allemands :
Rendez-moi mon bardache.
　　　　　　TALLEMENT DES RÉAUX.

C'est là un cul de châtré ou de
bardache, si jamais il y en a eu.—
LA POPELINIÈRE.

Le capitan était bardache :
Godefroy, seigneur de Bouillon,
L'encula dans une patache.
　　　　　　B. DE MAURICE.

BAS, *m.* The female *pudendum ;*
'the under-world'.

L'on s'encroue sur vos mamelettes,
Et qu'on vous chatouille le bas,
N'en sonnez mot, ce sont ébats.
　　　　　　Ancien Théâtre français.

Dressez-vous droit que je mesure
La grandeur du bas au petit.
　　　　　　Farces et Moralités.

Gargamelle commença à se porter
mal du bas.—RABELAIS.

Non, ma foi, je me sens et dedans et
　　　　　　　　　　　　dehors,
Et mon bas peut user encore deux ou
　　　　　　　　　　　　trois corps.
　　　　　　RÉGNIER.

Pourtant ne m'oublierai-je pas,
Si je puis rencontrer le bas
De quelque garce à mon appoint.
　　　　　　J. GREVIN.

Elle s'accointa de l'un des clercs,
lequel par aventure lui mettait l'intelligence de ces mots en la tête par le
bas.—BONAVENTURE DESPERRIERS.

— *See* EMBOURREUR and RHA-
BILLEUR.

BASSE-COUR, *f.* The female *pudendum ;* 'the back-garden'.

Je ne sais si rude personne
De femme, pour le faire court,
L'une fois l'oreille abandonne,
Qu'on ne gagne la basse-cour.
　　　　　　Ancien Théâtre français.

BASSE-DANCE. DANSER LA BASSE-
DANCE. To copulate. [RABELAIS].

BASSE-JUSTICE. *See* EXÉCUTEUR.

BASSIN, *m.* The female *pudendum;*
'the dock'. [RABELAIS].

J'eusse voulu toujours fouiller dans
votre bassin.—TABARIN.

BASSINOIRE, *f.* An amorous woman.

BASTI. *See* BÉTI.

BASTON. *See* BÉTON.

BATAIL, *m.* The *penis.* [Old French
battant de cloche = bell-clap-
per].

O que votre batail est trop mol
pour ma cloche !—J. DE SCHÉLANDRE.

BATAILLE, *f.* The act of kind;
'the lists of love.' [SHAKSPEARE].

La lance au poing il lui présente
la bataille.—*Les Cent Nouvelles nouvelles.*

Lors s'écrie en riant : Je vois en ce réduit,
  Un lit,
Qui servira toute la nuit,
De champ à sanglante bataille.
          LA FONTAINE.

Et d'une sanglante bataille
Il revient couvert de lauriers.
          PIRON.

— BATAILLE DE JÉSUITES, CINQ
CONTRE L'UN (FAIRE LA) = to
masturbate. [RABELAIS].

— *See* FAIRE.

BATER L'ANE. To copulate. [RABE-
LAIS].

Depuis, pour parler en paroles
couvertes, on a dit bâter l'âne.—
BÉROALDE DE VERVILLE.

Diantre soit fait, dit l'époux en colère,
Et du témoin et de qui l'a bâté.
          LA FONTAINE.

BATI, *adj.* Said of a man of parts;
'well-hung'.

La résistance est nulle ou très légère ;
Tu vois pourtant comme je suis bâti.
          PARNY.

BATIFOLAGE, *m.* FIRKYTOODLING.

BATIFOLER. To 'mess about'.

BATIFOLEUR, —EUSE, *m.* and *f.* A
slewtherer : male or female.

BATEAU, *m.* The female *pudendum ;* 'the butter-boat'.

BATIR. To be enceinte; 'to be
bellied-up '.

BATON, *m.* The *penis ;* 'the cop-
per-stick'. Also BATON DE LIT,
BATON A UN BOUT, BATON DE
SUCRE DE POMME, BATON PASTO-
RAL, and BATON DE CHAIR.

Vous connaissez, j'en suis certaine,
Derrière un petit bois touffu,
Dans le département de l'Aisne
Le village de Confoutu.
Par suite d'un ancien usage
Qui remonte au premier humain,
Tout homme y fait pèlerinage,
La gourde et le bâton en main.
          EUGÈNE VACHETTE.

Fillettes, qui mourez d'ennui
Et languissez dans la retraite,
Pour mieux dormir toute la nuit,
Il faut employer ma recette :
Si vous désirez un amant,
Si tout bas votre cœur le nomme,
A vos maux il faut un calmant...
Prenez bien vite, mon enfant,
Un bâton de sucre de pomme.
          DUMOULIN-DARCY.

Le simple maniement volontaire
d'une main blanche et délicate qui se
promène autour de leur bâton pastoral,
est suffisant pour leur expliquer tous les
mouvements du cœur de leur dame.—
MILILOT.

Il lui montre son bâton pastoral tout
rougeâtre et enflé.—NOEL DU FAIL.

J'ai bon baston pour moi défendre,
Ferme et fort pour piquer et fendre.
      Farces et Moralités.

C'est le bâton à un bout qui me
pend entre les jambes.—RABELAIS.

Et à ces mots mit la main au bâton,
dont il voulait faire ses armes.—*Les
Cent Nouvelles nouvelles.*

Je m'étais réveillé sur les onze
heures, ayant le bâton caverneux roide
et enflé.—NOEL DU FAIL.

Changez cette L en V, rimez de ce que
                j'aime,
D'un beau bâton de lit, plus doux que
               le lit même.
          J. DE SCHÉLANDRE.

— FAIRE BATON = to horn.

Le temps... où la première guenon
venue qui me mettait la main dessus
me f'sait faire bâton pendant quinze
jours.—LEMERCIER DE NEUVILLE.

J' crois ben qu' la seul' médecine
Qui pourrait m' guérir tout d' bon
Et m'empêcher d' fair' bâton
Ce s'rait d'fair' sombre ma pine
Capitain' dans un pied d' con.
G. DE LA LANDELLE.

BATTANT, *m.* The *penis*.

Il n'importe pas que la cloche ait quelque défaut, pourvu que le battant soit bon. —BRANTÔME.

BATTERIE, *f.* The female *pudendum;* 'the touch-hole'.

Et d'une grande furie
Je perçai sa batterie.
La France galante.

BATTRE. To copulate.

En la petite ruélète
Saint Sevrin, maints meschinéte
S'i louent souvent et menu,
Et pour battre le trou velu.
GUILLOT DE PARIS.
Et prenant plaisir à cons battre.
Anciens Fabliaux.

— BATTRE LE BEURRE = to copulate with vigour; 'to get the best and plenty of it'.

D'un moule à merde il fait un moule à pine
Et bat le beurre au milieu d'un étron.
Parnasse satyrique du XIXe siècle.

— BATTRE LE BRIQUET = to copulate; 'to wag one's tail'. [POPE].

— BATTRE SA FLÈMME = to frequent places of ill-fame; 'to grouse'.

Eh bien ! puisque je suis en train de battre ma flème, je vais connaître cette maison.—LEMERCIER DE NEUVILLE.

— BATTRE SON QUART = to take one's turn : of women in brothels. [= *quart d'heure*].

Dorante, en se promenant devant la maison au grand numéro, croise Sylvia, qui bat son quart.—LEMERCIER DE NEUVILLE.

— BATTRE UN BAN AU MICHÉ = to prepare a man for congress by sexual blandishments.

Je sais attacher un ruban
Selon la grosseur d'une pine ;
Au miché je sais battre un ban
Je sais tortiller de l'échine.
Parnasse satyrique.

BAUDE (LA), *f.* Syphilis.

BAUDRIER ÉQUINOXIAL, *m.* The female *pudendum;* 'the equinoctial belt'.

BAUDRUCHE, *f.* A 'French letter'.

BAUME DE VIE, *m.* The *semen;* 'white honey'.

C'était pour me procurer mille morts délicieuses, qu'il ménageait avec art ce baume précieux qui donne la vie.—*Félicia.*

BAZAR, *m.* A brothel; 'a nanny-shop'.

Je suis la patronne de ce bazar, la mère de dix-huit petites dames.—LEMERCIER DE NEUVILLE.

BEAU PORT (AVOIR UN). To have a good presence or figure. ELLE A UN BEAU CORPS = an excuse for attention paid to a plain woman.

BEAU SIRE, *m.* A cuckold. [RABELAIS].

BEAUTÉ, *f.* Womankind: generic.

Mais s'il advient, que taillé par le fer,
Il perde un bras, une jambe, une oreille,..
Il devient sourd, manchot, boiteux, c'est clair ;
Mais la laideur sied toujours à merveille.
Et quand du corps on n'a plus qu'un côté,
On est superbe aux yeux de la beauté.
MAXIME DE REDON.

Dieu créa, pour notre bonheur,
La beauté, le jus de la treille,
Je veux, ce soir, en son honneur,
Chanter *le con* et la bouteille.
J. C.

— BEAUTÉ DU DIABLE (LA) =
Youth: of a woman neither plain,
nor pretty, but young it is said:
'Elle a la beauté du diable'.

.... Quelques-unes sont fort gentilles, deux sont fort laides, les autres ont
de ces physiques dont on ne dit rien,
mais qui plaisent souvent parce qu'ils ont
ce qu'il est convenu de nommer la
beauté du diable; ce qui veut dire de la
jeunesse....—P. DE KOCK, *Sans Cra-
vate.*

— BEAUTÉ VÉNALE = a woman
who sells that which should be
given for love.

O vous, vénales beautés
A l'humeur aventurière,
Vainement vous présentez
Le devant ou le derrière
A l'abbé
La Bédollière,
L'abbé
Qui sera flambé.
EMILE DE LA BÉDOLLIÈRE.

— LES BEAUTÉS CACHÉES, *f.* =
feminine charms: generic.

— LES BEAUTÉS OCCIDENTALES,
f. = the buttocks: also LES
BEAUTÉS POSTÉRIEURES; LES
BEAUTÉS ORIENTALES = the
paps.

...Le grand camarade, tourmenté
de ses désirs, se mettait préalablement
au fait des beautés postérieures de la
soubrette ... et cherchait à s'établir en
levrette, mais de petits coups de cul le
dénichaient comme sans dessein.—*Mon
Noviciat.*

BEAU TRAVAIL, *m.* Skill in venery:
said of public women and their
bullies.

BÉBÉ, *m.* A term of endearment
given by prostitutes to 'fancy
men' as well as favored clients.

Un mot dont on nous favorise,
Mot aux nourrices dérobé,
C'est, aurait-on la barbe grise:
— Comment ça va? Bonjour, Bébé.
FR. DE COURCY.

Théodore, c'est mon bébé;
M. Martin, c'est mon monsieur.
LEMERCIER DE NEUVILLE.

BEC. BEC A CORBIN = the *penis;*
'the bush-beater'.

BÉCOT, *m.* A playful kiss, the lips
merely touching.

Encore un bécot.—CH-RY.

— DONNER UN BÉCOT = to kiss
the tip of the *penis.*

Et quand je lui donne un bécot,
Comme il lève la tête,
Jacquot !
AL. DALÈS.

BÉCOTTER. To give BÉCOTS (*q. v.*).

Petit bossu
Noir et tortu,
Qui me bécottes
Et fripes mes cottes;
Petit bossu, noir et tortu,
De me baiser, finiras-tu?...
BÉRANGER.

BEDAINE, *f.* A protruding stomach:
specifically that of a pregnant
woman.

R'garde donc c'te bedaine;
Qui qui l'a mise comme'ça.
Chanson griv.

BEDON, *m.* The female *pudendum;*
'the drum'. Also = the belly;
the womb.

Car l'instrument qu'il voulait accorder au bedon la gouge.—*Les Cent Nouvelles nouvelles.*

BÉGUEULE (FAIRE SA). 1. To be
prudish; and (2) among prostitutes to pretend to virtue in order
to enhance one's price.

Fi des coquettes maniérées,
Fi des bégueules du grand ton;
Je préfère à ces mijaurées,
Ma Jeannette, ma Jeanneton.
BÉRANGER.

BÉGUIN (AVOIR UN). To covet possession; 'to be mashed on': of
both sexes.

Ah ! je ne sais pas quand il se passera, mais j'ai un fier béguin pour toi, va !—LEMERCIER DE NEUVILLE.

BELAUX (LES). The *testes;* 'the clock-weights'. [RABELAIS].

Les belaux.
Testiculi
Sont coupés, le fleuve les entraîne.
T. du Bordel.

BEL ENFANT, *m.* A youthful lover: *see* BELLE ENFANT.

BELINER. To copulate. [RABELAIS].

BELLE, *f.* A mistress: whether plain or pretty.

Ma belle est la belle des belles.
Vaudeville ancien.

On n'offense point une belle
Quand on s'y prend si poliment.
ALEX. DUVAL.

— BELLE DE NUIT, *f.* = a harlot; 'a dolly-mop'.

La plupart de ces belles de nuit ne seraient pas présentables au grand jour . . . à la faveur d'un léger crépuscule . . . . tout ce qui porte les attributs du *sexe* s'embellit, et acquiert le droit de plaire; les grâces surannées reprennent leur fraîcheur; la matrone la plus hideuse trouve encore à trafiquer de sa laideur dégoutante . . .—*Anecd. sur Mme. Dubarry.*

— BELLE EN CUISSES. An endearment.

J' prendrais bien quelque chose, moi . . . Et toi, la belle en cuisses ?—LEMERCIER DE NEUVILLE.

— BELLE ENFANT, *f.* = 1. a prostitute of tender years: *see* BEL ENFANT; and (2) a name given to a pretty girl who is ripe for venery.

— BELLE SOUS LE LINGE (ÊTRE) = to lose nothing by undress; 'to spread well'.

Il y avait à côté de son nom : bonne créature, assez belle sous le linge ; mais gauche et sans mouvement.—LA POPELINIÈRE.

— BELLE FEMME, *f.* = A woman of personal attractions.

BELUTER. To copulate; 'to Adam-and-Eve it'. [RABELAIS].

BÉNIR DES PIEDS. To experience the sexual spasm.

BÉNITIER, *m.* The female *pudendum;* 'the confessional'.

S'elle l'avait en son benoictier
Elle aimerait plus cher mourir
Que l'oster, y dût-il pourir.
Ancien Théâtre français.

Je crois bien que notre grand vicaire
Aura mis le doigt au bénitier.
BÉRANGER.

Aussi, ma foi
Laissez-moi mettre un doigt
Au bénitier de ma belle Lise.
EMM. DELORME.

BÉQUILLE DU PÈRE BARNABA (LA). The *penis;* 'the gut-stick'.

J'ai perdu ma béquille,
S'écriait Barnaba :
Quelle est l'honnête fille
Qui la rapportera?
COLLÉ.

Marc une béquille avait
Faite en fourche, et de manière
Qu'à la fois elle trouvait
L'œillet et la boutonnière.
GRÉCOURT.

BERGER. *See* HEURE.

BERLINGOT, *m.* 1. The female *pudendum;* 'the naggie'.

— 2. The *penis*. [RABELAIS].

BESACE, *f.* 1. The stomach of a pregnant woman; 'a bay-window'; and (2) flabby and pendulous breasts.

Finalement, v'là Boniface
Qui s' présente et veut m'épouser :
Comme il faut qu' chacun port' sa b'sace,
Je m' promets bien d' l'utiliser.
Un mal de cœur, suit' d'un' scène amou-
reuse,
Rendit bientôt ma position chanceuse...
PH. VIONET.

BESOGNE, *f.* Copulation; 'business'. [SHAKSPEARE]. Also BESOGN-ETTE; BESOGNER = to copulate.

Quand ils ont bien traveillé et qu'ils sont saouls de la besogne.—TABARIN.

La belle en train de bien apprendre,
Serrait Lucas, qui, las de besogner,
Par un air abattu lui fit assez comprendre
Qu'on ne peut toujours enseigner.
VIDA.

Et li valet commence à rire,
Que moult et liez de la besogne.
Anciens Fabliaux.

Et qui ne se fasse point prier
Quant ce viendra à la besogne.
Farces et Moralités.

Et il fit si bien qu'il ne bougea point que la besogne ne fût achevée.—T. DESACCORDS.

Il la besogna toute vive.—BÉROALDE DE VERVILLE.

Vous savez bien la besognette.
Ancien Théâtre français.

— *See* also FAIRE and METTRE.

BESONGNER. *See* BESOGNE. [RA-BELAIS].

BESONGES (LES). The sexual parts. [RABELAIS].

BESSONS (LES). The paps. [RABE-LAIS].

BÊTE (LA), *f.* I. A woman capable of venery: also of men.

Si je veux croire les railleurs
Elle a fort peu de cheveux à la tête ;
Les sujets qu'on en dit ne sont pas des
meilleurs ;
Ce n'est pas bien l'endroit par où j'ai
vu la bête,

Mais elle en a beaucoup ailleurs
Où elle est souvent arrosée
De la plus douce des liqueurs.
Le Zombi du grand Pérou.

Ciel ! poursuit-il ; quand est-ce qu'on
Pourra désabuser le monde
De foutre ces bêtes à con
Des animaux le plus immonde.
COLLÉ.

Il ne chaut quel âge a la bête, pourvu qu'elle porte.—BRANTÔME.

— 2. The female *pudendum ;* 'the best-worst part'. [DONNE].

Jadis, au lit, discret amant,
Près de ma grisette,
Je l'embrassai timidement
Des pieds à la tête.
Aujourd'hui, d' la poitrine au g'nou,
Ma main s'promène et s'arrête où
Je trouve sa bête . . . .
Bête comme chou.
JUL. CHOUX.

— 3. The *penis ;* 'the animal'.

En la fontaine mist sa beste.
Trestost jusques outre la teste.
Anciens Fabliaux.

Elle me reprochait que notre bête était bien sotte de ne pouvoir pisser seule.—BÉROALDE DE VERVILLE.

— *See* MONTER.

— FAIRE LA BÊTE A DEUX DOS = to copulate; 'to make the beast with two backs'. [RABELAIS and SHAKSPEARE].

— SE PAYER SUR LA BÊTE = to receive payment for a debt in kind—'the act of kind'.

BÊTISES (FAIRE DES). I. To grope a woman; (2) to 'touch up' a man; (3) to copulate; (4) to sodomise; and (5) to get with child.

Sois bien sage et bien raisonnable, mais pas trop cochon : si nous voulons, nous ferons des bêtises.—H. MONNIER.

Lors le prélat, relevant son étole,
Après m'avoir caressé le menton,
M' fit des bêtis's au pied du Capitole :
J'ai, mes amis, toujours été cochon.
Parnasse satyrique.

— DIRE DES BÊTISES = to converse wantonly; 'to talk blue'.

BÉTON (or BASTON), *m.* The *penis.* [RABELAIS]. Also BASTON D'ADAM and BASTON DU MARIAGE.

BETTERAVE, *f.* The *penis;* 'the man-root'. [WHITMAN].

BEUVOIRE DE VÉNUS, *m.* The pubic hair. [RABELAIS].

BEZOCHE, *f.* A harlot. [RABELAIS].

BIBI, *m.* A youth who ministers to the pederasty of older men; 'a ganymede'.

BIBITE, *f.* The *penis:* an endearment. [A diminutive of BITE].

Ta pine n'est plus qu'une humble bibite
Indigne d'entrer dans mon entonnoir.
ANONYME.

... Il est appelé ...
La bibite au petit par la bonne d'enfant.
L. PROTAT.

BICHERIE (LA). The world of whores: LA HAUTE BICHERIE = fashionable whoredom; LA BASSE BICHERIE = common women.

BICHETTE, *f.* The *penis;* 'the father confessor'.

BICHON, *m.* 1. A 'fancy man'; a 'tame cat'; and (2) a young pederast.

BICHONNER. 1. To be coquettish; to allure; and (2) to sodomise.

BIDAULT, *m.* 1. The *penis;* 'the bottom-wetter'.

Celle-là voulait bien avoir de vous autre chose que le bidault.—P. DE LARIVEY.

Là où il cherchait de l'avoine
Pour donner à son bidouart.
Ancien Théâtre français.

Ce temps pendant maujoint se mouille,
Le pauvre bidault là s'abaisse.
Recueil de poésies françaises.

— 2. The female *pudendum;* 'the goat-milker'.

Si j'avais vu votre bidault,
Je serais guéri, ce me semble,
Mais pour voir un peu s'il ressemble
A celui de ma ménagère.
Farces et Moralités.

BIDET, *m.* 1. A washing-stool; 'a pony'.

Madame entre au cabinet
Et commence sa toilette.
Se met dessus son bidet
Afin d'être blanche et nette.
PINSON.

Femme prudent se sauve
A dada sur son bidet.
A. JACQUEMART.

— 2. The *penis;* 'the wimble'.

Il est d'une vigueur que rien ne peut
abattre.
Que ce drôle était bien mon fait!
Trois fois sans débrider, il poussa son
bidet.
Les Plaisirs du Cloître.

A dada, à dada,
A dada sur mon bidet.
JACQUEMART.

Il la jeta d'abord sur sa couchette,
Lui présenta son pétulant bidet.
Le Cosmopolite.

Il faut prendre son temps, et d'un coup
à propos
Dérouter le bidet, et lui donner campos.
GRÉCOURT.

Chaque père, en voyant cette jeune
fillette,
Sent son bidet tout prêt à rompre sa
gourmette.
PIRON.

BIDET DE CULBUTE, *m.* The *penis.* [RABELAIS].

BIEN, *m.* 1. A man or woman.

— 2. The act of kind; 'benevolence',

Et disent les maîtres qu'elle échappa
de mort pour avoir senti les biens de ce
monde.—*Les Cent Nouvelles nouvelles.*

Mais qu'elle jouisse des biens
Que permettent ces sacrés liens.
SCARRON.

— FAIRE VALOIR SON BIEN =
to copulate frequently having a
desire for children.

— BIEN SERVIR = to be expert
in venery; to please.

Les dames de nos bourgeois,
Et j'en eus vingt dans un mois,
M'auraient mieux servi cent fois.
BÉRANGER.

BIENVENUE. *See* PAYER.

BIGARREAU, *m.* The uncovered gland
of the *penis.* Also BIGARREAU
ROUGE.

A force de se bander comme je dis,
il y a une peau vers le haut qui se retire
contre le ventre et découvre une tête
qui est faite comme un gros bigarreau
rouge.—MILILOT.

BIJOU, *m.* I. The *penis;* and (2)
the female *pudendum.* Also BIJOU
DE FAMILLE. [RABELAIS].

Qu'il soit pauvre, avare ou brutal,
Un père, au moins, donne à sa fille
Pour en jouir, soit bien, soit mal,
Un petit bijou de famille . . .
EM. DEBRAUX.

Non, je l'avoue; aussi je te rends grâce,
Lui dit-il, en tirant un vigoureux bijou.
VADÉ.

Répondez-moi, tendres amis des dames,
Si vous manquiez du plus beau des bijoux,
Par quel moyen, hélas! leur plairiez-vous?
E. T. SIMON.

Père, aidez-moi, dit la belle éplorée,
Vous me voyez plus que désespérée
Pour un bijou dans l'herbe enseveli.
GRÉCOURT.

L'oie attirée par l'odeur de certain
bijou, que l'écuyer ne lavait pas tous les
mois.—PIGAULT-LEBRUN.

— BIJOU ARTIFICIEL = a dildo.

J'ai des bijoux artificiels
D'une forte structure
Qui, dans les cons superficiels
Remplacent la nature.
Chansons anonymes modernes.

Certain bijou, qui d'un sexe chéri
Offre l'image et le trait favori,
Sert de Zoé la langueur amoureuse.
PARNY.

Elles parleront par la partie la plus
franche qui soit en elles, et la mieux
instruite des choses que vous désirez
savoir, dit Cucufa; par leurs bijoux.
DIDEROT.

Qui donne un bijou,
A moins qu'il soit fou,
En demande *un autre.*
DE CAILLY.

BILLART, *m.* The *penis.*[Old French].
[RABELAIS].

J'ai un billart de quoi biller son bye.
Farces et Moralités.

Et pourtant le billouart se mettait
en point.—BÉROALDE DE VERVILLE.

Aux nourrices et femmes de ménage
Je veux laisser, afin qu'elles soient con-
tentes,
Mon billouart.
Recueil de poésies françaises.

BILLES (LES). The *testes.* [RA-
BELAIS].

BINOS (LES). The *testes.* [From the
Latin].

Tu n'as point de fréros.
Pardieu! voici beaux binos.
Ancien Théâtre français.

BIRIBI, *f.* The pubic hair. [RA-
BELAIS].

BISCOTTER. To kiss with vigor.
[From Ital. *scuotere*].

Il aimait mieux dépuceler cent filles
que de biscotter une veuve.—RABELAIS.

Lucrèce fait bien de la sotte
Et ne veut pas qu'on la biscotte.
THÉOPHILE.

C'est celui à qui l'on biscotte la
femme.—NOEL DU FAIL.

BISSAC, *m.* The female *pudendum ;* 'the jelly-bag'.

> Le texte dit que foullando,
> En foulant et fesant zic, zac.
> Le galant se trouve au bissac.
> *Ancien Théâtre français.*

> Après cinq ou six bons mots
> Fait entrer Genfrey au bissac.
> *Farces et Moralités.*

BISTOQUER. To copulate; 'to have a slide up the board'.

> Mais au moins, dites-moi, l'a-t-il point bistoquée.—P. DE LARIVEY.

> Notre mignon lui répondit
> Que deux fois l'avait bistoquée.
> *Recueil de poésies françaises.*

> Mais au moins, dites-moi, t'a-t-il point bistoquée?—P. DE LARIVEY.

BISTOQUETTE, *f.* The *penis ;* 'the cue'. [RABELAIS].

> Savez-vous, bons citadins,
> Ce que le dieu des jardins
> A bien plus gros que la tête?
> Turlurette,
> C'est la bistoquette.   L. FESTEAU.

BISTOURISER. To copulate. [RABELAIS].

BIT, *f.* The female *pudendum ;* 'the bit'.

BITC, *m.* The *penis.* *See* BIBITE.

BITUMER. To walk the streets in search of a client.

BLAGUES A TABAC, *m.* Small breasts; 'dumplings'.

> Ceux qui disent que les tétons
> Flottent au vent comme des vagues,
> Suzanne, sont des polissons :
> On voit bien que ce sont des blagues.
> ANONYME.

BLANC, *m.* The female *pudendum.*

> Confit en la douceur d'un réduit tant
>   extrême,
> Je veux donner tout droit au blanc de
>   l'amitié.
> THÉOPHILE.

— *See* TIRER.

BLANCHISSEUSE DE TUYAUX DE PIPE, *f.* A prostitute. [RABELAIS].

BLÈCHE (ÊTRE), *m.* and *f.* To be ill-favored.

BLONDIN, *m.* A seducer; 'a Lothario': when fair-haired.

> L'autr' jour en rentrant chez moi,
> J'trouv' la clé dans la serrure...
> J'entre, et j' vois ma femm' près d'un
>   grand blondin,
> Tout autre aurait pris la mouche sou-
>   dain ...
> J.-E. AUBRY.

> De certain blondin, la binette
> Me faisait mazurker le cœur...
> TOSTAIN.

BLOUSE, *m.* The female *pudendum ;* 'the needle-case'.

> Que je voudrais avoir aussitôt un écu,
> Voire deux, voire trois, dans ma pauvre
>   fouillouse,
> Comme on a mis de coups dedans votre
>   belouse.
> TROTTEREL.

> Il mit maint cas dans la blouse.—
> BÉROALDE DE VERVILLE.

BLUTER. To copulate.

> Puisqu'elle n'a plus ni pain, ni paste,
> Elle n'enrage que de bluter.
> *Ancien Théâtre français.*

> Marcel blutait sa farine dans le lit avec sa femme.—P. DE LARIVEY.

BOBELINER. To copulate. [RABELAIS].

BOBOSSE, *m.* A lover with honorable intentions.

> Mais parlez-moi d' ces vieux bobosses
> Qui sans façon vous font présent
> D'une guimbarde et de deux rosses:
>   C'est du nanan.
> ÉMILE DEBRAUX.

BOCCARD, *m.* A brothel. Also BOC, BOCAN, or BOUCAN.

Le meilleur bocan du Marais
Devient presque une solitude.
CYRANO DE BERGERAC.

Chez la grosse Cateau, vas-tu donc
au bocan?—LA FONTAINE.

BOGUE, *m.* The *penis.*

BOIRE. To copulate. Also BOIRE LA
COUPE DU PLAISIR.

Elles en meurent bien souvent, si
on ne leur donne à boire souvent.—
BRANTÔME.

Enfin, si dans tes bras épuisant le désir,
De l'amour satisfait j'obtenais la cou-
ronne,
Et buvais avec toi la coupe du plaisir.
COLARDEAU.

V'là que j'bande. Ah! n'craignez
rien. J' n'ai jamais eu c' défaut-là. Un
Français ne... boit... jamais seul.—
TISSERAND.

— BOIRE AU GOULOT = to gamahuche.

Mais, grossier comme un matelot,
Par le rustre je fus forcée
De boire à même le goulot.
MARCILLAC.

— BOIRE DANS LE MÊME VERRE
= to possess a woman after
another has enjoyed her.

— BOIRE SEULE = to masturbate
in secret.

— BOIRE UN COUP = to gamahuche a woman immediately after
connection.

BOIS. *See* ABATTEUR.

— BOIS DE CERF = horns, the
emblem of cuckoldry.

— BOIS REMUANT. *See* ABAT-
TEUR.

BOITE, *f.* A prostitute. Also BOITE
A JOUISSANCE.

— BOITE AU LAIT = the breasts;
'the dairies'.

— BOITE A VÉROLE = a foundered whore; a fire-ship'.

Écoute si tu peux, vieille boîte à véroles;
Écoute si tu peux mes dernières paroles...
Un Troupier au clou.

— BOITE D'AMOURETTE = the
female *pudendum;* 'the casket
of love'.

En minaudant, vieille coquette,
Croyant vous offrir un trésor,
Vous vend sa boîte d'amourette.
E. DEBRAUX.

BON, *m.* Copulation; 'a beanfeast
in bed'.

Mais se vos mon bon consentez
Grant bien vos en viendra encor.
Anciens Fabliaux.

— *See* FAIRE.

— BON AMI or BONNE AMIE =
a lover or mistress.

Il n'y a pas moyen d'éveiller M. Lam-
bert, à cause des sottises que M. le
chevalier fait à sa bonne amie...—
Félicia.

— AVOIR BON GOÛT = to be
tasteful in choice.

Madame est bien heureuse, Colin
....elle est encore aimable et elle a
bon goût...—MERCIER, *V. du Couvent.*

BONDE, *f.* Syphilis; 'French gout'.

BONDON, *m.* 1. The *penis;* 'the
quim-stick'. [RABELAIS].

A peine sont-elles aussi grandes qu'un
tonneau qu'elles veulent avoir le bondon.
—TABARIN.

C'est mon tonneau, j'en porte le
bondon.—VOLTAIRE.

— 2. The navel.

Et du haut jusqu'au bondon
Elle est aussi droite qu'un jon.
G. COQUILLART.

BONHEUR, *m.* The act of kind; 'a turn on Mount Pleasant'.

Il ne répondit aux reproches qu'on lui faisait qu'en achevant son bonheur. —DIDEROT.

BONJOUR (LE), *m.* An act of coition on waking.

Et lui souhaitant, contre son espoir,
Deux fois le bonjour, trois fois le bon-
soir,
J'ai si galamment étonné la dame,
Qu'elle s'écriait, prenant goût au jeu:
Plus qu'ça de monnaie, excusez du peu!
Chanson moderne.

Il me foutait. Assurée du fait, je fermai vite les yeux, afin qu'aucune distraction ne me fit perdre la moindre douceur de ce bonjour.—*Mon Noviciat.*

BONNEAU, *m.* A male bawd.

BONNE CHOSE. *See* FAIRE.

BONNE DÉESSE (LA), *f.* Venus.

C'est que cette jeune adorée
Est la déesse des beaux jours;
C'est la céleste cythérée;
C'est Vénus, mère des amours!
J. CHOUX.

Il y avait quelque temps que nous n'avions offert ensemble de sacrifices à la bonne déesse, nous trouvâmes dans notre jouissance tous les charmes de la nouveauté.—*Félicia.*

BONNE ENFANT (ÊTRE). To be complaisant in venery; to play 'altogether'.

Déboutonn'-toi, tu verras comme
J' s'rai bonne enfant: j' t'amus'rai bien.
HENRY MONNIER.

BONNE FORTUNE, *f.* The act of kind; 'benevolence'.

Chacun rencontre sa chacune,
Nul ne fut sans bonne fortune.
VOITURE.

Une jeune fille dira sans rougir, d'un jeune homme: — Il a eu tant de bonnes fortunes. — Mais elle se croirait déshonorée si elle disait de lui: — Il a foutu tant de femmes. Et pourtant, c'est exactement la même chose.—A.FRANÇOIS.

— *See* AVOIR.

BONNE-FOUTÉE, *f.* A young and pretty woman; a desirable bed-fellow. Also BONNE-JOUISSANCE.

Les paillards qui soupent ici nous planteraient bientôt là pour cette mijaurée, qui, dans le fond, me paraît une assez bonne foutée.—COMTE DE CAYLUS, *Le Bordel.*

BONNES GRACES. *See* AVOIR.

BONNET, *m.* The female *pudendum;* 'the old hat'. [FIELDING and STERNE]. Also BONNET A POIL.

Sitôt qu'il fait un peu de bruit,
Je lui mets son bonnet de nuit.
BÉRANGER.

Ma Lisa, ma Lisa, tiens bien ton bonnet.—E. DEBRAUX.

Tu vas me dire, je le gage,
Que la chaleur de ton bonnet
Fera transpirer son . . . visage.
GUILLEMÉ.

Un bonnet à poil, je te jure,
Aujourd'hui ferait son bonheur;
Pour faire admirer sa tournure,
Coiffe mon petit voltigeur.
GUILLEMÉ.

Mon ourson ne servit plus guère;
Car, comm' disait notre aumônier:
J' connais c' pays qu'on prône,
Novi, Florence, Ancône;
Mais l'Italien, peu guerrier,
Rarement coiffe — un bonnet d' grena-
dier.
HENRI SIMON.

BONSOIR (LE), *m.* I. An act of coition just before sleeping. *Cf.* BONJOUR.

— 2. A prostitute. — [RABE-LAIS].

BONTEMPS. *See* DONNER.

BONTÉS. *See* AVOIR.

BORDEAU (or BORDEL), *m.* A brothel. [RABELAIS].

Et partout putain appelée,
Et premier pilier de bordeau.
Farces et Moralités.

En petits baings de filles amoureuses,
Qui ne m'entend n'a suivi les bordeaux.
F. VILLON.

Vieille, qui fais de ton lit un
bourdeau.—F. HUBERT.

Les beaux hommes au gibet, les
belles femmes au bourdeau.—BRANTÔME.

Elle fait de la dieu maison
Bordel contre dieu et raison.
MATHEOLUS.

Tenant en mon art habile,
Et le bordel de la ville,
Et la banque de la cour.
Le Cabinet satyrique.

Après un si long temps qu'elle fré-
quentait le bordel sous les auspices de
son mari.—TABARIN.

Misérable Phllis, veux-tu vivre toujours
Un pied dans le bordel, l'autre dans la
taverne ?
MAYNARD.

BORDEL. *See* BORDEAU.

— BORDEL AMBULANT = a cab.
[RABELAIS].

— BORDEL HONNÊTE, *m.* Any
place where women company.

BORDELIER, *m.* A brothel tout.
[RABELAIS].

BORDELIÈRE, *f.* A woman living in,
or frequenting brothels.

Car nule fame bordelière
Ne fut de si male manière.
Anciens Fabliaux.

BORGNE (LE), *m.* The anus; 'the
monocular eye-glass'.

V'là que j'me retourne et que j'
lui fais baiser mon *gros visage* . . . ce
qui a fait dire aux mauvaises langues
qu'il avait vu mon borgne.—RÉTIF DE
LA BRETONNE.

BOSSE. ELLE A UNE BOSSE = she
is pregnant; has a hump on her
belly.

BOSSOIRS (LES), *m.* The paps;
'the cat-heads'.

Rembarque-moi ces bossoirs,
Quoi qu' tu fais d' ces morceaux d' tripe?
Parnasse satyrique.

BOTTE FLORENTINE, *f.* Sodomy
or pederasty. Also BOTTE ITA-
LIENNE.

Peut-être aussi le plus bizarre de
tous les goûts pour une femme. . . fait-
il qu'elle ne prend aucune précaution
contre la botte florentine qui pourrait
la menacer.—*Les Aphrodites.*

BOUBIL, *m.* The *penis.* [RABELAIS].

BOUCHE. *f.* The female *pudendum;*
'the mouth that says no word
about it'. Also BOUCHE D'EN BAS.

D'autres femmes y a-t-il, qui ont la
bouche de là si pâle, qu'on dirait qu'elles
y ont la fièvre.—BRANTÔME.

Pour récompenser mon mérite,
Arrachant les dents bien à point,
Permettez que je vous visite
Votre bouche qui n'en a point.
Cabinet satyrique.

Puisque d' nos lèvres nous pourrions,
T'nir lieu du plus étroit des cons . . .
J. CHOUX.

Et pour joindre le *Créateur*
L'*âme* s'exhale par la bouche.
JEST.

— LA BOUCHE IMPURE = the
anus.

Jeanne, dans l'amoureux déduit,
Si ta bouche est toujours muette,
Ton autre bouche qui me tette,
Ne fait alors que trop de bruit.
LA MONNOYE.

Déjà le comte, dans un moment de
délire assaisonné des exclamations les
plus passionnées, est allé jusqu'à déposer
un baiser fixe et mouillant sur cette
bouche impure de laquelle, en pareil
cas, il serait disgracieux d'obtenir un
soupir.—A. DE NERCIAT.

BOUCHÈRE EN CHAMBRE, *f.* A
shagstress.

BOUCHERIE, *f.* A brothel; a 'meat-market'.

Je vais connaître cette maison et savoir quelle viande il y a à son étal, à cette boucherie-là.—LEMERCIER DE NEUVILLE.

BOUCHON, *m.* The *penis;* 'the stop-gap'. [RABELAIS].

BOUDIN, *m.* The *penis;* 'the sausage'. Also BOUDIN BLANC. [RABELAIS].

Elle dit que pour elle son ragoût le plus exquis était un boudin blanc.—D'OUVILLE. *Ibid.* Qu'est-ce que vous voulez faire du boudin de mon mari, n'avez-vous pas assez du vôtre ?

Il se retourna vers moi et me fit voir comme un bout de boudin blanc qui était assez long, dont je m'émerveillai que je n'en avais point de pareil. —MILILOT.

BOUDINE, *f.* The navel. [Old French].

Or donc la print par la poitrine,
Et mit ses mains sur sa boudine.
Anciens Fabliaux.

BOUDINER. To copulate; 'to give a bellyful of marrow-pudding'.

BOUFFER UN CHAT. To gamahuche a woman.

Oh ! cette gonzesse-là . . . j' lui boufferais le chat avec bonheur !...— —J. C.

BOUGEOIR (LE). The *penis;* 'the eye-opener'. Also LA BOUGIE.

J'ai beau te presser le bouton,
De mon travail, le croirait-on ?
Tu restes spectatrice.
Pour te coiffer d'un éteignoir,
As-tu jamais pris mon bougeoir ?
Hé ! zon, zon, zon,
Prends-le-moi, Suzon,
Il faut que ça finisse.
H. SIMON.

BOUGIE, *m.* The *penis.* [RABELAIS].

BOUGIRON, *m.* A sodomist. [RABELAIS].

Bougiron, veux-tu bien ne pas franchir la porte. Halte-là, si jamais mon époux . . .—*Tour du Bordel.*

BOUGRE, *m.* A sodomite; 'a bugger'. [RABELAIS]. In modern French, BOUGRE, *adj.* = 'bloody' or 'damned'.

Ci git Jean Maillard
Beaucoup plus bougre que paillard.
H. ÉTIENNE.

Voici le laquais de ce bougre italien.
P. DE LARIVEY.

Veuves, car Picholin
Pouvait bien chevaucher sans laisser d'orphelin ;
Il fut bougre parfait.
THÉOPHILE.

Ci git un bougre d'Italie,
Qui m'a foutu toute la vie,
Et qui me fouterait encor
Si le bougre n'était pas mort.
COLLÉ.

BOUGERIE, *f.* Sodomy or pederasty.

Voire, ce dit-il, il en a même guéri de la bougerie.—BÉROALDE DE VERVILLE.

Foutons en con, foutons en cu,
Un peu de bougerie
Est dans la vie
Quelquefois de raison.
COLLÉ.

BOUGRILLON, *m.* A young sodomite or pederast.

Si ce charmant bougrillon pouvait bien trouver quelque plaisir à se fourrer au cul d'un carcarel, ne devait-il pas être enchanté d'en enfiler un de seize ans, féminin et vierge !—*Mon Noviciat.*

BOUILLON, *m.* The semen.

Il fit l'arrêt du nez sur le cas de sa maîtresse, qui venait fraîchement d'être arrosé de son bouillon.—BRANTÔME.

C'est un grand plaisir de manger son potage
Trempé deux ou trois fois en de si gras bouillon.
THÉOPHILE.

— BOUILLON POINTU = a spermatic injection; sodomy. Also = an enema.

Dieu ! qu'est-ce que je sens ? — L'apothicaire poussant sa pointe, c'est le bouillon pointu.—*Parodie de Zaïre.*

BOULES D'IVOIRE, *f.* The paps; 'the globes'.

Le fichu en lambeaux, deux boules d'ivoire sont exposées à tous les yeux. —PIGAULT-LEBRUN.

BOULETTES (LES), *f.* The *testes.* Also BOULETTES DE VÉNUS. [RABELAIS].

Ceux-là que tu voulais dire qui ne déchargent point, sont les châtrés, à qui on a coupé les deux boulettes et qui ne sont bons à rien qu'à bander quelquefois.—MILILOT.

BOULONNER. To tickle a man's *testes.*

Connette, boulonne, boulonne les couilles de ton maître ! . . . Boulonne-lui la bouteille à miel du bourdon d'amour . . .—RÉTIF DE LA BRETONNE.

BOULOTTE, *f.* A short fat woman.

. . . Une petite pelote de graisse, une vraie boulotte, quoi ! . . . Elle ne marchait plus, elle roulait.—J. CH-X.

BOURDELER. To whore: also of women leading fast lives.

Aucuns bourdellent plus avec leurs femmes que non plus les ruffiens avec les putains des bourdeaux.—BRANTÔME.

BOURDON, *m.* The *penis;* 'the staff of life'. [RABELAIS].

Et votre gros bourdon en son poing vous mettrez.—*Les Cent Nouvelles nouvelles.*

Y sera tout acouardi, Mais que son bourdon soit lassé. *Farces et Moralités.*

Sitôt qu'une fille a senti Le bourdon dont Michaut s'appuie. *Recueil de poésies françaises.*

Je hais ces baveuses cloaques, Où les gros bourdons de saint Jacques Ne trouvent ni rives, ni fonds. *Le Cabinet satyrique.*

On appelle son bourdon à la cour, le carré.—TALLEMENT DES RÉAUX.

La croix et le bourdon en main.— B. DE MAURICE.

. . . Extasiée, fendue par l'énorme grosseur du vigoureux bourdon de mon déviringeur, les cuisses ensanglantées, je restai quelque temps accablée par la fatigue et le plaisir.—*Mém. de Miss Fanny.*

BOURRÉE. *See* DANSER.

BOURRELET, *m.* A circular silken pad worn over a *penis* too long for comfort in coition.

. . . Dans mes élans lubriques, j'avais gagné deux pouces ; toutes les mesures étaient passées, mes compagnes étaient vaincues. Je touchais aux bourrelets sans lesquels on serait éventrée ! (*Il s'agit ici d'un vit d'âne*).—*Gamiani*, A. DE M.

Le duc de Roquelaure avait un membre très gros et très long. Quand il avait à se plaindre de sa femme, il la menaçait de la foutre sans bourrelet. —*Anecdotes du Temps.*

BOURRER. To copulate; 'to scour'.

Pauline fait bien la sucrée, En dédaignant d'être bourrée. THÉOPHILE.

BOURRIQUER. To copulate: roughly and without delicacy.

Aux champs le paysan bourrique. —LOUIS PROTAT.

BOURS, *f.* 1. The *penis;* 'the bag of tricks' (= *penis* and *testes*).

Mais lorsqu'il vint à tirer sa bourse, elle se trouva vide, au grand étonnement de l'un, et à la grande confusion de l'autre.—*La France galante.*

— 2. The female *pudendum;* 'the bank'.

Certainement il est bien raison, puisque l'homme donne du sien dans la bourse de devant de la femme, que la femme de même donne du sien aussi dans celle de l'homme.—BRANTÔME.

— LES BOURSES = the *testes.*

Un banquier, un agent
De change, un financier, disent qu'ils ont
des bourses.
LOUIS PROTAT.

BOURSAVIT, *f.* The female *pudendum ;* 'the money-bag'. [A com-
pound of *bourse + vit = penis*].

Elle avait corps féminin jusqu'aux
boursavits.—RABELAIS.

BOURSER. To become pregnant; to
get a belly-full.

Car bientôt après le ventre commença à lui bourser.—*Les Cent Nouvelles nouvelles.*

BOUSIN (or **BOUSINGOT**), *m.* A
brothel.

Un soir, dans la rue aux Fèves,
Près d'un bousingot
Un' putain me suc' les lèvres
M' fait l'offr' du dodo.
SCHANNE.

BOUSSOLE, *f.* The female *pudendum ;* 'the star over the garter'.

Ce que j'ai souvent pratiqué par la
boussole, que je porte sur moi.—BRAN-
TÔME.

BOUT, *m.* The *penis ;* 'the bush-
beater'.

Quand vos maris joyeux,
Sous vos yeux,
Mettent le bout du monde.
Anc. chanson.

Le bout d'un homme qui n'a pas
d'oreilles.—BÉRÒALDE DE VERVILLE.

Poussez, multipliez, et que le bout du
ventre
Ne soit si tôt sorti, que tout prêt il n'y
rentre.
Recueil de poésies françaises.

Qui voudra voir comme le sang il m'ôte,
Me tourmentant de son humide bout.
THÉOPHILE.

Le pauvre monsieur Cabout,
Dont le bout
Est toujours petit et mou.
TALLEMENT DES RÉAUX.

BOUT-CI, BOUT-LA (FAIRE). Mutual
gamahucery or tongueing.

BOUTE-FEU (or **BOUTE-JOIE**), *m.*
The *penis.*

Cependant, je ne laissais pas de
redouter l'instant où mon nouvel enfileur
m'incrusterait son formidable boute-joie,
mais je m'armai de courage.—*Mon Noviciat.*

BOUTE EN TRAIN, *f.* The paps.
[RABELAIS].

BOUTEILLE, *m.* The female *pudendum ;* 'the jam-pot'.

Pourtant il y en a beaucoup qui aiment
à boucher leur bouteille.—TABARIN.

BOUTIQUE, *f.* The female *pudendum ;* 'the leaving-shop'. [RABE-
LAIS].

Oh! ma mie, venez ici, et fermez
la boutique, c'est aujourd'hui fête.
BÉROALDE DE VERVILLE.

Bien souvent à telle pratique
Les femmes ouvrent leur boutique.
Variétés historiques et littéraires.

J'avais pourtant encor bonne pratique
Et pour cela ne fermai la boutique.
J. DU BELLAY.

Vertu de ma vie! c'était une belle
boutique.—TABARIN.

BOUTON, *m.* 1. The clitoris: also
BOUTON D'AMOUR.

Le bouton d'amour d'une femme
qui tire la moelle des os sans les casser.
—BÉROALDE DE VERVILLE.

Laisse mon bouton . . . mon 'tit bouton . . .—HENRY MONNIER.

Tout s'ouvre : le bouton des roses,
Et celui des femmes aussi.
Parnasse satyrique.

— 2. The female *pudendum ;*
'the button-hole'.

En quelle nuit de ma lance d'ivoire
Au mousse bout d'un corail rougissant
Pourrai-je ouvrir ce bouton languissant?
THÉOPHILE.

— 3. The teat; 'the cherrylet'.

Ce beau sein sur ma bouche,
    Qu'il est pur !
Ce bouton que je touche,
    Qu'il est dur !
        GUSTAVE NADAUD.

Porte mes pieds sur ton sein,
frotte-les doucement sur tes jolis boutons
d'amour . . .—A. DE MUSSET.

— BOUTON DE ROSE = the head
of the *penis*, the foreskin with-
drawn. [RABELAIS].

A sa Lisette qu'il dispose,
Vois le jeune et plaisant Lucas,
Présenter un bouton de rose
Dont la tige ne fléchit pas.
        F. DAUPHIN.

BOUTONNIÈRE, *f.* The female *pudendum;* 'the button-hole'.

BOXON, *m.* A brothel.

Y dit qu' dans tous les boxons
On le r'çoit en paillasson.
        DUMOULIN.

BOXONNER. To frequent brothels;
to womanize. Hence to copulate.

Du dieu Vulcain quand l'épouse mignonne
Va boxonner loin de son vieux sournois.
        Parnasse satyrique.

BOXONNEUR, *m.* A bawdy-house
tout.

BOYAU, *m.* The *penis;* 'the gut-
stick'. [RABELAIS].

— BOYAU RIDÉ = a worn out
penis; 'a lob'.

Adieu ! et jamais plus ne t'advienne
                    entreprendre
De faire le vaillant, toi qui ne saurais
                    tendre.
Adieu ! contente-toi et ne pouvant
                    dresser,
Que le boyau ridé te serve pour pisser.
        REMY BELEAU.

BRAGUETTE, *f.* The *penis;* 'the
belly-ruffian'.

Et déjà il commençait à exercer sa
braguette.—RABELAIS.

De l'image de la braguette
Qui entre, corps, oreille et teste
Au précieux ventre des dames.
        Ancien Théâtre français.

Va, dit Sylvius, j'étais dispos de la
braguette.—BÉROALDE DE VERVILLE.

C'est le désir d'une braguette
Dont je ne puis avoir l'effet.
        THÉOPHILE.

J'ai encor la verte braguette.
        J. GREVIN.

L'insecte prend le bon moment :
Il mord si dru, qu' à sa braguette
Le Saint-Père porte la main,
Et, sur son auguste roupette,
Du morpion bénit l'hymen.
        H. DE MAURICE.

— *See* JOUER.

BRAISE. *See* APAISER and ÉTEIN-
DRE.

BRANCHE, *f.* The *penis;* 'the
arbor-vitæ. Also BRANCHE DE
CORAIL.

Mais connaissant ma branche comme
                    morte,
Semblable au corps qu'au sépulcre l'on
                    porte.
        Le Cabinet satyrique.

L'autre la nommait sa branche de
corail.—RABELAIS.

BRANDON ET BRANDILLOIRES, *m.*
The *penis* and *testes.* [RABELAIS].

. . . Levant mes jupes, il me fit
voir un superbe brandon . . . , qu'il
fit agir avec toute l'impétuosité qu'un
long jeûne de mer pouvait lui fournir.
—*Mém. de Miss Fanny.*

BRANDOUILLER. To masturbate.

Qui n'invoque point le secours
D'une main qui vous le brandouille.
        Satan et Ève, 47.

Le roi disait à la reine Victoire :
    Si tu voulais,
Une heure ou deux, me brandouiller
                    l'histoire,
    Je banderais . . .
Plus d'une fois, une main sous ta cotte,
Tandis que l'autre écartait ton fichu,
Je caressais et brandouillais ta motte. . .
Dis-moi, Marion, dis-moi, t'en souviens-tu?
        Chansons anonymes modernes.

BRANLADE, *m.* The act of masturbation.

BRANLE. *See* DANSER and DONNER.

BRANLEMENT, *m.* The act of kind;
'jottling'.

Quand je pense et repense au grand
        contentement,
Que vous allez avoir en ce doux bran-
        lement.
        TROTTEREL.

BRANLER. To masturbate; 'to jerk
off'. Also SE BRANLER.

Monsieur branlait sa chambrière.
      Le Cabinet satyrique.
Mais pour chasser mon deuil, par forme
        d'entregent
Je ne laisserai pas de bien branler la
        pique,
Et contraindre mon vit à pleurer son
        argent.
        THÉOPHILE.
      Et dans ma main
Qu'à te branler je lasse en vain.
        PIRON.
    Prends-le donc, petite coquine . . . .
Là . . . à poignée ! . . . Branle ! branle
pour le remettre en train.—LA POPELI-
NIÈRE.
    . . . . J'ai vu rarement
Une putain sachant branler parfaitement.
        LOUIS PROTAT.
Un jour que madame dormait,
Monsieur branlait sa chambrière.
      Cabinet satyrique.
    On n'est jamais si bien branlé que
par soi-même.—GÉRARD DE NERVAL.
Maintenant je suis réduite, farouche,
A me branler, moi ! Que je te maudis !
      Parnasse satyrique.

    — BRANLER DU CUL = to
copulate; 'to bum-fake'. Also
BRANLER LA CROUPIÈRE.

Philis veut avoir un écu
Pour branler une heure du cu.
        THÉOPHILE.
    Cette jeune espicière
    Que vous cognoissez bien,
    Pour branler la croupière
    A gagné tout son bien.
      Chansons folastres.

BRANLEUR, —SE, *m.* or *f.* A man
or woman making a speciality
of masturbation.

     . . . On ne devient pas, il faut naître
branleuse.—PROTAT.

BRANLOTTE, *f.* The act of masturbation.

    Colle-toi sur moi ; faisons-nous une
bonne branlotte.—LA POPELINIÈRE.

BRANLOTTER LE PRÉPUCE. To
retire and restore the foreskin in
masturbation.

    Te souvient-il de ta sœur Luce
    Qui me branlottait le prépuce?
        Parnasse satyrique.

BRAQUEMARD, *m.* The *penis;* 'the
bayonet'.

    N'ayant même eu le loisir de ren-
gaîner son braquemard tout sanglant.
—*Le Synode nocturne des tribades.*

    Si je dégaîne un coup mon roi de
braquemard.—J. DE SCHÉLANDRE.

    Mettant la main sous les draps, et
trouvant son braquemard.—BÉROALDE
DE VERVILLE.

    De tant de braquemards enroidis
qui habitent par les brayettes claustrales.
—RABELAIS.

Il est nommé . . .
Jacques par le farceur, braquemard par
        l'étudiant.
        LOUIS PROTAT.

BRAQUEMARDER. To copulate; 'to
go rump-splitting'.

    C'est comment je pourrai arenger à
braquemarder qui y sont cette après-
diné.—RABELAIS.

BRAS, *m.* The *penis;* 'the middle-
leg'.

    Il avait troussé sa chemise et levé
fort haut le bras.—BÉROALDE DE VER-
VILLE.

Croyez-moi donc, ne l'aimez pas ;
Dans sa manche il n'est point de bras.
      La Comédie de chansons.

BRASIER, *m.* The female *pudendum;* 'the warming-pan'.

Tant plus mon mari me brûle en mon brasier.—BRANTÔME.

BRAYDONNE, *f.* A harlot. [RABELAIS].

BRÈCHE, *f.* 1. The female *pudendum;* 'the breach'.

Et passant la main à la brèche.
BÉROALDE DE VERVILLE.
Madame, n'entendez plus rien,
Laissez donner à votre brèche.
THÉOPHILE.

— 2. The pubic hair. [RABELAIS].

BRECOLFRÉTILLER. To copulate; 'to do a tumble in'. [Old Fr., from *brocoler* + *frétiller*].

Où six l'attendaient pour la bricol-frétiller.—BÉROALDE DE VERVILLE.

BRÉHAIGNE, *f.* A sterile woman.

Voz fils, fet-il, vieille bréhaigne.
Ainçois la male mort vous praigne.
Anciens Fabliaux.
Les bréhaignes sont plus heureuses que les fécondes, parce que le *cas* ne leur pue point.—BRANTÔME.

BRÉLINGOT, *m.* 1. The female *pudendum;* 'the yard measure'.

Elle a tout gagné à prêter son bré-lingot.—BÉROALDE DE VERVILLE.

— 2. The pubic hair. [RABELAIS].

BRENEUX, *m.* A cuckold. [RABELAIS].

BRETTEUR, —SE, *m.* and *f.* A devotee at Venus's shrine; 'a performer'.

BRÉVIAIRE, *m.* 1. The *penis.*

Je voudrais que tous nos livres ressemblassent à ce bréviaire.—BÉROALDE DE VERVILLE.

— 2. The female *pudendum.*

Pour faire encore la fillette,
Et vouloir que chacun feuillette
Votre vieil bréviaire d'amour.
Le Cabinet satyrique.

BRICHOUARD, *m.* The *penis;* 'the bludgeon'.

Vous cuidiez taster et éprouver le grand brichouard de notre hôte.—*Les Cent Nouvelles nouvelles.*

BRICOLE, *f.* 1. The *penis;* 'the lather-maker'.

— 2. Venery.

BRICOLER. To copulate; 'to make the spot stroke'. [RABELAIS].

Se trouvant en lieu d'assignation où cinq ou six se trouvaient pour la bricoler.—BÉROALDE DE VERVILLE.
Que l'on troque encor le matin
Pour Suzon qu'on bricole.
COLLÉ.
Et du tout pour avoir bricolé
Avec une jeune guenon.
Recueil de poésies françaises.

BRICOLEUR, —SE, *m.* and *f.* See BRETTEUR.

BRIGADIER DE L'AMOUR (LE), *m.* The middle finger.

Quand amour perd de sa flamme,
Ce doigt la réveille en vous;
Lorsque aussi près d'une dame
Le dieu cueille un beau laurier,
Ce doigt est son brigadier.
Chansons anonymes modernes.

BRIMBALLER. To copulate; 'to go buttonhole-working'.

Seulement il ne voyait sa femme brimballant.—RABELAIS.
Et que sur le tombeau, où je reposerai,
Neuf fois par neuf matins il brimballe des filles,
Et de neuf coups de cul son vit je bénirai.
THÉOPHILE.

BRIMBORIONS (LES), *m.* 1. The *testes;* 'bawbels'.

Peux-tu me dire aussi ţous les différents
noms
Que l'on donne parfois aux deux brim-
borions
Qui sont pendus après ?
LOUIS PROTAT.

— 2. in *sing.* = the clitoris.
[RABELAIS].

BRINGANT, *m.* The *penis.* [RABE-
LAIS].

BRINGUENAL, *m.* A man retaining
virginity. [RABELAIS].

BRISGOUTTER. To copulate ; ' to
play at grapple-my-belly'. [URQU-
HART].
Tu la verras un jour brisgouttant.
RABELAIS.

BROCHE, *m.* The *penis :* 'the
needle'.
Mais n'oubliez point votre broche,
Toujours avons un fer qui loche,
Ou quelque trou à restouper.
Ancien Théâtre français.

BROCHIER. To copulate ; ' to play
at thread-the-needle'.
Cèle qui veut en être brochiée
Se descuèvre jusqu'au nombril.
Anciens Fabliaux.

BRODEQUINER. To copulate ; ' to
make feet for children's socks'.
Il avait bruit de ne pouvoir brodequiner.—T. DESACCORDS.

BRODIER, *m.* The *anus.*
Vilain brodier, laid et estraigne,
Vela pour toi.
Ancien Théâtre français.
Vieille de qui, quand le brodier trom-
pette,
Il fait un bruit de clairon ou trompette.
F. HUBERT.

BROQUER. To copulate.

Ici-bas, voilà notre état :
A coups de cul, il faut qu'on broque.
Le plus pauvre, sur son grabat
Se démène à grands coups de broque ;
Rois, juges, soldats valeureux,
Musulmans, païens, chacun broque ;
Et le Saint-Esprit amoureux
Nous a faits chrétiens par la broque.
P. SAUNIÈRE.

BROQUETTE, *f.* A child's *penis.*
Also BROQUE.
Pourquoi ma broquette est tant belle.
Ancien Théâtre français.
Allons, mon petit ami, sors ta bro-
quette pour que je la baise.—J. LE
VALLOIS.
Lorsque d'Adam en paradis
Ève soulevait la breloque,
Qu'importait à son clitoris
Un nœud, une pine... une broque !
LOUIS PROTAT.
Ici-bas, voilà notre état :
A coups de cul il faut qu'on broque.
Le plus pauvre sur son grabat
Se démène à grands coups de broque ;
Rois, juges, soldats valeureux,
Musulmans, païens, chacun broque ;
Et le Saint-Esprit amoureux
Nous a faits chrétiens par la broque.
PAUL SAUNIÈRE.
... L'avenir m'inquiète ...
De Pinceçul, hélas ! l'exécrable broquette
Peut n'être pas ...
LOUIS PROTAT.

BROUETTE (EN). *See* FOUTRE.

BROUETTER SON CAVALIER. To
give play to the hips in coition.
Ah ! qu'elle foutait bien ; jamais
femme enconnée n'a brouetté son cavalier comme Conquette.—RÉTIF.

BROUILLER. To copulate ; ' to jumble '.
Et il la brouille à couvert et par
dedans.—*Les Cent Nouvelles nouvelles.*

BROUILLAMINI, *m.* The menses.
[RABELAIS].

BRU, *f.* A woman of the town.

Je suis nommée la vieille bru,
De toutes autres brus gouvernante.
Farces et Moralités.

BRUIT. *See* FAIRE.

BRÛLER. To be very amorous.
Also BRÛLER UN CIERGE = to
copulate.

Vénus, à ta charmante loi
Mon cœur n'est point rebelle :
Je me sens presque malgré moi
Brûler pour chaque belle.
ARMAND GOUFFÉ.

BRURIE, *m.* Debauchery. [Old Fr.].

Ma foys, dame la gouvernante
Tant que je soys fille vivante,
Je tiendrai l'état de brurie.
Farces et Moralités.

BRUSQUER. 1. To copulate; 'to
strum'.

Qu'on brusque ma femme au printemps,
Ce n'est pas qu'on viole,
Ce n'est que saisir les instants.

— 2. To terminate a liaison
suddenly.

Sans brusquer une fillette
Moi, j'attends patiemment
Qu'elle soit bien en goguette
Pour pousser mon argument.
E. C. PITON.

BUBAJALLER. To get an *erectio
penis.*

Les pauvres hères bubajalaient comme
vieux mulets.—RABELAIS.

BUISSON (LE), *m.* The pubic hair;
'the boskage of Venus'.

C'est lá-d'ssus qu' la vieill' femm' se
r'jette :
Son buisson est large et touffu :
N'eût-on plus d'cheveux sur la teste,
Il faut avoir du poil au cul.
AUGUSTE LEFRANC.

BURETTE, *f.* The female *pudendum;* 'the bull's-eye'. Also LA
PETITE BURETTE.

De cette bonne eau que son serviteur
lui donna de sa petite burette.—BRAN-
TÔME.

Va . . . ferme ! que rien ne t'arrête . . .
Fais-moi cadeau d'ta p'tit' burette.
H. MONNIER.

J'y vas d'ma burette tous les matins
et tous les soirs.—LEMERCIER DE NEU-
VILLE.

BURNES (LES), *f.* The *testes.*

BUT. *See* ARRIVER.

— BUT D'AMOUR = the female
pudendum; 'the end of the
sentimental journey'. [STERNE].
Also BUT DU DÉSIR, and LE
BUT MIGNON DE FOUTERIE (or
FICHERIE).

Et lorsqu'il vit le but d'amour.—
BEROALDE DE VERVILLE.

Et quand ma main approche
Du but de mon désir,
J'attrape une taloche,
Qui fait toujours plaisir.
COLLÉ.

Et qu'en cela presque paraissait le
but mignon de ficherie.—*Moyen de parvenir.*

 CA. 1. The *penis;* (2) the female *pudendum;* (3) the act of kind. FAIRE ÇA = to make love.

Quand je suis sur ça,
Mon plaisir ne peut se comprendre;
Et, ma foi, sans ça,
Que pourrais-je faire de ça?
J'aime assez m'y reprendre,
Pour arriver encore à ça,
Afin de mieux m'étendre,
Sur ce beau sujet-là,
　　Ah! que j'aime ça!
Ce mot me plaît à la folie;
　　Il semble déjà
Que je suis à même de ça.
Chanson anonyme, Gaudriole, 1834.

CABAQUE, *f.* A student's mistress.

CABINET, *m.* The female *pudendum;* 'the bower of bliss'.

Le jardinier voyant et trouvant le cabinet aussi avantageusement ouvert, y logea petit à petit son ferrement.—NOEL DU FAIL.

CABOCHON DE RUBIS, *m.* The gland of the *penis* with prepuce retired. [RABELAIS].

CABRIOLE PRIAPESQUE, *f.* The act of kind. [RABELAIS].

CACHER (EN). To pederastise.

CACHET DE L'AMOUR, *m.* A kiss.

Sur les lèvres d'ma Colette,
Qui d'ses deux bras m'accolait,
J'vous imprimais en cachette
D'amour le brûlant cachet.
　　F. VAUBERTRAND.

CADENAS, *m.* A chastity-proof instrument worn by women.

Il n'était pas possible que la femme en étant bridée une fois, s'eût pu jamais prévaloir pour ce doux plaisir, n'ayant que quelques trous menus pour servir à pisser.—BRANTÔME.

Je voudrais donc pour votre sûreté,
Qu'un cadenas de structure nouvelle
Fût le garant de sa fidélité.
　　VOLTAIRE.

Elle condamna le bijou de Fatmé au cadenas.—DIDEROT.

CADET (LE), *m.* A woman's breach.

Quand z'alle entre au cabaret,
Sur z'un banc alle se met;
C'est trop z'haut pour son cadet,
A c'te guenon, comme aux duchesses,
Faudrait z'un tabouret.
　　VADÉ.

CADIÈRE, *f.* The breach.

Elles rougissent de voir une femme, la cadière ainsi nue aux yeux.—*V. du Couvent.*

Croyons plutôt à la cadière
Qui fait sauter un Loyola
De Sodome jusqu'à Cythère.
　　Le Cosmopolite.

CADRAN, *m.* The female *pudendum;* 'the clock'. [RABELAIS].

Conduit vite l'aiguille au milieu du cadran.—*Théâtre italien.*

**CAFÉ DES DEUX COLONNES. PREN-
DRE SON CAFÉ A DEUX COLON-
NES.** To gamahuche a woman.
CAFÉ AU LAIT = female *pu-
dendum*.

CAGE, *f.* The female *pudendum;*
'the cage'.

Des autres perroquets il diffère pourtant,
Car eux fuient la cage, et lui il l'aime tant,
Qu'il n'y est jamais mis qu'il n'en pleure
de joie.
Le Cabinet satyrique.

Elle le prit de sa main blanche,
Et puis dans sa cage le mit.
REGNARD.

CAGNE, *f.* A debauched woman.
Cette maraude, cette caigne
Enamoura l'abbé mon frère.

CAICHE, *f.* The *penis.* [RABELAIS].

CAIGNARDIÈRE, *f.* A harlot. [RABE-
LAIS].

CAILLER. *See* LAIT.

CAILLES. *See* JOUER.

CAILLES D'AMOUR, *f. pl.* The *testes.*
[RABELAIS].

CALCUL, *m.* The act of kind.
Les deux amants étaient au plus fort
de leur calcul.—P. DE LARIVEY.
Je sais quelqu'un
Qui rend encor le calcul
Nul.
COLLÉ.

CALÈGE, *f.* A high-class harlot; 'a
bona roba'.

Elle vend très cher ce que la *Ponante* et la *Dossière* livrent à un prix
modéré; sa toilette est plus fraîche, ses
manières plus polies, mais ses mœurs
sont les mêmes; la *Ponante* danse le
chahut à la Courtille; la Calège danse
le cancan au bal Musard; l'une boit du
vin à quinze et se grise; l'autre boit du
champagne et se grise; la première a
pour amant un *cambriolleur* ou un
roulottier; l'amant de la seconde est
faiseur ou escroc.—VIDOCQ (1837).

CALENDOSSER. 1. To copulate; and
(2) to sodomise. Also ENCAL-
DOSSER.

CALENDRIER, *m.* The female *pudendum;* 'the almanack'. [RA-
BELAIS].

Comme il veut prende le calendrier
historique pour y marquer le nombre.
—BÉROALDE DE VERVILLE.

CALFEUTRER. To copulate; 'to make
ends meet'.

Le garçon de boutique calfeutra
aussi bien mon bas, que maître juré qui
soit du métier de culetis.—*Variétés
historiques et littéraires.*

CALIBRE, *m.* The female *pudendum;* 'the bore'.

C'est par ce, madame, qu'elle a le
calibre plus grand et plus gros que les
autres.—BRANTÔME.

CALICE, *m.* The female *pudendum;*
'the flower-pot'.

Ça fait plaisir, quand moins novice,
D'amour tu m'offres le calice.
GUILHEM.

CALICOTE, *f.* A counter-jumper's
whore.

Clare Fontaine est une étudiante;
Pomaré est une Calicote.
1845. *Les filles d'Hériodade.*

CALINAIRE, *m.* A lover; a gallant.
[RABELAIS].

CALLIBISTRI, *m.* 1. The *penis.*
Montrant son callibistri à tout le
monde, qui n'était pas petit sans doute.
—RABELAIS.

— 2. The female *pudendum;*
'Smock Alley'.

Je crois que les callibistris des femmes de ce pays sont à meilleur marché que les pierres.—RABELAIS.

CALLIPYGE, *f.* A well-hipped woman.

Quand il vient en levrette, avec un jeu
    mutin,
Au ventre s'adapter d'amoureuse ma-
    nière
Et rien alors m'est plus gai pour le
    chevaucheur
Que de voir dans un cadre ondoyant de
    blancheur,
Le joyeux va-et-vient de l'énorme der-
    rière.
    EMM. DES ESSARTS.

CALYMANTHE, *f.* An amorous woman.

On aurait pu calculer les gradations du chatouillement que ressentait cette affreuse calymanthe . . .—*Gamiani.*

CAMBROUSE, *f.* A prostitute. [RABELAIS].

CAMELOTTE (LE MONDE), *m.* The lowest class of prostitutes.

CAMPAGNE. *See* FAIRE.

CANAL, *m.* 1. The *penis;* 'the jiggling-bone'.

Quand par le canal de son amant
Le bien lui vient en dormant.
    COLLÉ.

— 2. The female *pudendum.* [RABELAIS].

CANAPÉ, *m.* A rendezvous of pederasts.

Le canapé est le rendez-vous ordinaire des pédérastes; les *Tantes* s'y réunissent pour; procurer à ces libertins blasés qui appartiennent tous aux classes éminentes de la société, les *objets* qu'ils convoitent; les quais, depuis le Louvre jusqu'au Pont-Royal, la rue St-Fiacre, le boulevard, entre les rues Neuve-du-Luxembourg et Duphot, sont des canapés très dangereux.
    VIDOCQ. 1837.

CANICHON, *m.* The female *pudendum;* 'the hairy ring'.

Est-il bien méchant, ma tante,
  Vot' p'tiot canichon?
Non, que m'répond ma parente.
  C'est un vrai bichon.
N'sens-tu pas sa bouch' qu'est close?
  Entre ton doigt d' dans . . .
— Tiens, que j'dis, la drôl' de chose,
  Vot' quien n'a point d' dents.
    LÉON CHARLY.

CANICULE, *f.* A woman ardently inclined. [RABELAIS].

CANON A PISSER, *m.* The *penis.* [RABELAIS].

CANONNIÈRE, *f.* The intercrural trench. [RABELAIS].

CANTHARIDE, *f.* An aphrodisiac; 'Spanish fly'.

La cantharide est, à Cythère,
En usage comme à Paris;
Son effet est très salutaire,
Surtout pour nous autres maris.
Ce bonbon me change en Alcide!
J'étais si faible auparavant . . .
En avant de la cantharide!
Oui, la cantharide en avant!
    J. DU BOYS.

CANTONNIÈRE, *f.* A prostitute. [RABELAIS].

CAPOTE, *f.* A 'French letter'; 'a cundum'.

Il fuyait me laissant une capote au cul.—LOUIS PROTAT.

Les capotes mélancoliques
Qui pendent chez le gros Milan,
S'enflent d'elles-mêmes, lubriques,
Et déchargent en se gonflant.
    Parnasse satyrique.

CAPRICE, *m.* A lover or mistress; 'a fancy'.

— AVOIR DES CAPRICES = to sodomise or gamahuche after natural copulation.

C'est ainsi que chacun a ses caprices, ses goûts, et l'art de se procurer des reflets de plaisir . . .—*Mon Noviciat.*

CARABINE, *f.* A prostitute whose fancy lies among medical students.

> ... Son petit air mutin
> Plaît fort, au quartier latin.
> C'est Flora la carabine
> Dont la mine si lutine,
> Promet à chacun son tour
> Un beau jour d'amour.
> J. CHOUX.

CARABINER. To copulate; 'to shoot up the straight'. [RABELAIS].

> Et tandis que vous jouerez gros jeu avec la princesse, ne pourrai-je point carabiner avec la soubrette.—*Théâtre italien.*

CARACOLER. To copulate; 'to belly-bump'. [RABELAIS].

CARAMBOLER. To copulate; 'to do a random push'. [BURNS].

CARDINALES (LES), *m.* The menses; 'the reds'. Also, 'LE CARDINAL EST LOGÉ A LA MOTTE'. [RABELAIS].

> La jeune fille un peu pâle et tout éplorée,
> A son amant chéri fit cet aveu fatal
> Qu'elle avait pour neuf mois perdu son cardinal.
> *Tour du Bordel.*

CARESSE, *f.* An act of coition; 'a turn in Hair Court'.

> Madame de Montespan, qui avait pris goût aux caresses du roi, ne pouvant plus souffrir celles de son mari, ne lui voulut plus rien accorder.—*La France galante.*

> Chloé, d'où vient cette rigueur ?
> Hier tu reçus mes caresses,
> J'accours aujourd'hui plein d'ardeur
> Et tu repousses mes tendresses.
> E. T. SIMON.

> Que de caresses,
> Que de tendresses,
> Pour réchauffer vos cœurs, vieux députés !
> GUSTAVE NADAUD.

CARESSER. 1. To copulate; 'to Adam and Eve'.

> Afin se disait-il, que nous puissions nous autres
> Leurs femmes caresser, ainsi qu'ils font les nôtres.
> REGNIER.

> Cependant comme il n'y avait que peu de jours qu'ils étaient mariés, et qu'il était d'un bon tempérament, il se mit à la caresser.—*La France galante.*

> Je comptais boire ici cinq coups à ma maîtresse,
> La caresser cinq fois, toujours vif et dispos.
> MÉRAND SAINT JUST.

> J'avais un mari si habile,
> Qu'il me caressait tous les jours.
> *Parnasse satyrique.*

> La jeune demoiselle qui avait été si bien caressée, s'imaginait que cela devait durer toutes les nuits de la même façon.

> Il les repoussa de la porte, la referma, et retourna caresser la belle.—TALLEMENT DES RÉAUX.

> Si vous vouliez madame caresser,
> Un peu plus loin vous pouviez aller rire.
> LA FONTAINE.

— 2. To excite by touch.

CARESSEUR, *m.* A man in the act; 'a performer'.

> Pendant tout le temps, il fut à raconter combien, quand elle le voulait, elle donnait du plaisir à son caresseur !...
> —RÉTIF DE LA BRETONNE.

CARILLONNER. To copulate; 'to wind up the clock'. [STERNE].

> Et il carillonne à double carillon de couillons.—RABELAIS.

> N'est-ce pas un sujet de rire, lorsqu'on est sur le point de carillonner à ma paroisse.—D'OUVILLE.

CARIMARA, *f.* The female *pudendum.* [RABELAIS].

CAROGNE, *f.* A harlot; specifically a woman who in revenge for having been corrupted by men, corrupts them in turn.

> Le poëte Voiture, qui avait plus d'une fois expié ses bonnes fortunes sur un lit de douleur, était logé chez son père, à Amiens, tandis que la cour rési-

dait dans cette ville. Comme il était à la mode et fort connu des dames, il y en avait toujours quelqu'une qui le venait demander. Dès qu'un carosse s'arrêtait à la porte de la maison, son père criait par la fenêtre: il n'y est pas ! — Ces carognes-là, ajoutait-il en grondant, ont déjà donné la vérole à mon fils, et si Dieu ne l'assiste, je crois qu'elles la lui donneront bientôt pour une troisième.—*Hist. de la Prostitution.*

CAROTTE, *f.* The *penis.*

Pourquoi la retires-tu, ta petite carotte? Je ne voulais pas te la manger.—E. JULLIEN.

CARREFOUR, *m.* The female *pudendum;* 'the main avenue.'

Je lui jetai plein mon chapeau de poudre dedans son carrefour.—NOEL DU FAIL.

CARRIÈRE, *f.* Copulation.

Ne troublez pas votre joie après deux carrières.—D'OUVILLE.

— *See* DONNER and FOURNIR.

CARTE (AVOIR SA or ÊTRE EN). To have one's name inscribed on the register of public women.

. . . Dès demain Je ferai demander ta carte à la police, Et tu pourras alors commencer ton service. LOUIS PROTAT.

CARTEL GALANT, *m.* A harlot of parts: *see* quot.

Apprends que j'ai vingt-quatre ans à peine ; que je suis grande, svelte sans maigreur, blanche sans manquer de coloris, blonde sans être fade ; oui, de ce blond *vénustique* auquel maints habiles connaisseurs se sont étrangement mépris, car ils m'ont crue *tiède,* tandis que ce qui m'anime est le *feu grégeois;* viens subir les morsures de mes perles incisives ; viens savourer mes baisers à la rose ; viens te faire presser dans mes bras parfaits ; viens juger si le trait de ma *chute des reins* est assez moëlleux, si ma *motte* est assez relevée, si mon *con* assez serré, assez brûlant, si mon *cu,* non moins actif, est assez charnu, ferme

et satiné. Prince, gentilhomme, bourgeois, moine ou laquais, accours si la nature t'a gratifié d'un *vit* d'hercule, et si ta couille hautement relevée, est prodigue de cette sublime essence que notre langue n'a pas eu jusqu'à présent le génie de nommer un peu décemment... Viens encore, si, au défaut de cette raideur et de cette onctuosité que j'idolâtre, tu possèdes du moins à quelque degré d'habileté, l'exercice d'un doigt frétillant ou d'une langue souple et vive. Je te défie ! et Vénus ou Ganimède à ton gré, je te ferai si tu veux, l'amitié de ne te renvoyer qu'après t'avoir éteint pour un siècle.—A. DE NERCIAT.

CARTES DE GÉOGRAPHIE (LES), *f.* Seminal stains on the underclothing or bed-clothes.

CARTIERS (BATTRE LES). To copulate. [RABELAIS].

CAS, *m.* 1. The *penis.*

Car je lui vis un jour tenir Son cas à l'ouvroir en passant. *Recueil de poésies françaises.*

Qui a froid aux pieds, la roupie au nez, et le cas mol, s'il demande à le faire, est un fol.—BÉROALDE DE VERVILLE.

Mon cas, fier de mainte conquête, En Espagnol portait la tête. REGNIER.

Il avait sa femme couchée près de lui, et qui lui tenait son cas à pleine main.—BRANTÔME.

Un capucin, malade de luxure, Montrait son cas, de virus infecté. PIRON.

— 2. The female *pudendum;* 'the hole'. Also CAS DE DEVANT. [RABELAIS].

Les tétons mignons de la belle, Et son petit cas, qui tant vaut. MAROT.

Son petit cas tout bellement Le mieux que je peux j'entretiens. *Ancien Théâtre français.*

Venue expressément du plus beau cabinet De la passeuse, qui n'eut jamais le cas net. *Recueil de poésies françaises.*

Le cas d'une fille est fait de chair de ciron, il démange toujours ; et celui des femmes est de terre de marais, on y enfonce jusqu'au ventre.—BRANTÔME.

Je croyais que Marthe dût être
Bien parfaite en tout ce qu'elle a ;
Mais, à ce que je puis connaître,
Je me trompe bien à cela,
Car, bien parfaite, elle n'est pas
Toujours en besogne à son cas.
BERTHELOT.

La servante avait la réputation d'avoir le plus grand cas qui fût dans le pays.—D'OUVILLE.

— *See* FAIRE.

CASCADEUSE, *f.* A prostitute of the Quartier Breda.

Ne t'y fie pas : c'est une cascadeuse.
CH. MONSELET.

CASEMATE, *f.* The female *pudendum;* 'the fort'.

Et fermez la porte de la casemate virginale surtout.—TABARIN.

CASPENDU. *See* FRUIT.

CASSE-NOISETTE, *m.* The contraction of the sphincter in coition.

L'art du casse-noisette remonte à la plus haute antiquité ; quelques femmes modernes le pratiquent encore avec succès, avec moins de succès cependant que les Chinoises, qui sont conformées de façon à faire gaudiller le Chinois le plus écourté du Céleste empire.—A. FRANÇOIS.

Je possède l'art du casse-noisette,
Qui ferait jouir un nœud de granit.
ANONYME.

CASSER. CASSER UN ŒUF. To copulate ; 'to have a game in the cockloft'. Also CASSER LE LIT = to perform with vigour.

Sur le lit que j'ai payé
Je ne sais ce qui se passe :
A peine l'ai-je essayé,
Que le bougre me le casse.
G. NADAUD.

Je ne vous ferai'point de mal, je veux casser un œuf, qui est près de durcir dans votre ventre.—*Moyen de parvenir.*

— CASSER LE CROQUANT = to lose one's virginity. Also of women, CASSER SON PATIN.

Cette expression, qui appartient au vocabulaire dramatique des danseuses de l'Opéra, date du ballet des patineurs, au 3e acte du *Prophète.* Les *patineuses* avaient chacune, pour ce pas fatigant et dangereux, une gratification exceptionnelle de cinq francs. Quand, par hasard, — souvent, — l'une d'elles manquait son service, elle était cassée aux gages, c'est-à-dire, *aux patins.* De là, l'intelligence proverbiale de l'endroit a bien vite modifié cette expression, et l'on dit tout simplement, quand une ballerine de l'Opéra *a fait une faute :*
'Mademoiselle . . . , une telle, a cassé son patin.'

CASTRAT, *m.* A eunuch: also of 'fumblers'.

Dans ton théâtre, où règnent les castrats.—JOACHIM DUFLOT.

Es-tu pédéraste ou castrat, voyons ?
Un pareil état m'excite et m'offense
Descends de mon lit, ou bien rouscaillons.
ANONYME.

CATALANIÈRE. *See* PRÉ-CATALANIÈRE.

CATAMITE, *m.* A pederast. [RABELAIS].

CATIN, *f.* I. A whore. Also CATAN and CATHOS.

Il vous coûte bien cher à faire
De votre femme une catin.
BUSSY-RABUTIN.

Si tu vois gentilles catins
Assises sur les grands chemins,
Tourne la tête, passe vîte,
Et redoute les blés voisins.
PARNY.

Je vous chanterai, dans mes hexamètres,
Superbe catin dont je suis l'amant
Parnasse satyrique.

Une catin, sans frapper à la porte,
Des cordeliers jusqu'en la cour entra.
MAROT.

A force d'être-patinée
Est flasque comme du coton.
ÉM. DEBRAUX.

Des catins du grand monde
J'ai tâté la vertu.
ÉMILE DEBRAUX.

Retiens cette leçon, Philippine :
quelque catin que soit une femme, il
faut qu'elle sache se faire respecter,
jusqu'à ce qu'il lui plaise de lever sa
jupe. — Je pense de même . . .—
ANDRÉA DE NERCIAT.

. . . En tout, tant que vous êtes,
Non, vous ne valez pas, ô mes femmes
honnêtes,
Un amour de catin.
ALF. DE MUSSET.

— 2. An endearment.

Je ne me sens nul mal, ma catin.
Ancien Théâtre français.

Mot d'amitié que certains maris
adressent à leurs femmes, comme d'autres leur disent : *ma chatte.* — Fille
de mauvaise vie. — Cela prouve une
fois de plus qu'un mot n'a de valeur
que celle qu'on lui donne.—TH. DES-
ROUSSEAUX.

CATONNER. To be brought to bed
with child; 'to kitten'.

Votre fille est enceinte
A catonner au premier mois.
Ancien Théâtre français.

CATZE, *m.* The *penis;* 'the catzo'.
[From the Ital. *Cazzo*].

A ton catze prends la carrière,
Pour t'enfoncer en la barrière
De mon chose.
THÉOPHILE.

CAUDA, *m.* The *penis.* [RABELAIS].

CAUDET, *m.* The female *pudendum;*
'the tail'.

Jean, Lison dit qu'il le faut mettre
Toujours au parvis du caudet.
Ancien Théâtre français.

CAULIS, *m.* The *penis.* [RABELAIS].

CAUQUER. To copulate; 'to cock it'.

Si je vous tiens, je vous assure,
Le diable vous cauquera bien.
Ancien Théâtre français.

CAUQUESON, *m.* The act of kind.

Comment ! vous vous passiez bien
De cauqueson chez votre même.
Ancien Théâtre français.

CAUSE. FAIRE LA CAUSE POURQUOI.
To copulate. [RABELAIS].

CAUSER. To copulate; 'to have it'.

Mme d'Aran, d'ailleurs, était bien
aise, après trois ans d'absence, de
causer de près avec son mari.—
PIGAULT-LEBRUN.

Asseyons-nous sur ce canapé, mon
ami, et . . . causons.—LEMERCIER DE
NEUVILLE.

Il dit à Baron que, quoiqu'il fati-
guât beaucoup à la comédie, il aimerait
mieux être obligé d'y danser tous les
jours que d'être seulement une heure
à causer avec la maréchale.—*La France
galante.*

CAUSEUSE, *f.* An ardent and amorous woman.

Il n'en fut pas de même du basque,
qui trouvait que la maréchale était une
causeuse inexorable.—*La France
galante.*

CAVALCADES, *f. pl.* Love affairs.

Ça fait des manières, un porte-
maillot comme ça ! — et qui en a vu,
des cavalcades.—GAVARNI.

CAVALCADOUR, *m.* A man in the
act of kind. [RABELAIS].

CAVEÇON, *m.* A dildo.

Orcotome fit transporter Zélais dans
un cabinet voisin, la visita, et coupa
les courroies de son caveçon.—DIDEROT.

CE. The female *pudendum ;* 'that'.
Also CE QUI EST FENDU.

Elle étend la main prudemment
Sur ce qu'elle a de plus coupable,
Sur ce qu'elle a de plus charmant.
PARNY.

Il faut une épaulette
A ton grand morfondu ;
L' ministre qui brevète
Aime assez c' qu'est fendu.
Encore un coup d'cu, Jeannette . . .
E. DEBRAUX.

— CE QUI S'AUGMENTE = the *penis* in a state of erection.

Enivré des plus doux plaisirs,
Il forma de nouveaux désirs ;
Ce qui s' augmente ... s'augmenta...
Alleluia !...
Goguette de Lilliput.

CECI, *m.* 1. The *penis.* [RABELAIS].

Et ce qui est encore pis au ceci
d'un homme.—BÉROALDE DE VERVILLE.

Parbleu, dit-il, prenez ceci,
Il est d'assez bonne mesure.
GRÉCOURT.

— 2. The female *pudendum.*
[RABELAIS].

CÉDER. To yield to the sexual embrace; 'to grant the favour': of women.

Victime d'une ruse indigne,
La trop confiante Léda
Croyait ne caresser qu'un cygne,
Quand à Jupin elle céda.
JULES RUEL.

CELA. 1. The act of kind.

Les hommes sont plus propres,
ardents et déduits à cela l'hiver que
l'été.—BRANTÔME.

— 2. The female *pudendum;* 'it'.
[RABELAIS].

Si vous mettez la main au devant
d'une fillette, elle la repoussera bien
vite et dira : laissez cela.—BÉROALDE
DE VERVILLE.

— 3. The *penis.*

. . . Il est nommé pine par la lorette ;
Un Chose, ou bien Cela, par une femme
honnête.
LOUIS PROTAT.

— *See* FAIRE.

CELUI. CELUI QUI A PERDU DE L'ARGENT = the female *pudendum.*
Also CELUI QUI REGARDE CONTREBAS. [RABELAIS].

C'est celui qui a perdu de l'argent.
—BÉROALDE DE VERVILLE.

C'est celui qui regarde contrebas.
—BÉROALDE DE VERVILLE.

CENTRE, *m.* The female *pudendum;* 'the centre-bit'. Also CENTRE DE DÉLICES = 'centre of delight'. [RABELAIS].

Mais touchez lui son petit centre,
Cela s'endose doucement.
Le Cabinet satyrique.

Alors tout doucement j'entre
Là-bas, dans ce petit centre,
Où Cypris fait son séjour.
La France galante.

Le pauvre petit centre de délices.—
BÉROALDE DE VERVILLE.

D'un seul coup, Rose rejeta la
couverture ; il ne s'attendait pas à nous
voir totalement nues, et nos mains
placées au centre de la volupté.—
Rideau levé.

Celle des deux qui triomphait par
ses gestes et sa débauche, voyait tout à
coup sa rivale éperdue fondre sur elle,
la culbuter, la couvrir de baisers, la
manger de caresses, la dévorer jusqu'au
centre le plus secret des plaisirs, se
plaçant toujours de manière à recevoir
les mêmes attaques.—ALF. DE MUSSET.

CÉRÉMONIE, *f.* The act of kind.

J'en connais qui sont adonnées à
la cérémonie. — Qu'entends tu par la
cérémonie ? interrompit-elle. — C'est,
madame, repris-je, de donner le fouet
ou de le recevoir.—*Mœurs du temps.*
I, 159.

Que bonne part de la cérémonie
Ne fût déjà par le prêtre accomplie.
LA FONTAINE.

CERF, *m.* A cuckold.

L'amant quitte alors sa conquête
Et le cerf entre à la maison.
BÉRANGER.

CERKOS, *m.* The *penis.* From the Greek. [RABELAIS].

CERNER LES YEUX (SE). To masturbate oneself.

Voilà que j'bande . . . Ah ! n'craignez rien . . . j'n'ai jamais eu c'défaut-là . . . Et puis . . . ça cerne les yeux.—TISSERAND.

CERTAIN BOBO, *m.* The pox; 'a Winchester goose'.

Un jeune élève d'Esculape,
Me guérit de certain bobo . . . .
Un beau jour, il me dit : Ma chère,
En moi, vos yeux ont excité
Certain feu. — Je le laissai faire . . .
Pour m'assurer de *ma santé* . . .
Gaudriole, 1834.

CERVELAS, *m.* The *penis;* 'the sausage '.

Oui, mon cher, à vot' cervelas
On a fait un' rud' brèche . . .
Vous n' me l' mettrez pas, Nicolas :
Je n'aim' que la viand' fraîche.
J.-E. AUBRY.

CESSER. CESSER DE L'ÊTRE. To lose one's maidenhead.

Je le suis encore, m'a-t-elle dit en riant, je voudrais cesser de l'être par un joli homme comme toi.—RÉTIF DE LA BRETONNE.

CHAHUTEUSE, *f.* A prostitute who makes public balls her hunting ground. Also = any noisy girl, who sings, laughs loud, and kicks up her legs.

CHAIR, *f.* The *penis;* 'the life-preserver '.

Les mains féminines sont grils sur lesquels la chair revient.—BÉROALDE DE VERVILLE.

Voici le carême approcher
Belles, n'épargnez pas la chair.
Le Cabinet satyrique.

Bon, bon ! sur ce ton-là, la petite friande,
Il lui faut la chair vive après toute autre
viande.
J. DE SCHÉLANDRE.

— *See* AIGUILLON, MACÉRATION, MANGER, METTRE, ŒUVRE, and PÉCHÉ.

CHALANT, *m.* A lover ; a 'fancy man'. [RABELAIS].

CHALCIDISSER. To sodomise.

CHALEUR (ÊTRE EN). To be amorous; 'to be on heat '.

De sa fécondité la cause
S'explique en y réfléchissant !
Il est clair pour l'observateur
Qu'il doit toujours être en chaleur.
LOUIS PROTAT.

CHALUMEAU, *m.* The *penis;* 'the chink-stopper '. [RABELAIS].

Mais son doux chalumeau
M'ayant d'amour éprise,
Ce n'est rien de nouveau
Si je fis la sottise.
La comédie de chansons.

CHAMBRE DÉFENDUE, *f.* The female *pudendum;* 'Bluebeard's closet '.

Dans l'obscurité il s'approcha de cette fille, et il était près d'entrer dans sa chambre défendue.—TALLEMENT DES RÉAUX.

CHAMBRER. To retire for the purposes of venery.

Ailleurs, la comtesse, avec moins d'égards pour son estomac, chambre le joli Fessange.—*Les Aphrodites.*

Sachez, dit il, que je chambre
Certaine femme de chambre.
GRÉCOURT.

CHAMEAU, *m.* I. A prostitute.

L'autre dit que sa gorge a l'air d'un
mou de veau,
Et toutes sont d'accord que ce n'est
qu'un chameau.
LOUIS PROTAT.

Suivre la folie
Au sein des plaisirs et des ris,
Oui, voilà la vie
Des chameaux chéris
A Paris.
JUSTIN CABASSOL.

CHAMP, *m.* The female *pudendum;* 'the garden'. Also CHAMP DE BATAILLE = 'Love's battle-field';

and CHAMP DE VÉNUS. [RA-
BELAIS].

Je ne perds pas la graine que je sesme
En votre champ, car le fait me ressemble.
F. VILLON.

Si pour cueillir tu veux donques semer
Trouve autre champ, et du mien te retire.
MAROT.

De manière que mon champ ne
demeurât point en friche.—CH. SOREL.

Il fallut abandonner le champ de
bataille et céder Haria.—DIDEROT.

Quoiqu'il me parût fort dur de quitter le champ de bataille avant d'avoir
remporté la victoire, il fallut m'y décider
pourtant.—LOUVET.

— CHAMP CLOS. *See* ENTRER.

CHAMPIGNON (LE). 1. The *penis.*

Si son champignon
Ressemble à son piton.
Quel champignon,
Gnon, gnon,
Qu'il a, Gandon,
Don, don.
ALEXANDRE POTHEY.

— 2. An ulcerous or cancerous
growth on the *penis.*

Elle n'eut jamais chaude-pisse,
Ni vérole, ni champignon.
H. RAISSON.

CHAMPISSE, *f.* A prostitute. [RA-
BELAIS].

CHANCRE, *m.* A venereal ulcer.

Jamais du moins on ne m'a vu
Foutre des chaudes-pisses ;
Plein de chancres et de morpions.
Parnasse satyrique.

CHANDELIER, *m.* The female *pudendum;* 'the candlestick'.

Portez-lui le chandelier.—GAYETTE.

CHANDELLE, *f.* The *penis;* 'the
dearest member'. [RABELAIS and
BURNS].

Si a une chandoile prise,
Très-toute ardente et toute esprise.
Anciens Fabliaux.

Voici maître curé qui vient pour
allumer sa chandelle, ou pour mieux
dire l'éteindre.—*Les Cent Nouvelles
nouvelles.*

Allez donc, on vous appelle,
Votre ami tient la chandelle,
Dont il veut vous éclairer.
GAYETTE.

Des femmes qui montrent leurs seins,
Leurs tétons, leurs poitrines froides,
On doit présumer que tels saints
Ne demandent que chandelles roides.
G. COQUILLART.

— *See* ALLUMER, ÉTEINDRE, and
TENIR.

CHANGER DE RELIGION. To become
addicted to sodomy or pederasty :
of men ; to become a professional
masturbator : of women.

CHANTER. CHANTER LA MESSE.
To copulate ; 'to go and see a
sick friend'. Also CHANTER L'OF-
FICE DE LA VIERGE, and CHANTER
L'INTROIT.

Les gens mariés chantent leur
premières messe sur l'autel velu.—
BÉROALDE DE VERVILLE.

Il m'a escamoté le sac en chantant
avec moi l'office de la vierge.—
PIGAULT-LEBRUN.

Une catin s'offrant à l'accolade
A quarante ans, il dit son introit.
PIRON.

CHANTERELLE, *f.* The *penis.*
[RABELAIS].

CHAPEAU, *m.* The female *pudendum;* 'the old hat'.

Que ta main s'est piqué les doigts
Au chapeau de la mariée.
BÉRANGER.

— AVOIR UN CHAPEAU DE GOU-
DRON = to sodomise or pederastise.

Dans l' trou d' ton cul faut que j' m'affale,
Tach' de ravaler ton étron,
Pour que je n' sorte pas d' ta cale
Avec un chapeau de goudron.
ALPHONSE KARR.

— FAIRE LE CHAPEAU DU COM-
MISSAIRE = to tongue a man.

En même temps elle peut faire
Aussi chapeau du commissaire.
Ce doux jeu qu'inventa l'amour
Est aussi simple que bonjour !

Tant que sa petite menotte
Avec adresse vous pelotte,
Sa bouche vous suce le dard
Pour en obtenir le nectar . . .
MARC-CONSTANTIN.

CHAPELLE, *f.* The female *pudendum;* 'the chapel of case'.

Il tâcha de faire entrer son idole
dans ma chapelle ; à quoi je l'aidai en
écartant les cuisses et en avançant le
croupion autant qu'il me fut possible.—
Mémoires de Miss Fanny.

Tous les passants dedans cette chapelle
Voulaient dévots apporter leur chandelle.
La Chapelle d'amour.

Le compagnon lui plut si fort,
Qu'elle voulut en orner sa chapelle.
PIRON.

CHAPITEAU, *m.* The gland of the
penis.

CHAPON, *m.* A eunuch; also a
fumbler. [RABELAIS].

Pour ma part, moi j'en réponds,
Bienheureux sont les chapons.
BÉRANGER.

CHAPONNER. To castrate. [RABE-
LAIS].

Je te chaponnerai, puis je t'arracherai
les couilles rasibus.—LOUIS PROTAT.

CHAPOTTER UN MERLE. To masturbate.

CHARADE, *f.* The act of kind.

Et quoique nous n'y fussions pas
restés longtemps, la charade était faite
avant que d'en sortir.—SOUVET.

— *See* FAIRE.

CHARGER. To copulate; 'to ride'.

Ainsi que son mari la voulait
charger.—BRANTÔME.

Plus on charge une femme, plus
elle est joyeuse, et plus elle vous caresse.
—TABARIN.

CHARMES, *m.* 1. The female *pudendum;* 'the charm'.

— 2. The breasts, hips, ankles
etc. of a woman.

Avec beaucoup de charmes, c'est-
à-dire de beauté, on peut manquer de
charme : on peut de même avoir
beaucoup de charme avec très peu de
beauté. Réunir *le* et *les,* c'est la per-
fection à son comble.—A. DE NERCIAT.

Et laisse voir ces charmes, dont la vue
Est pour l'amant la dernière faveur.
PARNY.

. . . Y vendre au poids de l'or toutes les
voluptés,
Et des charmes, souvent, qu'on n'a pas
achetés.
LOUIS PROTAT.

CHARNIER, *m.* The female *pudendum;* 'the flesh-pot'.

Je veux de la chair en mon charnier.—P. DE LARIVEY.

CHARNIÈRE, *f.* The female *pudendum.*

Elle s'en est tant foutu,
Qu'ell' s'est rompu la charnière . . .
Si bien que du con au cul,
Ça n' fait plus qu'une gouttière :
Bon, bon, de la Bretonnière.
Vieille chanson.

CHARRUE, *f.* The *penis;* 'the
plough-share'.

Entends à Anne qui est un terroir,
qui n'attend sinon que tu mettes ta charrue dedans.—P. DE LARIVEY.

La jeune dame ne voulait laisser son
bien en friche, et n'attendait que la
charrue.—D'OUVILLE.

— METTRE LA CHARRUE DEVANT
LES BŒUFS. To copulate. [RA-
BELAIS].

CHARTRE. *See* TENIR.

CHASSE. FAIRE LA CHASSE AUX CONINS. To copulate.[RABELAIS].

CHASTEAU DE GAILLARDIN, *m.* The female *pudendum.* [RABELAIS].

CHAT, *m.* The female *pudendum;* 'the pussy'. [RABELAIS].

Par le chat mystique du bas de son ventre.—BÉROALDE DE VERVILLE.

Elle aime tous les rats,
Et voudrait, la Lesbienne,
Qu'à sa langue de chienne
Elles livrent leurs chats.
JOACHIM DUFLOT.

— *See* LAISSER ALLER, LAISSER ATTEINDRE, and LAISSER VENIR.

CHATRER. To geld.

Où est la très-sage Héloïs?
Pour qui fut chastré, et puis moine,
Pierre Esbailard.
F. VILLON.

Qu'on me châtre, qu'on me chaponne,
Non, mon ami, qu'on m'escouillonne.
Le Cabinet satyrique.

Beau con, dont la beauté tient mon âme ravie,
Qui les plus vieux châtrés pourrait faire dresser.
THÉOPHILE.

CHATTE, *f.* A woman.

Un petit être sauvage et domestique tout à la fois, qui a l'œil intelligent et les mouvements gracieux, fait patte de velours et ron-ron, et qui pourtant a de petites griffes très-méchantes qu'il lance au visage quand on l'irrite ; il aime les sucreries, les gâteaux, et se laisse prendre quelquefois sur les genoux.—A. VEIRMAR.

CHAUD. ÊTRE CHAUD COMME BRAISE. To be very amorous; 'to have a continual must'.

Dans les gardes-françaises
J'avais un amoureux,
Fringant, chaud comme braise,
Jeune, beau, vigoureux.
J. J. VADÉ.

Je suis étroit, chaud comme braise,
Mon pucelage vaut le tien.
Parnasse satyrique.

CHAUD DE LA PINCE, *m.* An amorous man ; a good performer.

C'était un chaud de la pince
Qui peuplait dans chaqu' province
L'hospic' des enfants trouvés.
LOUIS FESTEAU.

CHAUDE-LANCE, *f.* Inflammation of the urethra.

Le soldat de Lobau,
Dit-on, n'eut pas de chance,
Car une chaude-lance
Lui cerda le boyau.
JOACHIM DUFLOT.

CHAUDE-PISSE, *f.* Inflammation of the urethra.

. . . Sais-tu d'abord quel nom
Donner à l'instrument par où le mâle pisse
Et par lequel aussi lui vient la chaude-pisse ?
LOUIS PROTAT.

CHAUDET, *m.* The female *pudendum;* 'the warming-pan'.

Vraiment, vous n'avez garde d'avoir froid, vous qui avez toujours les mains à votre chaudet.—D'OUVILLE.

CHAUDRON, *m.* The female *pudendum;* 'the kettle'.

Mon chaudron fait de l'eau
Auprès du cul, quand il est chaud.
Ancien Théâtre français.

Son mari n'était d'aventure assez raide fourbisseur d'un chaudron tel que le sien.—*Le Synode nocturne des tribades.*

CHAUFFE-LA-COUCHE, *m.* The stay-at-home husband of a gad-about wife.

CHAUFFERETTE, *f.* A professional masturbator, generally a foundered whore; 'a shagstress'.

CHAUFFEUR, *m.* A man who makes love to a girl in order to win the favour. CHAUFFER UNE FEMME = to court with a view to seduction.

Loquemans, c'est l'officier, le chauffeur de la petite.—H. MONNIER.

CHAUFFOIR, *m.* A diaper; 'a sanitary towel'.

CHAULDRONNER. To copulate. [RABELAIS].

CHAUSSER. To be the special 'fancy' of one of the opposite sex, in a venereal sense.

Je veux dire que tu es un crâne fouteur, que tu me chausses comme jamais, en effet, je n'ai été chaussée.—LEMERCIER DE NEUVILLE.

CHAUSSON, *m.* A low-grade prostitute.

Joséphine! elle a chaussé le cothurne à la salle de la Tour-d'Auvergne, chez Ricourt .... — C'est pour cela que je l'appelle chausson ... qu'elle est.—LEMERCIER DE NEUVILLE.

CHEMIN. FEMME DE CHEMIN, *f.* A whore. [RABELAIS].

CHEMIN DU PARADIS, *m.* The female *pudendum ;* 'the way to heaven'.

CHEMINÉE, *m.* The female *pudendum ;* 'the chimney'.

Ramonez vos cheminées,
Jeunes femmes, ramonez.
Ancien Théâtre français.
Notre cheminée n'a pas été ramonée comme elle le voulait.—*Variétés historiques et littéraires.*
Et qui prétend la cheminée
Rendre de tout point ramonée.
THÉOPHILE.

CHEMINER. CHEMINER AUTREMENT QUE DES PIEDS. To copulate ; 'to cavault'.

Lycaste pourrait bien l'avoir fait cheminer
Autrement que des pieds ; ce sexe est si fragile
Que, prenant bien son temps, vertement
on l'enfile.
TROTTEREL.

CHEMISE. *See* LEVER and DÉVOTE.

CHENILLE, *f.* A coarse, plain woman.

CHERCHER. CHERCHER DES ÉPINGLES A TERRE. Said of a worn-out *penis.*

— *See* FOULARD.

CHÈRE. *See* FAIRE.

CHEVAL, *m.* The *penis ;* 'the horseman'.

Bêle, fet-il, c'est mon cheval.
Anciens Fabliaux.

— A CHEVAL SUR UN TORCHON. Said of a woman in menses.

CHEVALIER DE LA ROSETTE, *m.* A sodomite.

L'un des plus célèbres chevaliers de la rosette que l'on connaisse est César, le grand César, que l'on appelait 'Ruelle de Nicomède' — *Spondam regis Nicomedis* — parce que, chez les Romains, les femmes couchaient au lit du côté de la ruelle.—A. DELVAU.

CHEVALIER DU CROISSANT, *m.* A cuckold.

CHEVAUCHÉE, *f.* The act of kind; 'the married man's cotillion'.

Elle taxait ses coups et ses chevauchées, comme un commissaire qui va par pays.—BRANTÔME.

CHEVAUCHER. To copulate; 'to ride'. [RABELAIS].

Il n'est pas fait plutôt, je crois,
Pour un piéton que pour un qui chevauche.
COLLÉ.

Va ta femme chevauchant.—T. DES-ACCORDS.

Vous me promîtes que quand vous seriez mariée, je vous chevaucherais.—*Les Cent Nouvelles nouvelles.*

Il m'a dit que, lorsqu'il me pouvait tirer à l'écart, il était si animé à me chevaucher sur-le-champ, qu'il ne pouvait plus commander à son vit raide.—MIILOT.

> Carmes chevauchent nos voisines,
> Mais cela ne m'est que du meins.
> F. VILLON.

> Les dévotes beautés qui vont baissant les yeux,
> Sont celles plus souvent qui chevauchent le mieux.
> PIRON.

— CHEVAUCHER A L'ANTIQUE = to sodomise or pederastise.

> Jaquet ignorant la pratique
> D'Hypocrate et de Gallien,
> Chevauchait un jour à l'antique
> Margot, que chacun connaît bien.
> THÉOPHILE.

CHEVAUCHEUR, *m.* A man in the act.

> Et rien alors n'est plus gai pour le chevaucheur
> Que de voir, dans un cadre ondoyant de blancheur,
> Le joyeux va-et-vient de l'énorme derrière.
> EMMANUEL DES ESSARTS.

CHEVILLE, *f.* The *penis;* 'the pin'. Also CHEVILLE OUVRIÈRE and CHEVILLE D'ADAM. [RABELAIS].

> Il mit sa cheville au pertuis de sa compagne.—B. DESPERRIERS.

> Il faudrait pour vous arrêter
> Vous mettre au cul une cheville.
> *Le Cabinet satyrique.*

> La demoiselle qui ne demandait pas mieux que de trouver une cheville à son trou.—D'OUVILLE.

> Pour une cheville qu'on met au bas du nombril d'une femme, elle sait mettre deux cornes sur le front de son mari. —TABARIN.

— *See* AVOIR.

CHEVILLER. To copulate; 'to go quimsticking'.

> Que je voudrais bien être
> Femme d'un menuisier,
> Ils ne font rien que cheviller.
> GAUTIER-GARGUILLE.

CHEVILLOT, *m.* The *penis*. [RABELAIS].

CHIASSE, *f.* A woman.

CHIBRE, *m.* The *penis*.

> J'y vois le brutal vent du Nord
> Qui son énorme chibre agite
> Pour enfiler dame Amphitrite.
> P. J.

> Tu me disais alors que pour pouvoir te plaire,
> Une femme devait vous dire et savoir faire
> Toutes les saletés et toutes les horreurs ;
> Que cela ranimait le chibre des fouteurs.
> LOUIS PROTAT.

CHICOT, *m.* A fœtus; a false conception.

> Manon, que l'adroite Lucine
> A délivré d'un fier *chicot* . . .
> L. FESTEAU.

CHIEN. AVOIR DU CHIEN. Said of women whose eyes, demeanour, and general aspect are suggestive of venery: *e.g.* Elle n'est pas jolie, mais elle a du chien.

CHIENNER. To be rampantly addicted to venery; 'to dog it'.

CHIFFE, *f.* The *penis*, when lacking power; 'a lob-prick'.

> Ah ! vous n'êtes pas un homme, vous êtes une chiffe !—LEMERCIER DE NEUVILLE.

CHIFFRE, *m.* The price of an embrace; 'socket-money'.

CHINOIS, m. The *penis: cf.* CÉLESTE EMPIRE = the female *pudendum.* SE POLIR, or SE BALANCER LE CHINOIS = to masturbate.

CHIPETTE, *f.* A woman who prefers to abuse her own sex.

CHOC, *m.* The act of kind; 'the lists of love'.

La belle faisait la sucrée comme si le choc lui eût fait peur.—D'OUVILLE.

CHOIR. *See* ALLER and VENIR.

CHOIROS, *f.* The female *pudendum* : from the Greek. [RABELAIS].

CHÔMER. To be deprived of the pleasures of venery.

CHOSE, *m.* 1. The *penis.* [RABELAIS].

Après, il me fait empoigner son chose, qu'il a raide, et quelquefois me prend à force de corps et me fait rouler sur lui.—MILILOT.

Mais votre chose est tout petit, comme l'on dit, que si vous l'apportez en quelque lieu, à peine si l'on se perçoit qu'il y est.—*Les Cent Nouvelles nouvelles.*

Quand je l'eus lavé une pose
Soudain je vis dresser son chose.
Farces et Moralités.

Serait-il vrai, bouche de rose,
Ce que m'a dit un imprudent :
Que vous vous passez moins de chose
Qu'un Espagnol de cure-dent?
THÉOPHILE.

— 2. The female *pudendum.* [RABELAIS].

Ce n'est pas autre chose
Que pour ce petit chose
Que l'on porte devant.
La Comédie de chansons.

C'est votre chose.—BÉROALDE DE VERVILLE.

C'est, dit-il, parce qu'elle avait un beau chose.—TALLEMENT DES RÉAUX.

O! ouy, ma foi, elle a un chose
Qui ne bouge de la maison,
Ainsi que fait celuy Lison,
Ainsi fatelu et douillet.
Ancien Théâtre français.

Ton chose, me dis-tu,
A si petite ouverture,
Qu'un vit moindre qu'un fétu
Y serait à la torture.
Cabinet satyrique.

Un vieux, qu'il me semblait avoir vu
quelque part,
Se faisait bravement sucer le bracquemart ;
Un autre, en sens inverse, ayant compris
la chose,
Gamahuchait le con le plus frais, le plus
rose
Qui soit jamais sorti des mains du Créateur . . .
L. PROTAT.

— 3. A clap or pox.

J'eus bien du bonheur un jour.
Je demandais son amour
A fillette blanche et rose :
Mam'zell' Rose . . .
— Mam'zell' Rose . . .
Me donna la chose.
JUL. CHOUX.

— *See* FAIRE.

— CHOSE DE NUIT = copulation ; 'the act of darkness'. [SHAK-SPEARE].

Sachant la réputation qu'il avait pour les choses de nuit.—TALLEMENT DES RÉAUX.

— LES CHOSES D'AMOUR = the arts of venery.

Maudit soit à jamais le rêveur inutile,
Qui le premier voulut dans sa stupidité,
S'éprenant d'un problème insoluble et
stérile,
Aux choses de l'amour mêler l'hon-
nêteté ! . . .
CH. BAUDELAIRE.

Hippolyte, cher cœur, que dis-tu
de ces choses ? . . .—LE MÊME.

Embrasse bien tendrement ta femme pour moi; et vous, mesdames, toutes les fois que vous ferez ces choses, faites-les en mémoire de moi.—SOPHIE ARNOULD.

CHOSER. To copulate; 'to have a blindfold bit'. [RABELAIS].

Au moins ne peut-on que baiser
L'une foys, l'autre choser.
Ancien Théâtre français.

Mon chose veut choser votre chose, mais
chose
Garde que je ne puis choser votre chose.
Le Cabinet satyrique.

CHOSETTE, *f.* The act of kind; 'a bout'.

Pour ce que la chosette faite à l'emblée.—RABELAIS.

— *See* FAIRE.

CHOU, *m.* An endearment. MON CHOU = my darling; in English = 'ducky'.

On dit mon chou, comme on dirait mon ange,
Mon cher trognon, mon trésor, mon bijou!
Et l'Harpagon, qui n'entend que l'échange,
Donne et reçoit en disant : chou pour chou.
EMILE CARRÉ.

CHOUART, *m.* The *penis;* 'the modiewart'. [BURNS].

Voici maître Jean chouart qui demande logis.—RABELAIS.

Il tira son chouart vif et glorieux.
BÉROALDE DE VERVILLE.

Plus n'ay tel chouart que souloye
Je ne sais s'il est vif ou mort.
Recueil de poésies françaises.

Le sculpteur à la main savante,
Par un chef-d'œuvre de son art,
A surtout formé Jean Chouart.
PIRON.

CHOUNETTE, *f.* The female *pudendum;* 'the little darling'.

CHOUSERIE, *f.* Copulation. [RABELAIS].

N'y ayant plaisir en ce monde que celui de la chouserie.—BÉROALDE DE VERVILLE.

CHOUX GRAS. *See* FAIRE.

CHUTE, *f.* Seduction; 'a *faux pas*'.

CIERGE, *m.* The *penis;* 'the torch of Love'. [RABELAIS].

Moi seul aidé d'amour, qui sur son aile
Me fit voler, entrai dans la chapelle,
Où sur l'autel offris à deux genoux,
Mon cierge ardent.
La Chapelle d'amour.

Mais cela seulement fut suffisant pour l'en dégoûter, disant qu'elle avait vu la mêche qui était si déliée, qu'il n'y avait guère d'apparence que le cierge fût bien gros.—D'OUVILLE.

La femme, quelque putain qu'elle soit, est la sainte à qui l'on doit le plus de cierges.—LEMERCIER.

CIGARETTE, *f.* The *penis.*

Vous, luronnes, qui des dragons
Porteriez l'épaulette.
De cigares bien gros, bien longs,
Avez-vous fait emplette ?
S'ils sont trop mous ou mal tournés,
Prenez ma cigarette
Prenez
Prenez ma cigarette.
J. LAGARDE.

CITADELLE, *f.* The female *pudendum;* 'the fort'.

Depuis longtemps de la donzelle
Il avait pris ville et faubourgs,
Mais elle défendait toujours
Avec vigueur la citadelle.
PIRON.

CITERNE, *f.* The female *pudendum;* 'the waste-pipe'.

CITOYEN RÉTROACTIF, *m.* A sodomite.

L'univers sait que l'équivoque marquis de Villette est le président perpétuel du formidable district des citoyens rétroactifs.—*Les Aphrodites.*

CITRIÈRE, *f.* A prostitute. [RABELAIS].

CLAPIER, *m.* The female *pudendum;* 'Cunnyborough'.

CLAPOIRE, *m.* A brothel. [RABELAIS].

CLAQUEDENT, *m.* A brothel.

CLAVIS, *m.* The *penis.* [RABELAIS].

CLÉ, *m.* The *penis: cf.* 'lock' = female *pudendum.* Also CLEF. [RABELAIS].

CLIQUAILLES, *f. pl.* The *testes.* [RABELAIS].

CLIQUETER. To copulate; 'to buttock-and-leave-her'. [RABELAIS].

Jamais fille de laboureur ne fut mieux cliquetée.—SOREL.

CLITORIS, *m.* The clitoris; ' the centre of delight'.

Mon clitoris, par tous étant fêté,
Aurait pu faire au tien beaucoup de
concurrence.
LOUIS PROTAT.

CLITORISER (SE). To masturbate: of women.

Quelle vision ! grand Dieu !... Ma mère sur le dos, les cuisses repliées vers sa poitrine et les jambes en l'air, d'une main tenant un livre et de l'autre... se chatouillant le clitoris avec la plus belle vivacité.—*Mon Noviciat.*

CLOISTRIÈRE, *f.* A prostitute. [RABELAIS].

CLOÎTRE, *m.* The female *pudendum ;* 'the cloister'.

Il visita les cloistres secrets de la chambrière.—*Les Cent Nouvelles nouvelles.*

Dè votre cloître ouvrant la porte,
Pourquoi, sœur, n'en goûterez-vous ?
THÉOPHILE.

CLOU, *m.* The *penis ;* 'the quimstake'.

Servez-nous à notre appétit,
N'y mettez point clou si petit
Que le trou n'en soit estoupé.
Ancien Théâtre français.

— See FAIRE.

CLYSOIR GALANT, *m.* The *penis.*

CLYSTÈRE. See RECEVOIR.

— CLYSTÈRE BARBARIN = the act of kind; 'bum-working'.

Puys après fera gargarin
D'un bon clystère barbarin.
Farces et Moralités.

Je lui apprête un clystère barbarin.
—RABELAIS.

Elles avaient vu par un matin
Dessous la treille d'un jardin
Donner un barbarin clystère.
Variétés historiques et littéraires.

Jean, ce frotteur invaincu,
Au soir, dans une taverne,
Frottait Lise à la moderne,
C'est-à-dire par le cul,
Elle, qui veut qu'on l'enfile,
Selon sa nécessité,
Disait d'un cœur irrité
Qu'un clystère est inutile
À qui crève de santé.
Le Cabinet satyrique.

COCARDE, *f.* 1. The semen; and (2) hymeneal blood.

COCARDEAU, *m.* A cuckold. Also COQUARDEAU.

. . . Madame H. fut singulièrement tendre avec Anatole, et tout porte à croire que son infidèle époux a subi la loi du talion. Encore un coquardeau !— *Recueil d'Anas.*

COCATRIX, *m.* An old and worn-out whore; 'a cockatrice'. [SHAKSPEARE and RABELAIS].

COCHER. To copulate. [RABELAIS].

COCHON. ÊTRE COCHON. 1. To be expert in venery: of men. ÊTRE COCHONNE, of women.

Ce n'est pas cela, mon cher, qui
m'amuse :
Sois moins poète et beaucoup plus cochon.
Parnasse satyrique.

— 2. 'To talk blue'.

Antoine, c'est un joli nom,
Un peu cochon.
ALEX. POTHEY.

COCHONNERIES. The arts and practises of venery: generic.

— DIRE DES COCHONNERIES =
to speak of the things concerning
venery without circumlocution;
'to talk bawdy'. Also FAIRE or
DIRE DES COCHONS'TÉS.

COCODÈS, *m.* A whoremonger by
choice.

Ce n'est pas un homme, c'est un
cocodès.—AURÉLIEN SCHOLL.

COCODÈTE, *f.* A woman of the
world who imitates the arts and
allurements of the demi-monde.
Also UNE DANDYE; and, in the
masculine, COCODÈS, COCODET,
and GAUDIN.

COCOTIER, *m.* A man with a clap.

L'ai-je eue assez de fois, la cocotte!
l'ai-je eue!... à ce point qu'on m'appelait le roi des cocotiers.—LEMERCIER
DE NEUVILLE.

COCOTTE, *f.* A woman, chaste or
not: in English = 'tart'.

Cocotte, terme enfantin pour désigner une poule; — petit carré de papier
plié de manière à présenter une ressem-
blance éloignée avec une poule. —
Terme d'amitié donné à une petite fille:
ma cocotte: — et quelquefois à une grande
dame dans un sens un peu libre.—LITTRÉ.

COCOTTERIE, *f.* The world of prostitutes: *cf.* BICHERIE.

V. Sardou engageait amicalement
une dame à surveiller les toilettes de
la jeune fille de la *Famille Benoîton,*
plus excentriques qu'il ne convientà une
honnête bourgeoise.
— Bast! elle est si jeune et si
innocente, ce n'est pas même de la
coquetterie.
— Non, répliqua Sardou, mais c'est
presque de la cocotterie.—*Figaro,*
No. 1123.

COCU, *m.* A cuckold. ÊTRE COCU
EN HERBE. [RABELAIS].

Et pour bien il en sera cocu,
En dépit de tout envieux.
Ancien Théâtre français.

Un grant tas de bonnes commères
Savent bien trouver les manières
De faire leurs maris cocus.
F. VILLON.

Va dire à ton père qu'il est un cocu.
BÉROALDE DE VERVILLE.

Les hommes s'appellent cocus par
antinomie.—BRANTÔME.

Apprenez qu'à Paris ce n'est pas comme
à Rome,
Le cocu qui s'afflige y passe pour un sot,
Et le cocu qui rit pour un fort honnête
homme.
LA FONTAINE.

Le damoiseau, parlant par révérence,
Me fait cocu, madame, avec tout license.
MOLIÈRE.

Je vais prier pour les cocus,
Les catins et les philosophes.
BÉRANGER.

Tous les hommes le sont . . .
— Excepté Couillardin . . .
. . . .
Qu'appelle-t-on cocu? L'homme de qui
la femme,
Livre non seulement le corps, mais aussi
l'âme,
Partage le plaisir d'un amant chaleureux,
Le couvre avec bonheur de baisers
amoureux,
Fait l'étroite pour lui, même quand elle
est large,
Et, manœuvrant du cul, jouit quand il
décharge.
L. PROTAT, *Serrefesse.*

COCUAGE, *m.* Cuckoldry.

Le cocuage est un caractère indé-
lébile, tenant comme moinerie au corps
et à l'âme d'un profès.—BÉROALDE DE
VERVILLE.

D'autant que ce sont les dames qui
ont fait la fondation du cocuage.—
BRANTÔME.

Et puis en cette ville cy
On voit le commun badinage
De souffrir mieux un cocuage
Que quelque amitié vertueuse.
JODELLE.

Si est belle, un cocuage,
Compagnera son mariage.
J. GREVIN.

Quel est l'époux exempt de cocuage?
Il n'en est point, ou très-peu, je le gage.
LA FONTAINE.

Dans tous les temps et dans tous les pays du monde le cocuage rapporte quelque chose.—Pigault-Lebrun.

Cocuage est naturellement des apanages du mariage.—Rabelais.

CŒUR, *m.* The female *pudendum;* 'home-sweet-home'. Also CŒUR FENDU. [Rabelais].

Dans ce cœur tendre, aussitôt ce satyre
Enfonce, enfonce un long... sujet de pleurs.
Béranger.

Dès que cet enfant n'est pas de vous, ma belle nymphe, et qu'avec un cœur neuf, vous m'apportez en mariage des beautés immaculées, pourquoi rougirais-je?—A. de Nerciat.

Un jour cet amant divin,
Qui mettait l'amour au vin,
Sur le revers d'une tonne
Perça le cœur d'Érigone.
Collé.

— CŒUR D'ARTICHAUT. *See* quot.

— Ah! tenez, Gabrielle, vous avez un cœur d'artichaut.
— Eh! bien, oui, monsieur, j'ai un cœur d'artichaut. J'en donne une feuille à tous mes amants, et je garde le *foin* pour mon mari.—Journal *le Hanneton*, 1865.

— CŒUR NEUF. A secret amour.

Dès que cet enfant n'est pas de vous, ma belle nymphe, et qu'avec un cœur neuf, vous m'apportez en mariage des beautés immaculées, pourquoi rougirais-je?...—A. de Nerciat.

COGNÉE, *f.* 1. The *penis;* 'the arse-wedge'.

Ma cognée aujourd'hui fait d'étranges effets,
Quand elle abat du bois, elle en fait venir d'autre.
Cabinet satyrique.

— 2. The female *pudendum;* 'skin-the-pizzle'.

Afin que l'un dedans l'autre s'emmanche,
Prends que sois manche,et tu seras cognée.
Rabelais.

COGNER. To copulate; 'to go pile-driving'. [Rabelais].

Qui de coigner lui parleroit
Ses Vieux os remuer feroit.
Mathéolus.

Que cette terre grouille à coigner désormais.—*Recueil de poésies françaises.*

Une courtisane de Venise avait envie d'être cognée tout son saoul par deux Français de bonne mine.—Tallement des Réaux.

COGNERAS, *m.* The act of kind. [Rabelais].

COIFFE, *f.* The female *pudendum;* 'the everlasting wound'.

La comtesse fournit la coiffe avec la forme.—Piron.

COIFFER. 1. To cuckold: of men. [Rabelais].

Moyennant quoi le mari fut coiffé.—Piron.

Cinq minutes plus tard le duc de Popoli était coiffé de la façon de tout un régiment de hussards.—Pigault-Lebrun.

Mariez-vous, et, par votre compagne,
Heureux coiffeur, ne soyez pas coiffé.
Émile de la Bédollière.

— 2. To excite desire: of women.

— COIFFER SAINTE-CATHERINE = to become an old maid; 'to be put on the shelf'.

— Et demain, sans rémission, j'aurai vingt-six ans accomplis: c'est l'âge où l'on coiffe Sainte-Catherine.—Edm. About.

COIFFURE DE MOÏSE, *f.* Horns, the badge of cuckolds. [In allusion to the halo surrounding the head of Moses in old paintings].

Un vieux monsieur portant lunettes,
A la plus fraîche des brunettes
Offre avec grâce, aménité,
Sa main et... son obésité.
Un beau jour, sur sa tête grise
Brille le bonnet de Moïse...
S. Tostain.

COIGNÉE, *f.* A prostitute. [RABELAIS].

COIN, *m.* 1. The female *pudendum ;* 'the ingle-nook'.

Tous n'ayant intention qu'au précieux coin, où se tient le registre des mystères amoureux.—BÉROALDE DE VERVILLE.

— 2. The *penis.* Also PETIT COIN.

COINGNOIR, *m.* The *penis.* [RABELAIS].

COÏT, *m.* The act of kind; coition.

Ces jours à jamais effacés,
  J'y pense ;
Où sont nos coïts insensés,
  Passés ?
  Parnasse satyrique.

COLEI, *m.* The *testes.* [RABELAIS].

COLIQUE SPERMATIQUE, *f.* Fatigue engendered by unsatisfied desire. **Also** COLIQUE BATONNEUSE.

. . . Mais, tu m'as fait trop bander ! Ta précieuse faveur, ou j'aurai une colique spermatique épouvantable.—*Anti-Justine.*

COLLAGE, *m.* Concubinage. SE COLLER = 'to live tally'.

Qu'est-ce que va devenir Anatole? — Le monstre ! il est déjà collé avec Rachel.—*Les Cocottes.*

COLLANT, —**ANTE**, *m.* A man (or woman) of whom one cannot rid oneself.

COLLE, *f.* The semen; 'glue'.

Con qui va distillant une moiteuse colle.—*Cabinet satyrique.*

Mais c' machin s'change en lavette,
Grâce au pouvoir d' la vertu,
Et j' m'en tire quitte et nette
Avec un peu d' colle au cul.
  Parnasse satyrique du XIXe siècle.

COLLER (SE). To copulate: properly of dogs.

— COLLER UN BÉCOT. *See* BÉCOT.

— SE COLLER UNE DOUCE = to masturbate.

...J'ai beau tous les jours me coller une
  douce,
Dans mes rêves ton con m'agace et me
  poursuit.
  LOUIS PROTAT.

COLLINE, *f.* The buttock.

— COLLINES DE L'AMOUR = the paps; 'the hemispheres'.

O contours veloutés, mamelles féminines,
Dont une coupe grecque a moulé la
  rondeur,
Une robe nous cache et votre exquise
  odeur
Et de vos deux boutons les fraises purpurines.
Les beaux seins rebondis creusent sur
  les poitrines
Un amoureux vallon où fleurit la pudeur ;
Un souffle égal et tiède ou haletant d'ardeur,
Mystérieux volcan, soulève les collines.
Là nous buvons le lait, la force et la
  santé ;
Notre sang, pur et chaud, sort du sein
  de la femme,
Et plus tard par l'amour nous lui rendons notre âme.
L'amant, las de baisers, pose avec
  volupté
Entre ces blancs côteaux sa tête nonchalante
Et s'endort, écoutant le cœur de son
  amante.
  H. CANTEL,
  Amours et Priapées.

COLOMBE, *f.* A wife or mistress. [LYONS].

COLOMBE DE VÉNUS (LA), *f.* The pubic hair; 'the boskage of Venus'.

Des déesses et des mortelles,
Quand ils font voir les charmes nus,
Les sculpteurs grecs plument les ailes
De la colombe de Vénus.
  THÉOPHILE GAUTIER.

COLONNE, *f.* The *penis.*

— COLONNES D'HERCULE. A woman's thighs. Also COLONNES DE
VÉNUS. [RABELAIS].

Aux colonnes d'Hercule
Je voulus naviguer,
Mais mon vaisseau (vit) recule
Je ne pus avancer.
Le Pilote et la Mer de Paphos.

COLUMNA, *m.* The *penis.* [RABE-
LAIS].

COMBAT, *m.* The act of kind; 'to
play at all fours'. Also COMBAT
AMOUREUX, COMBAT DE CYTHÈRE,
COMBAT DE NATURE, COMBAT
LUBRIQUE, COMBAT VÉNÉRIEN,
and COMBAT VÉNÉRIQUE.

Lui aussi frais que devant lui représenta le combat.—BRANTÔME.

Il lui dit qu'il n'osait hasarder le
combat.—D'OUVILLE.

Osera-t-elle accepter une autre espèce
de combat?—LOUVET.

Même, pour l'attirer au combat amoureux,
L'allait injuriant, l'appelant rustre, gueux.
MILILOT.

Et rayonnant des présents de Bacchus,
Il se prépare aux combats de Cythère.
VOLTAIRE.

Je sais que la gent basse au monde chi-
canique
Est plus active aux plaids qu'au combat
vénérique.
GODART.

Nous continuâmes deux ou trois fois,
en sorte que les yeux nous pétillaient
d'ardeur et ne respiraient que le combat
naturel.—MILILOT.

Fut de bon poil, ardente et belle
Et prôpre à l'amoureux combat.
LA FONTAINE.

Sa rivale, tout au contraire,
A, dans les combats amoureux...
MÉRARD ST. JUST.

Bien volontiers ma femme viendra
au combat vénérien.—RABELAIS.

COMBATTRE. To copulate; 'to get
Jack in the orchard'.

Li chevalier s'écrie en haut,
En charité, dame Méhaut,
Je me voudrais a nu combattre.
Anciens Fabliaux.

Car il avait bonne volonté de combattre et faire armes.—*Les Cent Nouvelles nouvelles.*

Voyez trois véreux combattans
Qui ont fait rage de combattre
Sur un lit, en eux esbatants.
Recueil de poésies françaises.

Puisqu'elles tenaient déjà dans le
camp leur ennemi, l'eussent faire combattre jusqu'au clair jour.—BRANTÔME.

Je vous jure ma foy que j'ai bien
combattu.—TROTTEREL.

COMBIEN (LE). The female *pudendum.* [RABELAIS].

COMBLE DU BONHEUR, *m.* The sexual spasm.

La putain est bientôt au comble du
bonheur;
De son con tout baveux, la semence
ruisselle . . .
L. PROTAT.

COMBLER. COMBLER LES VŒUX
D'UN HOMME. To surrender oneself
to the sexual embrace: of women.

Sophie, à ce moment fatal,
Comble les vœux de mon rival.
BÉRANGER.

COMBRESELLE. FAIRE LA COM-
BRESELLE. To 'spread'.

Car rien ny quiers, sinon quen vostre tour
Vous ne faciez si hait la conbreselle
Pour ceste foys.
RABELAIS.

COMÉDIE. LAISSER UNE FEMME
A LA COMÉDIE. To ejaculate, leaving the woman unsatisfied.

COMMENCER. COMMENCER UN RO-
MAN PAR LA QUEUE. To pos-
sess a woman, afterwards courting
her as if unsurrendered.

COMMENT-A-NOM, *m.* The female
pudendum; 'the what's-its-name'.

Et considérant son comment a nom.
—RABELAIS.

Le bonhomme Génebrard avait
épousé une jeune, belle mignonne fille,
avec laquelle étant couché, l'ayant baisée,
il lui mit la main à son comment a nom.
—BÉROALDE DE VERVILLE.

COMMERCE. *See* AVOIR.

— COMMERCE AMOUREUX = the
deed of kind.

COMMETTRE LA FOLIE (or **LE FOR-
FAIT**). To copulate; 'to do the
naughty'.

Tu le sauras; Mersant, le bonhomme
     chenu,
M'a surpris cette nuit commettant la
     folie,
Tu m'entends bien, avec ma clorette jolie.
    TROTTEREL.
  Mais d'avoir commis le forfait.—
Ancien Théâtre français.

COMMISSAIRE (LE). The *penis;*
'Aaron's rod'.

COMMUNIER. COMMUNIER SOUS LES
DEUX ESPÈCES. Said of a harlot
working both ends.

COMPAGNIE. *See* AVOIR.

COMPAGNON, *m.* 1. The *penis;*
'my body's captain'. [WHITMAN].

Mignonne, jour et nuit je suis importuné
D'un petit compagnon qui quand et moi
     fut né.
    THÉOPHILE.
Le compagnon, étant de taille énorme,
 Foula comme il faut le castor.
    PIRON.

— 2. in *pl.* = the *testes.*

Le maître qui me châtra, me tira
les deux compagnons si subtilement que
je n'en sentis presque rien.—P. DE LA-
RIVEY.

— *See* FAIRE.

COMPAS, *m.* The female *pudendum;*
'the star over the garter'.

Sans ce métal qui brille,
Ne crois pas qu'une fille — enfile son
     aiguille.
Pour reprendre ton bras,
  Colas,
Laisse donc mon compas.
 Vieille chanson anonyme.

COMPLAISANCE, *f.* Surrender of the
person in return for small favors.

— AVOIR DES COMPLAISANCES =
to play the wanton; 'to spread'.

Et pour prix de mes complaisances,
La vérole tu m'as foutu.
   ALPHONSE KARR.

COMPLIMENT, *m.* The act of kind;
'the favor'.

En amour dans ma jeunesse
J'eus des succès étonnants;
Je fis à mainte Lucrèce
D'innombrables compliments.
   E. DEBRAUX.

Nous avons un grand homme,
Arrivé depuis peu
  Dans ce lieu,
Qui fait, quand on l'en somme,
Six compliments par jour
  A l'amour.
   COLLÉ.

— RENGAINER SON COMPLIMENT
= 'to dress'.

CON, *m.* 1. The female *pudendum;*
'the cunt'; CON BAVEUX = a
driveller; CON BIEN BOISÉ = a
matrix well-furnished with *pubes;*
CON EFFONDRÉ, CON FAISANDÉ
or CONASSE = a worn-out, game-
flavored *pudendum:* also CON
GLAIREUX, CON GRAS, CON FRO-
MAGEUX = 'a buttered bun'.
Diminutives are CONIN, CONNEAU,
CONICHE, CONICHET, CONICHON-
NET, CONNICHON, and CONNIL;
CON BÉNI = a member without
virginity; CON GOULU = a member suited to all comers.

Où plusieurs dames en grant chatre
Ont maint vit en leur con tenu.
   GUILLOT DE PARIS.

Le con appartient à celles qui sont bonnes, et n'ont guère eu ou point d'enfants.—BÉROALDE DE VERVILLE.

Le matin le con est bien confit à cause du doux chaud et feu de la nuit. —BRANTÔME.

J'aime les cons de belles marges,
Les grands cons, qui sont gros et larges,
Où je m'enfonce à mon plaisir.
Le Cabinet satyrique.

Jusqu'à cette heure
Tu n'es pas cocu;
Mais tu le seras, je meure!
Mon con vengera mon cu.
TALLEMENT DES RÉAUX.

Le con met tous les vits en rut;
Le con du bonheur est la voie;
Dans le con gît toute la joie;
Mais hors le con point de salut.
PIRON.

Il fait fort dangereux d'assaillir et attaquer un con armé.—BRANTÔME.

Vous avez là le conin le plus joli du monde.—LA POPELINIÈRE.

Il faut donc, pour ce vit, un grand con vermoulu,
Un con démesuré, qui dévore, goulu,
La tête et les couillons pour les mettre en curée,
Un con toujours puant, comme vieille marée.
RÉMY BELLEAU.

La matrice d'une femme est du nombre des choses insatiables dont parle l'Écriture, et je ne sais s'il y a quelque chose au monde à quoi on puisse comparer son avidité:—car, ni l'enfer, ni le feu, ni la terre, ne sont si dévorants que le sont des parties naturelles d'une femme lascive.—VENETTE.

C'était une jolie grêlée faite au tour, ayant un con tellement insatiable, que je fus obligé de lui mettre la bride sur le cou et de la laisser foutre avec qui elle voulait . . .—*Anti-Justine.*

Mon con est boisé comme l'est Meudon,
Afin de cacher l'autel du mystère
Où l'on officie en toute saison.
Parnasse satyrique.

Ton conin, pauvre oiseau sans plume,
M'ouvre un bec encor mal fendu.
AUGUSTE LEFRANC.

Hideux amas de tripes molles
Où d'ennui baîlle un con glaireux.
Parnasse satyrique.

On ne se lave bien qu'au bordel! Des ingrats
Peuvent seuls à ton con préférer un con gras.
ALBERT GLATIGNY.

Molt seroit malvais au civé
Li connin que li fuiron cha.
Anciens Fabliaux.

C'est le cas des mignonnes que l'on trousse encore près le feu, ou qui le montrent en pissant.—BÉROALDE DE VERVILLE.

Il fit voir au grand jour la plus charmante motte,
La cuisse la plus blanche et le plus beau connin,
Qui se trouva jamais sous jupe de nonnain.
PIRON.

Jeunes connis entre deux cuisses.
Ancien Théâtre français.

— 2. A term of endearment.

Ha! ha! mon con,
Ne dites mot, car je le veux.
Ancien Théâtre français.

— 3. An idiot.

Qu' ça soit étroit, qu' ça soit large,
Qu' ça soit gris, noir, blanc ou blond,
Qu' ça bande ou bien qu' ça décharge,
Rien n'a l'air bêt' comme un con.

— AVOIR LE CON EN RIBOTTE = to menstruate.

CONAILLER. To copulate listlessly.

Le fouteur, qui n'était pas habitué à ces raffinements de volupté, se récriait! Ah! que vous foutez bien, ici! dit-il en déchargeant. On ne fait que conailler ailleurs.—RÉTIF DE LA BRETONNE.

CONARD (or CORNART), *m.* A cuckold. [RABELAIS].

Ma foy, je le ferai conart,
Ou je le battrai bien mon soul.
Farces et Moralités.

CONCENTRIQUE (LE). The female *pudendum.* [RABELAIS].

CONCHA, *f.* The female *pudendum.* [RABELAIS].

CONCILLIATRICE DES VOLONTÉS, *f.*
A procuress. [RABELAIS].

CONCLUSION, *f.* Coition.

Apprends donc qu'il y a cent mille délices en amour qui précèdent la conclusion.—MILILOT.

Un homme de votre condition,
Le prendre sur un aussi mauvais ton:
Vous allez droit à la conclusion!
COLLÉ.

CONCOMBRE, *m.* A ponce.

CONCUBINER. To live together; 'to do tally'.

La noire madame de la Hilière concubinait avec un garçon du mari.—TALLEMENT DES RÉAUX.

L'abbé de la Rivière, le favori de Gaston d'Orléans, entretenait ouvertement une demoiselle Legendre; il la gardait auprès de lui dans son château de Petit-Bourg et concubinait avec elle, sans seulement songer à sauver les apparences. 'Elle est à cette heure comme sa ménagère,' écrivait Tallemant vers 1660.—*Hist. de la Prostitution.*

CONDON, *m.* A cundum.

CONFÉRER. To copulate; 'to play at in-and-in'.

C'était chez Sophie que Zélide conférait avec son directeur.—DIDEROT.

CONFESSER. To copulate; 'to skin the live rabbit'.

Ci-gist le cordelier Midieux,
Dont nos dames fondent en larmes,
Parce qu'il les confessait mieux
Qu'augustins, jacobins et carmes.
CL. MAROT.

On vient pour voir le père Urbain.
Il confesse encore sa dévote.
Épigrammes.

CONFITURES SPERMATIQUES (LES), *f.* The semen.

Et on sait que cet amour honnête s'appelait un amour bien lascif, et composé de confitures spermatiques.—BRANTÔME,

CONFLIT, *m.* The act of kind. [RABELAIS].

La dame s'éveille au conflit.—GAUTIER-GARGUILLE.

Écrivant les beautés du lit
Où se fit l'amoureux conflit.
THÉOPHILE.

CONFRÈRE. CONFRÈRE DE LA LUNE. A cuckold.

CONGRATULER (SE). To ejaculate voluntarily.

Je pense, lui dit-il, madame, que vous vous congratulez.—TALLEMENT DES RÉAUX.

CONIBERT. The female *pudendum;* [From CON].

Et puis a les jambes ouvertes,
Se li montre dam conibert.
Anciens Fabliaux.

CONIFÈRE, *m.* A girl or young woman.

Quand on se promène le soir dans la rue Saint-Denis, on voit trotter sur les pavés un tas de jolis petits conifères.—A. FRANÇOIS.

CONIN. *See* CON.

CONISTE, *m.* A wencher; 'a mutton-monger': specifically, the antithesis of a sodomite.

Quoi, dit-elle, Philotanus,
Je n'ai pu te rendre coniste.
COLLÉ.

CONJOINDRE. To copulate; 'to get hilt and hair'. [BURNS]. Also SE CONJOINDRE.

Mais pour conjoindre culs en coettes,
Et coudre jambons et andoilles,
Tant que le lait en monte aux tettes,
Et le sang en dévale aux coilles.
F. VILLON.

Pour moi quand le désir mon engin viendra poindre
De m'aller vitement à quelqu'une conjoindre.
TROTTEREL.

Elle se conjoignit tellement avec son mari second, qu'ils enfoncèrent et rompirent le chalit.—BRANTÔME.

Il prononça la validité du mariage, et renvoya les époux se conjoindre en la maison paternelle.—DIDEROT.

CONJOUIR To copulate; 'to join faces'. [DURFEY].

Et quant venoit s'ensemble estoient
A merveille se conjoient.
Anciens Fabliaux.

Nenni, me répondit-elle, mon cousin, mais bien de conjouir.—BRANTÔME.

CONNAISSANCE, *f.* A mistress.

Ah! vous avez une connaissance, monsieur!—DE LEUVEN.

CONNAITRE. To copulate; 'to play at Irish whist (where the Jack takes the ace)'. Also CONNAITRE A FOND. [RABELAIS].

Je suis contente qu'il y ait dix ans qu'elle ait un mari, mais elle ne l'a jamais hanté ni connu.—P. DE LARIVEY.

Le bonhomme se vantait tout haut de n'avoir jamais connu que sa femme.—TALLEMENT DES RÉAUX.

— CONNAITRE DES POSTURES (or SON AFFAIRE) = to be expert in venery; CONNAITRE UN VIEUX = to live as mistress to an old roué.

Elle est belle, ma Joséphine, et elle connaît son affaire...—TISSERAND.

J' me mets à connaît' un vieux, encore un autr', un troisième, et pis, et pis...—H. MONNIER.

— CONNAITRE LA ROCAMBOLE = to be experienced in all the arts of venery.

Comment! et ces provinciaux aussi, se donnent les airs d'être bougres! Je croyais qu'on ne connaissait cette rocambole qu'à Paris.—A. DE NERCIAT.

CONNASSE, *m.* 1. The female *pudendum;* specifically of an old woman; 'a bushel-cunt'. Also (2) an inexperienced girl.

Grands cons que l'on nomme connasses,
Cons secs montés sur des échasses.
Chansons populaires.

C'est le con des vieilles, et qui est presque tout en désordre.—BÉROALDE DE VERVILLE.

CONNAUD, *m.* The female *pudendum;* specifically that of a young girl; 'a cuntlet'.

C'est le cas de celle qui est déjà bonne, et qui peut-être chute en pauvreté, à qui le poil perce la peau.—BÉROALDE DE VERVILLE.

CONNAUDE, *f.* A woman.

C'était une assez belle connaude.—BÉROALDE DE VERVILLE.

CONNEAU. *See* CON.

CONNERIE, *f.* Said of things of little or no importance.

CONNICHON. *See* CON.

CONNIL. *See* CON.

CONNILLER. To copulate; 'to give pussy a taste of cream'.

Japant à la porte fermée
De la chambre où ma mieux aymée
Me dorlottoit entre ses bras,
Connillant de jour dans les dras...
RONSARD.

CONNIN. 1. *See* CON.

— 2. A term of endearment.

M'aimez-vous pas bien, mon connin?
Ancien Théâtre français.

CONŒUVRER. To copulate.

De violents soubresauts, des cris, des exclamations de volupté:
Foutre divin!... divin con!... vit divin... marquèrent l'égarement des deux conœuvrants.—*Anti-Justine.*

CONQUE, *f.* The female *pudendum;* 'the shell'.

Mon père se mettait sur moi, me suçait mes petits tétons naissants; posait son membre à l'orifice de ma petite conque et me barbouillait toute la motte de sperme...—RÉTIF DE LA BRETONNE.

CONQUEBIE, *m.* A man retaining his virginity. [RABELAIS].

CONSERVER. CONSERVER SA FLEUR. To keep the maidenhead intact.

Pour conserver c'te fleur qui d'vient
si rare,
Ma Lisa, tiens bien ton bonnet.
E. DEBRAUX.

CONSOLATEUR, *m.* A man in the act.

Consolateurs vifs et pressants
Des épouses qu'on mécontente.
PANNARD.

CONSOLATION, *f.* The act of kind; 'a bit of comfort'.

Toute la nuit les larmes succédèrent aux consolations et les consolations aux larmes.—PIGAULT-LEBRUN.

CONSOLER. To copulate; 'to give a hot poultice for the Irish toothache'.

Ils ont tous été commencés et terminés par une jeune bramine, qui la venait consoler, tandis que monsieur était en campagne.—DIDEROT.

Ces brigands au milieu des flammes
Sauvaient les filles et les femmes,
Et les consolaient jusqu'au jour.
Quel étrange et terrible amour !
PARNY.

CONSOMMER. CONSOMMER LE SACRIFICE. To copulate; 'to perform hymeneal rites'.

... Dès que le sacrifice
Est consommé, l'on se tourne le dos.
L. PROTAT.

— CONSOMMER SON KABYLE = to sodomise a native: military.

Quand il consommait son Kabyle,
On entendait sous le gourbi,
Au milieu de la nuit tranquille,
Le succube pousser ce cri...
AL. POTHEY.

CONTENTEMENT. *See* AVOIR.

CONTENTER. To copulate; 'to give a bit of snug for a bit of stiff'. Also CONTENTER L'ENVIE, CONTENTER SA FLAMME, and CONTENTER SES DÉSIRS.

S'il vous plaît, vous viendrez ce soir, et je vous contenterai.—P. DE LARIVEY.

Qu'un mariage est plein d'appas,
Quand un mari la nuit peut contenter sa
flamme.
PAVILLON.

Léandre, dit-elle tout bas,
Je crierais, car ne pensez pas
Que je contente votre envie.
GRÉCOURT.

Plusieurs s'évadèrent avec leurs amants pour aller contenter leurs désirs.—CH. SOREL.

Voici le recueil des principales choses que vous devez savoir pour contenter vos maris quand vous en aurez.—MILILOT.

Malgré son air renfrogné,
En tout point je le contente;
S'il me laisse un' petit' rente,
Ça s'ra d' l'argent bien gagné !
JULES POINCLOUD.

CONTER SON BONIMENT. To solicit the favor: used by ponces.

CONTINUITÉ. *See* SOLUTION.

CONTREPÉTERIE, *f.* A mode of disguising words by the transfer of one or more initial letters: *see* examples. In English a similar species of slang is called Medical Greek, or as Albert Smith phrased it, 'The Gower Street dialect': *e.g. renty of plain* for *plenty of rain* and *stint of pout* for *pint of stout,* etc. etc.

Femme Folle à la Messe,
pour : Femme Molle à la Fesse.
RABELAIS.
Et Beau Mont-le-vi-Comte,
pour : A Beau Con-le-vit Monte.
RABELAIS.

Je suis si aise quand je Couds,
Si pour un C je mets un F,
Qu'il m'est avis à tous les coups
Que j'ente une mignonne greffe.
        BÉROALDE DE VERVILLE.

Il le Dit à deux Fames,
pour: Il le Fit à deux Dames.
        T. DESACCORDS.

Ce que ces Fagots Coûtent,
pour: Ce que ces Cagots Foutent.
        T. DESACCORDS.

Cale Son,
pour: Sale Con.
        T. DESACCORDS.

Toutes les jeunes filles de la pa-
    roisse Doutaient de leur Foy,
pour: Toutes les jeunes filles de la pa-
    roisse Foutaient de leur Doy.
        T. DESACCORDS.

Monsieur, Goûtez cette Farce,
pour: Monsieur, Foutez cette Garce.
        T. DESACCORDS.

CONVERSER. To copulate; 'to strum'. [BYRON].

Qu'elle converse
Avec le sexe masculin.
        Farces et Moralités.

CONVOITOISON. Said of a woman warming herself, petticoats raised, before the fire. [*Con* + *voir* + *toison*].

CONVOLER. To marry the second or third time.

COPAUD, *m.* A cuckold.

Que diable esse cy? je suis copaud;
Je ne sais de qui ça peut être.
        Ancien Théâtre français.

COPAUDER. To cuckold: of women.

Pourtant c'est un bien que nul ne voit
Si le médecin et ma femme,
Et celui qui m'a copaudé.
        Ancien Théâtre français.

COPEAU, *m.* The tongue.

Avec moi, n'y a pas d'bégueule,
Surtout quand j'lui dis: pas d'mots!
Ou j'te vas fout' sur la gueule ...
Crache et r'pass's-moi ton copeau! ...
        Chanson anon. moderne.

— ARRACHER SON COPEAU = to copulate.

COPULER. To do the act of kind; 'to couple'.

COPULATION. *See* SACREMENT D'AMOUR.

COQ. COQ SANS PLUMES, *m.* Man.

COQUARDEAU, *m.* An apron-squire; 'a tame cat'.

COQUART, *m.* A cuckold. [RABELAIS].

COQUEBINS, *m.* A fool. Formerly, [RABELAIS] a man who has never known a woman.

On nomme coquebins ceux qui n'ont point vu le *cas* de leur femme ou de leur garce. — BÉROALDE DE VERVILLE.

COQUELUCHE, *m.* A sort of Don Juan.

COQUELUCHER (LE). — To cuckold.

COQUILLARD, *m.* A cuckold. [RABELAIS].

COQUILLE, *f.* 1. The *penis.*

Oh! s'il me prenait en merci,
Et qu'il print toute ma robille!
Mais, hélas! perdre la coquille,
Mon dieu! c'est pour fienter partout.
        Ancien Théâtre français.

— 2. The female *pudendum;* 'the shell'. [RABELAIS].

J'apperçoy que votre coquille
A bien mestier de resserrer.
        Farces et Moralités.

Et Laurette, à qui la coquille de-
mangeait beaucoup, s'y accorda facilement. — CH. SOREL.

— LES COQUILLES = the *labia majora.*

Rien que la chaleur de mon doigt,
Fit entrebailler les coquilles.
        EM. DEBRAUX.

COQUINE, *f.* A debauched woman.

> Avec son piston qui fascine
> La fille honnête et la coquine,
> On assur' qu'il possède encor
> Le talent de donner du cor.
> > JULES POINCLOUD.
>
> Nous sommes liés, le baron et moi,
> par nos coquines.—H. DE BALZAC.

CORAIL. *See* BRANCHE.

CORBER. To copulate; 'to spread to'.

> Quant dant Constant l'eut bien corbée,
> Si l'a fors de l'ostel boutée.
> > *Anciens Fabliaux.*

CORBILLON, *m.* The female *pudendum;* 'the basket-maker'. [RABELAIS].

> Là près, de la jeune Thémire
> A l'œil vif, au teint vermillon,
> Qui rougit, et qui n'ose dire
> Ce qu'il faut dans son corbillon.
> > E. DEBRAUX.

CORDELLE. *See* TIRER.

CORDE SENSIBLE (LA). 1. The *penis;* and (2) the clitoris.

> Il n'est de femmes froides que pour
> les hommes qui ne sont pas chauds et
> qui ne savent pas toucher leur corde
> sensible.—LÉON SERMET.
>
> Car chaque femme a sa corde sensible,
> Que, tôt ou tard, un amant fait vibrer.
> > L. THIBOUST.

CORDON DE SAINT-FRANÇOIS, *m.* The *penis.* [RABELAIS].

CORNARD, *m.* A cuckold. [RABELAIS].

> Ceux qui voudront blâmer les femmes
> > aimables,
> Qui font leurs bons maris cornards.
> > BRANTÔME.
>
> Ça fait toujours plaisir, lorsque l'on est
> > cornard,
> D'avoir des compagnons d' infortune...
> > LOUIS PROTAT.

CORNE, *f.* 1. The *penis;* 'Mr. Horner'.

> Souffre, si tu le peux, la corne entre les
> > fesses,
> Je ne veux plus l'avoir au cu.
> > LA FONTAINE.

— 2. in *pl.* = the badge of cuckoldry.

> Et si votre mari se déplaît
> De voir sur ton front cornes naître.
> > *Le Cabinet satyrique.*
>
> Si ce n'est pas déclarer à tout le
> monde que mon mari parte des cornes.
> —*Les Caquets de l'accouchée.*
>
> C'est bien le meilleur petit homme
> Que Vulcain ait dans sa sequelle.
> Il rit des cornes qu'on lui met ;
> Lui-même il vous fait voir la belle.
> > THÉOPHILE.
>
> O digne vectubias ! quelle vilaine bête !
> Elle a comme un cocu des cornes sur la
> > tête.
> > TROTTEREL.
>
> Si quelqu'autre que moi jouit de tes
> > attraits,
> Il me viendra des cornes à la tête.
> > *Épigrammes.*

CORNET, *m.* The female *pudendum;* 'the eel-pot'.

> Et afin que faute d'encre ne m'empêche d'écrire, j'en pourrai bien pêcher
> dans votre cornet.—*Les Cent Nouvelles
> nouvelles.*

CORNETTE, *f.* A deceived wife or mistress.

> Autrefois, pauvre poulette,
> Quand tu vantais ma vertu,
> Je te fis souvent cornette,
> Tu n'en as jamais rien su.
> > HENRI NADOT.

CORNICHE. JOUER A LA CORNICHE. To copulate. [RABELAIS].

CORNICHON, *m.* The *penis;* 'the tug-mutton'. [RABELAIS].

CORNIFICTEUR, *m.* A cuckold. [RABELAIS].

CORNIFIER. To cuckold; 'to plant the bulls feather'.

J'avais, pour mon pucelage, fait cocu mon père; j'avais cornifié mon frère en faisant décharger et foutant sa femme avec émission . . . une sœur paternelle que j'engrossai.—RÉTIF DE LA BRETONNE.

CORPS. *See* DONNER, INTERSECTION, and METTRE.

— CORPS DE GARDE = the female *pudendum;* 'the sentry-box'.

Nous avons apprêté le corps de garde.—*Variétés historiques et littéraires.*

CORRIDOR D'AMOUR, *m.* The female *pudendum;* 'Cupid's cloister'.

Alors elle mit un genou en terre pour considérer plus attentivement la blancheur et le contour du ventre de Zaïrette, la rondeur de ses cuisses et surtout l'ouverture et l'entrée du corridor d'amour.—LA POPELINIÈRE.

CORROMPRE (SE). To get a nocturnal emission; 'to have a wet dream'.

En songeant de lui, il s'était corrompu dans ses linceuls.—BRANTÔME.

CORVÉE, *f.* Sexual intercourse of unwilling or interested character.

CORVETTE, *m.* A young sodomite.

COSTEL, *m. See* MANGEUR DE BLANC.

COTAL, *m.* The *penis.* [RABELAIS].

COTELETTE, *f.* A wife. [As taken from Adam's side].

COTILLON (LE). Womankind.

COU, *m.* A cuckold. [RABELAIS].

Quand maistre Coud, et putain file,
Petite praticque est en ville.
Moyen de parvenir.

COUCHER. To copulate; 'to blow the groundsels'. Also COUCHER GROS.

Et il a vu par le trou de la serrure mon maître qui jouait beau jeu avec Geneviève, car il couchait gros.—TOURNEBU.

Que jamais ne fistes de feste
Pour coucher avec le maître
Comme elle.
Farces et Moralités.

C'est signe que tu ne couchas
Jamais encore avec elle.
MAROT.

Coucher un à un est bon.—BÉROALDE DE VERVILLE.

J'ai oui parler d'une fort belle et honnête dame, qui donna assignation à son ami de coucher avec elle.—BRANTÔME.

Je crois que Marie m'aime, et que son dessein est de coucher avec moi cette nuit.—P. DE LARIVEY.

Sur des lauriers nous coucherons ensemble.—VOLTAIRE.

Un ange la prend dans ses bras,
Et la couche sur l'autre rive.
PARNY.

— AVOIR UN COUCHER = to get an all-night client.

Mélie? Elle a un coucher, mon petit, faudra repasser demain.—H. MONNIER.

COUCOU, *m.* A cuckold.

Les coucous sont gras,
Mais on n'en tue guère;
Les coucous sont gras,
Mais on n'en tue pas.
La crainte qu'on a de manger son père,
Son cousin germain, son oncle ou son frère,
Fait qu'on n'en tue guère,
Fait qu'on n'en tue pas.
Vieille chanson.

COUDRE. To copulate; 'to sew up'.

Et passèrent le jour assez tranquillement
A coudre, mais Dieu sait comment.
LA FONTAINE.

COUE, *m.* The *penis.* [RABELAIS].

COUENNE, *f.* The *penis.*

COUILLARD, *m.* A man: a familiar address. [From *couilles = testes*].

Emouche couillard!—RABELAIS.

Eh! bien, couillard, que dis-tu de ceci?—BÉROALDE DE VERVILLE.

COUILLE-MOLLE, *f.* A fumbler.

COUILLER, *m.* The *scrotum;* 'the purse'.

Devant que laisser m'accueillir,
Et qu'on m'ait coupé le couiller.
Ancien Théâtre français.

COUILLES (LES), *f.* The *testes;* 'the cods'.

De la pointe du vit le poinct,
Et vit li met jusqu'à la couille.
Anciens Fabliaux.

Mais si ma couille pissait telle urine, la voudriez-vous bien sucer?—RABELAIS.

On ne fait non plus cas des pauvres que de couilles, on les laisse à la porte, jamais n'entrent.—*Moyen de parvenir.*

— AVOIR LES COUILLES GRASSES. To be generous.

COUILLETTES (LES), *f.* Small *testes.*

La main posée à nu sur mes fesses, elle me chatouillait les couillettes, et me sentant bander, elle me baisait sur la bouche avec un emportement virginal. —RÉTIF DE LA BRETONNE.

COUILLONS (LES), *m.* The *testes.*

Ses mains jeta sur ses couillons,
Si cuide que ce sont moutons.
Anciens Fabliaux.

O vit! bande toujours, et vous, couillons
propices,
Distillez votre jus,
Pour fixer à jamais les rapides délices
De mes sens éperdus.
Parnasse satyrique.

Voyez la grande trahison
Des ingrats couillons que je porte :
Lorsque leur maître est en prison,
Les ingrats dansent à la porte.
Cabinet satyrique.

Mes couillons, quand mon vit se dresse,
Gros comme un membre de mulet,
Plaisent aux doigts de ma maîtresse
Plus que deux grains de chapelet.
THÉOPHILE.

— *See* JUS.

COULANTE. AVOIR UNE COULANTE. To be clapped.

COULER. To get a clap.

Ma pine encore vierge
Coula, coula,
Ni plus ni moins qu'un cierge.
Voilà, voilà.
EUGÈNE VACHETTE.

COUP, *m.* An act of coition; 'a spot-stroke'. Also, UN COUP DE MACARON, UN COUP DE MILIEU, and UN COUP DE MATIN.

En un mois je fais mes cinq coups.
Ancien Théâtre français.

Lors me dist d'une voix espâmée,
Encore un coup, le cœur me deult.
F. VILLON.

L'autre jour un amant disait
A sa maîtresse à basse voix,
Que chaque coup qu'il lui fesait
Lui coûtait deux écus ou trois.
MAROT.

Il ne faut qu'un hasard semblable à celui de la belle fille, qui, le premier coup qu'elle fit, fut guimplée.—BÉROALDE DE VERVILLE.

Un seul coup n'est que la salade du lit.—BRANTÔME.

Tu voudrais avoir pour un coup
Dix écus ; Jeanne, c'est beaucoup.
ÉT. TABOUROT.

Pour l'avoir fait deux coups en moins de
demi-heure,
C'est assez travailler pour un homme de
cour.
Cabinet satyrique.

Il faut toujours se faire payer avant le coup.—TABARIN.

Sur l'assise d'une pine
Pivotant comme un toton,
Aimes-tu mieux en gamine
Tirer l'coup du macaron?..
PAUL SAUNIÈRE.

Pour le coup du matin j'ai de l'aversion,
Et je ne m'y soumets qu'avec répulsion.
LOUIS PROTAT.

Et l'on ne voit pas une belle
Refuser le coup du milieu.
ARMAND GOUFFÉ.

— DONNER UN COUP DE CANIF
DANS LE CONTRAT = to cuckold.

Et puis ces messieurs, comme ils se
gênent pour donner des coups de canif
dans le contrat ! La *Gazette des Tri-
bunaux* est pleine de leurs noirceurs :
aussi nous sommes trop bonnes.—L.
FESTEAU.

— COUP DE CROUPE = the play
of the tail and thighs in copulation. Also COUP DE CUL.

Elle a un coup de croupe des plus
distingués.—LA POPELINIÈRE.

> Encore un coup d'cul
> Jeannette,
> Encore un coup d'cul.
> E. DEBRAUX.

— COUP QUI PORTE = a master-
stroke in venery.

Pour neuf mois que l'on passe en
délices et plaisirs, on n'engrosse qu'une
seule fois, et... tous les coups ne portent
pas.—MILILOT.

COUPE, *f.* The female *pudendum;*
'the cleft'.

> Coupe où l'humanité vient boire,
> Coupe où le cœur perd la mémoire
> Dans le vin brûlant du plaisir...
> Je veux que ma lèvre jumelle
> Ivre d'une soif éternelle
> Te tarisse en un long soupir !
> H. CANTEL.

— COUPE DE PLAISIR. *See*
BOIRE.

COUPEAU, *m.* A cuckold. [RABE-
LAIS].

COUPER. COUPER LA JUPE. To
outrage a woman. [17th Century].

On ne trouve dans aucun dictionnaire français l'expression de couper la
jupe, consacrée par un usage qui a dû se
conserver jusqu'au XVIIIe siècle. Philibert-
Joseph Leroux est le seul philologue qui
ait recueilli dans son *Dictionnaire Co-
mique*, etc., cette expression que Scarron,
Saint-Amand et d'autres poëtes burles-
ques ont souvent employée : 'Couper la
robe au cul,' dit Leroux, terme mépri-
sant et outrageant qu'on dit à une per-

sonne qu'on outrage. C'est le dernier
de tous les affronts, et on ne menace
guère de cette punition que des garces.
—*Hist. de la Prostitution.*

— COUPER LA MÈCHE (SE).
Voluntarily to undergo emascula-
tion.

> Puisque aimer offense Dieu
> Qu'un sûr moyen nous empêche :
> Dès qu'on redoute le feu,
> Que ne coupe-t-on la mèche ?
> ALTAROCHE.

COUPLE, *f.* The *testes.*

> Si près du lict l'est trait et joint
> Qu'au cul lui a pendu sa couple.
> *Anciens Fabliaux.*

— *See* ENTRER.

COUPLER (SE). To copulate; 'to
join giblets'.

Ne pensez pas que ce fut le portrait
d'un homme couplé avec une fille.—
RABELAIS.

Il l'épousa et se coupla avec elle.—
BRANTÔME.

COUPLET. CHANTER UN COUPLET.
To copulate; 'to do a rasp'.

> Elle n'est pas musicienne,
> Mais elle est foll' du flageolet
> Et veut que chaq'jour de la s'maine
> Je lui chante au moins un couplet.
> ÉMILE DEBRAUX.

COURAILLEUR, *m.* A wencher of
parts.

Vous l'auriez empêché de courailler.
—H. DE BALZAC.

COUREUR, *m.* A libertine.

COUREUR DE BAGUE, *m.* A man in
the act of kind. Also COUREUR
DE LANCES.

Et pour un si bon coureur de bagues,
par toute course n'en a fait que quatre.
—BRANTÔME.

> Venez donc, champions, venez, coureurs
> de lance,
> D'un brave cœur montrez votre force et
> vaillance.
> TROTTEREL.

COUREUSE, *f.* A prostitute; 'a cab-moll'. Also COURIEUSE. [RA-BELAIS].

> Faire un louvre d'une cabane,
> D'une coureuse une Suzanne.
> SCARRON.

> Une fille inconnue qui fait le métier de coureuse.—MOLIÈRE.

COURIR. To copulate. Also COURIR UNE POSTE, DES POSTES, &c.

> Monsieur n'est pas heureux quand il court.—H. MONNIER.

— COURIR A REBOURS. To sodomise.

> Son aimable moitié, vouée au sacrifice
> Ne courant qu'à rebours dans l'amou-
> reuse lice.
> TALLEMENT DES RÉAUX.

— COURIR L'AIGUILLETTE = 1. to copulate; 'to go on the stitch'. Also COURIR LA LANCE, COURIR L'AMBLE, COURIR SUR LE VENTRE, and COURIR LA POSTE.

> Pour le moins, dit-elle, avez-vous couru la poste sans emprunter de coussinette.—BRANTÔME.

> J'ai cinquante ans passés, et à mon âge on ne court pas la poste quand on veut.—*La France galante.*

> Il faut vous adresser à un maquereau, il vous donnera une bête qui courra l'amble.—TABARIN.

> J'aimerais mieux que tous les laquais de la cour courussent sur le ventre de ma femme, que d'être astreint à ne point faire l'amour.—*Les Caquets de l'accouchée.*

> Il lui demanda si dans son village il n'y avait rien de beau pour courir l'aiguillette.—*Les Cent Nouvelles nouvelles.*

> Tu as plus couru l'aiguillette,
> Plus tempesté qu'oncques fillette.
> *Ancien Théâtre français.*

> C'est pourquoi je recherche une jeune
> fillette
> Experte dès longtemps à courir l'ai-
> guillette.
> REGNIER.

> Toi qui cours l'aiguilliette et d'estoc et
> de taille,
> Aimant mieux trois putains que trois
> mots de vertu.
> THÉOPHILE.

> Ils n'eurent guère été couchés, ne plus couru d'une lance.—*Les Cent Nouvelles nouvelles.*

> Fais que dans mon esprit j'aie toujours
> souvenance
> Du grand plaisir que j'eus, courant sur
> toi la lance.
> THÉOPHILE.

— 2. To frequent brothels and places of assignation. Also COURIR LA GUEUSE, and COURIR LE GUILLEDOU.

> Peut-elle courir l'esguillette,
> Et s'en faire aussi harceler.
> G. COQUILLART.

> Et las de sa femme il courait un peu l'aiguillette.—TALLEMENT DES RÉAUX.

> Mais j'oublierai cette folle amoureuse,
> Tra la la, la la la la la,
> Et dès ce soir, je vais courir la gueuse !
> Tiens, voilà Carjat ! . . .
> ALEXANDER POTHEY.

> J'aurais pu, comme une autre, être vile,
> être infâme !
> Courir le guilledou jusqu'au Coromandel !
> Mais jamais je ne fusse entrée en un
> bordel !—A. GLATIGNY.

COURONNE VIRGINALE, *f.* The maidenhead.

> Et demain, Pignoufflard effeuille sa couronne virginale. — Il l'épouse ? — A peu près . . .—ALB. GLATIGNY.

COURRATIÈRE, *f.* A procuress. [RABELAIS].

COURSE, *m.* An act of coition; 'a turn'. Also COURSE D'AMOUR. [RABELAIS].

> Notre course fut prompte.—DIDEROT.

> Il la trouva, savez-vous comme,
> Dessus un lit auprès d'un homme
> Lassé de la course d'amour.
> *Le Cabinet satyrique.*

Argant, de ses nombreuses courses
Tout fatigué, s'échappe enfin.
Hélas! il emporte à ses bourses
L'amante qui supplie en vain.
B. DE MAURICE.

COURSIER, *m.* The *penis;* 'the crack-hunter'.

Mais alors que la tête et l'oreille penchée
De nos coursiers montrant leur force
être laissée.
THÉOPHILE.

COURT (LE PLUS), *m.* The *penis;* 'the bush-beater'. Also COURTE.

Vous serez bientôt où vous voudrez,
car vous tenez votre plus court.—
D'OUVILLE.
Le jeune homme puceau l'appelle son
affaire,
L'ouvrier son outil, la grosse cuisinière
Une courte..
LOUIS PROTAT.

COURTAUD, *m.* The *penis;* 'the pony'. [RABELAIS].

Toute la beauté que j'y vois
Ne peut faire dresser l'oreille
A mon courtaud.
J. GREVIN.
Vous avez beau dresser, pour avoir plus
de joie,
La tête à mon courtaud, quand il l'a
contrebas.
Le Cabinet satyrique.
Hélas! ajouta-t-il, pauvre courtaud,
autrefois tu étais bien plus gaillard.—
TALLEMENT DES RÉAUX.

COURTE (LA). The *penis.* [RABELAIS].

COURTER. To copulate.

COURTISANER. To whoremonger; 'to molrow'.

COURTOISIE, *f.* Copulation; 'a turn on Shooter's Hill'.

Et enfin s'enhardit de demander à
la dite hôtesse la courtoisie.—*Les Cent Nouvelles nouvelles.*

Doit-il sans information
Plus grande, ou inquisition,
Lui demander la courtoisie.
G. COQUILLART.
Madame de Sully en devint amou-
reuse, et lui demanda la courtoisie.—
TALLEMENT DES RÉAUX.

COUS, *m.* A cuckold.

Désormais pourra dire Alous,
Si dira voir qu'il est cous.
Anciens Fabliaux.
Sans que ce pauvre cous de la ruelle
osa oncques se montrer.—*Les Cent Nouvelles nouvelles.*

COUSIN, *m.* A lover, whether a relation or not.

— COUSIN JACQUES = specific-ally the *penis* of a cuckold maker.

Bien beau, bien gros, bien carré,
ayant sept pouces et demi plus la tête,
qui est énorme, il est digne en tous
points de remplacer le maigre engin du
bonhomme qu'il cocufie.
Pour sa maîtresse, il s'appelle Jacques (nom de celui qui le possède); —
pour le mari,... c'est un mystère; —
pour les gens de la maison, c'est le
cousin de madame: — le cousin Jacques.
Ce gueux de Jacques a fréquenté ma
femme ...
Dieu! quelle tête il a!
EM. DEBRAUX.

COUSINE, *f.* A pederast (subject).

— COUSINE DE VENDANGE = a prostitute frequenting low drink-ing dens.

M. de l'Aulne se fit égratigner à la
place de sa cousine de vendange.—
Comte DE CAYLUS.

— AVOIR LA COUSINE = to be clapped or poxed.

COUSSIN, *m.* A firm and well-de-veloped bosom.

L'amant las de baisers, pose avec volupté,
Entre ces blancs coussins sa tête non-
chalante
Et s'endort, écoutant le cœur de son
amante.
H. CANTEL.

COUTEAU, *m.* The *penis*; 'the butter-knife'. Also COUTEAU NATUREL. [RABELAIS].

Ne vous mettez pas en colère:
Je ne gâte point le mystère,
J'aiguise seulement pour ce soir mon
     couteau.
    LA FONTAINE.

COUVENT, *m.* A brothel. Also COUVENT DE VÉNUS.

Qui par dons, par moyens, par subtile
     finesse,
Fait croître mon couvent d'une noble
     jeunesse.
  Recueil de poésies françaises.

La Dupré le fit, parce que se doutant bien qu'elles étaient de même confrérie, elle ne voulait pas désobéir à celles qui méritaient bien d'être les abbesses du couvent.—*La France galante.*

Vous avez vu sans doute un commissaire,
Cherchant de nuit un couvent de Vénus.
    VOLTAIRE.

Les duchesses aux dents et aux tétons postiches, les antiques vestales du couvent de Vénus qui, ne pouvant plus être instruments du diable, ont bien voulu se donner à Dieu... parce que, dit-on, il n'est pas difficile, aime tout, pardonne tout ....—MERCIER DE COMPIÈGNE.

COUVER. SE LAISSER COUVER. To play a passive part in coition.

COUVERCLE, *m.* An ill-favored man united to a plain woman.

Il n'y a si vilaine marmite qui ne trouve son couvercle.—*Vieux proverbe.*

COUVRIR. To copulate; 'to work the hairy oracle'. [RABELAIS].

Les Tourangeux, pour les désennuyer, les couvrirent.—BÉROALDE DE VERVILLE.

A votre avis si celle-là
Qui va la gorge découverte,
Ne fait pas signe par là
Qu'elle voudrait être couverte.
  Le Cabinet satyrique.

Plus vous couvrirez une femme,
plus il y pleuvra.—TABARIN.

Un chien couvre une chienne; un homme découvre une femme.
Y a-t-il des hommes qui sont chiens!!!—*Une prodigue.*

CRACHER. To ejaculate; 'to spend'. CRACHER A LA PORTE or DANS LES BROUSSAILLES = to ejaculate outside. [RABELAIS].

Empêche que ton vit ne dresse,
Et qu'il ne te crache en la main
En l'absence de ta maîtresse.
  Le Cabinet satyrique.
Ne fout que quand son vit lui crache
Pour tout soulaz dedans la main.
    THÉOPHILE.

— CRACHER AU BASSINET = to pay for the favor with bad grace.

— CRACHER AU CUL (D'UNE FEMME) = to spurn the advances of a woman.

CRAMPE D'AMOUR, *f.* An *erectio penis*.

Le grivois à l'aspect des lieux qu'il envisage,
Où nichent mille attraits qu'il lorgne
     tour à tour,
Se sent atteint d'une crampe d'amour.
    VADÉ.

CRAMPER. To copulate.

Puissé-je ...
Cramper dans le cul
De ma blonde.
   E. DEBRAUX.

CRAMPEUSE, *f.* 1. The sexual spasm; and (2) a prostitute.

CRAMPON, *m.* A woman or mistress; specifically one of whom one cannot rid oneself.

Elle est collante cette femme: c'est un vrai crampon.—J. CH., *Souvenirs du Carnaval.*

CRAPAUDINE. FAIRE LA CRAPAU-
DINE. 'To spread'.

> Marie se colle à mon ventre
> Et pour que tout mon vit entre
> Jusques au fin fond de l'antre
> Enflammé par Cupidon,
> Elle fait la crapaudine.
> Vraiment, cette libertine,
> Si je n'étais qu'une pine
> M'engloutirait dans son con.
> > J. CHOUX.

CRÈME, *f.* The *semen;* 'cream'.

> Toi qui te dis propre à l'extrême,
> Ma femme, néanmoins je vois,
> Que quand tu manges de la crème,
> Il en tombe toujours sur toi.
> > GRÉCOURT.

CRESSON. *See* PLANTER.

CRÊTE DE COQ D'INDE, *f.* The
penis; 'the vestry-man'.

> Avez-vous bien lié, pour paraître fendue,
> La crête de coq d'inde à vos aynes
> > pendue.
> > J. DE SCHÉLANDRE.

CREUSET, *m.* The female *pudendum;* 'the melting-pot'.

> Gardez qu'avec la main le méfiant magot
> Voulant prendre un creuset, ne ren-
> > contre un lingot.
> > J. DE SCHÉLANDRE.

> Ma femme tempeste
> Dans son cabinet:
> Je luy mets mon reste
> Dedans son creuset.
> > *Chansons folastres.*

CREUX, *m.* The female *pudendum;*
'the bottomless pit'.

> Qui masquez votre creux d'un parfum
> > de civette,
> Afin que chèrement votre empois on
> > achète.
> > *Recueil de poésies françaises.*

CREVASSE, *f.* The female *pudendum;* 'the chink' or 'cranny'.

> En fesant la bonne meschine
> Dessous toi se mettra Soubine,
> Et la cheville en la crevasse.
> > MATHÉOLUS.

CREVÉ. PETIT CREVÉ, *m.* A dandy
or swell.

> Le petit crevé une fois affirmé, il a
> fallu lui trouver sa femelle, et à sa femelle
> donner un nom; une dérivation toute
> naturelle a conduit au nom de crevette.
> —NESTOR ROQUEPLAN.

CREVER L'ŒIL. 1. To copulate;
and (2) to sodomise.

> Un jeune homme qui venait la lance
> en arrêt pour te crever l'œil.—D'ABLAN-
> COURT.

CRIPSIMEN, *m.* The female *pudendum;* 'the best'. Also CRYP-
SIMEN. [RABELAIS].

CRISTAL, *m.* The semen.

> Quand verserai-je, au bout de ma victoire,
> Dedans la fleur le cristal blanchissant,
> Donnant couleur à son teint pâlissant?
> > THÉOPHILE.

CRISTALLINE, *f.*

CROISSANT (LOGÉ A L'HÔTEL DU).
Said of cuckolds.

CROQUANT (LE). The hymen.

CROQUER. To copulate; 'to go
tail-twitching'.

> > Tout
> Est de votre goût,
> Vous croquez tout.
> > COLLÉ.

> Par où le drôle en put croquer,
> Il en croqua.
> > LA FONTAINE.

> C'est que la plupart sont des goulus,
> qui ne veulent des femmes que pour
> eux: ils ont beau faire, on en croquera
> toujours quelques-unes à leur barbe.—
> *Théâtre italien.*

CROT, *m.* The female *pudendum;*
'the brown madam'. [RABELAIS].

> C'est votre petit crot à faire bon
> bon.—BÉROALDE DE VERVILLE.

CROUPE (LA). The buttocks.

CROUPIÈRE, *f.* A prostitute; 'a burerk'.

Ton visage, croupière, a cinquante pendants.—TROTTEREL.

CROUPION, *m.* The buttocks.

—— REMOUER LE CROUPION = to copulate. [RABELAIS].

CUEILLIR. CUEILLIR DES LAURIERS = to copulate; 'to get hulled between wind and water'. Also CUEILLIR LA FRAISE, LA NOISETTE, and UN BOUTON DE ROSE SUR LE NOMBRIL.

L'ange d'ailleurs avait déjà la main
Sur ses lauriers, il les cueillit enfin.
PARNY.

Ah! qu'il fait donc bon *(bis)*
Cueillir la fraise,
Au bois de Bagneux,
Quand on est deux.
Le Bijou perdu.

Mais souffre que je puisse cueillir le fruit, dès si longtemps promis à ma pure et sainte fidélité.—P. DE LARIVEY.

Je craignais qu'elle ne laissât cueillir la belle fleur de son pucelage sans en tirer profit.—CH. SOREL.

—— CUEILLIR LA FLEUR = to deflower; 'to dock'. Also CUEILLIR LE FRUIT, LA ROSE, or UNE FEMME.

Cependant il comptait cueillir la première fleur.—P. DE LARIVEY.

Pour ne laisser dessus l'arbre vieillir
Ma belle fleur, je la laisserai cueillir.
J. DU BELLAY.

L'amour cueillit la rose en son matin.—GRÉCOURT.

Je m'y connais, elle est pucelle;
Nous cueillerons demain cette rose nouvelle.
PIRON.

Par ma fine, je suis perdue,
Disait Babet à son seigneur,
Qui par méprise, en lui cueillant sa fleur,
La greffa d'un beau fruit.
VADÉ.

Vous abusez, car Meung, docteur très sage,
Nous a décrit que pour cueillir la rose
Riche amoureux a toujours l'avantage.
F. VILLON.

. . . Je te vois pâlir,
Lui dis-je, et de plus tressaillir,
Quand je suis prêt à te cueillir.
COLLÉ.

CUIR. *See* ENTAMER.

CUISINE, *f.* The female *pudendum;* 'the kitchen'.

L'autre dit: le mien est goutteux,
Qui fait du caymant marmiteux
Quand je lui offre la cuisine.
Recueil de poésies françaises.

CUISSES. *See* JEU.

CUL, *m.* 1. The *anus:* specifically in a sodomite sense.

Ja cul de putain
Au soir ne au main
Ne sera sans merde.
Anciens Fabliaux.

Et après son tort pour refuge
Elle montra son cul au juge.
MATHÉOLUS.

Quant sera devant la tripière
Montre ton cul par raillerie.
F. VILLON.

Un sang vermeil rougit ce cul divin,
Dont la blancheur faisait honte à l'ivoire.
PARNY.

Mais sans le cul d'Alcibiade,
Il n'eût pas tant médit des cons.
PIRON.

Que ton petit cul est rond et potelé,
Qu'il est bien fait!....—LA POPELINIÈRE.

Un cul dur comme un marbre et plus blanc que l'ivoire.—LOUIS PROTAT.

—— 2. The female *pudendum;* 'the tail'.

Soulz bel vêtement:
Ort cul et puant,
De bèle putain.
Anciens Fabliaux.

Allégant que chose est en nature intolérable quant beauté fault à cul de bonne volonté.—RABELAIS.

Il n'y a point de lignage en cul de putain.—BÉROALDE DE VERVILLE.

Cela a le cul trop chaud, disait-elle; il faut que je lui donne un mari.—TALLEMENT DES RÉAUX.

Vous assurez, belle farouche,
Que l'amour ne peut vous brûler,
Si votre cul pouvait parler,
Il démentirait votre bouche.
COLLÉ.

— CUL TERREUX 1. A dirty whore; and (2) a prostitute hailing from the country.

— CUL DE MÉNAGE = a broad-beamed posterior. Also POT-AU-FEU.

— CUL DE PARIS = 'a bum-roll'.

— ÊTRE CUL PAR DESSUS TÊTE = to be indefatigable in venery: said of a woman whose tail is oftener in the air than her head; and, specifically, of a double-barrelled harlot.

Gai, gai, l'on est chez nous,
  Toujours en fête
  Et cul par dessus tête;
Gai, gai, l'on est chez nous,
Toujours en fête et par dessus dessous.
BÉRANGER.

— CUL POUR LA VERTU ! = *i.e.* for vice.

— CUL TOUT NU, *m.* A badly-dressed prostitute.

J'peux vous l'raconter, j'lons vu,
  Elle fait la Duchesse
Et c'n'est qu'un cul tout nu . . .
VADÉ.

— *See* BRANLER, ENTONNOIR, FAIRE, FOUTRE, JOUER, LEVER, POULE, PRÊTER, SOUFFLER, and TRAVAILLER.

CUL-BAS. JOUER A CUL-BAS. To copulate. [RABELAIS].

CULBUTE. *See* FAIRE.

CULBUTER. To copulate; 'to do a tumble-in'.

Mademoiselle, aimez-vous bien à être culbutée ?—CH. SOREL.

CULBUTEUR, *m.* A man in the act of kind.

C'était un grand culbuteur de commères.—BÉROALDE DE VERVILLE.

CULETAGE, *m.* 1. The play of the hips and thighs in coition; of women. Also CULETIS.

Mais afin que le monde vît
Son grand savoir, elle écrivit
Un beau livre de culetage.
MAROT.

Elle en entretenait de tous prix et tous âges,
Même leur apprenait cent divers culetages.—THÉOPHILE.

  Elle fit assembler les plus fameuses en fait de culetage.—TABARIN.

Ci, gist qui est une grand' perte,
En culetis la plus experte
Qu'on sut jamais trouver en France.
MAROT.

— 2. Sodomy or pederasty.

CULETER. 1. To play the hips and thighs in copulation: of women.

Que ne povoit oïr parler,
De foutre ne de culeter.
Anciens Fabliaux.

Depuis grosse garce devint,
Et lors culetait plus que vingt.
CL. MAROT.

— 2. To sodomise or pederastise.

CULISTE, *m.* A sodomite or pederast; 'a bumfaker'.

Il n'est à présent que des sots
  Qui se disent conistes ;
Les philosophes, les héros
  Ont tous été culistes.
COLLÉ, *Recueil du Cosmopolite.*

CULLER. 1. To copulate; also to play the hips. [Old French].

Ou bien, je suis la canicule,
Avecque ses grandes fureurs,
Car s'il advient que je ne culle,
Le corps me brusle de chaleurs.
LE S. DE SYGOGNES.

CULOMANE, *m.* An inveterate sodomite or pederast.

CULOMANIE, *f.* Irresistible attraction to sodomy or pederasty.

CULOT DE FROMAGE (LE).

Malgré l'culot de fromage
Qu'on est sûr d'y rencontrer,
Ma gueul' ne f'ra pas naufrage
Si mon nez n' vient à sombrer.
Parnasse satyrique.

CULTE DE PRIAPE. Venery.

CULTE DE SAPHO (LE). The love of woman for women.

L'Opéra dit tout haut
Que St.... la prima-donne,
Avec fureur s'adonne
Au culte de Sapho.
JOACHIM DUFLOT.

CULTIVER. To copulate; 'to dibble'.

Sœur Bachelier vivait dans l'abbaye
En cultivant son ouaille jolie.
VOLTAIRE.

CUNNUS, *m.* The female *pudendum.* [RABELAIS].

CUPIDON, *m.* A pederast (subject); 'an ingle'.

Des messieurs, qu'on ne peut comprendre,
Quitteraient la Vénus pour prendre un
cupidon.—COLLÉ.

CURATRIE, *f.* A brothel. [RABELAIS].

CUSTODI-NOS, *m.* The female *pudendum.* [From the Latin].

Tétins pointifs comme linots,
Qui portent faces angéliques,
Pour fourbir leur custodi nos.
Ancien Théâtre français.

CYCLOPE, *m.* The *penis.*

Chez la Constant, Berthe aux merveilleux charmes,
Beau travail et fermes appas,

De mon Cyclope a fait couler les larmes
Bien souvent, hélas ! . . .
P. SAUNIÈRE.

CYLINDRE, *m.* The *penis.*

Hélas ! il est si long et si fougueux !
Il me semble que la pauvre fille doit en
être déchirée. . . . Mais non, le menaçant cylindre est tout entier englouti,
et je ne vois sur la figure de la victime
que l'expression du bonheur.—DE
NERCIAT, *Mon Noviciat.*

— **CYLINDRE CONSOLATEUR,** *m.* = a dildo.

Cet ingénieux instrument qui, en
effet, a la forme d'un cylindre, sert de
consolateur aux pauvres recluses. C'est
l'objet qui leur est le plus cher.
Armées de cet aimable engin, qu'elles
remplissent d'un lait chaud, qui s'échappe
d'un jet vigoureux sous la pression d'un
ressort, ces dames se portent mutuellement de redoutables coups. Le cylindre
est d'autant mieux le rival de l'amour,
qu'on le choisit selon son tempérament :
Il y en a des longs et des courts, des
gros et des minces, des mignons et des
monstrueux.
Toi qui, à soixante-quinze ans, ne
rougis pas d'employer ces cylindres
consolateurs, dont le tube artistement
placé te lance une liqueur chaude, que
tu reçois en grimaçant de plaisir. . . .—
Les Veillées.

CYMBALES (LES), *f.* The *testes.* [RABELAIS].

Quand il a perdu les cymbales de
concupiscence.—BÉROALDE DE VERVILLE.

— *See* JOUER.

CYMBE, *m.* The female *pudendum.* [RABELAIS].

CYPRINE, *f.* The female *pudendum ;* 'the Cyprian-arbor'.

CYPRIS. *See* FILLE and VERGER.

CYTHÈRE, *f.* A brothel or other place of assignation.

AIM, *m*. The keeper of a woman who in turn supports a 'fancy man'.

> Des daims! J'ôte jamais mes frusques, moi.—LEMERCIER DE NEUVILLE.

DAME. DAME DE JOIE. A public woman. Also DAME AUX CAMÉLIAS [from Dumas' novel].

> Quand la lorette arrive à la prospérité, elle change de nom et s'appelle dame aux camélias.—EDMOND TEXIER.

> La conjuration de Catilina fut aussi découverte par une dame de joie.—BRANTÔME.

— DAME A QUATRE SOUS, *f*. = a low class whore.

> Un peintre en lettres ayant été chargé d'écrire l'enseigne d'un établissement de bains de rivière sur la Seine, écrivit: Bains à 4 sous, pour les dames, à fond de bois. Cette rédaction ayant été jugée très peu correcte, le peintre dut refaire une nouvelle enseigne, et cette fois, mieux avisé, il écrivit: Bains à fond de bois — pour les dames à quatre sous.—AD. RICARD.

— JOUER AUX DAMES RABATTUES = to copulate. [RABELAIS].

DANDRILLES, *m*. The *testes*. [Old French]. [RABELAIS].

> Il l'enverra bien autre part Traîner ses dandrilles par dieu.
> JODELLE.

DANS. *See* SANG.

DANSE, *f*. The act of kind; 'the matrimonial polka'. Also LA DANSE A PLAT, LA BASSE DANSE, LA DANSE DE LOUP [RABELAIS] and LA DANSE DES PUTAINS.

> Il lui fait danser une danse, Bien qu'il ne soit ménétrier.
> *Recueil de poésies françaises.*

> L'époux remonte, et Guillot recommence, Pour cette fois le mari vit la danse Sans se fâcher.
> LA FONTAINE.

> Il lui enseigna la danse du loup, la queue entre les jambes.—BÉROALDE DE VERVILLE.

> Il les fit danser et leur apprit la danse des putains.—BRANTÔME.

— *See* ENTRER.

DANSER. To copulate; 'to dance to the time of the shaking of the sheets'. Also DANSER AUX NOCES, DANSER LA BASSE NOTE, DANSER LE BRANLE DE UN DEDANS ET DEUX DEHORS, DANSER LE BRANLE DU LOUP, DANSER UNE BOURRÉE, and DANSER UNE SARABANDE.

> Danserais-tu pour la Rose? Ferais-tu pour moi cela?
> COLLÉ.

> Ne la fait-il point danser Aucunes foys la basse note?
> *Ancien Théâtre français.*

> Je crois que tu ne te ferais point prier de danser le branle de un dedans et deux dehors.—TOURNEBU.

En effet pour danser aux nôces
Tu es trop laide.
Ancien Théâtre français.

Je la ferai danser, mais le branle
du loup.—J. DE SCHÉLANDRE.

Mais de danser une bourrée
Sur une dame bien parée,
Cela ne se peut nullement.
Le Cabinet satyrique.

DANSEUR, *m.* A man when sacri-
ficing to Venus.

Je danse avec tout le monde, et
madame conviendra que je suis un
formidable danseur.—PIGAULT-LEBRUN.

DARD, *m.* The *penis;* 'the lance
of love'. [RABELAIS].

DARDER. To copulate with vigor;
'to fuck'.

J'ai la surprise de voir l'humide
bracquemart darder à trois pieds des
flots d'une blanche et savonneuse écume.
—*Noviciat.*

DARDILLON, *m.* The *penis:* a diminutive: *cf.* DARD.

DARRAIN, *m.* Ejaculation. [Old
French].

Et quant on vient au darrain
Adonc doit-on serrer les rains.
Anciens Fabliaux.

DAUPHE, *m.* The *penis.*

DÉ, *m.* The female *pudendum;*
'the rough-and-ready'.

Et lui dire qu'elle délibère faire
cette nuit un mignard et plaisant ouvrage
en cuir doré, où il faudra à bon escient
embesoigner l'aiguille et le dé.— P. DE
LARIVEY.

DÉBALLAGE. Dishabille in women.

DÉBANDER. To weaken: of the *penis.*

Mais si tôt qu'il eut le soupçon,
Que ce cul recélait un con,
Il débanda.
COLLÉ.

Tu ne me serres pas le vit comme
tantôt... je sens que je débande.—
LA POPELINIÈRE.

DÉBARBOUILLER. To copulate. [RA-
BELAIS].

DÉBAUCHER (UNE FILLE). To seduce
or 'dock' a girl.

DÉBOUTONNER SON CŒUR. To
unbosom oneself to the object of
affection.

Sourd à mes instances expresses,
Son silence allait m'étonner,
Quand sur le rejet de tes pièces
Je le vis se déboutonner.
ET. JOURDAN.

Dissimulons, un' pauvre femme,
N'saurait trop se précautionner.
Afin d'voir ce qu'il a dans l'âme,
J'vas l'forcer à s'déboutonner.
Gaudriole, 1834.

DÉBRAGUETER. To copulate. [Old
French].

Si d'icelles en trouvez qui vaillent
le débragueter.—RABELAIS.

DÉBUSQUER. To expel the *penis*
from the vagina by a quick move-
ment.

Il lui approcha, en la contenant
d'une main, le vit des lèvres du con.
Cependant, il ne put l'enfiler; un coup
de cul en arrière le débusquait.—
RÉTIF DE LA BRETONNE.

DÉCALOTTER. To retire the prepuce.

Un vit, sur la place Vendôme,
Gamahuché par l'aquilon,
Décalotte son large dôme
Ayant pour gland... Napoléon !
Parnasse satyrique.

DÉCHARGE, *f.* Ejaculation.

Il faut que la femme, dans le point
de la décharge, si elle veut que le coup
porte, tienne les fesses serrées l'une
contre l'autre et ne se remue en façon
quelconque que tout ne soit fait et
achevé !—MILILOT.

DÉCHARGER. To ejaculate; 'to
shoot'.

L'éclair brille, Jupiter tonne,
Son vit n'en est point démonté;
Contre le ciel sa tête altière
Au bout d'une courte carrière,
Décharge avec tranquillité.
PIRON.

Ah! tu ne t'en iras pas que je n'aies
déchargé.—LA POPELINIÈRE.

Les capotes mélancoliques
Qui pendent chez le gros Millan,
S'enflent d'elles-mêmes, lubriques,
Et déchargent en se gonflant.
Parnasse satyrique.

Puisqu'il ne se déchargeait nullement avec elle.—BRANTÔME.

Et je suis, quoi que je fasse,
Tout un jour à décharger.
THÉOPHILE.

Comme les arbres elles déchargent
quand on les secoue.—CYRANO DE BER-
GERAC.

Ah! je sens qu'en vous parlant d'elle
Je décharge de souvenir.
COLLÉ.

DÉCONNER. To withdraw after coition; 'to decunt'. [BURTON].

Avec cet outil-là je puis sans me gêner,
Fournir mes douze coups, dont six sans
déconner.
PIRON.

Trois coups sans déconner, quoi,
n'est-ce assez foutu?—THÉOPHILE.

Ah! me voilà déconné!—LA POPE-
LINIÈRE.

Le vit alors, bien convaincu
Qu'on ne peut voir un con vaincu,
Renonce à la victoire :
Il déconne et s'adresse au cu.
Chanson anonyme moderne.

DÉCOUCHER. 1. To pass the night
away from home: generally with
a lover: of both sexes.

Excusez-moi, mais, fidèle à mes devoirs de mari, je n'ai jamais découché
et ne découcherai jamais.—LIREUX.

DÉCOUVRIR. DÉCOUVRIR SAINT
PIERRE POUR HABILLER SAINT
PAUL = to sodomise a woman
after the natural act.

Mon embonpoint, l'attitude, le
souper, tout cela fait qu'au moment dé-
cisif il m'échappa une petite incongruité.
'Je t'entends, l'ami, dit-il : mais point
de jalousie : il y en a pour tout le monde.'
En même temps, découvrant Saint
Pierre pour habiller Saint Paul, il vous
plante à l'indiscret un bâillon.—*Les
Aphrodites.*

DÉCROTTER. To copulate; 'to do
a nibble'.

Il me répond : Ne te fâche, Babeau,
Avant de partir tu seras décrottée.
Recueil de poésies françaises.

Il me décrotta ma cotte à la mode
du pays de Mans.—*Variétés historiques
et littéraires.*

DÉCULER. To retire the *penis* from
the *anus :* of pederasts.

DÉDALE, *m.* The female *pudendum;*
'the maze'. [RABELAIS].

DEDANS, *m.* The female *pudendum ;* 'the Holy of Holies'.

Votre mal et le mien n'ont point de
sympathie ;
Lorsque vous vous plaignez de votre mal
de dents,
En la mettant dehors vous en êtes guérie,
Et moi, je n'en guéris qu'en le mettant
dedans.
COLLÉ.

— *See* METTRE.

DÉDOUBLER. To withdraw or be
expelled; 'to decunt'.

DÉDUIRE. To copulate.

Pour acquérir l'honneur des dames,
Soz desduire avec les déesses.
Farces et Moralités.

DÉDUIT, *m.* The act of kind; 'the
four-legged frolic'. [RABELAIS].

Lorsque par impuissance, ou par mépris
la nuit
On fausse compagnie ou qu'on manque
au déduit.
RÉGNIER.

Qu'il ne manquait ou de jour ou de nuit,
Sous prétexte de voir son ingrate maî-
tresse,
De faire naître avec adresse
Un rendez-vous pour l'amoureux déduit.
LA FONTAINE.

L'homme noir, friand du déduit,
De dire : l'aventure est bonne.
GRÉCOURT.

Il est minuit,
C'est l'instant du mystère.
Il nous invite à l'amoureux déduit.
E. DEBRAUX.

DÉFLORER. To seduce; to take the maidenhead.

Azell m'en fault sans revenir,
Puis que pour lors suis déflorée.
Farces et Moralités.

Ammon en voult deshonorer,
Feignant de manger tartelette,
Sa sœur Thamar, et déflorer.
F. VILLON.

Si fût-il admiré pour masle très-puissant
D'en avoir une nuit défloré demi-cent.
J. DE SCHÉLANDRE.

DÉGELER. To get an *erectio penis.*

Un jour d'hymen Collas tout éperdu
Vient à Catin présenter sa requête
Pour dégeler son chose morfondu.
MAROT.

DEGRÉ DE LONGITUDE, *m.* The *penis.*

Je vis après ce polisson,
En si fière attitude,
Qu'il m'enflamma, me montrant son
Degré de longitude.
COLLÉ.

DEHOUSÉE, *f.* A harlot. [RABE-LAIS].

DÉJECTER SON ÂME. To ejaculate.

... Ses transports éclatent en une
gamme de oh! et de ah! mais sur un
ton si élevé que la mère entend, accourt
et vous surprend sa fille bien nettement
enchevillée, se tortillant, se débattant et
déjectant son âme.—*Gamiani.*

DÉLICE. See CENTRE.

DÉLIT, *m.* The act of kind; 'a cure for the horn'.

Qu'incertain des enfants engendrés dans
mon lit.
Je les ai en horreur, bien que nés du délit.
J. DE SCHÉLANDRE.

— See FAIRE.

DÉLITER. To copulate; 'to jumble up'.

Car si homme veut habiter
Avec femme pour déliter.
MATHÉOLUS.

DELTA, *f.* The female *pudendum.* [RABELAIS].

DEMANDER PÂTURE. To ask the favor.

Femme qui fait ses cuisses voir,
Et se montre en sale posture,
A tout homme fait à savoir
Que son con demande pâture.
THÉOPHILE.

DEMEURANT, *m.* The act of kind.

Femme qui se laisse baiser,
Et taster la fesse en jouant,
Est-il pourtant à présumer
Qu'elle souffre le demeurant.
G. COQUILLART.

DEMI-CASTOR, *m.* A prostitute.

Deux de ces filles qu'on appelle dans
le monde demi-castors, se trouvèrent, par
hasard, assises près de moi l'autre jour
au jardin des Tuileries.—*Correspondance
secrète.*

DEMI-VERTU, *m.* A woman past virginity.

Et ces d'mi-vertus à panache,
Tendres à cent écus par mois.
E. DEBRAUX.

DEMOISELLE DES TUILERIES, *f.* An old maid in quest of a husband.

La demoiselle des Tuileries appartient aux Tuileries à titre de meuble, comme
la statue de Méléagre ou comme celle
de Spartacus. — Elle avoue vingt-cinq
ans, et en a trente bien sonnés. Elle est
arrivée à cette époque fatale de la vie,
où l'on dit : Voilà une femme qui a dû
être fort bien.

De trente à trente-cinq ans elle dissimule la tristesse qui la gagne, elle s'efforce de sourire. Quand elle voit passer à sa portée un bel enfant avec des cheveux blonds, elle l'attire à elle, l'embrasse tendrement et pousse un profond soupir qui veut dire : j'aurais été si bonne mère ! — Les trente-cinq ans arrivent : oh ! alors, c'est l'énergie du désespoir, c'est la rage, une fureur. La demoiselle des Tuileries s'accroche à tout : elle est prête à tout ; elle épousera, si on le veut, avec un égal empressement, un jeune homme de dix-huit ans qui veut s'émanciper, ou un vieillard qui cherche une garde-malade . . . . — A quarante ans, le rôle de la demoiselle des Tuileries est fini : elle prend le mariage en horreur : elle est vieille fille et restera vieille fille . . . .
　　　　　　　　　　E. GLORIEUX.

— DEMOISELLE DE PONT-NEUF = a low-grade prostitute. Also DEMOISELLE DU MARAIS. [RABELAIS].

DÉNIAISER. 1. To copulate.

Ne pourrait-on de cette israélite
Déniaiser les novices appes.
　　　　　　　　　　PARNY.

—— **2.** To lose virginity.

Elle se pourrait bien laisser déniaiser
A ce gentil magot de son cher pucelage.

DÉNICHEUR DE FAUVETTES, *m.* A libertine whose speciality is seduction.

DENRÉE, *f.* The *penis.* Also DENRÉE D'AVENTURE.

Adonc il mit sa denrée sur la table devant tout le monde.—*Les Cent Nouvelles nouvelles.*

J'ai plusieurs fois senti ses denrées d'aventure.—*Les Cent Nouvelles nouvelles.*

DÉPÊCHER. To copulate; 'to wink at the blind eye'.

DÉPENSE. *See* FAIRE.

DÉPENSER SES COTELETTES. To copulate; 'to give a bit of sung for a bit of hard'.

DÉPUCELER. To rob of virginity : of both sexes.

Il trouve son écolière sur le lit, qui l'attendait, dont il jouit à son souhait, et la dépucelle.—MILILOT.

Il vaut mieux dépuceler une garce que d'avoir les restes d'un roi.—BRANTÔME.

Ça donc, mon cœur et ma rebelle,
Ça mon âme, ça mes amours,
Qu'à ce coup je vous dépucelle.
　　　　　Cabinet satyrique.

La nouvelle mariée fit pourtant si bien qu'elle dépucela son mari.—TALLEMENT DES RÉAUX.

Grands maux en vinrent à la marche,
Car elle fut dépucelée.
　　　Recueil de poésies françaises.

DÉPUCELEUR DE NOURRICES, *m.* A sort of spurious Don Juan, boasting of maidenheads never taken.

DERNIÈRE FAVEUR. *See* FAVEUR.

DÉROUILLER (SE). To wanton : after a period of abstention.

Cupidon, depuis bien longtemps,
Dans leur vieille demeure,
N'avait, comme dans leur printemps,
Du plaisir marqué l'heure ;
Mais on peut le réveiller,
Son dard peut se dérouiller . . .
　　　　　　　　　　J. C.

DERRIÈRE (LE). The backside.

Et pour peu que, d'un air tendre,
On dirige un doigt savant,
On les voit se laisser prendre
Le derrière et le devant.
　　　　　　　　CHARLES MONSELET.

Ils se sont accommodés de leurs femmes plus par le derrière que par le devant.—BRANTÔME.

DÉSARÇONNÉ (ÊTRE). 1. To be impotent; and (2), to withdraw, or cause to withdraw.

Embouche ! sacrée putain, dit-il en désarçonnant, et tu avaleras mon foutre ! sans quoi, je t'assomme ! . . . .—*Anti-Justine.*

Je désarçonnai mon cavalier, qui n'avait pas encore fini sa course.—*Meursius.*

DESCROTER. To copulate. [RABE-LAIS].

DÉSENNUYER (SE). To copulate.

Quand jeune encore tu pouvais plaire,
Il ne t'en coûtait rien pour te désennuyer.
POMMEREUL.

DÉSENTIFFLAGE, *m.* Divorce (thieves').

DÉSENTIFFLER. To divorce (thieves').

DÉSÉVANOUIR (SE). To rouse one-self from the lethargy following the sexual spasm.

Nos dormeuses sont désévanouies.
—MERCIER DE COMPIÈGNE.

DÉSGRIEUX, *m.* A pander; 'a fancy-man'.

DÉSHOUSER. To copulate. [Old French = to scour].

Et après qu'il l'eût déshousée.
MAROT.

DÉSIR. *See* ACCOMPLIR, BUT and CONTENTER.

DESSERRER LES GENOUX. To sur-render oneself to the sexual em-brace.

Un cordelier d'une riche encolure,
Large de quarrure,
Fier de son pouvoir,
Prodigue du mouchoir,
Au coin d'un bois rencontra sœur Julie,
Lui dit: Je vous prie,
Ça, dépêchez-vous,
Desserrez les genoux.
HAGUENIER.

DESSUS. LE DESSUS DU PANIER DES AMOURS. The pick of the sex.

Ces messieurs du faubourg ont le dessus du panier des amours, et, comme ils ont l'appétit et les dents de la jeunesse, ils mordent aux grappes lorsqu'elles ont précisément toute leur fraîcheur, toute leur saveur, tout leur parfum.—A. DELVAU.

DÉTÉTONNER. To unfasten a wo-man's corset and bare the bosom.

DÉTROIT. *See* PASSER.

DEUX ADJOINTS (LES). The *testes.* Also LES DEUX BIBELOTS, and LES DEUX OREILLES.

Ses deux adjoints lui font escorte;
Mais, par un caprice nouveau,
Tous les deux restent à la porte:
Il entre seul à son bureau.
EUGÈNE VACHETTE.

Tu ronfles, tu sommeilles;
Tu mérit'rais, dans c'cas,
Puisque tu n' t'en sers pas,
Que j' te coup' les deux oreilles...
Adrien, c' n'est pas bien, etc.
Anonyme moderne.

Donne-moi tes deux bibelots, mon chéri, que je les pelote.—JEAN DU BOYS.

DEUX ŒUFS. LES ... SUR LE PLAT. The paps. *See* PLAT.

DEUX POMMES (LES). The paps; 'the apple-dumpling shop'.

DEUX SŒURS (LES). The buttocks.

DEUX TROUS (LES). The *anus* and *pudendum.*

Le trou du cul, le trou du con,
Sont deux trous qui me semblent farces:
Par l'un, on jouit du garçon
Et par l'autre on jouit des garces.
Tous les deux me sont défendus,
Mais, puisqu'il faut que je me perde...
Je préfère le trou du cul,
Malgré mon dégoût pour la merde.
BING.

DEVANT, *m.* The female *pudendum;* 'the front-parlor'.

Qui est-ce or, Sire, fet-èle?
Qu'avez-vous fait à mon devant?
Anciens Fabliaux.

Elle avait toujours un homme qui gardait la place du bonhomme, et entretenait son devant, de peur que le roul n'y prînt.—*Les Cent Nouvelles nouvelles.*

Tout cela est bon et vrai, si elle ne fut été monté et chevauché trop tôt, dont pour cela elle est un peu foulée sur le devant.—BRANTÔME.

Du devant d'une femme il faut se méfier.—TROTTEREL.

La dite francisquine jouira pleinement et paisiblement des fruits, revenus et émoluments de son devant.—TABARIN.

On pourra désormais avoir confiance en moi, car on dit communément qu'il faut se défier du devant d'une femme, du derrière d'une mule, et d'un moine de tous les côtés.—*Le Moine sécularisé.*

Ah! mon Dieu, quelle injustice que l'honneur d'un homme dépende du devant d'une femme!—CH. SOREL.

— *See* GRATTER, HAUSSER, LEVER, and VIANDE.

DÉVELOPPER (SE). To get an *erectio penis.*

...l'Orang-outang, échauffé sans doute par la présence d'une jeune fille, se développa, tout à coup, de la façon la plus brillante.—*Gamiani.*

DEVIRILISER. To castrate. [RABELAIS].

DEVISER. To copulate; 'to chauver'.

Mais monseigneur, qui était plus éveillé qu'un rat, avait grand faim de deviser.—*Les Cent Nouvelles nouvelles.*

Il me trouva devisant d'affaires avec un commandeur.—BÉROALDE DE VERVILLE.

DEVOIR, *m.* The act of kind.

Puis après rendre le devoir.—*Ancien Théâtre français.*

Allons! rentre chez toi, père de famille! et fais ton devoir près de ta femme, cela dût-il te valoir un enfant!—LEMERCIER DE NEUVILLE.

Puis quand on vint au naturel devoir,
Ah! dit Catin, le grand dégel s'approche.
Vrai, dit-il, car il va pleuvoir.
CL. MAROT.

— *See* FAIRE and METTRE.

DÉVOTE, *f.* A reformed whore; 'a Magdalene'.

DIABLE, *m.* The *penis:* TO PUT THE DEVIL INTO HELL (BOCCACCIO) = to copulate.

C'est le diable, sans nul défaut,
Qui hors de mon pauvre corps sault.
Recueil de poésies françaises.

Il faut bien que le diable en effet
Soit une chose étrange et bien mauvaise;
Il brise tout; voyez le mal qu'il fait
A sa prison.
LA FONTAINE.

DIABOLINI, *m.* An aphrodisiac.

J'apporte le stimulant fatal, le ribaud gobe le tout avec avidité. En attendant l'effet, je suis passionnément gamahuchée; tout cela me convient et tend à mon but. On rebande enfin, j'use, j'abuse du bienfait des diabolini, je mets mon homme sur les dents: enfin, il demande grâce...—*Mon Noviciat.*

DIDYMOI (LES). The *testes.* [RABELAIS].

DILIGENCE DE LYON (LA). A pasture in venery.

Je te ferai le grand jeu! — Non — Feuille de rose! — Non. — Le tire-bouchon américain! — Connu... tu m'ennuies. — Eh bien, tiens, tu me plais, viens, tu ne payeras pas et nous ferons la diligence de Lyon...—*Fantaisiste,* I, 177.

DILLE, *f.* The *penis.* [RABELAIS].

DINEUSE, *f.* A woman seeking an offer of dinner.

DIRE. DIRE SES ORAISON. To copulate; 'to sacrifice to Venus'.

Si dit à monseigneur le gouvernement de sa dame, et dont elle venait à cette heure de dire ses oraisons et avec qui.—*Les Cent Nouvelles nouvelles.*

DISPENSATEUR DES PLAISIRS, *m.* The *penis;* 'the merry-maker'.

Je saisis tout de bon ce qui chez
Sylvio démentait son costume, et me
mis en devoir de m'incruster ce cher
dispensateur des plaisirs.
A. DE N., *Mon Noviciat.*

DISPOSER. To copulate; 'to chink
and shuffle'.

> Climène jure que personne
> Gratis ne peut en disposer ;
> Elle dit vrai, car elle donne
> Aux gens pour se faire baiser.
> BUSSY-RABUTIN.

DIVERTIR (SE). To copulate; 'to
dance the buttock-jig'.

DIVERTISSEMENT, *m.* The act of
kind; 'the first game ever played'.

> Au lit le divertissement,
> Qui se donne entre des courtines,
> Tient un peu trop du sacrement.
> CHAPELLE.

DIVORCER. DIVORCER AVEC LA
NATURE. 1. To take to sodomy or
pederasty (of men); and (2) to
masturbate with one's sex (of
women).

> ....J'ai la triste condition d'avoir
> divorcé avec la nature. Je ne rêve, je
> ne vois plus que l'horrible, l'extravagant;
> je poursuis l'impossible.—ALF. DE M.

DOCTEUR (LE). The *penis.*

> Vieilles, jeunes, laides, belles,
> Toutes aiment le docteur,
> Et toutes lui sont fidèles...
> Toutes? non, c'est une erreur:
> On dit qu'il en est entr'elles,
> Dans la crainte d'un malheur,
> Qui se passent du docteur.
> V. *Pâle maladie.*

DODELINER, 1. To fondle and caress
the *penis;* and (2) to masturbate.
[Old French).

> Et puis sa femme accoutumée à
> dodeliner son cas.—BÉROALDE DE VER-
> VILLE.

DOIGT, *m.* The *penis;* 'the middle-
leg'. Also PETIT DOIGT, DOIGT

DU MILIEU and DOIGT QUI N'A
POINT D'ONGLE. [RABELAIS].

> Il cherche le temps et le lieu
> Pour mettre le doigt du milieu
> Dans la bague de ta nature.
> THÉOPHILE.

> Je sentis en même temps une main
> qui me défaisait mon pourpoint, et me
> prenait le petit doigt.—VOISENON.

> Prenez toujours, ce doigt-ci vaut bien
> l'autre.—PIRON.

> Sans y réfléchir j'enfonçai
> Ce pauvre doigt jusqu'à la garde.
> E. DEBRAUX.

> Et moy d'un seul petit coup
> J'ai gagné la chaude-pisse,
> Et du doigt de quoy je pisse
> On m'en a coupé le bout.
> *Chansons folastres.*

> Ce passe-temps partout d'usage
> Favorise plus d'un amant :
> La fillette innocente et sage,
> Par là s'engage très souvent.
> L'amour qui toujours nous partage
> A soin que tout soit débrouillé,
> Il dissipe plus d'un nuage
> En conduisant le doigt mouillé.
> *La Goguette du bon vieux temps.*

— DOIGT DE COUR = the middle-
finger. Also LE DOIGT PRÉCUR-
SEUR.

— FAIRE UN DOIGT DE COUR =
to masturbate.

> Savez-vous pourquoi nos belles
> Sont si froides en amour?
> Ces dames se font entre elles,
> Par un ingénieux retour,
> Ce qu'on nomme un doigt de cour.
> DE CHAMPCENETZ.

> Dès qu'elle me jugea propre au
> doigt de cour, je le faisais; on me le
> rendait, et de reste.—*Les Aphrodites.*

> Autrefois, sans expérience,
> J'ai fait à mon tour,
> A chaque belle un doigt de cour...
> ANONYME.

DON, *m.* The *penis;* 'the knick-
knack'.

> Toute matrone sage, à ce que dit Catulle,
> Regarde volontiers le gigantesque don ·
> Fait au fruit de Vénus par la main de
> Junon.
> LA FONTAINE.

— DON D'AMOUR, *m.* = the act of kind; 'the lists of love'. Also LE DON D'AMOUREUSE LIESSE, and LE DON D'AMOUREUSE MERCI.

> Je ne fais que requérir,
> Sans acquérir,
> Le don d'amoureuse liesse.
> MAROT.

> Oui, mais aussi nous gagnons quelque
> chose,
> Dit la jeune Ève, et son souris propose
> Le don d'amour.
> PARNY.

> Renaud sur la place
> Obtint le don d'amoureuse merci.
> LA FONTAINE.

DONDON (UNE GROSSE), *f.* I. A wanton.

> Toinette, fraîche dondon,
> Chantait ainsi son martyre.
> JULES POINCLOUD.

— 2. A woman of well-developed figure.

DONNER (S'EN). To copulate.

— *See* FAIRE.

— DONNER DANS L'ŒIL = to excite desire; 'to look pricks (or cunts) in the eyes'. ELLE M'A DONNÉ DANS L'ŒIL, I've taken a fancy to her.

> Il m'a dit que votre chienne de mine lui avait donné dans l'œil.—LA POPELINIÈRE.

— SE DONNER CARRIÈRE = to copulate. Also SE DONNER DE LA SATISFACTION, DONNER DES LEÇONS DE DROIT, DONNER DES PREUVES D'ESTIME, DONNER DES SECOUSSES, SE DONNER DU BON TEMPS, SE DONNER DU PLAISIR, DONNER L'AUBADE, DONNER L'AVOINE, DONNER L'ASSAUT, DONNER LE PICOTIN, DONNER UN BRANLE, DONNER UNE LEÇON DE PHYSIQUE EXPÉRIMENTALE, DONNER UNE VENUE, DONNER DU CONTENTEMENT, and DONNER (or RECEVOIR) UN CLYSTÈRE.

> L'homme sous qui tous les jours
> Vous donnez tant de secousses.
> *Le Cabinet satyrique.*

> Un dimanche matin il cuidait lui donner le picotin.—BÉROALDE DE VERVILLE.

> Notre trompette voyant qu'on s'accommodait pour donner l'assaut.—D'OUVILLE.

> Mais quand quelqu'un lui donne un
> branle,
> En l'absence de son cocu,
> Vous diriez comme elle se branle
> Qu'elle a des épines au cu.
> THÉOPHILE.

> Tu te donnais du bon temps sous les belles courtines.—P. DE LARIVEY.

> Et le matin, quand son mari est dehors, elle se donne du bon temps.—*Variétés historiques et littéraires.*

> Et cependant elles se donnent du bon temps avec des amis jeunes.—BRANTÔME.

> Un jour Cunégonde vit entre les broussailles le docteur Pangloss, qui donnait une leçon de physique expérimentale à la femme de chambre de sa mère.—VOLTAIRE.

> Sire, l'autre jour me disiez
> Qu'à Morel avoine donniez.
> *Anciens Fabliaux.*

> Aussi la dernière du bout,
> Se pâmant, cria: Le roi fout!
> Et chanta: Bon!
> Le roi Salomon
> M'en a donné l'aubaine!
> COLLÉ.

> Il dit qu'il me veut rendre une des plus habiles qui soient capables de donner du contentement aux hommes.—MILILOT.

> Témoin son père, qui a donné le plaisir à Marguerite, la servante que vous avez chassée.—MILILOT.

> Dames, dansez, et que l'on se déporte,
> Si m'en croyez, d'écouter à la porte,
> S'il donnera l'assaut sur le minuit.
> CL. MAROT.

> Où qu'est l'mal après tout? On béquille, on s'amuse, on s'donne du bon temps, on oublie sa misère: c'est toujours ça d'gagné.—HENRI MONNIER.

— SE DONNER = to prostitute oneself. Also DONNER SON CORPS.

— *See* BÉCOT.

— DONNER DU MAL = to pox; 'to infect'. Also DONNER LA SAUCE, and DONNER LE GROS LOT.

Elle est belle, ma Joséphine ... et elle connaît son affaire! ... Mais, pas d'bêtises, ô mon père! elle vous donnerait du mal ...—TISSERAND.

— DONNER SA ROSE = to give one's maidenhead.

Ma fille, avant d'céder ta rose,
Retiens bien ce précepte-là.
É. DEBRAUX.

— DONNER UN COUP DE CUL = to give play to the hips in the sexual congress. Also DONNER DU CORPS.

En baisant, à propos, donner un coup de cul.—LOUIS PROTAT.

— DONNER SEPT OU HUIT AIRS = to do the act of kind seven or eight times.

Au reste, je vous préviens que mon gascon ne donne plus que sept ou huit airs tout au plus.—*Les Aphrodites.*

— DONNER SIGNE DE VIE (or VIT) = to get an *erectio penis.*

— DONNER UNE LESBIENNE = to gamahuche.

... L'inutilité des moyens ordinaires, les mieux administrés, ne laisse que la ressource d'une lesbienne; elle ne fait pas beaucoup d'effet ... —A. DE NERCIAT.

DONOIER. To caress; to make love. [RABELAIS].

DONZELLE, *f.* A wanton.

Hélas! si la femme savait
Quelle sujétion a celle
Qui fait le métier de donzelle!
La France galante.

DORMIR. To copulate.

DOSSIÈRE, *f.* A prostitute of the lowest sort.

DOS VERT, *m.* A pander. Also DOS D'AZUR.

Écoute-moi, dos vert de ces putains sans nombre,
Ombre du grand Thomas qui de Priape est l'ombre.
DUMOULIN.

Je ne suis pas un miché, je suis un dos d'azur.—LEMERCIER DE NEUVILLE.

DOUBLER. To copulate; 'to peel one's end in'.

Quand les maris sont quelque peu dehors les femmes doublent bien souvent.—P. DE LARIVEA.

DOUBLE-SIX, *m.* The female *pudendum;* 'the dumb-squint'.

DOUCE (SE DONNER UNE). To masturbate.

DOUCHE. *See* ADMINISTRER.

DOUZIL, *m.* The *penis.* [RABELAIS].

DRESSER. To get an *erectio penis.*

Le vit lui commence à drecier,
Qui moult fait la chose coictier.
Anciens Fabliaux.

Et je, dit Eusthène, qui ne dressois oncques puis que nous bougeâmes de Rouen.—RABELAIS.

Enfin tant que nous sommes,
Combien de membres d'hommes
Nous avons fait dresser.
Le Cabinet satyrique.

Mais il dresse
Par mon adresse.
PIRON.

DRESSEUR DE FEMMES, *m.* A pander.

DRESSOUER, *m.* The *penis.* [RABELAIS].

DROGUE, *f.* A prostitute.

DROIT, *m.* The *penis*; 'the crimson chitterling'. [URQUHART]. Also LE DROIT DE L'HOMME.

Il n'y a point par tout le monde
Femme plus juste que Raymonde,
Et ce d'autant qu'en tout endroit
Elle aime à soutenir le droit.
                              THÉOPHILE.

La femme veut toujours avoir le droit pour elle.—TABARIN.

Maman, j'aime mieux un sergent à verge, qu'un avocat sans le droit.—D'OUVILLE.

Nous résistons au droit et l'anéantissons.—BÉROALDE DE VERVILLE.

— *See* LEVER.

— DROIT D'HYMEN, *m.* The act of kind. Also LE DROIT DE MÉNAGE.

Les droits d'hymen allant toujours leur
                              train,
Besoin n'était qu'elle en fit la jalouse.
                              LA FONTAINE.

DRÔLE, *m.* The *penis.* [RABELAIS].

DRÔLESSE, *m.* A prostitute; a wanton.

Mais tout n'est pas rose et billets de mille francs dans l'existence phosphorescente, fulgurante, abracadabrante de ces adorables drôlesses, qui portent leurs vingt ans sans le moindre corset.—A. DELVAU.

DROUINE, *f.* A prostitute. [RABELAIS].

DROULE, *f.* A prostitute.

DRU, *m.* A lover. UNE DRUE = a mistress. [Old French—RABELAIS].

DRURIE, *m.* Gallantry.

DUCHESSE, *f.* A mistress.

Une duchesse à l'œil noir,
L'an passé, voulut m'avoir :
C'est elle qu'il fallait voir !
Pourquoi, morbleu !
Gagnai-je trop à si beau jeu ? . . .
                              BÉRANGER.

DUEL, *m.* The sexual congress.

— *See* FAIRE.

DULCINÉE, *f.* A sweetheart.

Ma dulcinée est-elle venue ?—AUGUSTE RICARD.

DUO SANS MUSIQUE. The act of kind. [RABELAIS].

EAU, *m.* The semen; 'the lewd infusion'. Also EAU DES CARMES and EAU-DE-VIE.

> Et aller avec son serviteur prendre de cette bonne eau qui est si douce sans sucre.—BRANTÔME.

> Il égoutta toute son eau-de-vie,
> Puis se voulut restaurer de coulis.
> CL. MAROT.

> Il lui faut de l'eau-de-vie
> Pour la guérir, se dit-on.
> *La Comédie des chansons.*

> Je crois qu'elle avait envie
> D'avoir de mon eau-de-vie.
> GAUTIER-GARGUILLE.

> En dépit de mes larmes,
> Négligeant mes appas
> Tu vends de l'eau des Carmes...
> Mais... ne m'en offre pas.
> LOUIS PROTAT.

— EAU VENANT A LA BOUCHE = (1) to wax amorous; and (2) = to get an *erectio penis.*

> L'eau ne t'en vient-elle point à la bouche?—*La Comédie des chansons.*

> L'eau m'en vient à la bouche quand j'y pense.—TABARIN.

> Le lieu leur plaît, l'eau leur vient à la bouche.—LA FONTAINE.

> Et malgré sa promesse l'*eau*
> Par degrés lui vient à la bouche.
> VADÉ.

ÉBATS, *m.* The act of kind; 'to bean-feast in bed'.

> Pour ses ébats il eut trois cents maî-
> tresses,
> Je n'en ai qu'une, hélas! je ne l'ai plus.
> VOLTAIRE.

> Les filles sommeillaient encore,
> Nul indice de leurs ébats.
> PARNY.

— *See* PRENDRE.

ÉBATTRE (S'). 1. To copulate; 'to scrouperize'. [URQUHART].

> Et après ils s'esbastirent ensemble un à un.—*Les Cent Nouvelles nouvelles.*

> Quand venoit du premier assaut
> Il me faisait monter en haut,
> Et puis s'esbatait à loisir.
> *Ancien Théâtre français.*

> Puisque de moi avez pouvoir
> Après souper nous esbatrons.
> *Farces et Moralités.*

> Or s'esbat, de par Dieu, franc Gaultier
> Hélène à lui, soulz le bel églantier.
> F. VILLON.

> Elle s'ébattit une petite fois à la dérobée.—BÉROALDE DE VERVILLE.

> Oui, c'est mon lit... or à n'en point
> douter
> C'est sur mon lit que s'ébat la friponne.
> GRÉCOURT.

— 2. To sodomize.

> Un Florentin faisait son Cupidon,
> Et s'ébattait d'un Suisse du saint-père.
> PIRON.

ÉBAUDIR (S'). To copulate; 'to frolic'. Also ESBAUDIR. [RABELAIS].

> Je me veux ébaudir avec cette petite barbouillée.—*La Comédie des proverbes.*

Le preux Chandos à peine avait la joie
De s'ébaudir sur sa nouvelle proie.
VOLTAIRE.

C'est bon... je laisse une grosse heure
entière
Mes deux paillards à l'aise s'ébaudir.
GRÉCOURT.

ÉBRANLER. To persuade to venery.

....Sur le gazon, fais reposer ta belle,
Et par tes pleurs, mon cher, ébranle-la.
Et... branle-la.
E. DEBRAUX.

Par un bonheur inconcevable,
Après ce mot dont je tremblai,
Je le croyais inébranlable
Et, cependant, je l'ébranlai.
ET. JOURDAN.

ÉCAILLE, *f.* The female *pudendum.* [RABELAIS].

ÉCARTEMENTS, *m. pl.* Debaucheries.

Comment dit's-vous? que j'm'humanise!
Pour de pareils écartements
La moral' veut qu'on verbalise;
Car, enfin, la chose est précise....
Je vous y prends!
BLONDEL.

ÉCARTER LES GENOUX. *See* DESSERRER.

ÉCHALAS, *m.* The *penis*; 'the tentpeg'.

Vertigué! quoi! m'estimez-vous indigne
Ficher mon échalas dans votre carquié
de vigne?
La Comédie des chansons.

ÉCHARA, *f.* The female *pudendum.* [RABELAIS].

ÉCHAUFFEMEMT BOURGEOIS, *m.* A gleet.

ÉCHAUFFER. To employ each and every means to inflame the sexual instinct.

Lors, j'essaie à grands frais
D'échauffer le vieux drille;
Quoiqu'il fit espérer,
Je n'en pus rien tirer...
BÉRANGER.

— **ÉCHAUFFER (S') DANS SON HARNAIS** = to get an *erectio penis.*

Elle vit qu'il s'échauffait dans son harnais.—TALLEMENT DES RÉAUX.

ÉCHINE. *See* JEU.

ÉCORCHER. To deflower.

— Je ne veux pas me marier, là!...
— Fi! la vilaine! qui crie avant qu'on
ne l'écorche.
Farces de nos pères.

ÉCOUTILLE (L'), *f.* The female *pudendum;* 'the conundrum'.

Allons, la garce, haut la quille!
Mon vit est crânement dressé;
Ouvre-moi ta large écoutille,
Embarque-moi: je suis pressé.
ALPHONSE KARR.

ÉCOUVILLONNER. To perform vigorously.

...On ne fait avec elle que charger, tirer, écouvillonner, recharger, décharger, etc...—*Les Aphrodites.*

ÉCRASER DES TOMATES. To menstruate.

Eh bien, va coucher avec Mélie...
Peux pas; elle écrase des tomates, depuis deux jours, que ça en est dégoûtant.—SEIGNEURGENS.

ÉCRÉMER. To cause ejaculation; 'to milk'.

ÉCREVISSE, *f.* The female *pudendum.* [RABELAIS].

ÉCU, *m.* The female *pudendum;* 'the money-box'.

Et elle commença à s'écrier trèsfort, en disant que son écu n'était pas assez puissant pour soutenir les horions de si gros fust.—*Les Cent Nouvelles nouvelles.*

Que je embâte votre écu.—*Farces et Moralités,*

ÉCUELLE, *f.* The female *pudendum;* 'the kettle'.

ÉCULSE, *f.* The *penis;* 'the bald-headed hermit'.

Car quand l'écluse de l'eau voulait se rompre et se déborder, aussitôt il la retirait.—BRANTÔME.

ÉCUME DU PLAISIR (L'). The semen; 'white honey'.

Le feu du plaisir s'allume:
Du bonheur l'ardente écume
Dans ton manoir qui la hume
A gros bouillons rejaillit.
Chanson anonyme moderne.

ÉCUREUIL, *m.* 1. The *penis;* 'the mowdiwort'. (Scots').

Dites-moi, si dieu vosait,
Que vos tenez? Et il li dit
Dame, c'est un escureul.
Anciens Fabliaux.

— 2. The female *pudendum.*

Il n'en est pas de même de mon petit écureuil.—*Les Aphrodites.*

ÉDIFIER (S'). To copulate.

Ce ne fut pas la seule novice que j'instruisis, et quelques nonnains vinrent aussi s'édifier dans ma cellule.—DIDEROT.

EFFETS. FAIRE DES EFFETS DE CUL = to play with the hips in walking; 'to jut the bum'.

EFFEUILLER. To masturbate: of women.

Un joli doigt, qu'assouplit le désir,
En l'effeuillant y cherche le plaisir.
PARNY.

— EFFEUILLER LA COURONNE VIRGINALE = to deflower.

Et Pignouflard, demain, effeuille sa couronne virginale.—ALBERT GLATIGNY.

EFFORT AMOUREUX, *m.* The act of kind; 'a futter'.

ÉGARER (S'). 1. To frequent the marts of prostitution.

Dans les boxons dont ce Paris foisonne,
Où souvent mon vit s'égara,
Quelle est la fille ou candide ou luronne
Que chacun rêva?

— 2. To enjoy the sexual favor after other familiarities.

— 3. To sodomise a woman.

ÉGOUT, *m.* 1. The *penis;* 'the dropping member'; and (2) the semen.

Me contraignant d'avoir la cuisse haute,
Pour recevoir au large son égout.
THÉOPHILE.

ÉGOUTTER. To ejaculate.

Et ils ont tant égoutté leurs vases spermatiques.—RABELAIS.

ÉJACULATION, *f.* The sexual spasm.

Émission de la liqueur séminale de l'homme. Crise voluptueuse qui termine tout acte vénérien, et qui amène avec elle cette sensation suprême, indéfinissable, que Dieu n'a voulu nous donner que pendant un instant; car, si elle durait plus longtemps, elle suspendrait la vie.—CTESSE DE N.***

ÉJACULER. To ejaculate.

Il y en a qu'on ne saurait faire taire et qui, quand ils éjaculent, en même temps ne peuvent s'empêcher de crier.—MILILOT.

ÉJOUIR (S'). To copulate; 'to play at horses and mares'.

ÉJOUISSANCE, *m.* The act of kind; 'the first game ever played'.

ÉLANCER. To ejaculate.

Il me semble encore que j'y suis, quand il élança par plus de six fois la liqueur amoureuse en moi, et cela se faisait à petites secousses, et chaque secousse me faisait mourir autant de fois. Je fis ma décharge avec lui . . . —MILILOT.

ÉLIXIR, *m.* The semen. Also ÉLIXIR DE LONG-VIT, ÉLIXIR PROLIFIQUE.

Possédant une recette,
Je fis prendre à la fillette
Six fois de mon élixir,
– Ah ! Dieū ! que je suis contente,
S'écriait la patiente :
Encore, ou je vais mourir !
Gaudriole, 1834.

. . . J'eus peine à ravitailler toutes
ces misères, quand mon tour fut venu
de goûter aussi de l'élixir prolifique.—
Gamiani.

ÉLYTROÏDE, *m.* The *penis.*

Il fallait voir son élytroïde flasque
et pendant, toute sa virilité dans la plus
négative démonstration.—DE MUSSET,
Gamiani.

EMBAUCHEUSE, *f.* A bawd.

EMBERLUCOCQUER (S'). To become
amorous.

La Cambray avait eu le temps de
réfléchir aux conséquences de la faiblesse : elle se dit que c'était un jeune
garçon, beau, spirituel, qui avait des
amourettes, qu'en se donnant à lui, elle
en serait emberlucocquée, qu'il la ferait
enrager alors, et qu'il la ruinerait peut-
être . . . —P. DUFOUR.

EMBESTIALISÉE (ÊTRE). Said of a
woman when sodomised.

EMBLOQUER. EMBLOQUER A LA
CUPIDIQUE. To copulate. [RABE-
LAIS].

EMBOITER. To copulate.

EMBOUCHEMENT, *f.* Intromission.
[Old French].

Et comme elle sentit l'embouchement entre les hypochondres.—BÉROALDE
DE VERVILLE.

EMBOUCHER. To copulate; 'to grope
for trout in a peculiar river'. [SHAK-
SPEARE].

Le pontonnier, qui vit a roit,
La prent, la corbe et l'embouche.
Anciens Fabliaux.

EMBOUDINER. 1. To copulate; and
(2) to sodomise.

— S'EMBOUDINER = to copulate
with a woman in flowers.

EMBOURRER. To copulate; 'to do
the work of increase'.

Je me vante d'en avoir embourré
quatre-vingt-dix-sept.—RABELAIS.
Femme pour embourrer son bas
Perdra plainement la grant messe.
G. COQUILLART.

EMBOURREUR, *m.* A man in the
act of kind. [Old French].

EMBRICONNER. To copulate. Also
[RABELAIS] = to seduce.

EMBROCHER. To copulate; 'to go
quim-sticking'. [RABELAIS].

Pourvu toutefois qu'il ne l'embro-
cherait non plus avant qu'elle-même fit
le signe sur l'instrument naturel du berger.
—*Les Cent Nouvelles nouvelles.*

Étant Colinette dessous,
Et Colin dessus, en deux coups
Rendit la bergère embrochée.
BERTHELOT.

Une dame allant dans son coche
Aux champs avecque son amant,
Hors du faubourg il vous l'embroche.
Le Cabinet satyrique.

Mais quand ce vient à l'embrocher,
Son outil ne peut se dresser.
Recueil de poésies françaises.

Et de si près il s'approcha,
Qu'amoureusement l'embrocha.
THÉOPHILE.

ÉMETTRE. To ejaculate.

ÉMILE, *m.* A pederast. A society
bearing this name, Les Émiles,
was suppressed by the police in
Paris, in 1864.

ÉMISSION, *f.* Ejaculation.

EMMANCHÉ, *adj.* 'Well-hung'.

EMMANCHER. To copulate; 'to make
a rush up the straight'.

Un bon garçon du village, très bien emmanché.—*Moyen de parvenir.*

N'est-il pas temps que je vous emmanche?—B. DESPERRIERS.

ÉMOUCHETER (S'). To copulate; 'to engage three to one'.

Lorsqu'entre deux draps nous nous émouchetions.—*Le Synode nocturne des tribades.*

EMPALER. To pederastise.

EMPALEUR, *m.* A pederast (agent).

Enfin, pourtant, je suis séparée de l'empaleur maudit.—*Mon Noviciat.*

EMPANACHER. To cuckold. [RABELAIS].

EMPÊCHER. To copulate; 'to sew up'. [RABELAIS].

Et tandis que je suis avec l'un empêchée,
L'autre attend sans mot dire, et s'endort
　　　　bien souvent.
　　　　LA FONTAINE.

EMPLATRE, *m.* The female *pudendum;* 'the red ace'.

EMPLIR. *See* FAIRE.

EMPOIGNER. EMPOIGNER PAR LE MANCHE = laciviously to effect intromission of the *penis:* of women only.

Je l'empoignai par le manche et le menai au pied du lit, où je me couchai à la renverse, l'attirant dessus moi: je m'enconnai moi-même son vit dans mon con jusques aux gardes.—MILILOT.

EMPROSER. *See* PROSE.

EMPRUNTER. EMPRUNTER UN PAIN SUR LA FOURNÉE. To possess a woman before marriage.

Il emprunta force pains sur la fournée.—BRANTÔME.

Bien souvent ils empruntent un pain sur la fournée.—*Les Caquets de l'accouchée.*

ENCALDOSSER. *See* CALENDOSSER.

ENCASQUER. *See* CASQUE.

ENCENS, *m.* Amorous blandishments.

ENCHTIVER. To copulate.

ENCLOUER. To copulate; 'to spike'.

ENCLOUÛRE, *f.* The female *pudendum*—when 'occupied'.

ENCLUME, *f.* The female *pudendum;* 'Buckinger's boot'.

Il attacha au long du banc les deux marteaux qui avaient forgé sur l'enclume de sa femme.—*Les Cent Nouvelles nouvelles.*

Vive le maréchal, qui dessus votre
　　　　enclume
Voudrait avoir donné quatre coups de
　　　　marteau!
　　　　THÉOPHILE.

Mon maître battait sur mon enclume.—*Variétés historiques et littéraires.*

ENCOCHER. To copulate; 'to have a bit of quimsy'. [RABELAIS].

ENCONNER. To copulate; 'to encunt'. [BURTON]. ENCONNABLE = ripe.

Or comme le galant l'enconne,
Lui dit d'assez bonne façon,
Vraiment, mignonne, je m'étonne,
Que vous n'avez de poil au con.
　　　　Le Cabinet satyrique.

Elle, voyant si belle fête,
Remue et de cul et de tête,
Pour tâcher de désarçonner
Celui qui la veut enconner.
　　　　THÉOPHILE.

Il va écouter tout doucement à la porte s'il n'y a personne, et, cela fait, il me fait signe du doigt que je ne bouge et puis il s'en vient à moi et m'enconne, brusquement par-dessous les fesses.—MILILOT.

Faites grand bruit, vivez au large;
Quand j'enconne et que je décharge,
Ai-je moins de plaisir que vous?
　　　　PIRON.

J'avais encore bien de l'ouvrage avec huit sœurs, dont six, ou du moins cinq, étaient souverainement enconnables.—*Anti-Justine.*

ENCONNAGE, *m.* The act of kind.

ENCONNEUR, *m.* A performer.

ENCORNER. To cuckold a husband; 'to hornify'. [RABELAIS].

La Louison dedans Paris
A plus encorné de maris
Que Sedan n'a fait d'arquebuses.
Cabinet satyrique.

ENCOTILLONNER (S'). To be subject to petticoat government; to be apron-string tied.

ENCUISSER. To infemurate oneself.

ENCULADE, *f.* The act of sodomy.

ENCULAGE BRANLÉ, *m.* *See* quot.

... Mains, bouche, aisselle, tétons, cul, tout est con!—Eh bien, choisis, tu es le maître, et je suis toute à tes désirs. Il me fit mettre sur le côté gauche, mes fesses tournées vers lui, et mouillant le trou de mon cul et la tête de son vit, il l'y fit entrer doucement. La difficulté du passage levée, ne nous présenta plus qu'un nouveau chemin semé de plaisirs accumulés, et, soutenant ma jambe de son genou relevé, il me branlait en enfonçant de temps en temps le doigt dans mon con. Ce chatouillement réuni de toutes parts, avait bien plus d'énergie et d'effet: quand il reconnut que j'étais au moment de ressentir les derniers transports, il hâta ses mouvements que je secondais des miens. Je sentis le fond de mon cul inondé d'un foutre brûlant, qui produisit, de ma part, une décharge abondante; je goûtais une volupté inexprimable. Quel séduisant plaisir, chère Laurette!... Qu'en dis-tu, si j'en juge par celui que tu as montré, tu dois en avoir beaucoup!—Ah! cher papa! infini, nouveau, inconnu, dont je ne puis exprimer les délices et dont les sensations voluptueuses sont multipliées au delà de tout ce que j'ai éprouvé jusqu'à présent.—MIRABEAU, *Rideau levé.*

ENCULÉ, *m.* A passive pederast.

Un enculé lira les noms de tes victimes.—DUMOULIN.

As-tu donc fréquenté Sodome
Ou Rome, bougre d'enculé!
Que tu parles de prendre un homme
Et, comme nous, d'être enfilé?
Parnasse satyrique.

ENCULER. To pederastise.

Le Russe gamahuche et l'Italien encule.—L. PROTAT.

Que les chiens sont heureux!
Dans leur humeur badine,
Ils se sucent la pine,
Ils s'enculent entre eux:
Que les chiens sont heureux!
Parnasse satyrique.

Godefroy, seigneur de Bouillon,
L'encula dans une patache
Qu'il rencontra d'occasion.
B. DE MAURICE.

ENCULEUR, *m.* A sodomite or pederast, active or passive.

C'était comme un immense et splendide bazar
Dans lequel enculeurs, enculés, maquerelles,
Maquereaux et putains, tous grouillaient pêle-mêle.
LOUIS PROTAT.

ENDORMIR SUR LE RÔTI (S'). To copulate listlessly, weakening before ejaculation.

ENDOSSER (SE FAIRE). 1. To try a man (or woman) as a jacket.

— 2. To sodomise or pederastise out of curiosity.

— 3. To recognise a child begot by a whore.

ENDOSSEUR, *m.* A man who fathers another man's child by marrying a pregnant woman.

A l'égard de mademoiselle Raucoux, dont, madame, vous avez bien voulu me proposer le mariage, au défaut de mademoiselle Dubois, c'est encore un effet bien neuf qui doit nécessairement

entrer dans le commerce et dont je ne me soucie pas d'être le premier tireur, ni même l'endosseur. Quand il aura circulé, nous verrons à qui il restera.
Lettre de l'acteur d'Auberval à la comtesse Dubarry (30 *avril* 1773).

ENDROIT, *m.* The female *pudendum*; 'the place'. Also L'EN-DROIT DÉSHONNÊTE = 'the place of shame'.

Je vous baillerai un petit endroit, où il y a plus à travailler qu'il n'y a à moudre en quatre setiers de blé.—BÉRO-ALDE DE VERVILLE.

Il s'est approché fort près de l'endroit en question.—VOISENON.

Elle frémit, sur cet endroit charmant N'ose presser, et presse doucement.
PARNY.

ENFANT. *See* FAIRE.

— ENFANT D'HONNEUR = a bardash; an ingle.

Si tu veux me servir deux jours d'enfant d'honneur.—LA FONTAINE.

ENFER, *m.* The female *pudendum*; 'the bottomless pit'; 'hell'.

Et chassons le diable en enfer.
Recueil de poésies françaises.

En vain l'enfer son prisonnier rappelle, Le diable est sourd.
LA FONTAINE.

ENFERRER. To copulate; 'to put the devil into hell'. [BOCCACCIO].

ENFILADE MASCULINE, *f.* Pederasty.

Je me dérobai, et, laissant la Ganymède se soutenir sur ses mains à la place que je quittais, je me hâtai de venir voir le plus près possible, comment se pratiquait une masculine enfilade.—A. DE NERCIAT.

ENFILER. To copulate; 'to do a bit of sharp-and-blunt'. [RABE-LAIS].

Et à ce compte Jacques s'enfilait avec sa femme.—BÉROALDE DE VERVILLE.

Qui vous l'empoigne et vous l'enfile Ainsi qu'un grain de chapelet.
Le Cabinet satyrique.

Mais ce fut pour aller enfiler sa femelle, Qui sur un lit, qui sur une escabelle.
THÉOPHILE.

Voudrais-tu m'enfiler, mon petit homme?—H. MONNIER.

Si vous ne voulez pas vous laisser enfiler, Par mon chien aussitôt je vous fais enculer.
L. PROTAT.

Leste et gai, j'enfile, j'enfile, j'enfile. —BÉRANGER.

C'est votre bonne fille Qu'un infâme paillard honteusement enfile.
TROTTEREL.

Je ne m'étonne plus s'il l'a si bien enfilée, puisqu'elle est la perle des filles.
La Comédie des Proverbes.

Votre beauté sans seconde Vous fait de tous appeler La perle unique du monde; Il faut donc vous enfiler.
COLLÉ.

ENFLER. To become pregnant; 'to be bitched-up'.

Je vois s'enfler le tablier De plus d'une friponne.
BÉRANGER.

ENFLURE, *m.* The *penis* in erection.

ENFONCER. To copulate; 'to make a dive in the dark'.

ENFONCEUR. ENFONCEUR DE PORTES OUVERTES = a man who boasts of maidenheads already taken by others.

ENFOURCHER. To infemurate or 'fork' a woman.

ENFOURNER. To copulate; 'to get Jack in the orchard'.

Il résolut d'aller dans la maison pour enfourner la femme.—D'OUVILLE.

Et prends garde après Comme on les enfourne.
COLLÉ.

ENGAGEMENT, *m.* The sexual embrace; 'the battle of Love'.

ENGENDRER. 1. To pederastise a son in law (of men); and (2) to have children by a daughter's husband (of women).

ENGAINER. To copulate; 'to take a turn through the stubble'.

De sorte que quand il voulut engaîner.—BÉROALDE DE VERVILLE.

La belle crie, il pousse, à la fin il engaîne.—PIRON.

Si elle n'ouvre pas bien les cuisses, il est impossible qu'il la puisse bien engaîner.—MILILOT.

Puis Martin juche et lourdement engaîne.—CL. MAROT.

ENGANIMEDER. To pederastise.

ENGENREURE, *m.* The *penis.* [RABELAIS].

ENGER. To get with child; 'to bung up'.

ENGIN, *m.* 1. The *penis;* 'the tool'.

Parce qu'il avait mis la main à son engin et déjà le déchargeait dans sa botte.—BÉROALDE DE VERVILLE.

Qui mit mon engin dans le vôtre? —DÉSACCORDS.

Un conseiller, plein de cautelle,
Fourni d'engin comme un mulet.
Le Cabinet satyrique.

J'ai le plus bel engin qu'on saurait
jamais voir,
Qui travaille des mieux, qui fait bien son
devoir.
TROTTEREL.

De vos roides engins montrez la révérence,
Et voyons qui de nous aura la préférence.
PIRON.

Premièrement, il faut que tu saches que cet engin avec quoi les garçons pissent s'appelle un vit.—MILILOT.

O con! la nuit à peine a fini sa carrière
Où dix fois mon engin te donna le bonheur;
Pourtant, tu veux encor que d'une tête
altière
Il brave ta fureur.
Parnasse satyrique.

— 2. The female *pudendum;* 'the lavatory'.

Et qu'elle avait l'engin trop ouvert
Pour être faite religieuse.
Farces et Moralités.

Le droit dit que dame nature
Au moyen de l'engin qu'on porte
Fournit d'argent et de pasture.
G. COQUILLART.

Il prenait ces époussettes et m'en époussetait mon engin.—BÉROALDE DE VERVILLE.

ENGROSSER. To get, or be with child.

Et puis engrosser d'un vachier
D'un fils; Dieu, que tu es vilaine.
Ancien Théâtre français.

Il arriva à cette folle femme de se faire engrosser à un autre qu'à son mari. —BRANTÔME.

Mais un plus grand malheur m'a-t-il jamais pu advenir? engrosser une fille du premier coup.—P. DE LARIVEY.

Quelques-uns ayant engrossé des filles sont contraints de les épouser.— Ch. SOREL.

ENJAMBER. 1. To infemurate or 'fork' a woman.

A peine revenue à elle-même, elle m'enjamba comme une folle, me couvrit de baisers... fourragea mes jeunes appas avec toute la fougue que pourrait se permettre un amant éperdu....—*Mon Noviciat.*

— 2. To copulate. [RABELAIS].

ENLANGAGER. To 'tip the velvet'. [RABELAIS].

ENMILLER. To sodomise.

ENNEMI, *m.* 1. The *penis;* 'the unruly member'.

Je ne connais pas de vertu mieux confirmée que celle qui a vu l'ennemi de si près.—DIDEROT.

— 2. The female *pudendum;* 'the enemy'.

Il dit en lui-même,
Ah ! j'allais comme un étourdi
Dans mon aveuglement extrême
Me camper près de l'ennemi.
COLLÉ.

ENPAPAOUTER. To pederastise (printers').

ENPÉTARDER. To pederastise (of men). Also SE FAIRE PÉTARDER.

ENPROSEUR, *m.* A pederast (agent).

ENSINGINÉE (ÊTRE). To be abused by a monkey.

ENSOIGNANTE, *f.* A harlot. [RABELAIS].

ENTAMER LE CUIR. To copulate; 'to stretch leather'.

ENTENDRE. ENTENDRE LE JEU (or CELA) = To be expert in the service of Venus.

J'entends cela peut-être mieux qu'elle. —LA POPELINIÈRE.

Il arrive bien souvent que le premier soir qu'une jeune pucelle couche avec un garçon qui entend le jeu dont elle est entièrement ignorante . . . .—MILILOT.

ENTÉTONNER. To repose the *penis* in the mammælar trench : also to effect emission in a similar position.

ENTIER. 'Well-hung'; virile.

J'ai tout ce qu'exige saint Pierre,
Oui, de Cythère vieux routier,
Je suis entier.
BÉRANGER.

ENTOISER. To copulate; 'to play at mumble-peg'.

Lors l'avoit prise à la turcoise,
Si la rembroche et si l'entoise.
Anciens Fabliaux.

ENTONNOIR. The female *pudendum;* 'the furrow'.

L'argent peut contenter ton premier
entonnoir,
Mais le désir de l'autre est hors de
mon pouvoir.
J. DE SCHÉLANDRE.

Ta pine n'est plus qu'une humble bibite
Indigne d'entrer dans mon entonnoir.
ANONYME.

ENTRECULER (S'). To reciprocate in the act of pederasty.

ENTRE-DEUX, *m.* The *anus.* [RABELAIS].

Et dans son entredeux cache une
bourbe molle,
Qui, trempée en sueur, servirait bien de
colle.
THÉOPHILE.

Si vous êtes bien sage,
C'est tout un du visage,
Mais gardez l'entredeux.
GAUTIER-GARQUILLE.

Colinette en son entre-deux
Sentit un gros chose nerveux
Qui lui farfouillait le derrière.
Cabinet satyrique.

ENTRÉE, *f.* The female *pudendum;* 'the mouth that says no word about it'.

Si l'a si durement corbée,
Con en peut voir l'entrée.
Anciens Fabliaux.

— ENTRÉE DES ARTISTES = the *anus :* an allusion to the position of stage doors.

— L'ENTRÉE EN JOUISSANCE = possession of the person of a woman.

ENTREFAIRE (S') LE JEU. To copulate; 'to go fleshing it'.

La bouche lui baise et le vis,
Et el à li, puis s'entrefont
Le jeu pourquoi assemblés sont.
Anciens Fabliaux.

ENTRE-FESSIER, *m.* The inter-crural trench. Also L'ENTRE-FES-SON.

L'entre-fessier d'un gros chanoine,
Les couilles du grand Saint Antoine
Et de Cléopâtre le con . . .
Vieille chanson.

Puis met la merde en peloton
Au milieu de l'entre-fesson.
PATRAT.

ENTRE-FRÉTILLER (S'). To show ardour in the conjugal embrace; 'to play well'.

Voilà où se terminent tant de soupirs, tant de plaintes et tant de désirs, qui est de l'entre-frétiller.—MILILOT.

ENTRE-JAMBES (L'), *m.* The female *pudendum.*

ENTREMETTEUR, *m.* A pander. Also ENTREMETTEUSE = a bawd.

ENTREMETTEUSE, *f.* A procuress. [RABELAIS].

ENTREPRENDRE. To copulate; 'to play at the loose-coat game'. ENTREPRENDRE SUR LA FOUR-NÉE = to possess a woman be-fore marriage.

Car encore qu'une femme n'en-groisse toutes les fois qu'on l'entreprend.—BRANTÔME.

ENTREPRISE, *f.* The act of kind; 'the game of squeeze 'em close'.

Aucun d'eux ne pouvait mettre à fin l'entreprise.—KÉRIVALANT.
Quelle commodité, trop aimable marquise,
Pour une amoureuse entreprise.
SÉNECÉ.

ENTRER. To copulate; 'to have a nibble'. Also ENTRER AU COUPLE; ENTRER EN CHAMP CLOS, ENTRER EN DANSE, ENTRER EN GUERRE, ENTRER EN JOUTE, ENTRER EN LICE.

Et que me faisant l'ouverture de ses bonnes grâces elle me laissa entrer à elle.—BÉROALDE DE VERVILLE.

Et moi lorsque j'entre au couple
Mon mouvement est si souple.
T. DESACCORDS.

Quand elle entre en champ clos avec le dieu de Thrace.—LA FONTAINE.

L'abbesse aussi voulut entrer en danse.—LA FONTAINE.

Jusqu'à entrer en jouste dix ou douze fois par une nuit.—BRANTÔME.

Il tardait à notre Jobelin d'entrer en lice.—D'OUVILLE.

Il suffirait que tous deux tour à tour,
Sans dire mot, ils entrassent en lice.
LA FONTAINE.

Mais timidité retenait
Le céladon encor novice ;
Beaux discours sans entrer en lice.

— ENTRER EN APPÉTIT = to get an *erectio penis.* Also EN-TRER EN RUT.

Il entra aussitôt en appétit.—BRANTÔME.

Elle lui demanda si pour cela il n'entrait point en rut.—BRANTÔME.

— ENTRER JUSQU'AUX GARDES = to push to the hilt: LES GARDES = *testes.*

ENTRETENEUR, *m.* A man who keeps a mistress.

Tu pourrais, avec la Laroux, avoir à la fois quatre entreteneurs plus amou-reux de toi.—LA POPELINIÈRE.

ENTRETENIR. 1. To copulate; and (2) to keep a mistress.

Car il entretient Ameline,
Qui est ta femme.
Farces et Moralités.

Savez-vous bien comme on l'entre-tenait ?—MAROT.

Il y avait longtemps qu'il l'entre-tenait, sans que sa femme en sût rien.—D'OUVILLE.

Le bon hermite qu'il était
Tout doucement l'entretenait.
PIRON.

Ils entretienn' des gonzesses
Qui logé à la Patt' de Chat.
GUICHARDET.

ENTRODUCUTER (or **S'**). To sodo-mise, or pederastise.

Que vont devenir nos talents,
  Notre motte dodue,
Puisque l'nombre de nos chalands
  Chaque jour diminue?
    A se chatouiller
    S'entrouducuter
Chacun ici s'exerce...
De ce maudit Caen
Vite, foutons l'camp :
Au diable le commerce!
  Sultan Rozréa, p. 22.

ENVAGINER. To effect or procure intromission.

Oh bonheur! je suis entr'ouverte! pénétrée... mais en souffrant un déchirement cruel... Ah! n'importe! pourvu que j'envagine le gigantesque cylindre. —A. DE NERCIAT.

ENVAHIR. To copulate; 'to go tummy-tickling'.

Avez-vous vu que ce gars ait envahi cette fille?—BÉROALDE DE VERVILLE.

ENVIANDER. To copulate; 'to in-flesh'.

ENVIE. *See* CONTENTER, PASSER.

ENVITAILLÉ, *adj.* Said of a man well-hung in *penis* and *testes*.

Voyez les hommes qui sont mal envitaillés.—BÉROALDE DE VERVILLE.

ENVOISURE, *m.* The act of kind. [Old French].

Car cèle selon sa nature
Si aimoit moult l'envoisure.
  Anciens Fabliaux.

ENVOYER. ENVOYER SON ENFANT A LA BLANCHISSEUSE = to retire a man before emission.

— ENVOYER A LA BALANÇOIRE. 1. To abandon a mistress; and (2) to jilt a lover.

ÉPANCHER. To ejaculate.

Ta langue dans ma bouche, agite ta
      main blanche...
Plus vite! ah! je me meurs!... ah!
    j'épanche!... j'épanche!
Me voilà soulagé!...
  Un Troupier au clou.

ÉPÉE, *f.* The *penis*. [RABELAIS].

ÉPERON, *m.* The *penis*; 'the gaying instrument'.

Mais si votre éperon
Faisait tant que la panse dresse.
  Farces et Moralités.

ÉPERVIER, *m.* The *penis*; 'Master John Goodfellow'. [URQUHART].

Il lui vint mettre son épervier entre les mains.—BRANTÔME.

ÉPINE, *f.* 1. The *penis*; 'the thorn in the flesh'. [RABELAIS].

— 2. A bubo.

Pas de rose sans épine.
  Vieux proverbe.

Lise possédait une rose,
Et Rose n'avait que quinze ans ;
Pour la cueillir à peine éclose
Le désir enflamma mes sens ;
Je la cueillis, je vous l'assure,
Car l'épine se fit sentir,
Et les maux que, depuis, j'endure ;
Je dis, en pansant ma blessure,
Il faut souffrir pour le plaisir.
  CHANU.

— PÉCHÉ DE L'ÉPINE DU DOS = sodomy. [RABELAIS].

ÉPLUCHER DES LENTILLES. To digitate a woman : specifically with the five fingers of the right hand.

Tribade avec le cotillon,
Je sais éplucher des lentilles ;
Je sais faire le postillon
Aux garçons comme aux jeunes filles.
  Parnasse satyrique.
Ma mère avait raison, je l'vois,
Le bonheur est au bout d' nos doigts.
  BÉRANGER.

ÉPLUCHEUSE DE LENTILLES, *f.* A tribade.

ÉPONGE, *f.* 1. A woman: wife or mistress.

— 2. A check to conception.

J'engageai donc ta bonne, depuis le jour ou tu nous a découverts, à se munir, avant nos embrassements, d'une éponge fine, avec un cordon de soie délicat qui la traverse en entier et qui sert à la retirer. On imbibe cette éponge dans de l'eau mélangée de quelques gouttes d'eau-de-vie; on l'introduit exactement à l'entrée de la matrice, afin de la boucher, et quand bien même les esprits subtils de la semence passeraient par les pores de l'éponge, la liqueur étrangère qui s'y trouve, mêlée avec eux, en détruit la puissance et la nature. On sait que l'air même suffit pour la rendre sans vertu. Dès lors il est impossible que l'on fasse des enfants.—MIRABEAU.

ÉPOQUES (AVOIR SON or SES), *f.* To have one's terms: of women only.

ÉPOUX, *m.* A lover. Also ÉPOUSE = a mistress.

Les femmes elles-mêmes appellent leurs amants; mon époux.—LÉO LESPÈS.

Et comme aisément on s'y blouse,
Si, quelquefois, vous entendiez
Ces mots : mon époux, mon épouse,
Traduisez net : Non mariés.
FR. DE COURT.

ÉPOUSER. To copulate; 'to stable my naggie'.

Épousez-moi, épousez-moi tout de suite; je le veux, je l'ordonne.—SOUVET.

Et qui plus est il m'a dit que vous l'aviez épousée.—TOURNEBU.

Bathilde fut très-étonnée d'être épousée tout à fait.—PIGAULT-LEBRUN.

EPOUSSETER. To copulate; 'to go buttock-stirring'.

Il m'a épousseté trois fois mon cas.—BÉROALDE DE VERVILLE.

EPROUVER. To enjoy; to ejaculate.

... J'achevai de faire avec ma main couler la libation qu'il craignait de verser dans le con de Rose, qui, pendant le temps qu'il y fut, éprouva cinq fois, de son aveu, les délices de la décharge.—MIRABEAU, *Rideau levé.*

EPTYROGEMATA (LES). The *labia majora.* [RABELAIS].

ÉPUISER (or ÉPUISER SES MUNITIONS) = to exhaust oneself in venery; 'to spend' freely.

Pourquoi commettre cette imprudence de contenter ma femme, quand Urinette m'attendait? Cela s'appelle épuiser ses munitions.—LEMERCIER DE NEUVILLE.

Elle épuise, elle tue, et n'en est que plus belle.—ALFRED DE MUSSET.

Mais on sait
Qu'en secret
Elle épuisait un nerveux récollet.
COLLÉ.

ÉRECTION, *m.* The state of the *penis* when in readiness for the act of kind.

Sa main douce, blanche et petite,
Avec un art extrême excite
L'érection.
H. RAISSON.

ÉROS. A personification of Love.

Hé rosse !... ça vient du grec; que c'est un petit dieu roublard qui fait pas mal d'héros et encore plus de zéros.—J. CH., *Le caporal Branlard.*

ÉROTOMANIE, *f.* Love madness; venereal fury.

ESCAMOTER LE PLAISIR. To ejaculate and weaken before one's companion has experienced the sexual spasm.

ESCARMOUCHE, *f.* The act of kind; 'A turn on MOUNT PLEASANT'.

ESCARMOUCHER (S'). To copulate; 'to jumble up'.

Mordez-moi, dit-il, s'il vous cuit,
Voilà mon doigt dans votre bouche;
Elle y consent, il s'escarmouche.
J.-B. ROUSSEAU.

ESCRIME, *f.* The sexual embrace.

Depuis que'q' temps j'ai l'estime
D'un sapeur-pompier,
Qui m' donn' des leçons d'escrime
En particulier.
CH. COLMANCE.

Percez-moi de tierce et de quarte ;
Songez que c'est pour notre bien,
Fendez-vous bien,
Et tâchez que votre coup parte
Dans le même instant que le mien.
CH. LEPAGE.

ESCROQUER LE MARLOW. *See* MAN-GER LE GIBIER.

ESPADON, *m.* A *penis* of parts.

Eh ! quoi, sans que je sois en garde,
Vous avez saisi l'espadon ;
Déjà votre main se hasarde
Et vous me serrez le bouton . . .
CH. LEPAGE.

ESPÈCE, *f.* A prostitute.

Si vous connaissez des espèces pareilles,
Madame, je suis votre servante.—LA
POPELINIÈRE.

Une dame de cour,
S'en étant emparée,
Fit languir plus d'un jour
La bourgeoise sevrée,
Disant : C'est bien, ma fille,
Pour ces espèces-là
Qu'est faite la béquille
Du père Barnaba.
COLLÉ.

ESPRIT, *m.* The *penis;* 'the prick'.
[SHAKSPEARE and FLETCHER].

Il suit sa pointe, et d'encor en encor
Toujours l'esprit s'insinue et s'avance,
Tant et si bien qu'il arrive à bon port.
LA FONTAINE.

Quand Hercule à Déjanire
Laissa voir son bel esprit,
Elle s'en laissa séduire,
Elle y fut prise et le prit.
COLLÉ.

ESSAYER. To test one's capacity for venery.

Viens donc m'essayer prompt'ment
Et si tu m'trouv's dign' d'êtr' ta femme,
Nous f'rons mettr' dessus notr' flamme
Pour quéqu' sous d' Saint-Sacrement.
Parnasse satyrique.

— ESSAYER UN LIT. To copulate.

Sur le lit que j'ai payé
Je ne sais ce qui se passe :
A peine l'ai-je essayé,
Que le bougre me le casse.
GUSTAVE NADAUD.

ESSENCE PROLIFIQUE, *f.* The se-men. Also ESSENCE SPERMATIQUE.

Si je pouvais aussi bien que de
mon jeune âge distiller de l'essence
spermatique.—BRANTÔME.

C'est ainsi que les enfants se font
quand elle endure que l'essence prolifique se répande intérieurement.—*Mon
Noviciat.*

ESSOINE, *f.* The female *pudendum ;*
'the divine scar'.

ESSUYER LES SPERMES. To embrace a woman after others have
enjoyed her person; 'to do a buttered bun'.

Il est des spermes qu'on n'essuie
pas.—BATAILLE.

— ESSUYER L'ORAGE. I. To
have connection with a drunken
woman.

— 2. To be flooded with semen.

ESTOCADER. To copulate; 'to push'.

Alors que dans les blés
J'estocadais le ventre de Tiennette.
Le Cabinet satyrique.

Ils s'estocadèrent si rudement, que
roulant sur le plancher en cette tonne,
cela fit grand bruit.—*Variétés historiques et littéraires.*

ESTOMAC, *m.* The bosom.

Remplit souvent la coupe ;
Et le vaurien, touche en servant la soupe,
D'un doigt fripon, l'estomac de Suzon.
CH. COLMANCE

ESTRÉ, *f.* The female *pudendum.*
provincial.

ÉTABLE, *f.* The female *pudendum;*
'Venus's hogs-stye'.

Il méconnut l'étable ordinaire de
son courtaud.—BÉROALDE DE VERVILLE.

Nous aimons les vits dont les rables
Bouchent tout à plein nos étables.
Le Cabinet satyrique.

— ÉTABLE-A-VITS. The female
pudendum: of prostitutes.

ÉTALLER. To copulate; 'to wind
up the clock'. [STERNE].

Femme au chaperon avallé,
Qui va les crucifix rongeant,
C'est signe qu'elle a étallé,
Et autrefois hanté marchant.
G. COQUILLART.

ÉTALON, *m.* I. A wencher of parts;
and (2) a man in the act. [RA-
BELAIS].

Dans nos haras en Turquie,
Femme un peu jolie,
Veut au gré de son envie,
Se voir bien servie,
L'être par onze ou douze étalons,
Grands, gros, gras, beaux, blancs, noirs
ou blonds.
COLLÉ.

J'ai un étalon d'ordinaire, et encore
d'autres amoureux.—P. DE LARIVEY.

ÉTAMINE. *See* PASSER.

ET CÆTERA, *m.* The *penis;* 'Mr.
What's-its-Name'.

Faites votre compte que j'ai aussi
bien un et cætera qu'une autre.—P. DE
LARIVEY.

ÉTEIGNOIR, *m.* The female *pudendum;* 'the pit of darkness'.

La chandelle était trop petite,
Ou l'éteignoir était trop grand.
EMILE DEBRAUX.

ÉTEINDRE. ÉTEINDRE SA BRAISE.
To copulate. Also ÉTEINDRE SA
CHANDELLE and ÉTEINDRE SES
FEUX.

Nous allâmes rire chez moi de cette
tragi-comédie et éteindre, dans nos

voluptueux ébats, les feux dont ce spec-
tacle lascif venait de nous embraser.—
Félicia.

Il avait éteint sa chandelle par deux
fois.—NOEL DU FAIL.

ÉTENDARD, *m.* The *penis;* 'the
poperine pear'. [SHAKSPEARE].
Also ÉTENDARD D'AMOUR.

Et me fait souvenir du grand Hercule,
qui se laissa embobeliner par Omphale,
petite femmelette, afin d'éteindre sa
chandelie.—*Variétés historiques et
littéraires.*

Parfois, chez le polisson,
D'amour l'étendard se hausse.
JULES POINCLOUD.

ÉTENDRE SUR LE DOS (S'). To
spread oneself: of women only.

Elle s'étend de nouveau sur le dos
et il se met en devoir de la baiser.—
LEMERCIER DE NEUVILLE.

ÉTEUF, *m.* The *penis;* 'Don Cy-
priano'. [URQUHART].

Holà! c'est à Florinde qu'on adresse
l'esteuf.—*La Comédie des proverbes.*

Oh! madame, lui dit-il, vous jouez
donc de ces esteufs-là?—TALLEMENT DES
RÉAUX.

ÉTOFFE, *f.* The female *pudendum.*
[RABELAIS].

ÉTRANGLER. To copulate; 'to take
on a split-arsed mechanic'.

Quand il aura étranglé autant de
rats que le mien, il sera chat parfait.—
BÉROALDE DE VERVILLE.

ÊTRE (Y). To copulate; 'to be all
there'. Also ÊTRE AUX MAINS,
ÊTRE AUX PRISES, ÊTRE EN
ACTION, ÊTRE EN ŒUVRE, ÊTRE
IMPERTINENT, ÊTRE VAINQUEUR.

Sur ces entrefaites la mère entra, et
les trouva aux mains.—D'OUVILLE.

La bonne dame et le jeune muguet
En sont aux mains, et Dieu sait la
manière.
LA FONTAINE.

J'entre aisément à cette fois-ci. —Vous y êtes assurément. — Oui, parbleu ! tout y est.—LA POPELINIÈRE.

Mais comme nous étions tous les deux
      en action
Voilà qu'elle entendit qu'on heurtait à
     la porte.
      THÉOPHILE.

 Souffre qu'il soit trois fois vainqueur. —VADÉ.

Lise d'un œil mourant et tendre
De Colin invite l'ardeur,
Et sans songer à se défendre,
Souffrit qu'il soit trois fois vainqueur.
      VADÉ.

— ÊTRE A JEUN = to retain one's virginity : of men.

— ÊTRE A QUATRE PIEDS = to be pregnant; 'lumpy'. Also ÊTRE GROSSE, ÊTRE PLEINE, ÊTRE TOMBÉE SUR UNE PIERRE POIN-TUE.

Elle a fait comme nous
Mais le pire c'est qu'elle est grosse.
    Farces et Moralités.

 Il vaudrait mieux que les maris s'abstinssent de leurs femmes quand elles sont pleines.—BRANTÔME.

 S'appercevant que cette nonnain venait à quatre pieds au chœur.—BÉ-ROALDE DE VERVILLE.

— ÊTRE AU FAIT = to be expert in venery. Also ÊTRE CULOTTÉ.

 Il n'est pas au fait : il faut bien lui expliquer les choses.'—*Les Aphrodites.*

— ÊTRE AUX ANGES = to perform with vigor, being transported with the sexual spasm to the seventh heavens. Also ÊTRE DIEU, ÊTRE FERME.

 Éperdue, je mêlai mes transports aux transports que je causais : je fus trois fois au ciel. Edward fut trois fois dieu !... —*Gamiani.*

 Je n'eus pas remué cinq ou six fois du cul, à ma moëlleuse façon, que je sentis la chaleur du jet rapide que dardait mon céleste prosélyte. Quelle est donc la magie du plaisir qui peut ainsi méta-morphoser en dieux de vulgaires habitants de notre grossière planète ? —*Mon Noviciat.*

— ÊTRE EN ALAINE (Old Fr.)=to have an *erectio penis*. Also ÊTRE EN ARRÊT, ÊTRE EN POINT, ÊTRE ALLUMÉ, ÊTRE EN ÉTAT, ÊTRE FERME, ÊTRE EN QUEUE, ÊTRE EN RUT, ÊTRE EN TRAIN DE FAIRE QUELQUE CHOSE, ÊTRE PRÊT, ÊTRE DISPOSÉ, ÊTRE FAISANDÉ, ÊTRE MONTÉ, ÊTRE PINCÉ, ÊTRE SOUS LES ARMES, ÊTRE TOUT EN NŒUD (or EN FEU) and ÊTRE EN CHALEUR.

Adonc Guillot lui a dit,
Vous aurez bien ce crédit
Quand je serai en alaine.
      MAROT.

 Et si advenait qu'il fût en point. —RABELAIS.

 Encore faut-il qu'il soit bien en point.—*Le Synode nocturne des tribades.*

 Aussi remarque-t-on de même le monarque allumé la suivre à pas précipités.—LA POPELINIÈRE.

 Je veux voir si vous êtes en état.. Oui, vous êtes en état, cochon !... Il est plus fort que tout à l'heure... et dur ! on dirait du fer.—HENRY MONNIER.

Je m'sentis tout en feu,
  Nom de Dieu !
Faut que j' te r'trouss' ta ch'mise,
  Nom de Dieu !
    F. DE CALONNE.

Soyez ferme, ne pliez plus,
Conservez toujours le dessus,
Évitez la paresse ...
 — Eh bien ?
Et surtout la mollesse ;
Vous m'entendez bien.
     DOMIER.

 Il y a des jours que l'on est plus en queue que d'autres, où l'on baiserait volontiers toutes les femmes, si elles n'avaient, à elles toutes, qu'un con.—A. FRANÇOIS.

— ÊTRE FERME. I. To possess well moulded breasts and plump bullocks.

— 2. *See* ÊTRE AUX ANGES.

— ÊTRE FORMÉ (or FORMÉE) = to have attained the age of puberty.

— ÊTRE A POIL = to be stripped; 'to be in buff'.

Je n'bande jamais bien d'vant une gonzesse qu'est tout à poil. —LEMERCIER DE NEUVILLE.

— ÊTRE AVEC UNE FEMME = to live in concubinage; to 'live tally'.

Être avec un Anglais, c'était pour les femmes une fortune. —AUGUSTE VILLEMOT.

— ÊTRE BIEN AIMABLE = to be expert in venery: of prostitutes.

Dites donc, bel homme, voulez-vous monter chez moi? J'suis bien aimable; v'nez, vous en serez pas fâché. —HENRY MONNIER.

— ÊTRE BIEN EMMANCHÉ. *See* EMMANCHÉ.

— ÊTRE DE LA MANCHETTE = to prefer sodomy to the natural act of kind.

Et mille gens m'ont dit qu'il n'aimait
        pas le con;
Au contraire, on m'a dit qu'il est de la
        manchette,
Et que, faisant semblant de la mettre en
        levrette,
Le drôle en vous parlant toujours du
        grand chemin,
Comme s'il se trompait, enfilait le voisin.
        BUSSY-RABUTIN.

— ÊTRE DE LA NATURE DES POIREAUX, LA TÊTE BLANCHE ET LA QUEUE VERTE = said of a hoary-headed wencher.

— ÊTRE ÉCHAUDÉ = to get infected—poxed or clapped. Also ÊTRE ENRHUMÉ DE LA QUEUE, ÊTRE CHAUDPISSÉ (or -ÉE), ÊTRE PAUMÉ, ÊTRE PINCÉ, ÊTRE POIVRÉ, ÊTRE VERDI, ÊTRE VOUÉ A SAINTE VÉRONIQUE.

La plus aimable fille étant chaude-
        pissée,
Doit vous glacer le cœur, le vit et la
        pensée.
        Art priapique.

Si j'suis paumé, j'enquille aux Capucins,
  Ricord guérira ma vérole.
        DUMOULIN.

= ÊTRE EN AFFAIRE = to be invisible, to be engaged—in venery. Also ÊTRE EN LECTURE, ÊTRE SOUS PRESSE, ÊTRE OCCUPÉE.

Vous êtes en affaire? me cria-t-il à travers la porte, pendant que j'accolais ma drôlesse et la suppéditais avec énergie...—J. LEVALLOIS.

— ÊTRE ÉPUISÉ = to be foundered; or 'done up'; to perform with lassitude. Also ÊTRE MOU.

Ses caresses étaient languissantes. Je ne pouvais me dissimuler qu'il était épuisé ou qu'il se ménageait avec moi, pour briller ailleurs.—*Félicia.*

— ÊTRE EXPLOITÉE = to trade in venery. Also ÊTRE PRISE.

Par le moyen d'une célèbre entremetteuse, je fus exploitée tour-à-tour par les plus habiles, les plus vigoureux hercules de Florence.—*Gamiani.*

— ÊTRE GRANDE FILLE = to be ripe for venery.

— ÊTRE HEUREUX = to experience the sexual spasm.

Tu vas te soulager, mon chéri, je te le promets; le roi Louis-Philippe n'aura jamais été aussi heureux que tu vas l'être. —LEMERCIER DE NEUVILLE.

La douleur qu'il éprouve est quelquefois
        bien grande;
Mais il ne se plaint pas; il est heureux...
        il bande!
        LOUIS PROTAT.

— ÊTRE INSCRITE = to be enrolled on the police register: of prostitutes.

J'avais un enfant, un garçon ; il est mort ... J'crois ben, j'nourrissais ; l'idée de m'savoir inscrite, ça m'avait tourné mon lait.—HENRY MONNIER.

— ÊTRE MALTRAITÉE = to be violated, or indifferently served.

— ÊTRE MATINÉE = to sacrifice to Venus.

On dirait que vous n'aspirez qu'après l'honneur d'être mâtinée. — Le mot n'est rien ; c'est la chose qu'il me faut : C'est d'avoir un homme, d'être foutue, pour parler clair ! ...—*Mon Noviciat.*

— ÊTRE MOUCHE = to be ill-favored. Also ÊTRE TOC (TOCARD, TOCASSE, or TOCASSON).

— ÊTRE NEUF (or NEUVE) = to be innocent of the arts and crafts of venery ; to still retain one's virginity, or only just lost it ; of both sexes.

Il est fort neuf, à la vérité, peu au fait du service des bains ; j'ose cependant flatter qu'il contenterait madame.—*Les Aphrodites.*

— ÊTRE SUR LE SABLE = to be jilted by a mistress : of ponces.

— ÊTRE TOUT EN NŒUD. I. To be well-hung.

— 2. *See* ÊTRE ALAIN.

ÊTRE-ACTIF (L'), *m.* The agent in venery or sodomy.

ÉTRENNE (EN AVOIR L'). To deflower.

— J'ai ri de bon cœur, — d'un garçon d'honneur
A la figure éveillée.
Au premier signal — on ouvre le bal
Sans trouver la mariée.
Notre égrillard — d'un air gaillard —
l'amène ;
L'époux prétend — danser et prend —
sa reine.

Va, dit le malin
Au mari bénin,
Tu n'en auras pas l'étrenne.
ÉLISA FLEURY.

ÊTRE-PASSIF (L'), *m.* A pederast (subject).

ÉTRILLE, *f.* The *penis ;* 'the Rector of the females '.

Femme qui met quant el s'habille
Trois heures à être coeffée,
C'est signe qu'il lui faut l'estrille
Pour être mieux enharnachée.
G. COQUILLART.

Mon compère a une fille,
Donne ly, donne ly de l'étrille.
GAUTIER-GARGUILLE.

ÉTRILLER. To copulate ; 'to grease the wheel '.

Elle est d'âge qu'on l'étrille,
Tu n'y devrais rien épargner.
Ancien Théâtre français.

ÉTUDIANTE, *f.* A student's mistress.

ÉTUDIANTE, *s. f.* Grisette qui vit avec les étudiants.
C'est la grisette étudiante,
Bonne fille qui toujours chante ...
FR. SOULIÉ.

ÉTUI, *m.* I. The female *pudendum ;* 'the needle-case '. [RABELAIS].

Elle ne voulut oncques que le marié le mît en son étui.—B. DESPERRIERS.

— 2. The *penis.*

Vous qui, pour charmer vos ennuis,
Empoignez ... des aiguilles,
Venez, je fournis des étuis
Qui vont à tout's les filles ...
Chanson anonyme moderne.

ÉVACUER. To copulate ; 'to strip one's tarse in '.

Désirant évacuer nature ritillante.—BÉROALDE DE VERVILLE.

ÉVANOUIR (S'). To lose consciousness during the sexual paroxysm.

Qui sait mieux mourir qu'une belle?
Qui sait mieux ressusciter qu'elle?
Qui sait mieux suffoquer, pâlir?
Baisser sa mourante prunelle,
Palpiter, chanceler, faiblir,
Tomber, enfin, s'évanouir?
DEMOUSTIER.

ÉVIER, *m.* The female *pudendum;*
'the way-side ditch'.

C'est bien avoir la queue coupée,
que de la mettre en danger d'être
profanée dans un évier public ou
commun.—BÉROALDE DE VERVILLE.

EXALTER (S'). To get an *erectio
penis;* 'to exalt one's horn'.

Et comme maître Antitus de braguette sentait cette main douillette, il
s'exaltait.—BÉROALDE DE VERVILLE.

EXÉCUTER. To copulate; 'to whack
it up'.

EXÉCUTEUR DE LA BASSE JUSTICE,
m. The *penis.*

EXERCER. To copulate; 'to occupy'.
[SHAKSPEARE]. Also EXERCER
LES BONS MEMBRES. [RABELAIS].

EXERCICE, *m.* The act of kind;
'business'. [SHAKSPEARE].

Nous avons passé tout le jour
Dans cet exercice d'amour.
GRÉCOURT.

Elle se trouva un peu gênée dans
sa marche, mais elle l'attribua aux
exercices un peu répétés de la nuit.—
PIGAULT-LEBRUN.

La dame avait fait provision pour
l'exercice du cas.—*Moyen de parvenir.*

Trois femmes un jour disputaient
Quels, en l'amoureux exercice,
Les meilleurs instruments étaient
Pour savourer plus de délice.
Cabinet satyrique.

EXHIBER SES PIÈCES. To present
the *penis* for examination.

Exhibe tes pièces, mon petit chat.—
J. DE VALLOIS.

EXPÉDIER. To copulate. Specifically
= to perform with vigour.

Les beaux-pères n'expédiaient
Que les fringantes et les belles.
LA FONTAINE.

EXPÉRIMENTALE (LEÇON DE PHY-
SIQUE), *f.* The act of kind. [RA-
BELAIS].

EXPLOIT, *m.* The act of kind;
'tromboning'.

Mais six exploits mirent bas le
gendarme.—PIRON.

EXPLOITER. To copulate. [RABE-
LAIS].

Tant bien exploite autour de la donzelle,
Qu'il en naquait une fille si belle.
LA FONTAINE.

Un cordelier exploitait gente nonne,
Qui paraissait du cas se soucier.
GRÉCOURT.

Et s'exploitant de grand courage,
Ah! que je fais là de cocus!
PIRON.

Ce drôle là allait exploiter la
donzelle dans ton poulailler, ce qui est
contre toutes les règles.—PIGAULT-
LEBRUN.

L'on courut voir avec une lumière,
s'il ne lui était point arrivé quelque
malheur, et on le trouva tombé sur le
carme qui exploitait la nourrice au pied
d'un escalier.—*Le Compère Mathieu.*

EXTIRPER SA GLAIRE. To ejaculate.

AÇON. FAIRE UNE FAÇON A UNE FEMME = to copulate.

> Oui, je connais ça:
> c'est madame
> Qui prend son p'tit air polisson :
> Elle a besoin, la chère femme,
> D'une façon de ma façon.
> JEAN DU BOYS.

FAÇONNER. To do the act of kind.

> Quand dans mes bras
> Je tiens une nonne,
> Je la façonne
> Mieux que personne.
> COLLÉ.

FAIRE. To copulate; 'to do it'. Also FAIRE BATAILLE, FAIRE BEAU BRUIT DE CULETIS, FAIRE BONNE CHÈRE, FAIRE CAMPAGNE, FAIRE ÇA or CELA, FAIRE CONNAISSANCE, FAIRE DIA HUE HAUT, S'EN FAIRE DONNER, SE FAIRE DONNER LA FESSÉE, FAIRE DU BON COMPAGNON, LE FAIRE EN LEVRETTE, SE LE FAIRE FAIRE, FAIRE FÊTE, FAIRE FOLIE DE SON CORPS, FAIRE GALANTERIE, FAIRE LA BELLE JOIE, FAIRE LA BESOGNE, FAIRE LA BÊTE A DEUX DOS, FAIRE LA BONNE CHOSE, FAIRE LA CHOSE POURQUOI, FAIRE LA CHOSETTE, FAIRE LE CŒUR, FAIRE LA CULBUTE, FAIRE LA FÉTE, FAIRE LA FOLIE (or LA FOLIE AUX GARÇONS), FAIRE LA GRENOUILLE, FAIRE LA GUERRE, FAIRE LA PAUVRETÉ, FAIRE LA VILENIE, LE FAIRE, FAIRE L'ACTE VÉNÉRIEN, FAIRE L'AMOUR, FARIE L'AMOUREUX TRIPOT, FARIE LE BAGAIGE, FAIRE LE CAS, FAIRE LE DÉDUIT, FAIRE LE DÉLIT, FAIRE LE DÉSIR, FAIRE LE DEVOIR, FAIRE LE HEURTE-BELIN, FAIRE LE JEU D'AMOUR, FAIRE L'ŒUVRE DE NATURE, FAIRE LE PAQUET, FAIRE LE PÉCHÉ, FAIRE LE PETIT VERMINAGE, FAIRE LE SAUT (or LE SAUT DE MICHELET), FAIRE LE TRUC, FAIRE PÉNITENCE, FAIRE PLAISIR, FAIRE RIVER SON CLOU, FAIRE SA BESOGNE, FAIRE SA FÊTE, FAIRE SA PARTIE, FAIRE SA VOLONTÉ, FAIRE SERVICE, FAIRE SES BESOGNETTES, FAIRE SES CHOUX GRAS, FAIRE SES PETITES AFFAIRES, FAIRE SES PRIVAUTÉS, FAIRE SON BON, FAIRE SON DÉLIT, FAIRE SON DEVOIR, FAIRE SON PLAISIR, FAIRE SON TALENT, FAIRE SON VOULOIR, FAIRE TORT, FAIRE TOUT, FAIRE UN DUEL, FAIRE UNE CHARADE, FAIRE UNE POLITESSE, FAIRE UN TOUR DE CUL, FAIRE UN TRONÇON DE BON OUVRAGE (or DE CHÈRE LIE), FAIRE VIRADE, FAIRE COMPTER LES SOLIVES A UNE FEMME, FAIRE

CHOU BLANC, SE FAIRE DÉGRAIS-
SER, FAIRE ZIZI.

Étant couché il ne put rien faire.—
BRANTÔME.

Pourvu que vous promettiez de ne
me rien faire, je permettrai que vous
preniez un côté de mon lit.—CH. SOREL.

Quant est des galants subtils
Qui faisaient telle bataille.
Recueil de poésies françaises.

Enfin sans bouche mot dire ils firent
beau bruit de culetis.—RABELAIS.

Si a il longtemps que ne fis
Bonne chère entre deux tresteaux.
Ancien Théâtre français.

Je fis ma première campagne sous
l'émir Azalaph.—DIDEROT.

Le faire, ma mie, c'est décharger.
—HENRY MONNIER.

Sexe charmant à qui l'on fait
Ce qu'il est si joli de faire,
Je voudrais vous avoir au fait
Pour vous montrer mon savoir-faire;
Car avec vous quand on le fait,
On a tant de plaisir à faire,
Qu'on voudrait ne pas l'avoir fait
Pour pouvoir encore vous le faire.
Parnasse satyrique.

Que moyennant vingt écus à la rose
Je fis cela, que chacun bien suppose.
F. VILLON.

C'est que les grandes dames font ça
par poids et mesures, et que, nous autres,
c'est cul par-dessus tête.—LA POPELI-
NIÈRE.

Tout le monde à peu près, putain et
femme honnête,
Ministre ou chiffonnier, marquise ou bien
grisette,
Dit : faire ça . . . .
LOUIS PROTAT.

Ah! maman, maman, que c'est bon!
.... Comme tu fais bien ça, mon chéri.
—HENRY MONNIER.

Ça n' t'empêchera pas de me faire
ça, n'est-ce pas? — Aux p'tits oignons,
mon infante!—LEMERCIER DE NEUVILLE.

Viens çà, dit-elle, si feras cela.—
Les Cent Nouvelles nouvelles.

Si a plus de sept semaines
Que ne me fîtes cela.
Ancien Théâtre français.

Et puis me dit: ma mye, faisons cela,
Car c'est un jeu que tout le monde prise.
Recueil de poésies françaises.

Son mari l'ayant éveillée d'un profond sommeil et repos qu'elle prenait,
pour faire cela.—BRANTÔME.

Veux-tu donc me faire cela?
Promptement me coucherai là.
THÉOPHILE.

Mais plus il me battera
Je ferai toujours cela.
GAUTIER-GARGUILLE.

Je crois bien qu'ils firent cela,
Puisque les amours qui les virent
Me dirent que le lit branla.
GRÉCOURT.

Un jour que mon maître et moi
faisions dia hue haut.—*Variétés historiques et littéraires.*

Ele vodrait mieux être morte
Qu'el ne s'en fist donner.
Anciens Fabliaux.

Mais elle faisait profession d'aller
aux bordeaux s'en faire donner.—
BRANTÔME.

Enfin elle en vint à s'en faire
donner par les valets.—TALLEMENT DES
RÉAUX.

Et doit par chaque journée,
Qu'el se fait donner la fessée
Un denier à saint Cultin.
Ancien Théâtre français.

Et faisais du bon compagnon
Avec commère Jeanneton.
Farces et Moralités.

J'ai été bien plus fine quand je me
suis fait emplir par un garçon de chez
moi.—*Variétés historiques et littéraires.*

Pour ne pas voir sa défaite,
Et se cacher au vainqueur,
Elle voulut qu'en levrette
Je lui fisse cet honneur.
COLLÉ.

J'ai, lui dit-il, avec un tendre objet
Depuis longtemps une intrigue secrète;
Ce n'est là tout; *item* je suis sujet...
A quoi? Voyons. — A le faire en le-
vrette.
PIRON.

Je m'en vais tant me le faire faire,
que ce méchant sera damné.—D'OUVILLE.

Passez le cul, ou vous retirez donc,
Je ne saurais sans lui vous faire fête.
MAROT.

Serre la sœur, et prêt à faire feu,
Parbleu, dit-il, tu t'étonnes de peu,
Laisse sonner et répond du derrière.
PIRON.

Depuis que je vous vy,
Messire Henry,
Je ne fis folie de mon corps.
La Comédie des chansons.

Elle se retira à Châlons, où elle fit galanterie avec le comte de Nanteuil.
—TALLEMENT DES RÉAUX.

Le peu qu'ils ont d'outils à faire la belle joie.—BÉROALDE DE VERVILLE.

Il me dit que pour la mort dieu il oseroit bien entrependre de faire la besogne huit ou neuf fois par nuit.—*Les Cent Nouvelles nouvelles.*

Étant couché avec une fort belle dame et lui faisant la besogne.—BRANTÔME.

Jeanne fait la bête à deux dos.—G. COQUILLART.

Sire Dieu, fais croistre les bledz,
Afin que ne soyons trouvés
En faisant la bête à deux dos.
Ancien Théâtre français.

Ils faisaient eux deux souvent ensemble la bête à deux dos.—RABELAIS.

Vieille rit quand elle suppose
Qu'on lui fera la bonne chose.
MATHÉOLUS.

Parce qu'ils font la chose pourquoi.
—BÉROALDE DE VERVILLE.

Trois fois lui fit la chosette.—*Joyeusetés et Facéties.*

Puis il fit la chosette
Qui lui a duré neuf mois.
GAUTIER-GARGUILLE.

On dit que d'Ennery croyait qu'un homme qui ne faisait point bien la chosette, ne se pouvait dire un honnête homme.—TALLEMENT DES RÉAUX.

C'est qu'au fort d'un' bataille un jour
Mon père à ma mèr' fit la cour
Sur la caisse d'un tambour.
E. DEBRAUX.

Afin que Suzanne pût retirer le seigneur Lactance du coffre où elle l'a couché pour faire avec lui la culbute.—P. DE LARIVEY.

Votre belle humeur ne butte
Qu'à faire la culbute.
GAUTIER-GARGUILLE.

Ils entendirent faire la fête à la façon de la bête à deux dos.—*Les Caquets de l'accouchée.*

L'un vers l'autre tant s'amolie
Que le cler lui fit la folie.
Anciens Fabliaux.

Elles ont fait jusqu'à outrance la folie.—*Les Cent Nouvelles nouvelles.*

Qui pour avoir de belles oreillettes
Avec un moine avait fait la folie.
MAROT.

Avec quelqu'un as-tu fait la folie?
—LA FONTAINE.

C'est alors qu'en faisant la grenouille,
Et que le plaisir te chatouille,
Ton cul discourt.
Le Cabinet satyrique.

Hélas! dit-il, si les grands de la terre
Font deux à deux cette éternelle guerre.
VOLTAIRE.

L'animal à quatre pieds fait la pauvreté; c'est que faisant la pauvreté on a quatre pieds.—BÉROALDE DE VERVILLE.

Il n'y a point en ma lignée
Qui ait fait — quoi? — la vilenie.
Ancien Théâtre français.

Si le ferai, si m'ait dieux,
Tant qu'il vos en sera mieux.
Anciens Fabliaux.

Il me le fait trois fois ou quatre
Sans descendre, le beau Robin.
Ancien Théâtre français.

Quoi? y le veut faire à ma femme.
—*Farces et Moralités.*

Deux bonnes fois à son aise le faire,
C'est d'homme sain suffisant ordinaire.
MAROT.

J'ai connu une dame qui le fit une fois devant sa gouvernante si subtilement, qu'elle ne s'en aperçut jamais.—BRANTÔME.

Lucrèce et Didon, comme on sait,
S'occirent de mort volontaire,
Mais ce fut après l'avoir fait.
Voulez-vous mourir sans le faire?
Le Cabinet satyrique.

Ah! voici mon Robert, s'il n'était avec son maître nous le ferions un coup tout debout.—P. DE LARIVEY.

Il soupçonnait sa femme faire l'amour avec un galant cavalier.—BRANTÔME.

Quoi, nuit et jour,
Ne peut-on faire l'amour?
COLLÉ.

Ferons-nous l'amour, cette nuit?—CH. SOREL.

Si tu veux, nous allons faire l'amour
. . . . c'est meilleur . . . . Ote ton pantalon.
—LEMERCIER DE NEUVILLE.

Çà, ma mye, que je vous régente
En faisant l'amoureux tripot.
Ancien Théâtre français.

Jeunes dames, friands télots,
Vous aurez mes braies par tout gaige
Pour vous fourbir un peu le dos,
Quand vous avez fait le bagaige.
Ancien Théâtre français.

Quant venez pour faire le cas
Avec moi.
Ancien Théâtre français.

Cette nuit faisons notre cas,
Car il est allé sur les champs.
Farces et Moralités.

Qu'entends-je, dit Trichet, vous
auriez fait le cas?—VADÉ.

Un mari frais dit à sa demoiselle,
Souperons-nous, ou ferons le déduit.
Le Cabinet satyrique.

Si se mirent dessus le lit,
Où firent l'amoureux délit.
Recueil de poésies françaises.

Avez-vous vu le beau Colin
Avoir fait le heurte-belin
Avec cette fille présente?
Farces et Moralités.

Si com la vielle le comande
Souffrit faire le jeu d'amour.
MATHÉOLUS.

S'elles l'eussent pris à plein poing
Pour faire l'œuvre de nature.
Recueil de poésies françaises.

Ainsi que deux parfaits amants
Nous ferons bien notre paquet.
Farces et Moralités.

En faisant sa besogne il trouva en
cette partie quelques poils piquants et
aigus.—BRANTÔME.

Au reste ils firent là leur fête.—
Recueil de poésies françaises.

La première dit si tous ceux qui lui
avaient fait le paquet se tenaient par
la main.—NOEL DU FAIL.

Alors Alix, qui eut la peine grande,
Pria Martin de lui faire le péché
De l'un sur l'autre.
MAROT.

Nous parlions de faire le petit verminage et de voir les pièces.—BÉROALDE
DE VERVILLE.

Thamar, implorons sa clémence,
Ensemble nous avons péché,
Faisons ensemble pénitence.
PARNY.

Femme qui souvent se regarde,
Et polit ainsi son collet,
C'est présomption qu'il lui tarde
Qu'el' ne fass' le saut d' Michelet.
G. COQUILLART.

Leurs dames, veuves et demoiselles,
ont fait le saut.—BRANTÔME.

De ces brebis à peine la première
A fait le saut, qu'il suit une autre sœur.
LA FONTAINE.

Si ce sera que je ferai
Plaisir à ceux qui m'en feront.
Ancien Théâtre français.

Oh! le brave jouvenceau, qu'il lui
siérait bien faire service aux dames!
—P. DE LARIVEY.

Le curé vint à la maison
Du pelletier pour son sonnettes,
Et trouve si bonne achoyson
Qu'il fit très-bien ses besognettes.
F. VILLON.

Car je vois bien que tout le monde
En a fait ses choux gras.
P. GREVIN.

Je m'en garderai bien puisque un
autre en a fait ses choux gras.—
TOURNEBU.

Ils se firent allumer du feu dans une
chambre où ils firent leurs petites
affaires.—TALLEMENT DES RÉAUX.

Que vous maintenant les foutez,
Et en faites vos privautés.
Anciens Fabliaux.

Si li print à ramentevoir
A faire vers li son devoir.
Anciens Fabliaux.

Et quand il la cuide accoler et baiser
et au surplus faire son devoir.—*Les
Cent Nouvelles nouvelles.*

Et si l'époux avait fait son devoir.
—MAROT.

Il y vint tout apprêté en chemise
pour faire son devoir.—BRANTÔME.

De moi povez votre bon faire
Ainsi com il vous vouria faire.
Anciens Fabliaux.

A la dame couchée en lit
Molet plainement fit son délit.
Anciens Fabliaux.

Quand le mari fut couché et qu'il
eut fait son devoir.—TALLEMENT DES
RÉAUX.

Si tu veux fère mon plesir,
Et tout mon bon et mon désir.
Anciens Fabliaux,

Puisqu'il n'y a ici que nous deux
Je vous ferai à mon plaisir.
Ancien Théâtre français.

Pourquoi je veux, Cerbère, en suivant
ton désir,
Te donner celle-ci pour faire ton plaisir.
Recueil de poésies françaises.

Si se sont couchié ambedui
En un lit por leur talent faire.
Anciens Fabliaux.

Et li l'avoit dessous lui mise,
Qu'il en fesoit tout son vouloir.
Anciens Fabliaux.

Elle dit que s'il affirmait avoir tout fait,
il en avait menti pour le sûr.—D'OUVILLE.

Il court un bruit par la ville
Que Marion Cornuel
Voudrait bien faire un duel
Avec monsieur Derouville.
TALLEMENT DES RÉAUX.

Que si de l'amour enflammée
Elle veut faire un tour de cul.
THÉOPHILE.

Je ferai plus d'une charade avec
elle, je vous en réponds.—LOUVET.

A condition que nous fissions, vous et
moi, un tronçon de chère lie.—RABELAIS.

Elle a le beau petit teton,
Cul troussé pour faire virade.
G. COQUILLART.

La petite sauvequière,
Qui demeure en ce carquié,
Va faire river son clou
Tous les dimanches à Saint-Clou.
La Comédie des chansons.

— FAIRE BEAU CON = to spread
well.

— FAIRE DE L'ŒIL = to provoke to venery by amorous
glances; 'to cast sheep's eyes'.
Also FAIRE L'ŒIL DE CARPE,
FAIRE LES YEUX EN COULISSE.

Aussi, je le dis sans orgueil,
Le beau sexe me fait de l'œil.
JULES MOINAUX.

Un petit coup d'épée à porter en écharpe,
De quoi traîner la jambe et faire l'œil
de carpe.
E. AUGIER.

Depuis que ta bonté propice
Lui permet de m'offrir ses vœux,
Il me fait les yeux en coulisse:
Ah! que c'est drôle un amoureux!
L. FESTEAU.

— FAIRE LA CARPE = to swoon
(or pretend to swoon), during
connection: of women.

— FAIRE LE CON COCU = to
sodomise.

Il déconne et s'adresse au cul,
Puis, zeste! il fait le con cocu,
En bravant merde et foire.
Parnasse satyrique.

— FAIRE LE DESSUS = to mount
a woman for the sexual embrace:
also, conversely, of women, which
latter also is called FAIRE L'HOM-
ME.

Mais cette fille trop pensante
Qu'amour d'innover consumait,
Prit le dessus, tant elle aimait
La philosophie agissante.
BÉRANGER.

Parfois la femme aussi veut faire l'homme;
C'est un plaisir que l'on renomme!
Elle monte à cheval sur vous
Pour tirer ses deux ou trois coups.
Sa motte agit sur votre ventre;
Plus elle pousse, mieux ça rentre;
Et son foutre mouillant les draps,
Elle se pâme entre vos bras.
MARC-CONSTANTIN.

— FAIRE RAMASSER (SE) = to
be arrested for solicitation in the
streets.

Si ben qu'eune nuit, c'était hors
barrière, on m'ramasse . . . De là, au
dépôt . . . Quand j'ai sorti, j'étais putain.—
HENRY MONNIER.

— FAIRE REMPLIR (SE) = to get
with child.

L'un me remplit, l'autre me bourre . . .
Que puis-je désirer de plus.
MARCILLAC.

— FAIRE SA MERDE = to be
disinclined to yield to the sexual
embrace: of women.

Mais tu ne l'aimes pas. Avec moi tu veux
faire
Ta merde, voilà tout . . . .
LOUIS PROTAT.

— FAIRE DES PUCELLES = to
constringe the vagina; to furbish
up a harlot as a maiden by the
use of astringents: of bawds.

A vous donc, mères maquerelles
Qui savez faire des pucelles
Par mille artifices divers...
Je consacre ces foutus vers.
Cabinet satyrique.

— FAIRE EMPALER (SE) = to be
sodomised or pederastised. Also
SE LE FAIRE METTRE DANS LE
PETIT.

— FAIRE FEUILLE DE ROSE =
to tongue the *anus.*

— FAIRE EN LEVRETTE (LE) =
to effect intromission dog-fashion.

Des baisers il vint aux attouchements et des attouchements à me mettre
le vit au con, et me le fit encore une
fois en lévrier, le con derrière.—MILILOT.

Pour ne pas voir sa défaite,
Et se cacher au vainqueur,
Elle voulait qu'en levrette
Je lui fisse cet honneur.
COLLÉ.

J'ai, lui dit-il, avec un tendre objet
Depuis longtemps une intrigue secrète;
Ce n'est là tout; *item* je suis sujet...
— A quoi? voyons. A le faire en levrette.
PIRON.

— FAIRE DURER LE PLAISIR =
1. to place the finger on the
meatus during masturbation, and
so to retard ejaculation; and (2)
to copulate slowly.

— FAIRE DESCENDRE LE POLO-
NAIS. *See* POLONAIS.

— *See* LAISSER.

— FAIRE LE CAS = 1.*See* FAIRE;
and (2) to masturbate.

Lorsque j'y pense, et même encore ici
Je fais le cas. Pardieu, lui dit le moine,
Je le crois bien, car je le fais aussi.
PIRON.

— FAIRE PIEDS NEUFS = to be
brought to bed; 'to explode'.

Et que en brief elle fera pieds neufs.
—RABELAIS.

— FAIRE UN ENFANT = to get
with child.

Aime-la, fais-lui des enfants
Qui l'honorent dans ses vieux ans.
PARNY.
Le lendemain il fut entreprenant,
Le lendemain il me fit un enfant.
VOLTAIRE.

— FAIRE UN ENFANT A CRÉDIT =
to become pregnant: of unmar-
ried women.

Toute fille, qui aura fait un enfant
à crédit, sera dotée par la ville.—
BÉROALDE DE VERVILLE.

— FAIRE UNE PASSE = to secure
a client.

— FAIRE UN FILS = to get with
child.

Il annonce avec un souris
A l'épouse, à la vierge, un fils,
Qu'obligeamment il fait lui-même.
PARNY.

— FAIRE LANCER (SE) = to be
sodomised or pederastised

Si j'étais aussi joli garçon que
vous, je ne me contenterais pas de
tourner la tête aux femmes: je voudrais
m'amuser encore à me faire lancer
par tous les Villettes du royaume.—
ANDRÉA DE NERCIAT.

— FAIRE LA CHOUETTE = to
work at both ends.

— FAIRE LA VIE = to live a life
of debauchery. Also (of women)
FAIRE LE MÉTIER (prostitute un-
derstood).

Qu'ils sont jolis tes tétons! qu'ils
sont ronds et fermes! je vois bien qu'il
n'y a pas longtemps que tu fais le
métier.—LA POPELINIÈRE.

— FAIRE LE CHAPEAU DU COM-
MISSAIRE = (1) to tongue a man,
at the same time lightly fingering
the testes; and (2) to masturbate,
gently retiring and restoring the
prepuce.

Tu me fras l'chapeau du commissaire?—LEMERCIER DE NEUVILLE.

En même temps elle peut faire
Aussi chapeau du commissaire.
Ce doux jeu qu'inventa l'amour
Est aussi simple que bonjour!
Tant que sa petite menotte
Avec adresse vous pelote,
Sa bouche vous suce le dard
Pour en obtenir le nectar...
MARC-CONSTANTIN.

— FAIRE LE SAUT = to wax
amorous.

De ces brebis à peine la première
A fait le saut, qu'il suit une autre sœur.
LA FONTAINE.

— FAIRE LE SERRURIER = to
work the vagina with the *penis*
without effecting intromission.

— FAIRE MINETTE = to gamahuche a woman. Also FAIRE
MINON-MINETTE.

— Comment, ma mie, ça s'appelle
quand on branle avec sa langue? Faire
minon-minette.—HENRY MONNIER.

Elle vous fait minette
Et puis avale tout.
JOACHIM DUFLOT.

— SE LE FAIRE METTRE = to
effect intromission.

Le Florentin lui dit:
Ne m'en fais pas reproche,
Car dans une bamboche
Tu te l' fais mettre aussi.
JOACHIM DUFLOT.

— FAIRE DES MANIÈRES (DES
MAGNES, or DES SIMAGRÉES) =
to hesitate to accept or to
refuse the sexual favor; to be
squeamish: of women. Also SE
FAIRE PRIER, FAIRE RELACHE,

FAIRE SA POIRE, FAIRE SON
ÉTROITE, FAIRE LA DIFFICILE,
FAIRE LA PETITE BOUCHE.

Ça fait des manières, et ça a dansé
dans les chœurs.—GAVARNI.

Et comme elle se vantait d'être
pucelle, elle croyait devoir encore faire
quelques petites simagrées avant que de
se rendre.—BOURSAULT.

Dans le siècle où les dames
Ne se font pas prier,
Avoir toutes les femmes
Afin de varier.
COLLÉ.

...Homme de qui la femme...
Fait l'étroite avec lui, même lorsqu'elle
est large.
LOUIS PROTAT.

— ... Eh bien! en honneur, je
ne sais pas si je le soutiendrai.
— Ne faites donc pas l'étroit,
Dolmancé; il entrera dans votre cul,
comme il est entré dans le mien.—
MARQUIS DE SADE.

Plus d'un amateur la convoite:
Le mobilier est de bon goût,
La chambre à coucher est étroite...
La dame ne l'est pas du tout.
ST.-GILLES.

— FAIRE LE THÈME DE DEUX
FAÇONS = to work both ends;
to sodomise after copulation,
or *vice versâ*.

La dame ne se faisait pas beaucoup prier pour faire le thème en deux
façons.—A. DE NERCIAT.

— FAIRE LA TOILETTE = 1. to
gamahuche a woman; and (2) to
tongue a man.

A ma droite, un vieux sénateur,
Fait la toilette à mam'zell' Rose!
Je n' vous dirai pas, par pudeur,
Comment il pratique la chose:
Mais en argot d' chambre à coucher,
Ça s'appelle *gamahucher*...
Chanson anonyme.

— FAIRE PÉTER LA SAUCISSE
(S'EN) = to go to excess in sex-
ual pleasures. Also FAIRE PÉTER
LA SOUS-VENTRIÈRE (S'EN).

—— FAIRE LE MACQUEREAU = to live on a woman's prostitution.

— FAIRE L'OBÉLISQUE = to get an *erectio penis*.

— FAIRE UN SOLÉCISME = to weaken before emission.

C'est une puriste, et je fais
Souvent au lit des solécismes.
LA MONNOYE.

— FAIRE TOUT = to promise a client every art of venery.

J'te collerai cent sous . . . . Mais tu m' f'ras tout.—LEMERCIER DE NEUVILLE.

— FAIRE TRÈVE DU CUL = to weaken before emission.

Pourquoi fais-tu, dit la garce affolée,
Trève du cul?
REGNIER.

La garce après maintes secousses,
Lui dit : Faisons trève du cul.
THÉOPHILE.

— FAIRE UNE CAVALCADE = to possess a woman as if on horseback, the legs being round and not between the thighs.

Ça fait des manières, un porte-maillot comme ça !... et qui en a vu des cavalcades !—GAVARNI.

— FAIRE UNE CONQUÊTE, said (1) of a man, who after making love to a woman finally makes her his mistress; and (2) of a man who accidentally meets a woman who surrenders herself 'for love' and not for money.

— FAIRE UNE FAUSSE COUCHE = to ejaculate during sleep; 'to have a wet dream'.

...Je bandais, et si fort, sur ma couche étendue,
Que j'en fis une fausse...
LOUIS PROTAT.

— FAIRE UNE FEMME = to single out a woman; 'to grouse'. Also LEVER UNE FEMME.

En attendant, il a fait une femme superbe, dit un autre en voyant Rodolphe s'enfuir avec la danseuse.—HENRY MURGER.

— FAIRE UNE FIN = to marry.

Quoique l'état ne manque pas
D'appas,
Foi de Margot, si ça ne reprend pas,
Je m'expatrie,
Ou bien je me marie ;
Il faut enfin
Que je fasse une fin.
F. SERÉ.

— FAIRE UNE PINCE AU BONNET DE GRENADIER = to assume a posture in which intromission is difficult : of women.

V'là pourtant qu'un jeune vélite,
Malgré sa taille tout' petite,
Un soir voulut en essayer.
A ses désirs je m' prête,
Mais je n' perds pas la tête :
Pour qu'il n'y entr' pas tout entier,
Je fis un' pince — au bonnet d' grenadier.
HENRI SIMON.

— FAIRE UN HOMME = to bait a man for venery: of women. *Cf.* FAIRE UNE FEMME.

Les lorettes ne vont pas dans les réunions publiques pour autre chose que pour faire des hommes.—SEIGNEURGENS.

— FAIRE VENIR L'EAU A LA BOUCHE = to excite to venery ; 'to give the flavour'. Also FAIRE VENIR LE FOUTRE A LA BOUCHE.

Elle lui sait si bien représenter les douceurs de l'amour, avec des instructions et des naïvetés si plaisantes, qu'elle lui en fait venir l'eau à la bouche.—MILILOT.

T'es bien monté... mâtin ! Ça vous fait venir le foutre à la bouche.—LEMERCIER DE NEUVILLE.

— FAIRE VOIR LA FEUILLE A L'ENVERS = to down a woman

on the grass, or in the woods;
'to give a green gown'.

Bientôt, par un doux badinage,
Il la jette sur le gazon,
— Ne fais pas, dit-il, la sauvage,
Jouis de la belle saison...
Ne faut-il pas, dans le bel âge,
Voir un peu la feuille à l'envers?
RÉTIF DE LA BRETONNE.

Amants, quand près d'une bergère
Tant de plaisirs vous sont offerts,
Vos yeux doivent voir la fougère,
Et les siens, la feuille à l'envers.
J. C.

— FAIRE VOIR LA LUNE = to
show one's bum.

Parlez-moi d'une planète
Qu'on examine à l'œil nu,
Chaque soir, me dit ma brune,
Si tu veux être discret,
Je te ferai voir la lune
A dada sur mon bidet...
A. JACQUEMART.

— FAIRE ZAGUE, ZAGUE = to
masturbate a man: of women.

— FAIRE LA RETAPE = to walk
the streets in search of clients:
of prostitutes. Also FAIRE LE
BOULEVARD, FAIRE LE TROTTOIR,
FAIRE SON PALAIS-ROYAL, FAIRE
LE TRUC, FAIRE SON TRIMAR.

Mon cher, j'descends dans la rue;
a y était qui f'sait l'trottoir.—HENRY
MONNIER.

Commer' vaut compère :
Il fait le mouchoir,
Elle le trottoir.
Chanson anonyme moderne.

De tous les points de Paris une
fille de joie accourait faire son Palais-
Royal.—H. DE BALZAC.

— FAIRE POSTILLON = to intro-
duce the finger into the *anus*
during coition.

Avec mon nez, bien qu'il soit long,
Je ne puis me faire postillon,
Et voilà ce qui me chagrine :
Avant ma mort j'aurais voulu
Foutre mon nez dans l' trou d' mon cul.
DUMOULIN.

L'homme, de sa main droite, ou lui fait
postillon,
Ou la glisse en dessous et lui branle
le con.
LOUIS PROTAT.

— FAIRE PAN PAN = to copulate.

Si du paon dépend
Mon plaisir, c'est qu'un paon,
Cet animal pimpant,
A Vénus fit pan pan !
J. DU BOYS.

— FAIRE PLAISIR = to titillate
the sexual parts. Also DONNER
DU PLAISIR.

Ah ! petite bougresse ! que tu me
fais de plaisir ! Ahi ! ahi ! je décharge !
je décharge !...—LA POPELINIÈRE.

C'est un homme qui trop s'ingère
A faire plaisir aux femmes.
Farces et Moralités.

S'ils font plaisir à nos commères,
Ils aiment ainsi les maris.
F. VILLON.

— FAIRE SA SOPHIE. The same
as FAIRE DES MANIÈRES 'to get
the flavour'.

A quoi ça m'aurait avancé de faire
ma Sophie ?—CH. MONSELET.

— FAIRE MOUILLER LA FESSE
(SE) = to ejaculate.

Par un député ce mac
A fait repasser sa nièce,
Qui s'est fait mouiller la fèsse
Pour un bureau de tabac.
DUMOULIN.

— FAIRE SAUTER LE BOUCHON =
to cause ejaculation.

Il se sent déjà des velléités pour
cette friponne de Célestine, dont il est
voisin, et qui joue avec lui de la
prunelle à faire sauter le bouchon.—
A. DE NERCIAT.

Vous êtes gai comme un sermon,
L'abbé, le diable vous conseille ;
Faites sauter votre bouchon
Sans ma bouteille.
H. CANTEL.

— FAIRE SOIXANTE-NEUF = a
posture in venery, in which the

woman is gamahuched by the man, he being tongued by his partner. Also FAIRE TÊTE-BÊCHE.

> A leurs côtés j'entends
> Des cris intermittents;
> Géraudon et Tautin
> Font tête-bêche un repas clandestin.
> J. DUFLOT.

> Mais, parfois, quand il trouve une motte
> bien fraîche,
> Ce qu'il aime avant tout, c'est faire tête-
> bêche...
> LOUIS PROTAT.

> Soixante-neuf et son vit se redresse!
> Soixante-neuf ferait bander un mort!
> *Chanson anonyme moderne.*

— FAIRE SON JOSEPH = to resist temptation: as Joseph with Potiphar's wife.

— FAIRE TOILETTE = (1) to wash after coition.

> N'entre pas, mon chéri; attends que j'aie fini ma toilette.—LEMERCIER DE NEUVILLE.

— 2. *See* FAIRE LA TOILETTE.

— FAIRE PINCEAU = to titillate the clitoris.

> Promenez en pinceau le bout de votre
> pine
> Du con jusques au cul, cette mode est
> divine.
> *Compendium érotique.*

— FAIRE SAUTER UN HOMME A LA CASSEROLLE = to subject a patient to salivation.

— FAIRE POUR SOI = to masturbate oneself. Also FAIRE UNE POLITESSE A SON TUBE, RÉGALER SON TUBE.

— FAIRE UN LEVAGE. *See* FAIRE UNE CONQUÊTE.

FAIT, *m.* The act of kind.
> Je te prendrai dessus le fait
> Une autre fois sans long babil.
> *Farces et Moralités.*

> Un mari goguelu
> Trouva sa femme sur le fait.
> G. COQUILLART.

> Nous fûmes pris tous deux sur le fait.—*Variétés historiques et littéraires.*

> J'ai crainte que l'on ne me trouve encore sur le fait.—CH. SOREL.

> Cela ne plut pas au valet,
> Qui, les ayant pris sur le fait,
> Vendiqua son bien de couchette.
> LA FONTAINE.

— *See* ALLER.

FANFRELUCHER. To copulate. [RABELAIS].

FANTAISIE. *See* PASSER.

FAQUIN, *m.* The female *pudendum*.
> Vous, braves champions, qui joûtez aux
> tournois
> De la belle Cypris, venez rompre vos
> bois
> Contre un fort beau faquin, lequel est
> bien d'épreuve.
> TROTTEREL.

FARAUD, *m.* A ponce; 'a fancy-man'.

FARCEUSE, *f.* A prostitute.

FARFADET, *m.* A ponce. [18th Century].

FARFOUILLAGE, *m.* Copulation.

FARFOUILLER. To copulate; 'to rummage'. [RABELAIS].
> Comme celle qui disait que Claude lui avait farfouillé dans son cul de devant.—BÉROALDE DE VERVILLE.

> Il était las de baiser, manier, fouiller et farfouiller.—MILILOT.

FASCINUM, *m.* The *penis*. [RABELAIS].

FATROUILLER. To copulate. [Old French].

Quant il eut fatrouillé longtemps.
—*Ancien Théâtre français.*

FAUBLAS, *m.* A type of gallant; a Don Juan; a Lovelace.

FAUCHEUR DE COUILLONS, *m.* A man whose business it is to eunichise.

Vous n'êtes point ici souveraine maîtresse,
Vos faucheurs de couillons ne sont point
en ces lieux.
Théâtre du Bordel.

FAUSSE-COUCHE, *f.* 1. A prema-
ture birth.

— 2. A man of no account in venery.

Auguste! ce n'est pas un homme,
c'est une fausse-couche!...—LYNOL.

— *See* FAIRE.

FAUSSET, *m.* The *penis.*

Si votre fausset est fait, la pièce
n'est pas percée.—BÉROALDE DE VER-
VILLE.

FAUTE (AVOIR FAIT UNE). To be got with child.

FAUX-CONNER. To sodomise.

FAUX-CONNIER, *m.* A sodomist.

FAUX PAS (FAIRE UN). To be seduced.

Je fuis... ciel! j'ai fait un faux pas!
Ah! le juif en profite!
Comment me dérober des bras
De ce chien de lévite?
L'abbé, de grâce! holà! holà!
La chose est monstrueuse!
Ah! malgré moi, que sens-je là?
Je suis vertueuse!
COLLÉ.

FAVEURS (or DERNIÈRES FAVEURS), *f.* The sexual embrace.

Après cela on peut bien juger que
la dame ne fut pas longtemps sans donner
ses dernières faveurs au cavalier.—
BUSSY-RABUTIN.

Ah! bien, dit-il, n'est-ce donc qu'avec
moi
Que vous avez la fureur d'être sage:
Et vos faveurs seront le seul partage
De l'étourdi, qui ravit votre foi.
VOLTAIRE.

Tout ce qu'une maîtresse accorde
à son amant. On grossit ou l'on diminue
les faveurs, selon l'exigence des cas;
mais en général, un amant grossit les
petites et diminue les grandes.—DREUX
DU RADIER.

Apprenez qu'en amour bien souvent le
divorce
Nait de la dernière faveur.
GRÉCOURT.

Me faudra-t-il pour complaire à l'usage,
Du seul devoir attendre les faveurs,
Qui de l'amour doivent être le gage.
PARNY.

Judith me fait horreur;
Je renonce à l'honneur
D'obtenir ses faveurs.
FÉLIX BOVIE.

FAVORI, *m.* A lover.

Et les maris, de même
Qu' messieurs les favoris,
Y sont pris.
COLLÉ.

FAVORISER. To copulate.

Céphise est lubrique à la rage,
Et favorise chaque nuit
Gnaton, en qui le sexe est à moitié détruit.
BUZEN DE LA MARTINIÈRE.

— FAVORISER A LA MODE DE BERLIN = to sodomise.

FAX, *m.* The *penis.* [RABELAIS].

FEBUE, *f.* The female *pudendum.* [RABELAIS].

FELLATEUR, *m.* A professional cunnilingist. Also, in the feminine, FELLATRICE.

FEMINISER. 1. To deflower; 'to make a woman of one'.

Allons, Priape, allons il faut enfin
Feminiser ces onze mille vierges,
Pour qui Cologne a brûlé tant de cierges.
PARNY.

— 2. To dress as a woman: of pederasts.

FEMME. *See* ABATTEUR, NATURE.

— FEMME ÉTROITE = a small-made woman.

Le lit est inprégné de cette sueur moite
Qui fait toujours trouver large la plus
étroite.
LOUIS PROTAT.

— FEMME FACILE = a woman of easy virtue; one who is approachable. Also FEMME GALANTE, FEMME INCONSÉQUENTE, FEMME LASCIVE, FEMME COMME IL EN FAUT.

Lorsque, dans le monde, une jeune dame n'a pas très bien su étendre le voile par lequel une femme honnête couvre sa conduite, là où nos aïeux auraient rudement tout expliqué par un seul mot, vous, comme une foule de belles dames à réticences, vous vous contentez de dire : — Ah! oui, elle est fort aimable, mais ... — Mais quoi ? — Mais elle est souvent bien inconséquente. —H. DE BALZAC.

— FEMME HONNÊTE = a married woman.

La femme honnête la plus folle,
Aujourd'hui, le fait est certain,
N'a plus que six fois la vérole,
Je ne veux plus être catin.
E. DEBRAUX.

Es-tu lass' d'amourette ?
Enfin, dis-moi, veux-tu,
Pour dev'nir femme honnête,
Épouser un cocu?
Encore un coup d'cu, Jeannette !
E. DEBRAUX.

— FEMME LARGE = a large-made woman.

— FEMME LUBRIQUE = a woman expert in venery.

FENDACE, *f.* The female *pudendum;* 'the cleft'. [Old French]. Also FENDASSE.

Je n'aime ces grandes fendaces,
Qui sont faites comme besaces.
Le Cabinet satyrique.

Dit-elle d'assez laide grimace,
Vous m'avez coupé la fendace.
Recueil de poésies françaises.

Le plus vieux trou, la plus sale fendasse,
Rien n'échappait à son vit furieux.
Parnasse satyrique.

FENDEUR, *m.* A wencher.

FENÊTRIÈRE, *f.* A prostitute plying at a window.

FENTE, *f.* The female *pudendum;* 'the slit'. Also FENTE VELUE.

Pour avoir mis la main au bas,
Un peu plus bas que n'est la fente,
Dussiez-vous être mal contente.
Joyeusetés et facéties.

J'ai vu la fente par où mon vin a
coulé.—BÉROALDE DE VERVILLE.

Je te salue, ô vermeille fente ;
Qui vivement entre les fleurs reluit.
Le Cabinet satyrique.

Vénus veut à présent que l'on lui sacrifie,
Cette petite fente, où la femme se fie.
Recueil de poésies françaises.

Et puis après il se vante,
D'avoir bouché votre fente.
GAUTIER-GARGUILLE.

Pontgibaut se vante
D'avoir vu la fente
De la comtesse d'Alaïs.
TALLEMENT DES RÉAUX.

Rien ne fut soustrait à mes regards
.... Lucette, couchée sur lui, les fesses en l'air, les jambes écartées, me laissait apercevoir toute l'ouverture de sa fente, entre deux petites éminences grasses et rebondies. —MIRABEAU.

FENTINE, A diminutive of FENTE.

FERDINAND. *See* PAYER.

FÈRE. *See* FAIRE.

FERGIER. To copulate. [Old French].

Fergier se fait en ces estables,
A garçons et à charretiers.
Anciens Fabliaux.

FERME DE ROGNONS (ÊTRE). To
be valiant in venery.

FERREMENT, *m.* The *penis.*

De même calibre j'ai le ferrement
infatigable.—RABELAIS.

Nous portons dessous nos échines,
Nos ferrements bien retroussés.
Le Cabinet satyrique.

FERRER. To copulate.

Elle ne refusa pas le service qu'on
lui presentait, et débonnairement elle se
laissa ferrer.—*Les Cent Nouvelles nouvelles.*

FESSEUR, *m.* A wencher.

Vous êtes de ces grands parleurs,
Et aussi de petits fesseurs.
J. GREVIN.

FESSE, *f.* A woman.

— *See* AJOURNEMENT.

FESSÉE. *See* FAIRE.

FESSIER (LE). The backside; the
bum.

Tu es si fraîche que tu as sans
doute le corps fort bien, et surtout le
fessier.—LA POPELINIÈRE.

Ton braq'mart, enfin, cher amant,
Dans mon fessier trouve sa gaîne...
J. CH.

FESTE. *See* FÊTE.

FESTOYER. To copulate; 'to play'.

Il s'efforçait de trouver manière de
la festoyer, comme il avait fait avant
que monseigneur ne fût son mari.—*Les
Cent Nouvelles nouvelles.*

Il ajoutait, que même à la sourdine,
Plus d'un damné festoyait Proserpine.
VOLTAIRE.

Un cordelier faisait l'œuvre de chair,
Et s'ébattait, en festoyant sa mie.
PIRON.

FÊTE, *f.* The act of kind.

S'il est ainsi, Pierrot, recommence
la fête.—*Le Cabinet satyrique.*

Elle n'eut dit ces mots entre ses dents
Que le galant recommence la fête.
LA FONTAINE.

FÊTER. To copulate. Also FÊTER
LA SAINT-PRIAPE.

Vous avez donc des outils? leur
dit-il; eh bien, comment sont ils fêtés?—
DIDEROT.

Plus que jamais elle s'en vit fêtée.—
VOLTAIRE.

Je fêtai son milieu,
Nom de Dieu !
Trois fois avant qu' je n' sorte.
F. DE GALONNE.

Or, un jour que Sa Sainteté
Solennisait la Saint-Priape.
B. DE MAURICE.

FÊTU, *m.* The *penis.*

De son fêtu neuf pouces sont
l'aunage.—PIRON.

FEU. *See* FAIRE, PRENDRE.

— AVOIR LE FEU AU CUL = to
be sexually warm.

C'est plus d'un coup par heure; il
avait donc le feu au cul.—MILILOT.

— FEU DE PAILLE = a boastful
but fizzling performance; a fumbler's act of kind.

FEUILLE DE ROSE. *See* FAIRE.

FEUILLE DE SAUGE, *f.* The female
pudendum.

Pour empêcher que sa femme ne
prêtât sa feuille de sauge.—NOEL DU
FAIL.

FEUILLET. *See* TOURNER.

FICATELLE, *f.* 1. The pubic hair;
and (2) the female *pudendum.*

Tes yeux n'ont jamais vu sa noble
ficatelle.—*Théâtre du Bordel.*

FICHER. To copulate.

Mais quand ce fut à ficher.—
Béroalde de Verville.

FICHERIE. *See* BUT.

FIER. To have an *erectio penis*.

Puis lest aval sa main glaiser,
Si a trové un vit molt fier.
Anciens Fabliaux.

FIÈVRE ROUGE, *f.* The menses.

Aurais-tu la fièvre rouge, qui prend
aux femmes tous les mois?—Tournebu.

FIFRE, *m.* The *penis*.

Et notre fifre a uriné
Contre un mur, dont mal lui est pris.
Recueil de poésies françaises.

FIGNARD, *m.* The breach. [Obsolete].

FIGUE, *f.* The female *pudendum*.

De ton figuier mange le fruit,
Et ne va pas durant la nuit
Du voisin grignoter la figue.
Parny.

FILER. FILER SON VER A SOIE =
to be clapped.

— FILER UN CABLE = to get
with child.

FILLE, *f.* 1. A virgin.

Je vous pardonne de vous être
donnée pour fille, tandis que vous
n'étiez rien d'autre que cela.—Voisenon.

Lise nous dit qu'elle est belle et gentille,
Elle assure aussi qu'elle est fille.
Mérard Saint-Just.

— 2. A prostitute. Also FILLE
DE CYPRIS, FILLE DE JOIE, FILLE
DE MÉTIER, FILLE DU TIERS-
ORDRE, FILLE D'AMOUR, FILLE
PUBLIQUE, FILLE DE PEU.
[Rabelais].

La fille de joie porte preuve de
son déshonneur en ses gestes et en sa
contenance.—*Variétés historiques et
littéraires.*

Soupant, couchant chez des filles de
joie. Voltaire.

Il faisait exactement la ronde des
casernes, et autant de filles qu'il trouvait là, autant de coffré.—d'Ouville.

Prenez les intérêts des filles de Cypris,
Et ne permettez pas qu'on en fasse
mépris.
La France galante.

Nos ingénues à sentiments,
En fait d'amants,
Ruin'nt plus d'jeun's gens
En quinze jours, qu'une fille en douze ans.
Emile Debraux.

D'une fille de joie
Il fut enfin la proie.
Théophile.

Le major l'avait fait mener au refuge
où on enferme les filles de joie.—
d'Ouville.

L'autre jour le gascon, après l'avoir fait
boire,
Des filles du métier nous fit voir un
mémoire.

J'apprends qu'tu veux, monsieur d'Bel-
leyme,
Numéroter les fill's d'amour.
Béranger.

Mais ce refrain banal rarement apitoie,
Hormis l'adolescent, qui ne peut croire
au mal
Il cherche encor l'amour dans la fille
de joie,
Ignorant que la rouille a rongé le métal.
Henry Murger.

Renonçant pour toujours à la fille publique,
Vous seule auriez eu part aux faveurs de
mon vit.
Louis Protat.

— FILLE A PARTIES = a high-
class harlot.

Prostituée en carte ou isolée, mais
avec plus de formes. Si elle se fait
suivre par sa tournure élégante ou par
un coup d'œil furtif, on la voit suivant
son chemin, les yeux baissés, le maintien
modeste : rien ne décèle sa vie déréglée.
Elle s'arrête à la porte d'une maison
ordinairement de belle apparence ; là,
elle attend son monsieur, elle s'explique
ouvertement avec lui ; et, s'il entre dans
ses vues, il est introduit dans un appar-
tement élégant ou même riche, où l'on
ne rencontre ordinairement que la dame
de la maison.—Beraud.

— FILLE SOUMISE = a prostitute whose name is on the police registers.

— FILLE DE LESBOS = a Lesbian.

FILLETTE DE PIS, *f.* A harlot. [RABELAIS].

FILS. *See* FAIRE.

— FILS DE LICE = the son of a whore. [RABELAIS].

FINE MOUCHE, *f.* A shrewd, 'knowing' woman.

Ce discours effarouche
Le jeune parisien.
Suzette, fine mouche,
Le voit et n'en dit rien ...
Vieille chanson.

C'est cette fine mouche avec ce bon
apôtre,
Qui vous faisaient tous deux tomber dans
le panneau.
Théâtre de Fagan.

FINIR. To ejaculate.

Si du moins j'avais fini, disait le malheureux comte en haletant.—PIGAULT-LEBRUN.

FIQUATELLE, *f.* The pubic hair. [RABELAIS].

FITA, *f.* The female *pudendum.* [RABELAIS].

FLAGEOLET, *m.* The *penis.* [RABELAIS].

Pour séduire une demoiselle
Montrait alors son flageolet.
Le Cabinet satyrique.

Je voudrais, ma belle brunette,
Voyant votre sein rondelet,
Jouer dessus de l'épinette
Et au-dessous du flageolet.
THÉOPHILE.

Si tu veux danser, dispose
Du flageolet que voilà.
COLLÉ.

FLAMBEAU, *m.* The *penis* in erection.

L'amour pour eux m'a rendu la puissance,
Ne vois-tu pas son flambeau qui me luit ?
BÉRANGER.

FLAMBERGE, *f.* The *penis.*

Certes, nous n'allions pas de main-
morte tous deux,
Quand le jus spermatique inondant ta
flamberge....
Théâtre du Bordel.

FLANELLE, *f.* A brothel loafer.

— Eh bien ! Gervaise, tu as du monde ce soir...
— Oui... et du propre ! Ça boit une chope en flanant, ça pelotte les femmes, ça les échauffe et... ça ne fout rien : c'est de la flanelle ; ça fait suer et v'là tout !—J.-C., *Souv. de carnaval.*

Chez Alexandre, abbesse maternelle,
De bibis j'ai vu les hélas,
Quand les michés, en accès de flanelle,
Ne les baisaient pas.
P. SAUNIÈRE.

FLAMME. *See* CONTENTER.

FLATTER. To copulate.

Vous aurez quelque fille aimable
Que je flatterai devant vous.
BUSSY-RABUTIN.

FLÉAU, *m.* The *penis.*

Aussi nous avons entre nous
De bons fléaux par-dessus tout.
Le Cabinet satyrique.

FLÈCHE, *f.* The *penis.* Also FLÈCHE D'AMOUR. [RABELAIS].

Il y ficha sa flèche.—BÉROALDE DE VERVILLE.

FLEUR, *f.* A woman's virginity. [RABELAIS].

Lorsque déceinturant une jeune fillette,
On met sa tête au joug et sa fleur en
cueillette.
J. DE SCHÉLANDRE.

Il est bon de garder sa fleur,
Mais pour l'avoir perdue il ne faut pas
se pendre.
LA FONTAINE.

Il coucha cette nuit avec elle, et lui ravit cette fleur que les hommes cherchent avec tant d'avidité, et que les femmes doivent soigneusement garder.—*La France galante.*

Cette fleur, qui avait été réservée pour le beau prince de Massa-Carrera, me fut ravie par le capitaine corsaire.—VOLTAIRE.

Pour eux ne brille cette fleur,
Qu'amour, diligent moissonneur,
Sait recueillir avant la fête
Que le tardif hymen s'apprête.
        PIRON.

Qu'au dernier cri de douleur,
Je suis maître de la fleur
Qui pour moi seul est éclose,
    Je suppose,
    Je suppose,
Irma, je suppose.
        L. FESTEAU.

Cessez donc de pleurer un sort digne
        d'envie,
Et ne regrettez plus la plus belle des
        fleurs ;
Si ne la garder pas, c'est faire une folie,
On goûte en la perdant mille et mille
        douceurs.
        BUSSY-RABUTIN.

Te laisser vierge, c'est te faire sentir de la façon la plus cruelle que ta fleur ne vaut pas la peine qu'on se donnerait pour la cueillir.—LOUVET.

— *See* CUEILLIR.

— FLEUR DU MARIAGE = the sexual embrace.

Céphise ne hait pas les fleurs du ma-
        riage,
Mais elle en redoute le fruit.
        BUZEN DE LA MARTINIÈRE.

— FLEUR DE MAL = a tribade.

— FLEURS BLANCHES = leucor-rhœa; 'the whites'.

La marquise a bien des appas,
Ses traits sont vifs, ses grâces franches,
Et les fleurs naissent sous ses pas ;
Mais, hélas! ce sont des fleurs blanches.
        COMTE DE MAUREPAS.

FLEURETTES, *f. pl.* The 'sweet mean-nothings' of love; amorous discourse; gallant speech.

Je ne cessais de me retracer mon gentil Belval, allant au fait, et commen-çant par où les autres me semblaient ne devoir finir d'un siècle. Aussi, leurs fleurettes n'étaient-elles honorées d'au-cune attention.—*Félicia.*

Des abbés coquets sont venus ;
Ils m'offraient pour me plaire
Des fleurettes au lieu d'écus,
Je les envoyai faire... vois-tu...
        GALLET.

FLEURONS DE VÉNUS, *m.* Marks of disease in the face.

Les fleurons de Vénus te servent d'au-
        réole ;
Comme un vase trop plein tu répands
        la vérole
Sur tout un peuple frémissant.
        DUMOULIN.

FLON-FLON, *m.* A euphemism common in popular refrains.— Sometimes = 1. the female *pu-dendum;* (2) the *penis;* and (3) the act of kind.

Ovide, pour Julie
Avait fait l'art d'aimer ;
Son élève chérie
Sut aussi lui donner...
Son flon, flon, larira dondaine, etc.
Catin dit à Grégoire :
Hélas ! le vin t'endort ;
Quand tu reviens de boire,
Je trouve toujours mort...
Ton flon, flon, etc.
Jouissons de la vie,
Livrons-nous aux amours,
Car, à fille jolie,
On ne fait pas toujours...
Flon, flon, etc.
        J. C.

FLORENTIN, *m.* A sodomist. Also a pederast.

Enfin, l'homme que je quitte
Etait, je crois, Florentin.
        J. FESTEAU.

FLORENTINE (FOUTRE A LA). To sodomise or pederastise. Also FLORENTINER.

FLÛTE. *f.* The *penis.* Also FLÛTE A BEC. [RABELAIS].

Il lui fut avis que son cas sifflait.
Oh ! mon mignon, lui dit-elle, vous
sifflez ! vous aurez bientôt une flûte.—
BÉROALDE DE VERVILLE.

— *See* ACCORDER, JOUER.

FOIROU (or **FOIRON**), *m.* The *anus.*

FOLIE. *See* COMMETTRE, FAIRE.

FOLIEUSE, *f.* A harlot. [RABE-
LAIS].

FOLLIER. To copulate. [RABELAIS].

FONDEMENT (LE), *m.* Generic for
the sexual parts.

Craignez, craignez fort la vérole !
Il faut garder son fondement
Propre, avec tout son fourniment,
Pour suivre les cours de l'école.
A. WATRIPON.

FOND ET FONDS, *m.* The female
pudendum.

Grands Dieux, accordez-moi le don
De pouvoir, par une merveille,
Trouver toujours le fond d'un con....
Jamais celui d'une bouteille.
Chanson anonyme.

De mademoiselle Hortense,
Visitez les petits fonds.
Idem.

FONTAINE, *f.* The female *pudendum;* 'the fountain of love'.

Bèle, que dira la guète,
Qui la fontaine et la pré guète.
Anciens Fabliaux.

La femme a toujours une fontaine
devant elle.—TABARIN.

Le vin est inventé pour vous :
Il fait rejaillir la fontaine
Qu'on voit tout le long, le long de la
bedaine.
Chanson anonyme moderne.

Nous fûmes aussitôt tous les trois
près d'elle, lui faire les caresses qu'elle
montrait désirer ; à peine avions-nous
posé nos mains sur ses fesses, qu'après
deux ou trois mouvements de reins, nous
l'aperçûmes tourner de l'œil, et nous
vîmes couler la fontaine du plaisir.—
MIRABEAU.

FONTENELLE, *f.* The female *pudendum;* 'the mark'. [DURFEY].
[Old French diminutive].

Sire, c'est une fontenèle
Qui sert en mi mon pastel ;
Si i fet molt bon et molt bel.
Anciens Fabliaux.

FORÇAT DU 13E ARRONDISSEMENT,
m. A man living in concubinage.
[Paris is now divided into twenty
arrondissments and the phrase
is therefore FORÇAT DU VINGT-
ET-UNIÈME].

FORCER (UNE FEMME). To rape a
woman.

Je vous ai forcée, je vous ai violée ;
mais je n'ai pu faire autrement, et je
vous en demande pardon.—LA POPE-
LINIÈRE.

— FORCER LA BARRICADE =
to deflower.

Il poussa et m'entr'ouvrit avec plus
de facilité que devant, et fit tant à la
fin, se remuant de cul et de tête, qu'il
força la barricade.—MILILOT.

FORÊT DE BOIS-MORT, *f.* The female *pudendum;* 'the knick-
knack'.

Se reservant l'usage de sa forêt
de mort-bois.—BRANTÔME.

FORÊT DE CYTHÈRE, *f.* The pubic
hair.

FORÊT HUMIDE (LA). The pubic
hair; 'the boskage of Venus'.

Notre morpion se hâta
De gagner la forêt humide
Qui devant lui se présenta.
B. DU MAURICE.

FORFAIRE (SE). To copulate.

Jamais ne me voulus forfaire.—
Ancien Théâtre français.

FORFAIT. *See* AVOIR.

FORGER. To copulate.

Là où il forgeait de son côté sur une autre enclume. — BONAVENTURE DESPERRIERS.

Il vit que monseigneur le curé tenait sa femme entre ses bras, et vit qu'il forgeait ainsi qu'il pouvait.—*Les Cent Nouvelles nouvelles.*

FORLIGNER. To copulate; 'to break one's knee'.

Plus d'une fille a forligné.—LA FONTAINE.

Vous faites bien les délicats, vous qui ne seriez pas ici si vos mères n'avaient pas forligné.—*La France galante.*

FORMAGE. *See* FROMAGE.

FORMÉ, -E (ÊTRE). To have arrived at the age of puberty.

FORRILLER. To copulate. [RABELAIS].

FORT, *m.* The female *pudendum;* 'the fort'.

Je vis mon mari qui de furie canonnait le fort de notre servante.—*Variétés historiques et littéraires.*

— *Adj.* Said by prostitutes of a man with a large *penis.*

— FORT SUR L'ARTICLE (ÊTRE) = to be given to venery.

FORTERESSE, *f.* The female *pudendum;* specifically a maidenhead.

Et sans délais, incontinent il bailla l'assaut à la forteresse.—*Les Cent Nouvelles nouvelles.*

Pendant que son mari s'efforçait et s'ahanait de forcer sa forteresse.—BRANTÔME.

FOSSE, *f.* The female *pudendum;* 'the wayside ditch'. Also FOSSÉ.

Petite fosse à l'entour barbelette,
D'un crêpe d'or, mollement blondissant.
THÉOPHILE.

Ce que trouver ne puis, et que cherchant
tu vas,
Est dans le plus profond de la fosse velue.
P. DE LARIVEY.

Il passait et repassait des époussettes sur le pré du petit fossé que j'ai en contrebas.—BÉROALDE DE VERVILLE.

FOSSETTE (JOUER A LA). To copulate. [RABELAIS].

FOTEOR. *See* FOUTEUR.

FOTERRE. *See* FOUTEUR.

FOUAILLER. To birch: see FOUETTER. Also [RABELAIS] = to copulate.

Elles savent donc qu'il y a des moines qui fouaillent.—*Moyen de parvenir.*

... N'a d'amour chaud et libertin
Que pour l'homme hardi qui la bat et la
fouaille
Depuis le soir jusqu'au matin.
AUGUSTE BARBIER.

FOUET, *m.* The *penis.* [In sporting phrase, FOUET = a dog's tail].

Et voyant ce fouet qui entrait ainsi.
—BÉROALDE DE VERVILLE.

FOUETTER. To flog; to arouse desire : of men.

Si son vit impuissant n'a pas encor bandé...
On saisit le bouquet de verges à deux
mains.
On fustige le vieux sur la chute des
reins :
La douleur qu'il éprouve est quelquefois
bien grande,
Mais il ne se plaint pas, il est heureux...
il bande !
LOUIS PROTAT.

FOUGUEUX PRISONNIER, *m.* The *penis* in erection.

Le caleçon tombe et met en liberté le plus fougueux prisonnier ....—*Les Aphrodites.*

FOUILLER. To copulate; 'to rummage'.

Je ne voudrais pas cacher une bourse entre tes jambes, on y fouille trop souvent.—*La Comédie des proverbes.*

FOULER. To copulate; 'to tread'.

> La pute est perdue,
> S'el n'est bien batue,
> Et souvent foulée.
> *Anciens Fabliaux.*

> Il ne t'a nuit ne jour foulée
> Ne fait tumber la couverture.
> *Ancien Théâtre français.*

> Ne foulez point son mausolée,
> La pauvre fut assez foulée,
> Durant le temps qu'elle a vécu.
> *Le Cabinet satyrique.*

FOUR, *m.* The female *pudendum;* 'the oven'.

> Avec sa pâte qui fut levée aussitôt que le four fut chaud. -BÉROALDE DE VERVILLE.

> S'il vous plaist nous prester vos fours,
> Nous sommes à vostre service.
> Il est défendu par nos lois
> De travailler dans un four large.
> *La Fleur des chansons amoureuses.*

FOURBIR. 1. To copulate. [RABELAIS].

> Se vous fuste en votre vie
> A vostre plaisir mieux fourbie.
> *Ancien Théâtre français.*

> Car le plus souvent elles leur donnent de l'argent pour s'accoster de leurs chalanderies, et se faire fourbir par eux.—BRANTÔME.

> Contrefaire la vierge, et n'avoir point de honte
> De te faire fourbir entre quatre rideaux.
> *Le Cabinet satyrique.*

> Elle fait la renchérie, et elle meurt qu'elle n'est fourbie.—P. DE LARIVEY.

> Comme s'il fallait que je lui donnasse du salaire pour avoir fourbi cette gaupe. —CH. SOREL.

> Puis vous fourbit l'agréable femelle
> Qui l'occupait.
> GRÉCOURT.

— 2. To masturbate.

> Ce diable de baron a fourbi quatre fois sans pitié le délicat Lavigne.—*Les Aphrodites.*

FOURBISSURE, *f.* The act of kind.

> Si bien que la fourbissure coûte plus cher que vaut la personne.—BRANTÔME.

FOURCHE, *f.* The female *pudendum;* 'the upright wink'.

> Et la fille fut fort courroucée qu'on ne pendait très-bien, haut, en hâte, celui qui avait pendu à ses basses fourches.— *Les Cent Nouvelles nouvelles.*

FOURCHER UNE FEMME. To copulate. [RABELAIS].

FOURGONNER. To copulate; 'to poke'. [RABELAIS].

> Ah! fourgonne, je décharge.—*Anti-Justine.*

FOURNAISE, *f.* The female *pudendum;* 'the road to a christening'.

> Vous prêtant une fournaise,
> Qui recevra votre braise
> Comme miel et sucre doux.
> *Le Cabinet satyrique.*

FOURNÉE. *See* ENTREPRENDRE.

FOURNIR. To copulate. Also FOURNIR LA CARRIÈRE = to achieve the sexual spasm.

> On lui offrit le clerc du chanoine, qui était un fort et rude galant, et homme pour la très-bien fournir.—*Les Cent Nouvelles nouvelles.*

> Il fournit la carrière, et la fournit en galant homme.—D'OUVILLE.

> Tu aurais été ravie en extase en voyant seulement comme il se tourmentait sur moi dans le temps que nous achevions de fournir notre carrière.— MILILOT.

FOURRAGER. To grope a woman.

> Eh bien! eh bien! où vas-tu comme ça?... Qu'est-ce que tu fourrages là-dedans?—HENRY MONNIER.

FOURRER (LE). To effect intromission.

> Je me le figure toujours tel que s'il me le fourrait dedans le con avec force et qu'il eût de la peine à entrer.— MILILOT.

FOURRIER DE NATURE, *m.* The *penis.* [RABELAIS].

Si tu l'avais pu voir, ton fourrier de
nature
Dans sa lampe amoureuse eut trouvé sa
pâture.
Théâtre du Bordel.

FOUTABLE, *adj.* Desirable ; 'fuckable'.

FOUTATIF, -IVE, *m.* A desirable bedfellow : male or female.

FOUTERIE, *f.* The sexual embrace ; 'fucking'.

Mais prendre à belle main un bon gros
vit nerveux,
Puis en remplir d'un con le gosier chaleureux,
C'est le vrai jeu d'amour et la vraie
fouterie.
THÉOPHILE.

Lequel en fouterie est meilleur ouvrier
En un mot qui des deux est meilleur
cordelier.
PIRON.

FOUTEUR, *m.* A man engaged in the sexual congress.

Je suis foteor, belle-sœur,
Que bone joie aiez au cour.
Anciens Fabliaux.

Veuve de son fouteur, la gloire,
La nuit, dans son son souverain,
Enfonce — tirage illusoire !
Ce grand godemichet d'airain !
Parnasse satyrique.

Je m'en démets aux hoirs Michaut,
Qui fut nommé le bon fouterre.
F. VILLON.

Je suis un fort brave fouteur,
Qui va de courage et de cœur.
THÉOPHILE.

Et mandons à tous nos fouteurs,
Fussent-ils un peu plus à l'aise,
De prendre au con seul leurs ébats.
COLLÉ.

Où jour et nuit on vous contemple
Au gré des vigoureux fouteurs.
PIRON.

Je veux dire que tu es un crâne
fouteur, que tu me chausses comme jamais
en effet je n'ai été chaussée.—LEMERCIER
DE NEUVILLE.

FOUTEUSE, *f.* 1. A woman given to the service of Venus.

Tu es une belle fouteuse, ma mie.—
LA POPELINIÈRE.

Car on peut devenir une bonne fouteuse,
Mais on ne devient pas, il faut naître
branleuse.
LOUIS PROTAT.

Homme goulu, femme fouteuse
Ne désirent rien de petit.
THÉOPHILE.

— 2. A bed, or other furniture used in coition.

FOUTIMASSER. To be of no account in the sexual congress.

Ton vit plus froid que glace
Reste molasse,
Il foutimasse ;
Quel bougre d'engin !
PIRON.

Un ribaud, quelquefois, trop plein de
son objet,
Fatigue, échauffe en vain un aimable
sujet ;
Sans cesse auprès de lui, le paillard
foutimasse
Et sur ses nudités sa main passe et repasse.
L'Art priapique.

Loin ces foutimaceurs qui gastent le
métier . . .
Ne foutimacez plus les oreilles des dames.
Paroles grasses de Caresme-prenant.

FOUTOGRAPHIE, *f.* An obscene photograph.

FOUTOLOGIE, *f.* The art and craft of venery.

FOUTOIR. A room, a bed—any place devoted to venery.

FOUTRE, *m.* The seminal fluid ; 'fuck'.

La demoiselle getes jus ;
Et entre les jambes li entre
Et li remet le foutre au ventre.
Anciens Fabliaux.

C'est pour que cela coule comme
foutre de prêcheur.—BÉROALDE DE VERVILLE.

Foutre des neuf garces du Pinde,
Foutre de l'amant de Daphné.
PIRON.

Ensuite de cela, il me monte dessus,
et en me faisant entrer son gros vit
bandé au con, il me chevauche jusqu'à
ce que son foutre me coule au fond de
la matrice.—MILILOT.

Ah! la belle heure, quand j'y pense!
On mettrait une flotte à flot
Avec le foutre qu'on dépense
Tant que résonne son grelot.
Parnasse satyrique.

— *Verb active* = 1. To copulate;
' to fuck '.

En un lit l'avait étendue,
Tant qu'il l'a trois fois foutue.
Anciens Fabliaux.

Bref, elle disait qu'il l'avait foutue.
—BÉROALDE DE VERVILLE.

Si vous ne m'avez foutue,
Il n'a pas tenu à moi,
Car vous m'avez bien vu nue,
Et vous ai montré de quoi.
BRANTÔME.

J'ai les couillons enflés de t'avoir
tant foutue.—THÉOPHILE.

Et quoi, lui dit-il, ne sait-on pas que
tu fous et moi aussi.—TALLEMENT DES
RÉAUX.

Mon Alix en fait tant de cas,
Qu'elle me promet des ducats,
Beaucoup plus que je ne souhaite,
Si dix fois la nuit je la fous.
COLLÉ.

— 2. To sodomise. Also FOUTRE
EN CUL.

Vous égaleriez la vertu
Des plus doctes personnages,
Si vous lisiez autant de pages,
Que vous en avez foutu.
COLLÉ.

Lorsqu'Antoinette eut vu, que malgré
son désir,
Le drôle à foutre en cul prenait tout
son plaisir....
THÉOPHILE.

Ayez au moins la politesse,
Plat bougre, de me foutre en cu.
COLLÉ.

— *Verb passive* = to be infected
beyond recovery.

Philis, tout est foutu, je meurs de la
vérole,
Elle exerce sur moi sa dernière rigueur.
THÉOPHILE.

— *Verb reflective* = to care not
a ' hang '.

Eh bien! dit-elle, quitte ou double,
Va toujours ton train, je m'en fous.
COLLÉ.

Quoique plus gueux qu'un rat d'église,
Pourvu que mes couillons soient chauds,
Et que le poil de mon cul frise,
Je me fous du reste en repos.
PIRON.

— FOUTRE A COUILLONS RABAT-
TUS = to perform with vigor
Also FOUTRE COMME UN ANE
DÉBATÉ, FOUTRE COMME UN
DIEU, or EN HERCULE.

Les hommes, lorsqu'ils ont foutu
A double couillon rabattu,
Se lavent dans une terrine.
DUMOULIN.

— FOUTRE A LA PARESSEUSE =
to take a woman reclining on
her back but leaning slightly to
her left side, the man behind
effecting intromission with his
right leg over the woman's left,
he leaning almost on his left side.

Celui dont la pine est mollasse, filan-
dreuse
Et lente à décharger, fout à la paresseuse.
L. PROTAT.

— FOUTRE EN AISSELLE = to
ejaculate in the arm-pit.

Celui-ci fout en cul, celui-là en
aisselle . . .—LOUIS PROTAT.

A cet instant de la querelle,
Un vit, qui bandait dur et fort,
S'avisa de foutre en aisselle:
Cet argument les mit d'accord.
Dialogue du con et du cul.

— FOUTRE EN CUISSES = to
withdraw and ejaculate between
the thighs.

On fout en con, en cul, en cuisses.
--Parnasse satyrique.

— FOUTRE EN CUL = to sodomise.

Mais le cul n'est-il pas bonhomme ?
Eh quoi ! ne le fout-on qu'à Rome ?
Foutons en cul, foutons en con !
  Un peu de bougrerie
    Est dans la vie
  Quelquefois de saison.
                          COLLÉ.

— FOUTRE EN ESPALIER = to
copulate standing; 'to do a hori-
zontal'.

— FOUTRE EN LEVRETTE = to
copulate dog-fashion.

En levrette est encore un moyen fort
                                  joli
Quand on a sous son ventre un cul ferme
                              et poli ;
C'est pour faire un enfant une bonne
                              recette
Qui fut, dit-on, donnée à Marie-Antoi-
                              nette.
                          LOUIS PROTAT.
  Elle a l'étrange goût
  Qu'on la foute en levrette.
                          J. DUFLOT.
Sois aujourd'hui ma petite levrette
  Cette attitude t'embellit.
Écarte-toi . . . . j'y suis. — Avant que je
                          le mette,
Je veux te chatouiller de la tête du vit...
              L'Arétin français.

— FOUTRE EN MAIN = to masturbate; 'to frig' or 'finger-fuck'.

Tout est fantaisie ou caprices
Chez le bizarre genre humain :
On fout en con, en cul, en cuisses,
Au besoin même dans la main.
    Dialogue du con et du cul.

— FOUTRE EN TÉTONS = to
ejaculate in the mammælar valley.

Celui-ci fout en cul, celui-là en aisselle
Un troisième en tétons.
                          LOUIS PROTAT.

— FOUTRE PAR L'OREILLE = to
excite desire by amorous speech
or 'blue talk'.

Gardez-vous de lire ces vers :
Ils foutent les gens par l'oreille.
                          Les Priapées.

— FOUTRE LA MUSE = to masturbate while reading licentious
verse.

Grande putain, ô muse !
Sur ton bouton rétif
Lamartine s'amuse
A mettre un doigt pensif ;
Victor Hugo te baise
Et fait craquer tes reins
Dans ses bras souverains ;
L'Emir Gautier, à l'aise,
Te fait pomper son dard ;
Banville, rempli d'art,
Fait minette en Hercule,
O muse ! — mais, à part
Baudelaire t'encule.
                          ERN. D'H-Y.

— FOUTRE PAR LES YEUX = to
get an *erectio penis* and to ejaculate through watching others or
through reading a licentious book.

Leur durable extase après la première éruption de leur feux, me donne
tout le temps de graver dans ma mémoire
les formes du groupe, la couleur des
chairs, la palpitation des charmes principaux . . . En un mot, ce fut alors que
j'appris que l'on fout aussi des yeux ;
car, sans y songer, sans m'être aucune-
ment aidée, je fus électrisée et payai
comme eux le tribut de Vénus.—*Joies
de Lolotte.*

FOUTRILLER. To copulate. [Old
French].

Si je vais là-haut, je vous foutril-
lerai toutes.—BÉROALDE DE VERVILLE.

FOUTRIQUET, *m.* A fumbler.

FOUTU, -E (ÊTRE). I. To be pederastised : of men.

— 2. To be clapped or poxed :
of men.

— 3. To be deflowered: of women.

— 4. To be enceinte.

— FOUTUE (ÊTRE BIEN or MAL). To be satisfied with the sexual embrace, or the reverse; 'to feel good' or 'bad'.

Non tu n'es que foutue, et tu l'es bien.—LA POPELINIÈRE.

FOYER DES PLAISIRS, *m.* 1. The female *pudendum;* (2) the *anus.*

FRAISE, *f.* The nipple; 'the cherry-let'. [RABELAIS].

FRAITE, *f.* The female *pudendum.* [RABELAIS].

FRANCHIR LE SAUT. To copulate.

Car une femme est toujours prête,
Depuis qu'elle a franchi le saut,
D'endurer vaillamment l'assaut.
JODELLE.

FRAPPART, *m.* The *penis.*

FRÉGATE, *f.* A young pederast.

FREGNA, *f.* The female *pudendum.* [RABELAIS].

FRAYER. To copulate; 'to have a brush with'.

Il y avait un gai et jeune, qui, pour avoir frayé avec Michette, avait mal à son unique bout.—BÉROALDE DE VERVILLE.

FRÈRE DE CUL, *m.* 1. A brother, son of the same mother but a different father.

— 2. A friend who shares a mistress with another.

— PETIT FRÈRE = the *penis.* [RABELAIS].

FRESSURE, *f.* The female *pudendum.*

De ma fressure
Dame Luxure
Jà s'emparait.
LA FONTAINE.

FRÉTILLER. To copulate.

Et que le galant bien frétille
Pour lui garir la maladie.
Farces et Moralités.

Mon souverain plaisir c'est de frétiller.—CH. SOREL.

La femme qui ne frétille
Est dans ce monde inutile.
GAYETTE.

Avec son voisin Gille
Qui sans cesse la frétille.
GAUTIER-GARGUILLE.

FRÉTILLER-NATURER. To copulate. [Old French nonce-word].

Je lui demandai s'il était vrai qu'il eut frétillé-naturé sa femme neuf fois, comme il s' en vantait.—BÉROALDE DE VERVILLE.

FRÉTIN-FRÉTAILLER. To copulate. [Old French nonce-word].

Compère, voici qui est à toi, si tu veux frétin-frétailler un bon coup.—RABELAIS.

FRIANDISE, *f.* The *penis;* 'Life's dainty'. [RABELAIS].

Croyez qu'il avait la friandise ravalée.—BÉROALDE DE VERVILLE.

FRICARELLE, *f.* Masturbation: of women. (From Latin *fricare*].

Même les courtisannes qui ont les hommes à commandement et à toute heure, encore usent-elles de ces fricarelles, s'entrecherchant et s'entr'aimant les unes les autres.—BRANTÔME.

Je te verrai . . .
Poursuivant les saphos à l'œil cave, au
teint noir,
Ivre de fricarelle, et ne pouvant avoir
L'attouchement d'une tribade.
EMM. DES ESSARTS.

FRICASSÉE, *f.* The act of kind.

Il y avait une jeune personne qui passait pour aimer la fricassée.—D'OUVILLE.

FRINGOTER. To copulate.

Par ce point vous pourrez noter
Qu'elle se fait à lui fringoter.
Ancien Théâtre français.

FRINGUER. To copulate. Also FRIN-
GASSER.

> Volontiers je vous fringasse,
> Madame, si j'osasse.
> Fringue, valet, hardiment ;
> Mon mary est à Rouen.
> > *Chansons folastres.*

> Car s'il a prêté son levain,
> On fringue votre chambrière.
> > *Farces et Moralités.*

> Quand Polidor fringua la dame putas-
> > sière,
> De qui le nom fameux s'appelle Sarprîsi.
> > THÉOPHILE.

FRIPESAUCE, *f.* A harlot. [Old
French].

> Et que la demoiselle serait un jour
> quelque bonne fripesauce, comme elle
> le fut.—BRANTÔME.

FRIPONNERIE, *f.* The act of kind.

> Que faites-vous tant là ? Quelle étrange
> > rustrie ?
> Je ne vous amenai pour la friponnerie.
> > GODART.

FRIPONS, PENDARDS, *m. pl.* Well
developed breasts.

> Une jolie blonde, comme moi,
> portant avec grâce deux tétons d'une
> blancheur éblouissante et plus près d'être
> encore de jolis fripons que de grands
> pendards . . .
> Voltaire disait un jour, à une dame
> qui montrait une gorge fort belle jadis :
> Petits fripons sont devenus de grands
> pendards.—A. DE NERCIAT.

FRIPPE-LIPPE, *f.* The female *pudendum.* [RABELAIS].

FRIQUENELLE, *f.* A wanton.
[RABELAIS].

FROMAGE, *m.* Gleet.

— *See* LAISSER.

FRONT, *m.* The female *pudendum.*
[RABELAIS].

> Je lui prendrai le... front
> Je m'en fous, je suis garçon !
> > *Gaudriole,* 1834.

> Bientôt, par plus d'une leçon,
> Tu devins un peu libertine ;
> Entre nous, si j'aime ton front
> Tu ne détestes pas ma jambe.
> > GUILHEM.

FROTTER. 1. To copulate. Also
FROTTER LE LARD and FROTTER
LA COINE (or COUENNE). [RA-
BELAIS].

> Toutes les fois qu'on t'a frottée,
> Tu ne me l'es pas venu dire.
> > *Ancien Théâtre français.*

> Joyeusement se frottant leur lard.—
> RABELAIS.

> Quand tu voudras, je frotterai ma
> coine contre ton lard.—*Les Comédies
> des proverbes.*

— 2. To sodomise.

> Jean, ce frotteur invaincu,
> Un soir dans une taverne
> Frottait Lise à la moderne,
> C'est-à-dire par le cu.
> > *Cabinet satyrique.*

FRUIT, *f.* 1. The female *pudendum;*
'the fruit that bears flowers every
four weeks, and fruit every nine
months'. Also FRUIT DÉFENDU.

> Mise en appétit de goûter souvent
> du fruit de vie.—T. DESACCORDS.

> Puisque les plus doux fruits amour me
> > fait goûter
> Entre les bras aimés de celle que j'adore.
> > MAYNARD.

> Que maudits soient, l'arbre de la science,
> D'un maître dur la bizarre défense,
> Le fruit fatal qui peuple l'univers,
> Et la Genèse, et Milton et mes vers.
> > PARNY.

> Pour guetter le fruit défendu,
> Il tient la tête haute . . .
> > A. DALÈS.

— 2. Sexual pleasure.

— FRUIT D'AMOUR = the sexual
embrace.

> Puisqu'il est si longtemps il goûte
> au fruit d'amour.—TROTTEREL.

— FRUIT ANONYME = a bastard.

On m'arracha du sein maternel pour me livrer à l'infortune dans une de ces maisons cruellement charitables où l'on reçoit les fruits anonymes de l'amour.—A. DE N., *Félicia.*

— *See* CUEILLIR, RECUEILLIR.

— FRUIT DE CASPENDU = the *penis.*

Et le cure s'attendait de faire goûter à la jeune femme de son fruit de caspendu.

FUIRON. *See* FURON.

FUREUR D'AMOUR, *m.* Sexual desire. Also FUREUR ÉROTIQUE.

Autrement il faudrait dire : *ce qui n'a point de nom, un membre viril, membre génital,* et autres telles expressions sottes et longues, que la fureur d'amour ne donne point le temps de prononcer.—MILILOT.

FUREUR UTÉRINE, *m.* Nymphomania.

FURON, *m.* The *penis;* 'the Cunnyborough ferret'.

Entre les cuisses si li entre,
Par le pertuis li entre él ventre,
Là a mis son fuiron privé.
Anciens Fabliaux.

Et mon furon, qui n'avait jamais hanté le lévrier, ne pouvait trouver la duyère de son connil.—*Les Cent Nouvelles nouvelles.*

FUSEAU, *m.* The *penis.*

Puis dit, tirant son grand tribart dehors,
Ce beau fuseau a tout fait et filé.
MAROT.

Le fuseau dont filait Hercule
Noir et velu.
GRÉCOURT.

FUSIL, *m.* The *penis;* 'the culty-gun' (Scots).

Darit Constant souvent la retouche
D'un fusil qu'il avait moult gros.
Anciens Fabliaux.

ABAHOTER. To tongue a woman.

Un peu plus loin, sur
l' même palier,
J'entends rentrer la
p'tit' Lolotte :
Elle a raccroché l' marguillier,
Qui, par derrièr' la gabahotte ...
Ce goût-là, fichtre ! n'est pas bon,
Pour ceux, qu'aim't mieux *l'huil'* que
l'coton.
Ch. anonyme moderne.

Et s'il ne me suffit pas de gabahoter,
Je greluchonne alors aussi, sans hésiter.
LOUIS PROTAT.

GADOUARD, *m.* A sodomist or pederast.

GADOUE-VILLE. Asnières—the St. John's Wood of Paris.

GAGE, *m.* The act of kind; 'to lose the match and pocket the stakes'.

Que les gages de ma flamme,
Seraient tendres et fréquents !
PIRON.

GAGNER. GAGNER A LA SUEUR DE SON CORPS = to live by prostitution.

Celles qui font gagner leur mariage
à leurs filles à la peine et sueur de leur
corps.—H. ESTIENNE.

Ce qu'elle avait pu gagner en un
mois à la sueur de son corps.—BÉROALDE
DE VERVILLE.

GAGNER DU TERRAIN. To grope a woman.

...Les ténèbres me rendent entreprenant. La bizarrerie des attitudes me
favorise; je gagne du terrain; une
cuisse de satin, potelée, dure, conduit
ma main sur le plus délicieux bijou....
—*Félicia.*

GAINE, *f.* The female *pudendum ;* ' the scabbard.'

La gaîne assez profonde, en revanche
peu large,
Entre elle et mon acier ne laissait point
de marge.
PIRON.

GALANDE, *f.* A harlot.

Où je trouvai ma galande qui faisait
gentiment son paquet, sans oublier ma
bourse.—P. DE LARIVEY.

GALANT, *m.* A lover.

Elle a quatre galants,
Et de la préférence
Les flatte en même temps.
COLLÉ.

GALANTERIE, *f.* Venereal taint.

Sur la fin de la quatrième année,
je m'aperçus que la supérieure m'avait
communiqué ce qu'on appelle une galanterie.—DU LAURENS.

Je suis un malheureux qui ne mérite pas
De posséder si tôt de si charmants appas.
Je suis dans un état ...
— Achevez, je vous prie :
Auriez-vous attrapé quelque galanterie ?
LEGRAND.

— *See* FAIRE.

GALANTISER. To copulate.

Une dame d'Avignon se mit en tête
d'être galantisée par monsieur de Belle-
garde.—Tallement des Réaux.

GALINE, *m.* A young pederast.

GALIPETTES (FAIRE DES). To disport
oneself on a bed, with a woman,
in various attitudes; to copulate.

GALIPOTER LE FONDEMEMT. To
sodomise or pederastise.

Maint'nant que j' t'ai, sacré' vessie,
Galipoté le fondement,
J' te préviens qu' j'ai z'une avarie
Qui me rong' tout le tour du gland.
                          A. Karr.

GALLER. To copulate; 'to play
with'. [Old French = *s'amuser*].

Et afin de son cas cesler,
Elle permet sa chambrière,
Baiser, taster, faire et galler,
Au page monsieur en derrière.
                    G. Coquillart.

GALOIS, *m.* A wencher. [Old
French].

C'est tout proprement la devise
Que portent les gentils galois.
          Ancien Théâtre français.

GALOISE, *f.* A debauched woman.
[Old French].

Écrivant le caquet de deux galoises.
—Rabelais.

Et moy, qui suis bonne galoise,
Ne faicte comme une bourgeoise.
                Farces et Moralités.

C'est de deux mignonnes bourgeoises,
Bonnes commères et galoises.
          Recueil de poésies françaises.

GAMAHUCHAGE. *See* Gamahucher.

GAMAHUCHE (LA), *f. See* Gamahucher. Also GAMAHUCHERIE.

La gamahuche
Fait les délices de Léon;
Et sans qu'une putain s'épluche,
Il la retrousse et, sans façon,
    La gamahuche.
*Devise d'un sucre de pomme
trouvé à l'Opéra.*

GAMAHUCHER. To tongue a woman.

Celle-là, sur son lit nonchalamment
                          couchée,
Par un vieux Cupidon était gamahuchée.
                    Louis Protat.

Si, comme la race canine,
Nous pouvions, sans gêne et sans mal,
Nous gamahucher le canal.
                    Dumoulin.
Un vit, sur la place Vendôme,
Gamahuché par l'aquilon.
          Parnasse satyrique.

GAMAHUCHEUR, *m.* A fellator.

GAMELLE, *f.* A soldier's trull.

De *gamelæ virgines* (γαμος, mariage), déesses à qui les filles qui avaient
besoin d'hommes s'adressaient pour leur
en faire trouver.—Delvau.

GAMIN. Faire le (or baiser en)
gamin. To copulate, the usual
positions of the man and woman
being reversed.

GANDELIN, *m.* A ponce. [Rabe-
lais].

GANTS, *m. pl.* The virginity.
[Rabelais].

Je puis donc m'attendre, dit Potiron,
que si j'épouse cette demoiselle, je n'en
aurai pas les gants.—Voisenon.

Elle fit toutes les grimaces que ses
parents lui avaient dit de faire, pour lui
faire croire qu'il en avait eu les gants.
—*La France galante.*

Mainte fille a perdu ses gants.—La
Fontaine.

GANYMÈDE, *m.* A passive pederast.
[Rabelais].

GARÇAILLER. To whore; 'to grouse'.

Après il se mit tellement à garçailler,
qu'il alla avec des mignonnes dans son
carrosse.—Tallement des Réaux.

GARCE, *f.* 1. A wench. [Old. Fr.].
A diminutive is GARCETTE. Gars
= a young man. Both used in
a bad sense. [Rabelais].

Je vous assure que cette garce était jolie, mais un peu follette.—BÉROALDE DE VERVILLE.

— 2. A mistress.

Et autres lieux où les chanoines avaient des garces.—BÉROALDE DE VERVILLE.

— 3. A woman given to debauchery.

Car il n'affiert à garces diffamées,
User des droits de vierges bien famées.
MAROT.

Allons, la garce, haut la quille !
Mon vit est crânement dressé.
A. KARR.

— GARCES DU PINDE. The Nine Muses.

Foutre des neuf garces du Pinde.—PIRON.

GARÇONNER. To wanton; to whore. [RABELAIS].

GARÇONNIÈRE, *f.* 1. A girl, wanton and free with men.

— 2. Bachelor's quarters (habitually luxuriously furnished, where a man receives his mistress).

GARDECUL, *m.* An instrument worn by women, and designed to ensure chastity. Also = a chemise.

Il me faut donc fermement croire,
Que gardecul qu'on fait présent,
Font chacun mari être exempt,
D'être cocu.
Ancien Théâtre français.

GARDE NATIONALE (ÊTRE DE LA). To be addicted to pederasty.

Il s'approche, je crois qu'il en veut à ma montre que je m'empresse de préserver ; il s'approche davantage, avance sournoisement la main vers l'objet chéri des dames : je vis qu'il était de la garde nationale, et alors . . .—J. LE VALLOIS.

GARDER SES ROSES. To conserve one's charms.

Quand on offre ses fleurs au passant,
On n'peut garder ses roses . . .
Goguette du bon vieux temps.

GARDON, *m.* The female *pudendum;* 'fish' (generic). [RABELAIS].

Et le tapant, dit : gardon, ma mie, gardon.—BÉROALDE DE VERVILLE.

GARENNE, *f.* The female *pudendum;* ' the cunny-barrow '. [URQUHART].

En sa garenne .le poulain au charreton trouva.—*Les Cent Nouvelles nouvelles.*

GARGARISME, *m.* The semen.

GARROUAGE. An old French word signifying any resort of the devotees of Venus.

Hélas ! si vous pouvez garder,
Ma femme d'aller en garrouage.
Ancien Théâtre français.

GARS A POIL, *m.* A wencher of parts.

. . . Mon aîné ? . . . c'est un gars à poil, et qui vous a une vraie pine de famille. Il foutra votre femme, vos deux filles, et vous enculera par-dessus le marché, histoire de dire qu'il a mis un pied chez vous.—*Les Deux Beaux-Pères.*

GARSE. *See* GARCE.

GASTAPIANE, *f.* The pox.

GATER. To infect.

GAUDILLER. *See* GODILLER.

GAUFFRIÈRE, *f.* The female *pudendum;* 'mouth thankless'. (KENNEDY).

De longtemps elle ne s'était fait fourbir les gauffriers.—*Le Synode nocturne des tribades.*

Et parce qu'il y avait longtemps qu'il n'avait donné ès gauffriers.—BONAVENTURE DESPERRIERS.

GAULE, *f.* The *penis.*

Ma gaule ploie,
Sitôt que l'ouvrage regarde.
Ancien Théâtre français.

GAUPE, *f.* A tricking harlot. [RA-BELAIS].

GAZON, *m.* The pubic hair.

Nature t'a fourni un corsage bien fait,
Mais un con refrogné, dont l'ouverture ronde
Assise est platement et sans aucun gazon.
THÉOPHILE.

Mais nos peintres, tondant leurs toiles
Comme des marbres de Paros,
Fauchent sur les beaux corps sans voiles
Le gazon ou s'assied Eros.
TH. GAUTHIER.

GENDARME, *m.* A shrewish mistress or wife, who keeps a man by apron-string hold.

GÉNITAIRES. *See* GÉNITOIRES.

GÉNITEUR, *m.* A man who never fails to get with child.

GÉNITOIRES, *m. pl.* The *testes.* [RABELAIS].

Li prêtre ot que li coutiaux
Li voit si près des génitoires.
Anciens Fabliaux.

En une nation de Mores
Les hommes ont les génitoires
Da la longueur de un cartier.
Farces et Moralités.

Mes doigts, légèrement promenés sur les fesses, les cuisses et les génitoires de l'Adonis, paraissaient lui faire grand plaisir.—Oh! oui, comme cela, chatouille, mon petit ange! chatouille-les bien!...
—A. DE NERCIAT.

Et le montrait, voyant tout chacun ses génitoires.—*Les Cent Nouvelles nouvelles.*

Un roi dans les grecques histoires,
Sachant des siens la trahison,
Voulut, pour en tirer raison,
Qu'on leur coupât les génitoires.
Cabinet satyrique.

GENTILLE (ÊTRE BIEN). To be acceptable and expert in venery, willing to comply with all a man's fancies.

Joli garçon, viens avec moi, tu ne t'en repentiras pas... je serai bien gentille...—LEMERCIER DE NEUVILLE.

— ÊTRE BIEN GENTILLE AU DODO. Said of a woman, who, although not pretty, is very pleasant when undressed, and expert in the art of pleasing her lovers.

GENTILLESSE, *f.* Masturbation.

Les pages de mon père m'apprirent quelques gentillesses de collège.—DIDEROT.

GÉSIR. To lie in bed; hence, to copulate. [Old French=*coucher*].

Amor qui ne se pot céler
Mit l'un et l'autre en tel désir,
Que ensemble les fist gésir.
Anciens Fabliaux.

Au lit avec elle gésir
Et l'accoler à son loisir.
Farces et Moralités.

GESTE AUX PAROLES (JOINDRE LE). To induce a woman by soft words and insinuating gestures to offer the last favour.

GESTICULER. To copulate.

Et pour ne pas être maudit il faut que vous gesticuliez avec mademoiselle Heidelberg.—PIGAULT-LEBRUN.

GEU. *See* JEU.

GIBERNE, *f.* The breech: of women.

Elle a une crâne giberne, ton adorée, faut lui rendre justice. Tout est-il à elle, dis?—CHARLES MONSELET.

GIBIER, *m.* A client: prostitutes'.

— GIBIER D'AMOUR, *m.* A pretty girl: a woman. [RABELAIS].

Vrai gibier d'amour, Colette,
Par moi fut prise en collet.
VAUBERTRAND.

— GIBIER DE BORDEL = a wanton.

— GIBIER DE MAQUERELLE = a low prostitute, one suited for a brothel.

Je la baisai, non pour elle,
Ce gibier de maquerelle
N'avait rien qui me tentât...
ALB. GLATIGNY.

— GIBIER DE SAINT-LAZARE = a whore, more or less infected.

GIBRE, *m.* The *penis.* Also CHIBRE.

GIGOLETTE, *f.* A young wanton.

La gigolette est une adolescente, une muliercule... qui tient le milieu entre la grisette et la gandine... moitié ouvrière et moitié fille.—A. DELVAU.

GIGOLO, *m.* A young libertine.

Le gigole est un adolescent, un petit homme... qui tient le milieu entre Chérubin et don Juan, — moitié nigaud et moitié greluchon.—A. DELVAU.

GIGOTS SANS MANCHE, *m. pl.* A woman's thighs and buttocks.

De Montrouge un noir habitant
Repoussant la jeune Glycère
Qui veut le conduire a Cythère,
Lui dit : — A Sodome on m'attend.
Vous avez la peau fine et blanche ;
Mais un certain défaut vous nuit ;
Apprenez qu'un gigot sans manche
A notre four n'a jamais cuit.
BLONDEL.

GIGOTTER. To play the hips in the sexual congress : of women.

GIMBLETTE (FAIRE LA). To masturbate.

GIMBRETILLETOLLETÉ. Touzled ; disordered. [RABELAIS].

GIMBRETTER. To copulate. [RABELAIS].

Celui que je voyais, complaisant à l'extrême,
A me bien gimbretter mettait son bonheur même.
Théâtre du Bordel.

GITON, *m.* A sodomist or pederast (subject). [RABELAIS].

L'autre jour un vilain giton
Enfilait une chambrière,
Et la fourbissait par derrière,
Oubliant qu'elle avait un con.
COLLÉ.

J'ai donc vu de mes yeux le barbu
Callistrate
Comme une jeune vierge épouser son
giton.
E. JOHANNEAU.

GITONNER. To pederastise.

GLACE, *f.* The virginity.

Tant qu'enfin la chose se passe
Au grand plaisir des trois, et surtout du
Romain
Qui crut avoir rompu la glace.
LA FONTAINE.

GLAIRE, *f.* The semen.

Voyez le devant qui est tout mouillé de la glaire qui en est sortie.—BÉROALDE DE VERVILLE.

— POUSSER SON GLAIRE = to copulate.

GLAND, *m.* 1. The *meatus;* and (2) the *penis.*

Comme le gland d'un vieux qui baise
Flotte son téton ravagé.
ANONYME.

GLIC. JOUER AU GLIC. To wanton ; to make love. [RABELAIS].

GLISSER. To copulate ; 'to do a slide up the straight'.

Le sort injuste la trahit ;
Elle fait un faux pas et giisse :
C'est toujours par là qu'on finit.
PARNY.

GLOBES, *m. pl.* 1. The buttocks

Lequel montrait deux globes faits au tour,
Qu'on aurait pris pour ceux du tendre
amour.
VOLTAIRE.

— 2. The paps.

Sur son blanc estomac deux globes se
soutiennent,
Qui pourtant à l'envi sans cesse vont et
viennent.
REGNARD.

Et sa gorge charmante, au lieu d'être
enfermée
Dans un affreux corset qui l'aurait dé-
formée,
Montrant à découvert ses deux globes
polis,
Se tenait d'elle-même et sans faire aucuns
plis.
LOUIS PROTAT.

— 3. The *testes.*

Deux petits globes au-dessous,
Pour fortifier le mystère,
Donnent le contrepoids aux coups,
Et rendent le jeu moins austère.
Le Cabinet satyrique.

GLOTTINADE, *f.* Gamahuchery. Also GLOTTINAGE (*subs.*); and GLOTTINER (*verb.*).

L'abbé surpasse les Grecs à le pratiquer. Fais-toi glottiner par lui, ma chère, et tu m'en diras des nouvelles.— *Les Aphrodites.*

GNOMON, *m.* The female *pudendum ;* [RABELAIS]; 'the centrique part'. [DONNE].

Qui empêchent les femmes de prêter leur gnomon.—BÉROALDE DE VERVILLE.

GOBELETS. *See* JOUER.

GOBER LE MERLAN. To tongue a man to ejaculation and to swallow the semen.

— GOBER UN HOMME = to expe-rience desire: of women.

Mon cher Arthur, Emma te gobe. —A. FRANÇOIS.

GODEMICHET, *m.* An artificial *membrum virile ;* a 'dildo'.

L'une se trouva saisie et accommo-dée d'un gros godemichet entre les jam-bes, gentiment attaché avec de petites bandelettes autour du corps, qu'il sem-blait un membre naturel.—BRANTÔME.

Il ne reste plus rien du bien de mon
partage
Qu'un seul godemichet, c'est tout mon
héritage.
THÉOPHILE.

Et feignant de prier en fermant son volet,
Pour un godemichet quitte son chapelet.
PIRON.

GODICHE (ÊTRE). To be a novice ; to lack experience.

Ça me rappellera ... le temps où j'étais si godiche avec le sexe, où les femmes m'allumaient si facilement.—LE-MERCIER DE NEUVILLE.

GODILLER. To copulate eagerly. Also FAIRE GODILLER = to provoke emission by a lively play of the buttocks.

Je veux qu'on me paie pour me faire godiller, moi?—LEMERCIER DE NEUVILLE.

Puissé-je, en passant l'onde
Du fleuve au roi cornu,
Godiller ferme et dru,
Et cramper dans le cul
De ma blonde.
E. DEBRAUX.

GOGOTTE, *f.* The *penis :* specifically a worn-out, or a child's member.

Tirez parti de ces tristes gogottes,
Vous en viendrez à pisser dans vos bottes.
Chanson d'étudiant.

GOLFE, *f.* The female *pudendum.* [RABELAIS].

GOMMANÈRE, *f.* A woman who has known a man. [RABELAIS].

GOMORRHÉEN, *m.* A sodomist or pederast.

... Ce que l'on ne comprend pas c'est que l'existence de certaines maisons, en-tièrement dévolues aux descendants des Gomorrhéens, soit tolérée ....—VIDOCQ.

GOMORRHISER. To sodomise or pederastise. ÊTRE GOMORRHISÉ (E) = to be sodomised or pederastised.

... Je priai le plus fort de se coucher à la renverse et pendant que je festoyais sur sa rude machine, je fus lestement gomorrhisée par le second ... —A. DE MUSSET.

GONFLER SON ANDOUILLE (FAIRE). To cause the member to swell, either by masturbation or other means.

Ça m' trifouille
Ça m' gargouille.
Ça fait gonfler mon andouille.
L. L.

GONSIER (or GONZE), *m.* A wencher.

GONZESSE, *f.* A harlot.

Allumer tous les soirs la chandelle de l'hyménée en faveur d'un tas de gonzesses ..—LEMERCIER DE NEUVILLE.

Ils entretienn'ent des gonzesses
Qui loge' à la Patt' de Chat.
GUICHARDET.

GORGE, *f.* 1. The female *pudendum;* 'the gully'. And (2) the bosom. AVOIR DE LA GORGE = to have well-developed paps.

Que je manie cette gorge,
À cela je prends mes esbats.
Ancien Théâtre français.

A voir sa gorge toute nue,
Son corps tout du long étendu,
L'on jugeait qu'elle avait perdu
Sa pudeur et sa retenue.
GRÉCOURT.

Dis donc, a-t-elle autant de gorge que moi, ta madame ?—H. MONNIER.

Je suis sûre qu'elle ne se tient pas comme la mienne, sa gorge.—H. MONNIER.

Ma gorge se tient mieux qu'un militaire,
Mon con est boisé comme l'est Meudon,
Afin de cacher l'autel du mystère
Où l'on officie en toute saison.
ANONYME.

GOTHON. A whore.

GOUAPEUSE, *f.* A young wanton.

GOUDINE, *f.* A woman of loose morals. Also GOUINE and GOUDINETTE. [RABELAIS].

GOUFFRE SECRET, *m.* The female *pudendum;* 'the bottomless pit'.

Ces femmes aident autant qu'elles peuvent à la méprise par les toilettes préparatoires : .... elles compriment leurs tétons mollasses et pendants, elles réparent par des lotions astringentes les hyatus trop énormes de leurs gouffres secrets... —*Anecd. sur la comtesse Dubarry.*

GOUGE, *f.* A woman living in debauchery. [RABELAIS].

La gouge fut fort effrayée à la voix de son mari.—*Les Cent Nouvelles nouvelles.*

GOUGNOTTE, *f.* A professional shagstress of her own sex.

GOUGNOTTER. To masturbate.

GOUINE, *f.* A prostitute.

GOUJON, *m.* The *penis;* 'the shove-straight'.

Mais surtout prenez ce goujon,
Et mettez-le dans la fontaine
Qu'on voit tout le long, le long de la bedaine.
Chanson anonyme moderne.

GOUPILLON, *m.* The *penis.* [RABELAIS].

On disait que monsieur le curé avait bien souvent trempé son goupillon dans son bénitier.—CYRANO DE BERGERAC.

Et laissez les nonnains se donner du goupillon à l'opposite des reins.—BÉROALDE DE VERVILLE.

En priant pour la sainte Vierge,
Vous prîtes votre goupillon,
Et le tenant droit comme un cierge,
Il semblait que le cotillon
Vous donnât certain aiguillon.
Parnasse satyrique.

GOURDES (LES), *f. pl.* The *testes.*

Le troupier : mes roustons ; le cocher :
⠀⠀⠀⠀⠀⠀⠀⠀mes roupettes ;
Le marchand de coco : des gourdes ; les
⠀⠀⠀⠀⠀⠀⠀⠀grisettes :
Des machines ...
⠀⠀⠀⠀⠀⠀⠀⠀LOUIS PROTAT.

GOURGANDINE, *f.* A whore. Also
GOURGANDE. [RABELAIS].

Ils lui avaient donné à manger avec
leurs gourgandines.—TALLEMENT DES
RÉAUX.

Toujours il a eu le même public mâle
et femelle, les mêmes faubouriens et les
mêmes faubouriennes, les mêmes voyous
et les mêmes petites gourgandines.—A.
DELVAU.

Quand j' rencontre un' gourgande,
J' brave encor le péril ...
⠀⠀⠀⠀⠀*Chanson d'étudiants.*

GOURGANDINER. To frequent the
marts of venery.

GOURMANDE, *f.* A woman difficult
of satisfaction.

GOURRE, *f.* The pox. [RABELAIS].

GOUSSE, *f.* A tribade.

GOÛT. *See* METTRE.

— GOÛT PARTICULIER = sodomy,
pederasty, or tribadism : according
to sex. Also GOÛT CONTRE
NATURE, GOÛT FLORENTIN and
GOÛT BIZARRE.

Ne croyez pas que je contracte
Ce goût, déjà trop répandu :
C'est bon pour amuser l'entr'acte
Quand le grand acteur est rendu.
⠀⠀⠀⠀⠀⠀BÉRANGER.

On ne le lui met plus ! ... On le lui
a donc déjà mis ? L'homme que j'ai
honoré de mes faveurs aurait donc des
goûts contre nature ?—JEAN DU BOYS.

Ces messieurs sont si extraordinaires.
Celui-ci est *Florentin :* Il a bien fallu,
par devoir de politesse, le servir à son
goût, goût général dans son pays.—MÉR.
DE ST.-JUST.

— AVOIR DU GOÛT POUR QUEL-
QU'UN = to wax amorous.

Elle en tombera à la renverse si
elle a autant de goût pour moi que vous
le dites.—LA POPELINIÈRE.

Dit-on à présent : Je vous aime ?
Non, l'on dit : J'ai du goût pour vous.
⠀⠀⠀⠀⠀⠀COLLÉ.

— AVOIR DES GOÛTS LUBRIQUES
= to be sexually abandoned.

On l'accusa d'avoir des goûts lubriques,
Dont le récit fait dresser les cheveux ;
De dédaigner les amours platoniques
Et de boucher des trous incestueux.
⠀⠀⠀⠀⠀⠀CH. BOVIE.

— GOÛTER LES ÉBATS = to copu-
late ; 'to take in cream'. Also
GOÛTER LES PLAISIRS, and LES
JOIES.

Eh ! bien, mon petit cœur, eh ! bien, ma
⠀⠀⠀⠀⠀⠀mignonette,
Ne voulez-vous pas bien vous marier un
⠀⠀⠀⠀⠀⠀jour
Pour goûter les ébats du petit dieu
⠀⠀⠀⠀⠀⠀d'amour.
⠀⠀⠀⠀⠀⠀TROTTEREL.

Quand elle eut commencé à goûter
un peu les joies de ce monde, elle sentit
que son mari ne la faisait que mettre
en appétit.—BONAVENTURE DESPERRIERS.

Mais qu'importe, si l'on goûte
Le doux plaisir de la chair ?
Qu'importe, pourvu qu'on foute ?
Cela vous paraît-il clair ?
⠀⠀⠀⠀⠀⠀COLLÉ.

GOUTTE, *f.* The semen. Also LA
GOUTTE D'AMOUR.

Elle sucerait bien la goutte
De quelque gros vit raboulé,
Mais je veux qu'un goujat la foute
Avec un concombre pelé.
⠀⠀⠀⠀⠀⠀THÉOPHILE.

Dans tes bras, ma goutte
Est mise en déroute
Et finit, m'amour,
En goutte d'amour.
⠀⠀⠀⠀⠀⠀BAUCHERY.

— GOUTTE MILITAIRE = gonorrhœa.

GOUTTIÈRE, *f.* The female *pudendum ;* 'the gutter'.

Voici madame qui laissa aller l'eau de sa gouttière naturelle.—BÉROALDE DE VERVILLE.

GOUVERNAIL, *m.* The *penis.*

GOUVERNANTE, *f.* The smock servant of a widower or bachelor.

GOYER, *m.* A ponce. [RABELAIS].

GOYNE, *f.* A harlot. [RABELAIS].

GRAINE DE CULOTTES, *f.* Children. Also GRAINE DE COUILLES.

Je vous apprendrai, sacrée graine de couilles, à venir foutrailler dans ma maison.—*Aphrodites.*

GRAISSER. SE GRAISSER LE VAGIN. 1. To ejaculate; and (2) to lubricate the *penis* or *pudendum.*

C'était ma femme au retour d'un voyage,
Et qui devait n'arriver que demain ;
Elle venait consoler mon veuvage,
Et pour cela se graissait le vagin.
                    ANONYME.

— GRAISSER = to lie with a woman.

Je lui en veux: il a graissé ma punaise.—A. POTHEY.

GRAND. GRANDES LÈVRES = the *labia majora.*

— LE GRAND = the female *pudendum.* METTRE DANS LE GRAND = to copulate. *Cf.* LE PETIT = the *anus.*

— GRANDE CONFRÉRIE = the company of cuckolds.

Quand Joseph épousa Marie,
Le grand-prêtre lui dit: Mon vieux,
Te voilà de la confrérie
Des époux et des... bienheureux!
Que près du lit de ta poulette
Vienne un ange avec un moineau...
Et qu'il lui mette, mette, mette,
Mette le doigt dans cet anneau.
                    BÉRANGER.

— LE GRAND JEU = the art of venery.

J'veux que mes cinq sens soient satisfaits : c'est c'que j'appelle le grand jeu, moi ! Le toucher ? tu m'as branlé. L'odorat ? tu m'as fait une langue à l'absinthe. La vue ? j'ai contemplé ces ordures, et toi. Il ne me manque plus que les satisfactions de l'ouïe et du goût.
—LEMERCIER DE NEUVILLE.

GRAND-MAITRE DES CÉRÉMONIES, *m.* The *penis.*

Le maître vit, — qui, sous l'empire comme sous la monarchie, sous la république comme sous l'empire, est le Dreux-Brezé ou le Ségur de S. M. le con, c'est-à-dire l'officier chargé de présider aux pompes de l'amour.—A. DELVAU.

Celui-ci, à la faveur des jupons retroussés sur son bras, a mis furtivement en campagne le grand-maître des cérémonies, qui déjà faisait sentir sa douce chaleur aux lèvres du bijou doré.
—A. DE NERCIAT.

GRANGE, *f.* The female *pudendum ;* 'the postern gate to the Elysian Fields'. [HERRICK].

Je veux bien que vous entendiez que la grange ne fut oncques si pleine, que le balai ne peut bien derrière l'huis.—NOEL DU FAIL.

Un jour ma Jeannette
Me dit : Robinet,
Ma grange est bien nette,
Mets-y ton boquet.
                    Chansons folastres.

GRAPPILLER. To copulate.

Et tout-à-coup ça m'endormit,
Je ne sais comment ça se fit,
De mon sommeil, il profitit :
    Travaille, bon drille
    Vendange, grappille.
Pour tous les deux il vendangit...
Je n'sais pas comment ça se fit.
                    DORNEVAL.

GRATTE-CUL, *m.* A woman past service.

Dans c' siècle-ci, plus d'un mauvais sujet
Change en gratt'-cul la rose la plus belle.
                    E. DEBRAUX.

GRATTER. GRATTER DANS LA MAIN. To ascertain if a woman is approachable by giving the sign-manual of Venus: and similarly to receive a reply. This secret sign or 'grip' consists in drawing the fore finger gently across the palm in shaking hands.

— GRATTER SON DEVANT. To masturbate.

Si j'eusse pensé que ma fille eût été si vite en besogne, je lui eusse laissé gratter son devant jusqu'à l'âge de vingt-quatre ans.—*Les Caquets de l'accouchée.*

GRAVELURE, *f.* Obscene talk; 'smut'.

GRAVONNER. To titillate the *testes* during coition.

Afin que la femme pût lui toucher, mettre la main dessus, gravonner pendant le temps de la conjonction.—MILILOT.

GREFFER. To copulate.

Je veux greffer, dans l'ardeur qui m'emporte,
Le fruit nouveau sur l'arbre qui le porte.
VOLTAIRE.

Lorsque la charmille pousse,
D'une main légère et douce
Je lui donne une façon ;
Souvent je plante et je sème,
Mais, mon plaisir est extrême,
Lorsque je greffe un tendron.
Vieille chanson anonyme.

GRELUCHON, *m.* A kind of fancy man: a position between ponce and client.

GRELUCHONNER. To act as a GRELUCHON (*q.v.*).

GRENIER, *m.* The female *pudendum ;* 'the cock-loft'.

Il a mis son blé au grenier du prêtre.—BÉROALDE DE VERVILLE.

GRENOUILLE, *f.* A whore. *See* FAIRE.

GRIBOUILLER. To copulate. [RABELAIS].

GRIGOU, *m.* A husband—old, ugly, stingy, and jealous.

Il était une femme,
Femme d'un vieux grigou,
Toujours fermant porte et verrou.
Quand il allait en ville,
Pour plus de sûreté,
Il emportait la clé.
Vieille chanson anonyme.

GRIMAUDIN, *m.* The *penis.* [RABELAIS].

GRIMPER. To copulate; 'to leap up the ladder'. [RABELAIS].

Neptune au fond des eaux y grimpe
Nymphes, syrènes et tritons.
PIRON.

Tu t'es laissé grimper avant que...
j't'aie donné tes gants.—LEMERCIER DE NEUVILLE.

Les uns vont au bordel. Les autres
Grimpent les femmes des voisins,
Et de Priape heureux apôtres,
Vendangent leurs divins raisins.
Parnasse satyrique.

GRIPETTE, *f.* A prostitute.

GRISETTE, *f.* 1. A young workwoman; and (2) a harlot of the working class.

Dieu, que c'est gentil, la grisette!
—EM. DEBRAUX.

Type charmant, ô grisette pimpante,
Au frais minois, dessous un frais bonnet ;
Où donc es-tu, gentille étudiante,
Reine autrefois de nos bals sans apprêt?
JULES CHOUX.

La grisette n'existe plus à Paris, et l'on a complètement oublié le refrain :
Oui, je suis grisette,
On voit ici-bas
Plus d'une coquette
Qui ne me vaut pas.
FR. DE COURCY.

GRIVOIS, *m.* A libertine—in word and deed.

Mon grivois ne voit pas plutôt un cotillon mettre un pied dans sa chambre que, s'élançant par la ligne droite et franchissant la table, il me joint, me saisit avant que j'aie le temps d'ouvrir la bouche.—A. DE NERCIAT.

GROBIS, *m.* 1. The female *pudendum.* [Old French = *seigneur*]; and (2) the *anus.* [RABELAIS].

Sais-tu, ma toute belle,
Qu'en ce moment je bande, et je bande
assez fort,
Et que dans ton grobis je viens chercher
la mort ?
Théâtre du Bordel.

GROS BOYAU, *m.* 1. The *anus.*

— 2. The *penis.*

.·. Il est blessé, je l'ai vu, sur mon
âme !
Hors de son ventre il sort un gros boyau.
Connaissant mieux le prix de ce joyau ;
Rassure-toi, lui répondit sa mère,
Ce bobo-là fera bien ton affaire,
Et ce boyau qui t'a fait tant de peur,
D'un bon mari fait toute la valeur.
La Simplicité rustique.

GROS LOT, *m.* The pox.

GROS NUMÉRO, *m.* A brothel.

GROSSE. *See* ÊTRE.

GRUE, *f.* A harlot. [RABELAIS].

GUENILLE, *f.* A harlot. [RABELAIS].

GUENILLES (LES), *f. pl.* The *testes.*

GUENIPPE, *f.* A whore.

. . . . . que l'on grippe,
Et Lise, et toute autre guenippe.
La France galante.

Sus donc, gentilles guenippes,
Prenez vos plus belles nippes,
Sans vos attiffets laisser...
Et vous faites enchâsser.
LE ST. DE SYGOGNES.

GUENON, *f.* A common harlot.

Le temps où les femmes m'allumaient si facilement que la première guenon venue qui me mettait la main dessus me f'sait faire bâton pendant quinze jours. —LEMERCIER DE NEUVILLE.

— GUENON PERFECTIONNÉE = a woman.

GUENUCHE, *f.* A prostitute; specifically of an ugly and skinny person.

GUERRE AMOUREUSE. *f.* The sexual congress ; 'the double fight'.

Elles retournent plus que jamais en l'amoureuse guerre.—BRANTÔME.

Brave en l'amoureuse guerre
De moi-même je m'enferre.
Le Cabinet satyrique.

La guerre amoureuse leur plaisait tant, qu'ils la recommençaient dès qu'ils pouvaient le faire.—CH. SOREL.

— *See* ENTRER, FAIRE.

GUERROYER. To copulate; 'to go cock-fighting'.

Quant un serviteur a bon vueil
De guerroyer à la meschine.
Ancien Théâtre français.

GUEULE, *f.* A harlot.

Les gueules vivent de viandes vives et crues.—BÉROALDE DE VERVILLE.

GUEUSE, *f.* A whore.

Quand d'un air tout de franchise
Une gueuse m'aborda.
PIRON.

GUIGNER LES VITS. To observe closely and frequently the 'dress' of a man.

J'ai des cheveux roux comme des carottes,
Des yeux de faunesse, émerillonnés,
Qui guignent les vits au fond des culottes
Et des pantalons les mieux boutonnés.
ANONYME,

GUIGNES, *f. pl.* The *testes,*

Ma cousine . . . Empoigne-le bien fort. . . Tu sais si bien frotter, frotte-moi de l'autre main mes guignes.—LA POPELINIÈRE.

GUIGUI, *f.* The *penis.* Also GUIGUITTE = a child's member.

Ah ! petit coquin ! tu t'en vas . . . tu me quittes . . . ta pauvre guigui n'a ni force ni vertu.—LA POPELINIÈRE.

GUILLEDOU. COURIR LE GUILLEDOU = to frequent the resorts of harlots and their associates.

Car Pallas, bien que la déesse
Du bon sens et de la sagesse,
Courait partout le guilledou.
CHAPELLE.
Je suis bien fait, car j'ai des cornes,
Puisque tu cours le guilledou.
LA FONTAINE.

GUILLOTINE DE CYTHÈRE, *f.* A pretty woman.

Entre deux colonnes (*les jambes*) s'élève l'instrument fatal (*le con*) ; l'exécuteur est l'*amour.* — Le patient (*le vit*), qui semble braver son sort, se jette la tête la première entre les deux colonnes ; il sonne lui-même *au bouton,* et fait jouer *la bascule.* Il s'agite un moment... meurt en *soupirant* et en *pleurant,* puis il ressuscite. C'est alors qu'il adresse cette prière à Vénus :
Vénus, tu vois mon cœur fidèle
Adorer et suivre tes lois :

Donne-moi, pour prix de mon zèle,
Une guillotine à mon choix ;
Et par l'effet de ta puissance,
Après un *trépas* fortuné,
Ah ! rends-moi, rends-moi l'existence
Pour être encor guillotiné.
Vieille chanson anonyme.

GUIMPE, *f.* A prostitute.

Ne vous avais-je pas bien dit, lui dit-il, aussi bien que madame la maréchale, que ce n'était qu'une guimpe?—*La France galante.*

GUINCHE, *f.* A whore.

GUINCHER. To copulate.

GUINDER (SE). To have an *erectio penis.*
Foutre de l'amant de Daphné,
Dont le flasque vit ne se guinde
Qu'à force d'être patiné.
PIRON.

GYMNASTIQUE VÉNÉRIENNE, *f.* The art of venery.

Art de faire concourir toutes les parties du corps aux délices de l'amour ; art enchanteur qui devient une ressource pour suppléer à l'inertie des organes des deux sexes . . . Si l'on ôte du culte de Cythère les préludes, les paroles magiques, l'ennui baille avec nous sur le sein de nos belles, et l'on s'endort pour ne jamais se réveiller.—MÉR. DE ST.-JUST.

ABELOTER. To copulate.

Car si ces gendarmes nous vont une fois trouver, nous en serons tant habelotées.
—Noel du Fail.

HABILLER. To copulate; 'to cover'.

Je ne sais s'il les habillait de la même façon qu'il habillait sa maîtresse.—Brantôme.

HABITAVIT (L'). The trousers. *See* VIT. [Rabelais].

HABITER. To copulate; 'to Adam and Eve it'.

Nos mignons
Vont quelque bourgeoise hanter,
Et les tiennent si bien sur fons
Qu'ils parviennent à habiter.
G. Coquillart.
Habiter, c'est à la réformée.
Béroalde de Verville.

HABITUDE SCHOLASTIQUE, *f.* Masturbation.

Je lui peignis, avec des couleurs si effrayantes, les dangers de cette habitude scholastique, qu'il promit d'y renoncer à jamais.—*Félicia.*

HÆC, *f.* The female *pudendum.* [Rabelais].

HAILLONNER. To copulate; 'to play at grapple-my-belly'. [Rabelais and Urquhart].

Elle disait qu'un moine l'avait haillonnée.—Béroalde de Verville.

HAIRE, *m.* The *penis.* [Rabelais].

HAMEÇON, *m.* The *penis.*

Il lui lève la cote et la chemise, tire son hameçon, et commence à pêcher dans la fosse pelue.—P. de Larivey.

HANTER. To copulate.

Si son mari s'en va hantant
Aucunes mignonnes fillettes.
G. Coquillart.

HAPPER LE CON. To ravish a woman.

HARIGOTER. To copulate. [Rabelais].

HARIQUOQUE, *f.* The female *pudendum ;* 'the tu quoque'.

Prenez la vieille pantelue
Par sa hariquoque peine
Habondamment la ferez rire.
Mathéolus.

HARNAIS, *m.* 1. The *penis.* [Rabelais].

Et que je ne sache quel harnais vous portez.—*Les Cent Nouvelles nouvelles.*
Jà ne gerra lèz de lèz moi
Si vilain que tel harnois porte.
Anciens Fabliaux.

— 2. The female *pudendum ;* 'the horse collar'.

Et elle m'eut prêté son harnoys
Afin que je lui esclarcie.
Ancien Théâtre français.

Sans savoir les raisons qui avaient mu et induit son mari à non lui fourbir son harnais.—*Les Cent Nouvelles nouvelles.*

— 3. in *pl.* The *testes.* [RABELAIS].

HARPONNER. To perform the act of kind without preliminary endearments.

Ma gorge par exemple, tu n'as pas eu le loisir d'y faire attention : nous venons de nous harponner si brusquement.—A. DE NERCIAT.

HARREBANNE, *f.* A harlot. [RABELAIS].

HASTA, *f.* The *penis.* [RABELAIS].

HAUBERT, *m.* The female *pudendum ;* 'the pouter'.

Si l'une de vous me demande
De fourbir un peu son haubert.
Ancien Théâtre français.

HAUSSER LA CHEMISE. To copulate ; 'to get up one's frills'. Also HAUSSER LE DEVANT.

Quand il vous hausse la chemise
Vous n'avez garde de ainsi dire.
Ancien Théâtre français.

Elles sont coutumièrement sujettes à être prêtes et à hausser le devant.—BRANTÔME.

HAUTE-BICHERIE (LA), *f.* The world of high class harlots.

Ce salon — qui n'est pas autre chose qu'un marché — est hanté par la Haute-Bicherie parisienne ; musardines, précatelanières, biches, lorettes, filles de marbre et autre gourgandines élégantes qui viennent là exactement comme nous allons à la Bourse, pour y faire leurs petites affaires.—A. DELVAU.

HENNEQUINER. To copulate dog-fashion.

Je la voulais enfiler ainsi en hennequinant et saccadant de toutes mes forces comme fait le chien.—*Anti-Justine.*

HERBE. HERBE QUI CROIT DANS LA MAIN = the *penis.* [RABELAIS].

HERCULE (UN). A performer of parts ; a lusty wencher.

Tu possèdes un hercule, ma chère Tullie ; que les autres hommes lui ressemblent peu !—*Meursius français.*

HÉRISON, *m.* The female *pudendum ;* 'the nameless'. Also = the pubic hair. [RABELAIS].

HERMAPHRODITE, *m.* 1. An hermaphrodite.

J'ai oui nommer une grande dame, qui est hermaphrodite, et qui a ainsi un membre viril, mais fort petit.—BRANTÔME.

Individu des deux sexes qui n'ayant qu'une bibite et un semblant de conin, se trouve encore avoir de trop, puisque ces deux sens s'annullent mutuellement.

Il n'y a pas de parfaits hermaphrodites.

Il y a pourtant quelques exceptions, pour ceux qui ont un sexe plus accusé que l'autre.—V. *l'Amour conjugal,* de Venette, chapitre IV, livre IV.

— 2. A pederast playing in turn an active and passive rôle.

Il est là-bas à la poursuite
D'un blondin digne de son choix ;
Mais un vieil ami s'en irrite
Et l'entraîne au fond de ce bois.
L'amour à notre hermaphrodite
A-t-il donné flèche ou carquois ?
Joli petit fils, petit mignon,
Mâle au femelle, je sais ton nom.
BÉRANGER.

— HERMAPHRODITE FACTICE = a woman with an artificial *membrane virile* adjusted on the Mount of Venus, acting man-fashion with another tribade.

HERNOUX, *m.* A cuckold. [RABE-LAIS].

HEURE DU BERGER, *f.* The moment of possession.

Et pour lui faire connaître qu'il en était à l'heure du berger.—D'OUVILLE.

Il n'en fallut pas davantage à Castillanto pour lui faire croire qu'il était à l'heure du berger.—BUSSY-RABUTIN.

Il avait été assez heureux pour trouver l'heure du berger.—TALLEMENT DES RÉAUX.

Sans perdre le temps à songer
Il se servit de l'heure du berger.
LA FONTAINE.

Lorsque le temps que l'amour donne
N'est pas employé prudemment,
Ce dieu pardonne rarement :
Amant, l'heure du berger sonne,
Mais ne sonne qu'un moment.
COLLÉ.

HEURTE-BELIN. *See* FAIRE.

HIATUS (L'). The female *pudendum ;* 'the gap'. Also L'HIATUS DIVIN.

HIC, *m.* The *penis.* [RABELAIS].

— JOINDRE HIC A HIC = to sodomise. [RABELAIS].

HIRONDELLE, *f.* A young girl ; 'a rosebud'.

HISTOIRE, *m.* 1. The *penis ;* 'Zadkiel'. [RABELAIS].

— 2. The female *pudendum ;* an almanack '.

. . . Une puissante dame
Fut trouver un peintre fameux
Et le supplia de son mieux
De la portraire en miniature.
. . . .
— Pour moi, je ne peins que l'histoire.
— Eh ! quoi, mon cher monsieur, n'est-ce donc que cela ?
Peignez toujours ; . . . le reste, un autre le peindra.
ARM. SÉVILLE.

— HISTOIRES (LES), *m. pl.* The testes.

Mademoiselle, le grand malheur ! ces méchants lui ont arraché les histoires.—BÉROALDE DE VERVILLE.

HOCHEMENT, *m.* The sexual embrace. [Old French = *remuement*].

Le diable eut part au hochement
Et à toute la Cauqueson.
Ancien Théâtre français.

HOCHER. To copulate. [Old French = *remuer*]. [RABELAIS].

Quand une femme mariée,
A été baisée ou hochée
D'un autre que de son mari.
Ancien Théâtre français.

Parce qu'elles n'ont tant été, ni si sûr hochées.—BÉROALDE DE VERVILLE.

HOCHET, *m.* The *penis.* Also HOCHET DE VÉNUS.

Femme, qui a robe devant
Fendue, qui se ferme à crochet,
Elle peut bien porter enfant
Car elle aime bien le hochet.
G. COQUILLART.

Révérends, c'est, je pense, un assez bel hochet.—PIRON.

HODER. To copulate. [RABELAIS].

HOGUINER. To copulate. [RABELAIS].

HOLLIÈRE, *f.* A woman of loose morals. [RABELAIS].

HOMMASSE, *f.* A woman with coarse masculine features.

HOMME. *See* PLANTER.

— HOMME A FEMMES = a wencher of parts.

Un homme aimable, un homme à femmes,
S'il veut être l'homme du jour,
S'il veut avoir toutes nos dames,
Ne doit jamais avoir d'amour.
COLLÉ.

.— HOMME A RESSORTS = 1. an artificial *penis;* 'a dildo'; and (2) = a lusty wencher.

> Vos mirliflors
> Vaudraient-ils cet homme à ressorts.
> COLLÉ.

HOMMELETTE, *f.* An impotent; a fumbler.

HOMMESSE, *f.* An unsexed woman.

> Il ne s'agissait plus de diviser l'autre sexe en femmes ou en hommesses; — je me demandai sérieusement: — Ah! ça, y a-t-il réellement des femmes!...— A. KARR, *Figaro*, no. 1130.

HONESTA, *f.* A prude.

> O femmes! soi-disant vertueuses, qui ne parlez guères du prochain sans le déchirer ... Oh! médisante et calomniatrice Honesta, votre barbare austérité ne vaut pas le charitable relâchement de la comtesse.—A. DE NERCIAT, *Diable au corps.*

HONNEUR, *m.* The female *pudendum;* 'the crown of sense'.

> Sans vouloir hasarder ce petit honneur, qu'elles portent entre les jambes. —BRANTÔME.

— *See* ENFANT, LIEU, etc.

HONTEUX (MORCEAUX), *m.* The *penis.* [RABELAIS].

HORE, *f.* A harlot. [RABELAIS].

HORREURS, *f. pl.* Obscenities; 'smut'.

> S'il a chanté! j'crois ben ... Des horreurs, ma vieille, qu'il a chantées.— HENRY MONNIER.
>
> Qu'une femme devait et dire et savoir faire
> Toutes les saletés et toutes les horreurs;
> Que cela ranimait le chibre des fouteurs.
> LOUIS PROTAT.

HORTUS, *m.* The female *pudendum;* 'the garden'. [Latin: RABELAIS].

HOSTIE, *f.* The semen.

> Il ne lui reste plus que peu de chose à faire
> Pour disposer l'hostie au fond du sanctuaire.
> *Théâtre du Bordel.*

HOUBLER. To copulate.

> Si elle était plus souvent houblée
> Elle reluirait comme une ymage.
> *Ancien Théâtre français.*

HOULIER, *m.* A ponce.

> Lors véissiez emplir méson,
> Et de houliers et de putains.
> *Anciens Fabliaux.*
>
> Où est votre houlier?—*Les Cent Nouvelles nouvelles.*

HOURDEBILLER. To copulate. [RABELAIS].

HOURIÈRE, *f.* A woman of loose morals. Also HOURIEUSE. [RABELAIS].

HOUSSER. To copulate. [Old French = *nettoyer*].

> Esse débilité de reins
> De housser en une journée
> Seize fois une cheminée,
> Qui était bien grande et haute?
> *Ancien Théâtre français.*

HOUSSEUR, *m.* A wencher. [Old French = *nettoyeur*].

> Par ma foy, ils sont plus de mille,
> Tout nouveaux et jeunes housseurs.
> *Ancien Théâtre français.*

HOUSPILLER. To copulate; 'to touzle'.

> Il fumait tranquillement sa pipe pendant que ses hussards houspillaient la duchesse de Pepoli.—PIGAULT-LEBRUN.

HUBIR. To copulate. [RABELAIS].

> Eh bien! c'est presque un pucelage
> Que votre noble époux chez lui retrouvera,
> Quel plaisir, quel bonheur, comme il vous hubira
> S'il n'a pas dégaîné depuis deux mois d'absence!
> *Théâtre du Bordel.*

HUIHOT, *m.* 1. A cuckold.

Et on m'appellera huihot.—*Ancien Théâtre français.*

— 2. The female *pudendum.*

Vous faites fourbir le huihot.—*Ancien Théâtre français.*

HUILE, *f.* The semen. Also HUILE DE CYTHÈRE.

Qu'après d'une douce huile je graisse
le dedans,
Lorsque je la tiendrai sur le dos étendue.
THÉOPHILE.

HUIS POSTÉRIEUR (L'), *m.* The *anus;* 'the back-door'.

La première figure qui se présente à ses yeux est le père Girard, introduisant le bienheureux cordon de saint-François dans l'huis postérieur du temple d'Eradice.—*Les Veillées du couvent.*

HUÎTRE, *f.* The female *pudendum;* 'the oyster'.

Arrivé dans certain endroit,
La belle, toujours franche et bonne,
Me désigne du bout du doigt,
La place de l'huître mignonne.
E. DÉBRAUX.

D'une huître qui te plaira fort
Je vais te montrer les coquilles.
E. DÉBRAUX.

HULEU, *m.* A licentious resort.

HUMANITÉ, *f.* The sexual parts : of both sexes. [RABELAIS].

HUMIDE RADICAL (L'). The semen.

Elle ne voulait pas, disait-elle, que, répétant tous les jours et à tous moments d'épuisantes tribaderies, j'émoussasse l'aiguillon de la volupté et tarisse ce précieux humide radical si nécessaire à ma croissance.—A. DE NERCIAT.

HURTER. To copulate. [Old French = *heurter*].

Tant i point et tant il hurta
Que la damoisèle engrossa.
Anciens Fabliaux.

HURTIBILLER. To copulate. [Old French = *s'accoupler*]. [RABELAIS].

Si d'hommes y avait un miller,
Tous les laisoit hurtibiller.
MATHÉOLUS.

HUTINER. To copulate. [RABELAIS].

HYMEN. *See* DROIT.

DÉES (AVOIR or DONNER DES). To have, or rouse concupiscence.

Ces formes en tout sens trop longtemps regardées,
Dans son crâne embrasé font germer des idées.
LOUIS PROTAT.

IGNOMINIE, *f.* The female *pudendum ;* 'the fie-for-shame'.

Et vous cachez en vain, belle Marie,
Ce que vos saints nomment l'ignominie.
PARNY.

IL, *m.* The female *pudendum ;* 'it'.

Non, mademoiselle, dit-elle, il est vrai, car il m'a dit comment il était fait.—D'OUVILLE.

— IL FAIT MIDI = said of a man who hornifies readily : of an impotent fumbler the phrase is IL FAIT SIX HEURES ET DEMIE.

IMPERTINENT (ÊTRE). *See* ÊTRE.

IMPUISSANCE, *f.* Impotence.

IMPURE, *f.* A harlot. Also in English.

C'est une impure
Presque aussi sûre
Que ces belles
Demoiselles
Là !
COLLÉ.

INCARNER (S'). To copulate.

Tu prétends que gratis, Simone,
On aille avec toi s'incarner.
E. T. SIMON.

INCONVÉNIENT, *m.* The *penis ;* 'the trouble-giblets'.

Adonc le barbier mit son emplâtre sur le bout de son inconvénient.—BÉROALDE DE VERVILLE.

INCRUSTER. To copulate.

Et ses doigts ont tant d'adresse qu'elle parvint à s'incruster le médiocre outil, malgré sa consistance fort équivoque.—*Mon Noviciat.*

INFANTE, *f.* A harlot.

Qu'en dites-vous, amies, qu'en dites-vous, infantes,
Dont les trous sadinets vivent bien de leurs rentes?
Recueil de poésies françaises.

Aux petits oignons, mon infante!—LEMERCIER DE NEUVILLE.

INIR. To copulate.

C'est ce qu'a voulu dire l'auteur des *Aphrodites* en employant le verbe *inco* (*in,* dans ; *eo,* aller) : — Elle se relève et se poste savamment : le chevalier l'init avec toute l'ardeur et la grâce imaginables.

INITION, *f.* Intromission.

. . .De ma part, un surcroît d'action vint en aide à la première. A ce moment, l'inition devint beaucoup plus praticable.—*Mon Noviciat.*

— INITION POSTÉRIEURE = sodomy or pederasty.

Je n'avais point eu l'occasion de dire que Fanfare m'était connu pour avoir également en horreur l'inition postérieure même avec notre sexe.—*Mon Noviciat.*

INSTRUIRE. To copulate. Also S'INSTRUIRE.

Un jour elle trompa la vigilance de ses gouvernantes, et nous nous instruisîmes.—DIDEROT.

Sèla recouvre enfin la voix,
Et veut s'instruire une autre fois.
PARNY.

Elle de se coucher, et lui de vous l'instruire.—VADÉ.

INSTRUMENT, *m.* I. The *penis ;* 'the tool'. Also INSTRUMENT DE MUSIQUE. [RABELAIS].

Là soudain sans attendre plus
Je lui happe son instrument,
Et je lui lave doucement.
Farces et Moralités.

Touche du moins, mignonne frétillarde,
Sur l'instrument le plus doux en amour.
THÉOPHILE.

Et l'autre étant monté lui montra son instrument de musique.—D'OUVILLE.

Il lui dit qu'il savait jouer d'un autre instrument qui ravissait bien davantage.—CH. SOREL.

Jamais pire homme je ne vis
Et je crains bien votre instrument.
Ancien Théâtre français.

Et ci a l'instrument grand et gros, de la longueur du bras.—*Les Cent Nouvelles nouvelles.*

— 2. The female *pudendum ;* 'the tool-chest'.

Et puis pensez que l'instrument
Il faudra bien que l'on me prête.
Farces et Moralités.

D'une on dit qu'elle ayme hutin,
Et a l'instrument compassé
Comme un houseau de biscaïn,
Quand a le ventre deslacé.
G. COQUILLART.

Monsieur l'official condamna la pauvre fille à prêter son beau et joli instrument à son mari.—BONAVENTURE DESPERRIERS.

— 3. in *pl.* the *testes.*

Or ne faut-il pas demander si monseigneur le curé fut bien connu de se voir ainsi dégarni de ses instruments.—*Les Cent Nouvelles nouvelles.*

INSTRUMENTER. To copulate. [RABELAIS].

INTERFŒMINEUM, *f.* The female *pudendum.* [RABELAIS].

INTERROGER LE PANTALON. To observe a man's 'dress'.

Urinette qui a interrogé son pantalon : A quoi bon, puisque tu n'es pas prêt ?—LEMERCIER DE NEUVILLE.

INTERSECTION DU CORPS, *f.* The female *pudendum ;* 'the crooked way'.

Et venant à l'intersection du corps.—BÉROALDE DE VERVILLE.

INVALIDE DE L'AMOUR, *m.* An impotent man.

INVESTIR. I. To copulate.

Ainsi que son ami la tenait embrassée et investie sur le bord du lit.—BRANTÔME.

— 2. To sodomise or pederastise.

Menaçant le jeune homme s'il ne lui complaisait, l'investit tout couché, et joint et collé sur sa femme.—BRANTÔME.

ITALIE. *See* RAGOÛT.

ACQUELINE, *f.* A harlot.

> Le banquier Kocke, chez qui toi et ta jacqueline vous passez les beaux jours de l'été.—
> CAMILLE DESMOULINS.

JACQUEMARD, *m.* The *penis.* [RABELAIS].

JACQUES (or **JACQUOT**), *m.* The *penis ;* the 'John Thomes'. [RABELAIS].

> Il est hercule ou peu s'en faut,
> Il faut que tout lui cède ;
> Il sait démontrer comme il faut
> L'amoureux intermède ;
> Quand il se prépare à l'assaut
> Faut voir comme il est raide,
> Jacquot,
> Faut voir comme il est raide !
> AL. DALÉS.

> . . . Il est nommé pine par la lorette ;
> Une chose, ou bien cela, par une femme
> honnête ;
> Jacques par le farceur . . .
> LOUIS PROTAT.

JAGOIS, *m.* A man retaining his virginity. [RABELAIS].

JAMBE, *f.* The *penis ;* 'the middle leg'. [RABELAIS].

> Air de *l'Angelus.*
> Quelle jambe ? me diras-tu :
> Tu le conçois déjà, sans doute :
> C'est celle qui de la vertu
> Te fit un jour perdre la route (*bis*).
> Tu souris à ce souvenir,

> Mais, quoique tu sois bien mutine,
> Je te fis joliment sentir
> L'effet que produit une . . . jambe (*bis*).
> GUILHEM.

JAMBONS, *m. pl.* A woman's thighs.

> Elle a le cœur si bon, qu'en mille
> occasions,
> Pour avoir une andouille, elle offre
> deux jambons.
> LEGRAND.

JANCULER. To copulate.

> El s'est fait tant bistoquer,
> Tant janculer
> Dessus l'herbette nouvelle.
> *Ancien Théâtre français.*

JANIN. *See* JEAN.

JANOT. *See* JEAN.

JARDIN, *m.* The female *pudendum ;* 'the garden'. [Common to all languages]. Also JARDIN D'AMOUR. [RABELAIS].

> Au demeurant, il n'y a homme qui mieux dresse et accoutre un jardin que moi.—NOEL DU FAIL.

> Quand, se ruant tout en courroux,
> Le fleuve aux ondes spermatiques
> D'Armide inondait le jardin.
> B. DE MAURICE.

JASER (or **JAZER**). To copulate ; 'to chuck a tread'.

> Tu as les genoux chauds, tu veux jaser.—*La Comédie des proverbes.*

JAVIN, *m.* The female *pudendum.* [An anagram of *vagin*].

JEAN, *m.* A cuckold. Also JEAN-
NIN, JANIN, and JEANNOT. [RA-
BELAIS].

Chez nous le mâle est Jean, la femelle
Catin :
C'est l'usage dans la famille.
Daillant de la Touche.

Vous me accoutrez bien en sire,
D'estre si Jehan devenu.
Ancien Théâtre français.

Te ferait-elle point Jeanin,
Ta femme?
Ancien Théâtre français.

Le pourceau que je fais genin.—
Farces et Moralités.

Janin est le vrai nom d'un sot.—
Ancien Théâtre français.

JEAN CHOUART, *m.* The *penis.*

Tous les fils de Priape aux couilles
rebondies, aux Jean Chouart d'acier,
aux cuisses arrondies comme les vôtres.—
Théâtre du Bordel.

JEANNETTE, *f.* A double-barrelled
harlot.

JEAN-PIPI, *m.* An impotent man's
penis.

JEANNETON, *f.* A wanton. [RABE-
LAIS].

Partout on vous rencontre avec des
Jeannetons.—V. HUGO, *Ruy Blas.*

JET PROLIFIQUE, *m.* The semen.

JETER LE MOUCHOIR. 1. To
indicate sexual desire: of men;
and (2) to signify that one is
approachable : of women.

Jetez vous-même le mouchoir,
Ou bien au sort il faudra voir
Dans le dortoir,
Qui pourra vous échoir.
COLLÉ.

Chez les Turcs et les Persans,
quand un jeune homme a fait choix
d'une fiancée, il lui envoie un anneau,
une pièce de monnaie et un mouchoir
brodé. De là est venu l'usage qui veut
que le sultan jette un mouchoir à celle
de ses femmes qu'il prétend honorer de
ses faveurs.—P. LAROUSSE.

JEU, *m.* 1. The act of kind.

Et cil s'est tantost entremis
Du jeu que amor li comande.
Anciens Fabliaux.

Toutes les fois qu'il lui voulait faire
l'amoureux jeu.—*Les Cent Nouvelles
nouvelles.*

Femme, qui en ses jeunes saulx
A aymé le jeu un petit.
(Le mortier sent toujours les aulx)
Encore y prent-elle appétit.
G. COQUILLART.

Elle n'était pas fâchée qu'il recom-
mençât le jeu où il avait déjà montré
qu'il était des plus savants.—CH. SOREL.

Le jeu te plaît, petite? Alors, nous
allons reconmencer.—A. FRANÇOIS.

Car nous avons appris qu'elle aime,
et qu'elle aime fort bien le jeu.—TALLE-
MENT DES RÉAUX.

J'en jurerais, Colette apprit un jeu
Qui, comme on sait, lasse plus qu'il
n'ennuie.
LA FONTAINE.

Et ce doux jeu
Des géants créa les familles.
PARNY.

Le jeu, tout neuf pour tous deux,
leur parut si joli, qu'ils résolurent de
faire chaque nuit leur petite partie.—
PIGAULT-LEBRUN.

Adieu, conquêtes,
Joyeuses fêtes,
Où le champagne au lansquenet s'unit ;
Belles soirées,
Nuits adorées,
Qu'un jeu commence et qu'un autre finit.
GUSTAVE NADAUD.

— 2 = masturbation. Also JEU DE
LA PETITE OIE, JEU DE MAINS.

De son extase à peine revenue,
L'aimable enfant recommence le jeu.
GRÉCOURT.

— JEU RENOUVELÉ DES GRECS =
sodomy, pederasty, or tribadism.

Socrate et Sapho la Lesbienne,
Ont eu des goûts assez suspects :
Tous les jours en France on ramène
Leurs jeux renouvelés des Grecs.
COLLÉ.

— *See* ENTREFAIRE.

— JEU CULINAIRE = the deed of kind. Also JEU D'AMOUR, JEU D'AMOURETTE, JEU D'ESCHINES, JEU DES CUISSES, JEU DES REINS, JEU COUILLARD, JEU LUBRIQUE.

Et puis, si par hasard il vient quelque espion,
Nous lui ferons un signe avec le croupion
Qu'il n'approche de nous, ainsi qu'il nous laisse faire
Tout à l'aise du corps ce beau jeu culinaire.
TROTTEREL.

Quel feu vous allumez!... C'est trop!... grâce!... ah! quel jeu lubrique!...—A. D. M.

Il était une fillette,
Coincte et joliette,
Qui voulait savoir le jeu d'amour.
Farces et Moralités.

Toute belle femme s'étant essayée une fois au jeu d'amour, ne le désapprend jamais.—BRANTÔME.

Elle avait passé sa jeunesse en toutes sortes de délices et particulièrement au jeu d'amour.—D'OUVILLE.

Surtout ce gentil jeu d'amour
Que chacun pratique à sa guise.
SARAZIN.

Au jeu d'amour le muletier fait rage.
LA FONTAINE.

Allons derrière le rideau
Accomplir le jeu d'amourette.
Farces et Moralités.

Vous et monsieur, qui, dans le même endroit
Jouiez tous deux au doux jeu d'amourette.
LA FONTAINE.

Item : je donne aux filles-dieu,
A Saint-Amant et aux béguines,
Et à toutes nonnaines le jeu
Qui se fait à force d'eschines.
Le Testament de Pathelin.

Le jeu des reins fort blasmera,
Disant que point ne l'aimera.
MATHÉOLUS.

Et moult aimant le jeu des cuisses.
MATHÉOLUS.

JEUDI (JEAN). The *penis ;* 'Master John Thursday'. [URQUHART].

Voici maître Jean Jeudi qui vous sonnerait une antiquaille.—RABELAIS.

JOCQUETER. To copulate. [RABELAIS].

JOIE, *f.* The *penis.*

Et puis messieurs les sénateurs vont le priver de sa joie pour avoir enfoncé une porte ouverte.—DIDEROT.

— *See* DAME, FAIRE, FILLE.

JOIES DE CE MONDE, *f. pl.* The *testes.* [RABELAIS].

JOINDRE. To copulate ; 'to join giblets'. Also SE JOINDRE.

Que veux-tu, être à elle joint.
C. MAROT.

C'était seulement le moment du joindre.—*Variétés historiques et littéraires.*

On se servit d'une demoiselle marquise pour les faire joindre.—TALLEMENT DES RÉAUX.

Mais de trouver la manière comme ils se pourraient joindre amoureusement ensemble.—*Les Cent Nouvelles nouvelles.*

Afin de nous venger d'eux
Il nous faut joindre tous deux.
La Comédie des chansons.

JOINTE, *f.* The female *pudendum;* 'the forked way'.

Si d'aventure elle était bien ointe en sa jointe.—BÉROALDE DE VERVILLE.

JOINTURE, *f.* The female *pudendum ;* 'the money-box'. [RABELAIS].

Là mit Pasiphé sa jointure
Et eut du torel la pointure.
MATHÉOLUS.

Endà, de mon chapeau je donne la ceinture
A celle ouc il qui a le bout en la jointure.
BÉROALDE DE VERVILLE.

JONCTION PROHIBÉE, *f.* Sodomy or pederasty.

Il semblait vouloir donner la préférence à la jonction prohibée : mais Soligny demanda d'être servie plus naturellement.—*Félicia.*

JOUER. To copulate; 'to play'.
Also SE JOUER, JOUER A LA
BÊTE A DEUX DOS, A L'HOMME,
AU PASSE-TEMPS DE DEUX A
DEUX, AU REVERSIS, AUX CAILLES,
AUX QUILLES, CE JEU-LA, DE
LA BRAGUETTE, DE LA FLÛTE,
DE LA MAROTTE, DE LA SAQUE-
BOUTE, DES BASSES MARCHES,
DES CYMBALES, DES GOBELETS,
DES MANNEQUINS, DES REINS,
DU CUL, DU SERRE CROPIÈRE,
DU MIRLITON.

Bon compagnon et beau joueur de
quilles.—LA FONTAINE.

Tous les jours ne fait que jouer
Aux cordeliers, prescheurs et carmes.
Ancien Théâtre français.

Il y prend goût, d'un masque se pourvoie,
Il juche et joue ; elle le trouve doux.
COLLÉ.

En me jouant, par nostre dame,
Je lui ai forgé un enfant.
Farces et Moralités.

Un jour étant en appétit
De se jouer avec Clarisse,
Il lui mit son cas sur la cuisse.
Le Cabinet satyrique.

Le maître ne laissait point de se
jouer toujours à sa servante.—D'OUVILLE.

Que l'un sur l'autre ils tombèrent
En jouant au beau jeu de quilles.
Recueil de poésies françaises.

Il confesse qu'il s'est joué avec sa
femme six mois avant de l'épouser.—
TALLEMENT DES RÉAUX.

Grimpé qu'il est, le drôle fait semblant
Qu'il lui paraît que le mari se joue
Avec sa femme.
LA FONTAINE.

Comme ils jouaient ensemble à la
bête à deux dos.—D'OUVILLE.

Que tous les jours il joue à l'homme,
Mais ce n'est pas avec que moi.
La Comédie des chansons.

Et ils commencèrent à jouer au
passe-temps de deux à deux.—BONAVEN-
TURE DESPERRIERS.

En lui défendant de jouer au reversis avec son voisin.—*Variétés historiques et littéraires.*

J'aime toujours mieux jouer au reversis qu'au piquet.—*Les Caquets de
l'accouchée.*

Mais observez donc qu'on ne peut
passer toute la journée à jouer ce jeu-là.
—PIGAULT-LEBRUN.

Fête à gogo
L'on joue de la saqueboute.
Ancien Théâtre français.

Les femmes de bien ne savent jouer
que d'une marotte.—BÉROALDE DE VER-
VILLE.

Il jouait bien mieux de la flûte que
lui.—*Variétés historiques et littéraires.*

Tant je suis amoureux de vous, belle
Clorette,
C'est pourquoi, s'il vous plaît, jouons de
la braguette.
TROTTEREL.

Il ne devait payer qu'un carolus pour
chaque fois qu'ils joueraient des basses-
marches.—NOEL DU FAIL.

Jouer au jeu qu'aux cailles on appelle,
Aux filles est chose plaisante et belle.
BÉROALDE DE VERVILLE.

La tienne joue bien aux quilles.—
BRANTÔME.

Les femmes veuves peuvent franchement jouer du serre cropière.—RABELAIS.

Passant par aventure devant la
chambre où sa femme et le chevalier
jouaient des cymbales.—*Les Cent Nouvelles nouvelles.*

C'est ici que les dames
Finement joueront des
Gobelets.
COLLÉ.

Jouant des mannequins à basses
marches.—RABELAIS.

Avec les palfreniers et les coquins
Tu as joué des mannequins.
J. GREVIN.

Qui joue des reins en jeunesse,
Il tremble des mains en vieillesse.
BÉROALDE DE VERVILLE.

Femme qui porte les pantoufles
Joue volontiers du bout des reins.
Recueil de poésies françaises.

Ne jouez plus du cul, ma tante,
Ni moi aux déz, je le promets.
AGRIPPA D'AUBIGNÉ.

Le vieux Jacquet dans une étable,
Voyant Lise jouer du cu
Avec un valet à gros rable,
En va faire plainte au cocu.
THÉOPHILE.

— JOUER DES MAINS = to titillate a woman's paps and *pudendum.*

Je me souviens ... qu'il hasarda sur cela des manières et des tous de polissonneries, qu'il s'exposait déjà à jouer des mains.—LA POPELINIÈRE.

— JOUER A L'HOMME = to act as a man: of tribades.

— JOUER DES DEUX BOUTS (EN) = to copulate and then to sodomise.

Je ne demande pas si elle en joue des deux bouts, — de tous les endroits possibles ... Tout, chez elle, est toujours prêt à recevoir le plus grand nombre de vits possible ... Elle a l'habitude du culetage comme un marin peut avoir celle de la pipe ...—*Diable au corps.*

JOUET, *m.* The female *pudendum ;* 'the toy'.

Pendant qu'il la mignotait et prenait son jouet.—BÉROALDE DE VERVILLE.

Ma mère l'autre jour, filant à son rouet Me disait qu'une fille avait un beau
jouet.
ALISON.

JOUEUR, *m.* A man in the sexual congress. Also JOUEUR DE QUILLES.

Le Mince joueur que Molé! En vérité a désolation s'est mise parmi les joueurs. —DIDEROT.

Bon compagnon et beau joueur de quilles.—LA FONTAINE.

JOUEUSE DE FLÛTE, *f.* A harlot.

Lorettes, cocottes et autres aimables joueuses de flûte, corruptrices de la jeunesse.—CH. COLIGNY.

JOUIR. To copulate ; 'to possess'. Also, specifically = to experience the sexual spasm.

C'est grand pitié d'un pauvre amant Qui ne peut jouir de sa dame.
Ancien Théâtre français.

Et pour en jouir lui présente Cent écus au commencement.
G. COQUILLART.

S'il vous plaît me laisser jouir De votre corps, un jour sans plus.
Farces et Moralités.

Un tel je veux que vous jouissiez de moi.
BRANTÔME.

As-tu de l'abbesse A la fin joui?
COLLÉ.

Dans peu de temps d'ici vous verrez un paillard Qui viendra pour jouir de son beau
corps gaillard.
TROTTEREL.

Entre ses bras l'heureux Adam la presse, Brûle, jouit, et dans sa folle ivresse Il répétait: perdre ainsi c'est gagner.
PARNY.

Ah! comme je jouis, mon Dieu! comme je ... jouis !... Ça me va dans la plante des cheveux.—H. MONNIER.

Il est une heure dans l'année Où tout ce qui vit veut jouir, Où la vierge et la graminée Ressentent le même désir.
A. D.

Je possède l'art du casse-noisette Qui ferait jouir un nœud de granit.
Parnasse satyrique.

Mais, pour faire jouir, j'ai d'ailleurs un
moyen Qui jusques à ce jour m'a réussi très bien.
LOUIS PROTAT.

Tellement que s'ils voient passer quelqu'une dont ils aient déjà joui, ils ne disent pas simplement : J'ai baisé une telle, mais bien: J'ai foutu une telle, je l'ai chevauchée.—MILILOT.

Pas sans moi! pas sans moi! ... Ensemble! ... jouis ... jouissons ... ensemble ... bien ensemble! ...— H. MONNIER.

JOUISSANCE, *f.* 1. The sexual embrace. Also (2) = possession.

Si pense le chevalier par quel train et moyen il parviendrait à la jouissance de son hôtesse.—*Les Cent Nouvelles nouvelles.*

Lors si les dames veulent, Malgré dangier et toute sa puissance, A leurs amis donneront jouissance.
C. MAROT.

Et regardant la jouissance,
Comme un pas dangereux qu'il nous faut
éviter.
GRÉCOURT.

Soudain par leur vive jeunesse
Vers la jouissance emportés,
Tous deux des molles voluptés
Boivent la coupe enchanteresse.
PARNY.

. . . Il faut de tous ces dons savoir bien
se servir,
Savoir les employer à donner du plaisir
A ceux qui dans vos bras cherchent la
jouissance.
LOUIS PROTAT.

— *See* AVOIR, RECUEILLIR.

JOUISSEUSE, *f.* A whore; specifically one who does not sham pleasure but really enjoys the act of kind.

Ce n'est pas une bégueule, c'est une vraie jouisseuse.—LEMERCIER.

JOUJOU, *m.* 1. The *penis.*

Vive ce beau joujou
Bijou
Que la tendresse
Dresse . . .
MARC-CONSTANTIN.

— 2. The female *pudendum;* 'the toy'.

Ah! permets que je pose
Le petit bout
De ma langue amoureuse
Qui serait bien heureuse
Dans ton joujou.
MARC-CONSTANTIN.

Quand je n'aurais pas su d'avance que mon orifice était fait pour être pénétré, la nature et notre position m'auraient à l'instant révélé que nos deux joujoux étaient faits l'un pour l'autre.—*Mon noviciat.*

JOÛTER. To copulate; 'to join the lists of love'. Also JOÛTER A LA QUINTAINE. [RABELAIS].

Mais avec toi joûter un coup
En quatre mois serait beaucoup.
J. DESACCORDS.

Elles joûtaient nu à nu avec les hommes.—BÉROALDE DE VERVILLE.

JOYAU, *m.* 1. The *penis.*

Vous ne vous enfuyez de ce joyau qu'on vous fait voir, que parce qu'aussi bien il est trop loin de vous.—CH. SOREL.

Je jouissais d'autant plus délicieusement, que j'avais longtemps langui après la possession du joyau qui était tout entier dans mon étui.—*Mémoires de Miss Fanny.*

— 2. The female *pudendum;* 'the jewel'. [RABELAIS].

Ce tablier couvre leur joyau, dont les Hottentots sont idolâtres.—VOLTAIRE.

Voyez fille qui dans un songe
Se fait un mari d'un amant
En dormant, la main qu'elle allonge
Cherche du doigt le sacrement;
Mais faute de mieux, la pauvrette
Glisse le sien dans le joyau.
BÉRANGER.

— 3. The virginity.

Pour demander à ce peuple méchant
Le beau joyau, que vous estimez tant.
VOLTAIRE.

Madame Brown me gardait toujours jusqu'à l'arrivée d'un seigneur avec qui elle devait trafiquer de ce joyau frivole qu'on prise tant et que j'aurais donné pour rien au premier crocheteur qui aurait voulu m'en débarrasser.—*Mémoires de Miss Fanny.*

JUCHÉE. *See* METTRE.

JUMEAUX (LES), *m. pl.* The paps.

Buvons à ces jumeaux aimables
Et qui riment si bien en ton;
Toujours leurs formes adorables
Ont mis en l'air le mirliton.
Anonyme.

JUMELLES (LES), *f. pl.* 1. The *testes;* (2) = the paps; and (3) = the buttocks.

Je cherche à mettre dans ta main,
L'instrument qu'un œil libertin
Braque sur la coulisse;
Tu repousses d'un air grognon
Mes jumelles et mon lorgnon.
L. FESTEAU.

JUS DE COUILLON, *m.* The semen. Also JUS SPERMATIQUE, and JUS DE NATURE. [RABELAIS].

> Vous du haut du balcon
> Qui riez de ma misère,
> S'il pleuvait du jus de couillon;
> On vous verrait sous la gouttière.
> PIRON.

Mon clitoris brûlant et raide comme un cierge,
De son jus spermatique ondoyait la flamberge.
Théâtre du Bordel.

JUSTE-MILIEU, *m.* 1. The female *pudendum;* and (2) the *anus.*

JUSTICE. *See* EXÉCUTER.

 KAPROS, *m.* The *penis*. [RABELAIS].

KEILLIOU. The *testes*. [RABELAIS].

KOIROS, *m.* The female *pudendum;* 'a bit of pork'. [RABELAIS].

KUQUS, *m.* A cuckold. [RABELAIS].

A, *f*. The female *pudendum*.

> Ote ta main de là ;
> et me laisse en repos.
> —*Le Cabinet satyrique.*

> Et si quelqu'un se connaît à cela,
> Qu'il trousse Jeanne, et qu'il regarde là.
> VOLTAIRE.

> Honteuse alors de me voir sans chemise,
> Incontinent je portai la main là.
> PIRON.

> Les sorcières de matronnes ont mal mis leurs lunettes, et n'y ont vu goutte ; car qui est-ce qui voit clair là ?—DIDEROT.

— *See* VENIR.

LA-BAS. The prison of St. Lazare, or the Lourcine hospital.

> —Comment, cette pauvre Angèle est là-bas?—Ne m'en parle pas. Elle était au café Coquet à prendre un grog avec Anatole. Voilà un Monsieur qui passe, qui avait l'air d'un homme sérieux... Il lui offre une voiture, elle accepte, un cocher arrive et... emballée ! Le monsieur était un inspecteur.—*Les Cocottes.*

LABEUR, *m*. The sexual embrace ; 'fancy-work'.

LABIES, *f. pl.* The *labia majora*.

> D'autres ont les labies longues et pendantes plus qu'une crête de coq d'Inde, lorsqu'il est en colère.—BRANTÔME.

LABOURAGE, *m*. The act of kind.

> Face mon père les vignes s'il veut,
> Je ferai le labourage.
> *La Comédie des chansons.*

LABOURER, *m*. To copulate; 'to do the divine work of fatherhood'. [RABELAIS].

> Toutefois parce qu'il avait tant labouré que plus n'en pouvait, il fut content d'aller quérir son compagnon.—*Les Cent Nouvelles nouvelles.*

> Combien pourtant que bien faible me semble
> Pour labourer à deux terres ensemble.
> C. MAROT.

> Quoi faisant, j'appliquerai dorénavant mes dix mille écus à une terre que je labourerai tout seul.—*La France galante.*

LABOUREUR DE NATURE. The *penis*.

> Les autres enflaient en longueur par le manche que l'on nomme le laboureur de nature.—RABELAIS.

> Un demi-pied de la ressemblance du laboureur de nature.—TABARIN.

LABYRINTHE, *m*. The female *pudendum* ; 'the tunnel'. [RABELAIS].

> Le précieux labyrinthe de concupiscence.—BÉROALDE DE VERVILLE.

LACET, *m*. The *penis*.

> Le berger aussitôt dévorant d'appétit,
> Prend le bout du lacet, ce reste de machine,
> Que sans nommer chacun devine.
> PIRON.

LACHER. To desert a mistress ; to jilt a lover. Also LACHER D'UN CRAN.

Après ? Milie veut te lâcher.—CH. MONSELET.

— LACHER LES ÉCLUSES = to urinate. Also LACHER SON CHIEN. *See* POISSON D'EAU.

— LACHER SES TROIS GOUTTES D'EAU CHAUDE = to ejaculate. Also LACHER SON CHIEN.

LACHEUSE, *f.* A bilking wanton, willing enough to receive the price of the favor in money and kind but who has no intention of submitting to the embrace.

LAINE. BATTRE LA LAINE = to copulate. [RABELAIS].

LAISSER ALLER (SE). To copulate; 'to feed or trot out one's pussy'. Also, LAISSER ALLER LE CHAT AU FROMAGE, SE LE LAISSER FAIRE, LAISSER TOUT FAIRE.

La dame, de dépit qu'elle conçut contre son mari, se laissa aller à son ami.—BRANTÔME.

La fille a laissé aller le chat au fromage si souvent que l'on s'est aperçu qu'il fallait rélargir sa robe.—*Variétés historiques et littéraires.*

Mais depuis que j'ai découvert qu'un autre était mieux venu, et qu'elle avait laissé aller le chat au fromage.—P. DE LARIVEY.

Car depuis qu'elle eut commencé
Ce beau train, et qu'elle eut laissé
Le chat atteindre au fromage.
J. C.

Qui ne voulant perdre son temps,
Et craignant de mourir pucelle,
Se le laisse faire à dix ans.
COLLÉ.

Dites-moy, et ne mentez point,
Vous êtes-vous laissée aller?
Farces et Moralités.

Après, elle lui laissa tout faire.— TALLEMENT DES RÉAUX.

Chevaucher simplement une femme qui se laisse faire et que la honte ou la froideur empêchent de passer outre dans

la recherche du plaisir, c'est une satisfaction commune.—MILILOT.

— LAISSER EN PLAN = to take French leave of a client or harlot.

Moi, fois d'Fanfan, foi d'ton amant,
J'te jure ici de n'pas t'laisser en plan...
Chanson anonyme moderne.

LAIT CAILLÉ, *m.* Pregnancy.

Si le lait a caillé, c'est à son dam.— NOEL DU FAIL.

LAMBIRONS, *m. pl.* The *labia minora.*

Regardant comme à l'ébaye,
Sa landie et ses lambirons,
Il lui disait, hélas! ma mie,
Voici bien des brimborions.
Le Cabinet satyrique.

LAME, *f.* A wanton.

Car il savait qu'elle était bonne lame.—*Épigrammes.*

LAMPE AMOUREUSE, *f.* The female *pudendum.* [RABELAIS].

LAMPE DE COUVENT, *f.* A prostitute.

Tu vas nous produire quelque reste de chanoine, ou quelque lampe de couvent.—TOURNEBU.

LANCE, *f.* The *penis ;* 'the lance of love'. Also LANCE A DEUX BOULETS, and LANCE GAIE. [RABELAIS].

Mais qu'elle sente et sache premier de quelle lance il voudrait jouster contre son écu.—*Les Cent Nouvelles nouvelles.*

Prime d'amour, je te supplie,
Si plus ainsi elle m'accueilt,
Que ma lance jamais ne plie.
F. VILLON.

Mamye, je vous prie, qu'il vous plaise,
Endurer trois coups de la lance.
Ancien Théâtre français.

Lance au bout d'or, qui sait poindre et oindre,
De qui jamais la valeur ne fait défaut.
Le Cabinet satyrique.

Si vous estes son père et voulez la
marier, je la veux pour moi et non pour
Constant, car je me la suis acquise la
lance sur la cuisse.—P. DE LARIVEY.

Il dit qu'il était aussi bien fourni de
lance que la femme de cul.—BONAVEN-
TURE DESPERRIERS.

Et m'ayant montré sa lance, qui
était droite, il me prit à force de corps
et me coucha à la renverse sur le lit.—
MILILOT.

— *See* COURIR, ROMPRE.

LANCETTE, *f.* The *penis.*

Mais si pourtant ma lancette non roide,
Dedans sa main demeurait toujours froide.
Le Cabinet satyrique.

LANDIE, *f.* 1. The *labia majora.*

Je n'aime point ces cons enfoncés dans
le dos,
Dont la sale landie au trou proche
attachée,
Est toujours de pissat ou de merde
tachée.
Le Cabinet satyrique.

— 2. The clitoris. [RABELAIS].

LANDRILLES (LES). The *testes.*
[RABELAIS].

LANGUE (FAIRE UNE). To tongue ;
'to tip the velvet'.

Il lui fait une langue prolongée.—
H. MONNIER.
Puis, lorsqu'on a dormi, l'haleine est si
mauvaise,
Que, pour faire une langue, on n'est
pas à son aise.
LOUIS PROTAT.

LANGUETER. To tongue ; 'to tip
the velvet'.

Lors le commença à acoler,
A besier, à languetter.
Anciens Fabliaux.

LANGUETTE, *f.* The clitoris.

Femmes, voulez-vous éprouver
Si vous avez la chaude-pisse ?
De citron coupez un quartier,
Fourrez-vous-le dans la matrice.

Si le citron fait son effet,
S'il vous chatouille la languette,
Vous pouvez dire : C'en est fait
Ah ! j'ai la vérole complète
Anonyme.

LANGUÉYAGE, *m.* The action of
tongueing the clitoris. Also
LANGUÉYER = to gamahuche, and
LANGUÉYEUR = a *fellator.*

LANTERNE, *f.* The female *pudendum.* [RABELAIS].

Margot s'endormit sur un lit
Une nuit toute découverte.
Robin, sans dire mot, saillit
Il trouva sa lanterne ouverte.
Cabinet satyrique.

LAPIN, *m.* The female *pudendum.*
[RABELAIS].

LARCIN, *m.* A stolen kiss, or other
endearment surreptitiously taken.

L'autre jour, au fond d'un jardin,
Il vous aperçut endormie :
Il vous fit plus d'un doux larcin...
Vous étiez donc bien assoupie ?...
Si vous dormez comme cela,
Dites votre mea culpa.
Vieille chanson anonyme.

LARD. *See* FROTTER.

LARDER. To copulate; 'to rub
bacons'. [RABELAIS].

Gentils galants de rond bonnet,
Aimant le sexe féminin,
Gardez si l'atelier est net
Avant de larder le conin.
Ancien Théâtre français.

LARGUE, *f.* A woman. LARGUO-
TIER = a wencher.

Toi non plus, tu ne m'as pas l'air
d'une largue ordinaire.—LEMERCIER DE
NEUVILLE.

Les largues nous pompent le nœud.—
DUMOULIN-DARCY.

LARVA. The female *pudendum.*
[RABELAIS].

LATINE, *f.* A harlot living in the Quartier Latin.

Sur l'air — et le pied — de la Pettie
                Margot.
    Je suis latine,
  Gaîment je dîne
Sur le budget de mon étudiant...
        EUG. PÉGAND.

LATRINE, *f.* A foundered whore.

Pourtant on fout cette latrine !
Ne vaudrait-il pas mieux cent fois
Moucher la morve de sa pine
Dans le mouchoir de ses cinq doigts ?
        A. DE MUSSET.

LAURIER. *See* CUEILLIR.

LAVABO, *m.* A bidet.

LAVETTE, *f.* The *penis;* 'the garden-engine'.

Ils prenaient la peine de me prêter leur lavette.—*Variétés historiques et littéraires.*

Mais c'machin s'change en lavette,
Grâce au pouvoir d' la vertu,
Et j' m'en tire quitte et nette
Avec un peu d' colle au cul.
       Parnasse satyrique.

LE, *m.* The *penis.*

Pensait en dicts et propos
Qu'il l'avait plus dur qu'un os.
      Farces et Moralités.

Le voilà qui se durcit vraiment... qui se raidit... Attends, que je me renverse tout à fait pour que nous le fassions entrer quelque part.—LA POPELINIÈRE.

Il dit qu'il voulait qu'on le lui coupât, s'il ne faisait son devoir.—*La France galante.*

— 2. The female *pudendum.*

L'avez-vous vu ? dit-il à ses soldats.
C'en est bien un, je ne m'abuse pas.
        PARNY.

— *See* FAIRE, METTRE.

LÉCHER LA PLAIE. To gamahuche.

LEÇON. *See* DONNER, RECEVOIR.

LEIDESCHE. The female *pudendum.* [RABELAIS].

LENDILLES (LES), *f. pl.* The *labia majora.*

Elle avait les lendilles si grandes qu'elles passèrent par les fentes des tables.—BRANTÔME.

LENTILLES. *See* ÉPLUCHER.

LESBIENNE, *f.* A woman who prefers the abuse of her own sex to the natural conjunction.

LESBIN, *m.* A passive pederast. [RABELAIS].

LESCHERESSE, *f.* A harlot. [RABELAIS].

LESSIVE, *f.* The semen.

Et la lessive qu'on y met pour bien la fourbir.—BRANTÔME.

LEVAIN, *m.* The semen.

Le sperme qui fait lever le cul à la femme quand il y est introduit et qui, ensuite, y occasionne une fermentation dont le résultat est, au bout de neuf mois, une petite créature — toute pourrie du péché originel.
Le point essentiel est qu'aucun levain roturier ne puisse fermenter dans ses nobles entrailles.—*Les Aphrodites.*

LEVER. To become pregnant ; 'to be lumpy'. Also FAIRE LEVER.

Il se trouva tant et si longuement dans la compagnie d'une belle fille qu'il lui fit le ventre lever.—*Les Cent Nouvelles nouvelles.*

Car la plus âgée ne se put garder que le ventre ne lui levât.—BONAVENTURE DESPERRIERS.

— LEVER LA CHEMISE, LA COTTE, LE CUL, LE DEVANT, SON DROIT (of married men) = to copulate.

Mon maître, voici la nappe mise,
Ils ont bien levé la chemise.
      Farces et Moralités.

Tu voulais lever la cotte
De la belle Huguenotte.
GAUTIER-GARGUILLE.

Blaise hausse la bouteille,
Et Margot lève le cu.
COLLÉ.

Je n'aime point ces demoiselles
Qui lèvent par trop le devant.
COLLÉ.

Quand sur l'une il levait son droit
Les autres criaient le roi boit.
COLLÉ.

C'est plaisir de la voir lever le croupion à chaque coup de queue.—SEI-
GNEURGENS.

Elle levait toujours le cul de peur
d'user les draps.—TABARIN.

— LEVER LES OREILLES = to get
or cause an *erectio penis.*

Puis elles s'esclaffaient de rire quand
elle (la pine) levait les oreilles.—RABE-
LAIS.

— LEVER A JEUN (SE) = to fail
or weaken in performance.

Souvent je me levais à jeun
D'avec ce sacrilège;
Et jamais le défunt
N'en fit qu'un:
Le bel époux de neige?
COLLÉ.

— LEVER LE SIÈGE = to abandon
the attempt with a woman who
makes too much fuss in according
the favour.

— LEVER (or FAIRE) UN HOMME
= to secure a client: of prostitutes.

Ces filles ne vont au Casino que
pour lever des hommes ou se faire lever
par eux.—A. FRANÇOIS.

Tiens! Xavier qui vient d'être levé
par Henriette.—MONSELET.

LEVEUR, *m.* A libertine.

LEVRETTE. *See* FAIRE.

LEVRETTER. To copulate. [RABE-
LAIS].

LEVRIER D'AMOUR, *m.* A bawd.
[RABELAIS].

LEVRIÈRE, *f.* A harlot. [RABELAIS].

LICE, *f.* 1. A woman given to
debauchery. [Old French =
chienne de chasse].

Je faillis à me prendre, oyant que cette
lice
Effrontément ainsi me présentait la lice.
REGNIER.

Et qui dit autrement il est mis en justice
Pour réparer l'honneur de quelque vieille
lice.
Recueil de poésies françaises.

— 2. The act of kind.

Petits tetins, hanches charnues,
Élevées, propres, faictisses
A tenir amoureuses lices.
F. VILLON.

Ce doux combat, cette amoureuse lice
Plut tant au vigoureux Fabrice.
LA FONTAINE.

— *See* ENTRER.

LIEN (FORMER UN). To marry.

LIER SON BOUDIN. To copulate;
'to sew up'.

Mais bien tu dois dire que tu as lié
ton boudin avec cette diablesse de femme.
—P. DE LARIVEY.

LIESSE. *See* DON, PRENDRE.

LIEU, *m.* The female *pudendum;*
'the down spot of beauty'.

Comme un jour elle fut sortie
De la maison, monsieur me prie
De lui permettre de toucher
Ce petit lieu qu'avait si cher.
TABARIN.

Il cherche l'objet de ses vœux,
Et trouve ce lieu bienheureux
Sous le cotillon qui le cache.
GRÉCOURT.

— LIEU D'HONNEUR = a resort of
debauchees; also LIEU DE PAIL-
LARDISE.

Ou sinon, par les dieux, j'en jure sans
feintise,
Je vous ferai mener au lieu de paillardise.
TROTTEREL.

Elle fut même quelque temps au
lieu d'honneur.—TALLEMENT DES RÉAUX.

LIEUTENANT, *m.* A married woman's lover.

LIMACE, *f.* The *penis:* specifically the *membrum virile* of a
fumbler.

Bien qu'en toi sa limace ait été dégorgée,
Pour toi je bande encore...
LOUIS PROTAT.

LIMAGE, *f.* See LIMER.

Je suis complètement attrapée: —
Peu d'adresse, un limage sec, métho-
dique, dont chaque temps passé me fait
un petit mal.—*Les Aphrodites.*

LIMER. To take time in the act of
kind; 'to lie in soak': of men.

L'étudiant limant encore, pour l'ac-
quit de sa conscience, car il ne bande
plus aussi raide.—H. MONNIER.

Mais sans folle ivresse,
Il ne fait rien
Qu'il ne lime sans cesse.
COLLÉ.

LIMOSIN, *m.* The female *pudendum;* 'the never-out'.

Je me donne au diable si je ne lui
relance le limosin comme il faut.—TABA-
RIN.

LINGE. See REHAUSSER.

LINGOT D'AMOUR, *m.* The *penis.*
[RABELAIS].

LIQUEUR, *f.* The semen. Also
LIQUEUR SÉMINALE, LIQUEUR
LAMPSACIENNE, LIQUEUR PRO-
LIFIQUE.

Faisant couler partout cette benoite
liqueur.—BÉROALDE DE VERVILLE.

En moins de six coups de cul, je me
vis arrosée largement de la liqueur amoureuse.—MILILOT.

Jà trente ans limitent mon âge
Sans avoir goûté la liqueur
Dont le petit archer vainqueur
Charme des filles la tristesse.
TABARIN.

L'autre jour, épanchant cette liqueur
divine,
Dont nos plaisirs et nous tirons notre
origine.
GRÉCOURT.

Le paillard darde au fond sa bénigne
liqueur.—PIRON.

Mais en Lampsaque une liqueur
Se trouve odorante et épaisse,
Qui pénètre jusques au cœur
De celle que le cul oppresse.
RAPIN.

... A peine dehors, le petit fripon
darde sa liqueur prolifique, dont il y a
grande apparence j'allais être intérieurement injectée, soit par inexpérience ou
égoïsme du novice fouteur.—A. DE NER-
CIAT.

LITTER. See LUTTER.

LIVRE, *m.* The female *pudendum;* 'the duck-pond'.

Ma belle, à ce concert gentille,
Ouvrit son livre allégrement.
Le Cabinet satyrique.

LIVRER (SE). To prostitute oneself:
of women.

Quant à mes garçons me livroie
Et avecques moi les couchoie.
Anciens Fabliaux.

Je hais cette Lais, qui trop facilement,
Se livre aux premiers mots d'un galant
qui la presse.
E. T. SIMON.

Elle a donc fait le serment de ne
se livrer, selon la nature qu'à des nobles.
—A. DE NERCIAT.

Elle est réduite aujourd'hui à se
livrer au petit Dupré.—*La France galante.*

LOCH SUSPENDU (PRENDRE UN).
To swallow the semen when
engaged in gamahuchery.

J' sens mon cœur qui fait tic toc,
Margot, faut qu' t'aval' le loch,
Viv'ment prépar' toi z'au choc;

Vois-tu que j' suis bon coq,
C'est aussi dur qu'un roc.
PERCHELET.

LOGEABLE (ÊTRE). To be accept-able in person: of women.

Je les ai furetés tous deux, ces clapiers-là. J'en connais peu d'aussi logeables.—*Le Diable au corps.*

LOGER LES NUS. To copulate.

Maintenant que tu as si bien loisir d'exercer les œuvres de miséricorde et loger les nus.—TOURNEBU.

LONGITUDE. *See* DEGRÉ.

LONGON, *m.* The *penis.* [RABE-LAIS].

LORETTE, *f.* A harlot; specifically a woman who 'works for her living but does the naughty for her clothes'.

Je suis coquette,
Je suis lorette,
Reine du jour, reine sans feu ni lieu !
Eh bien ! j'espère
Quitter la terre
En mon hôtel... peut-être en l'Hôtel-Dieu.
G. NADAUD.

LÔUDIÈRE, *f.* A harlot. [RABE-LAIS].

LOUFOQUE, *m.* A man addicted to a species of cruel debauchery. The epithet was given a year or two ago to a man who drove pins into the paps of a girl the sight of the blood, it was said, causing ejaculation.

LOUP (AVOIR VU or CONNAITRE LE). To have been seduced. [RABELAIS].

Ignorant le masculin,
La novice, humble nonnette,
Dessine à l'enfant divin
Certaine fente coquette.
Or, la sœur Marton qui connut le loup,

Dit : Vous vous trompez, mais du tout
au tout,
A Jésus, faut une quéquette.
AL. FLAN.

— *See* BRANLE, DANSE.

LOUPEUSE, *f.* A wanton.

LOURDOIS, *m.* The *penis.* [Old French].

Car je lui eusse assémenti
Son trou d'urine à mon lourdois.
RABELAIS.

LOUVE, *f.* A wanton. [RABELAIS].

Par la mort bien, vous dites vrai ;
saint Antoine arde la louve !—*Les Cent Nouvelles nouvelles.*

Car à toute heure on vous trouve,
Faisant la chatte ou la louve,
En public ou à l'écart.
Le Cabinet satyrique.

En outre tu es un adultère qui as souillé mon lit avec cette louve.—CH. SOREL.

J'en rougis pour lui-même, ô louve sans pudeur.—J. DE SCHÉLANDRE.

LOYOLISER. To sodomise or pe-derastise. [From Loyola the founder of the order of Jesuits].

Quatre jours avant mon arrivée, l'on avait brûlé deux jesuites pour avoir loyolisé un musulman.—*Compère Mathieu.*

LUC. An anagram for *cul = anus.* [RABELAIS].

LUCINE. A midwife; a finger-smith.

Filles que l'adroite Lucine
A délivré d'un fier chicot,
Sur votre cas, dame doctrine
Passe l'éponge et le rabot.
FESTEAU.

LUCRÈCE (FAIRE LA). To sham chastity.

Mais malgré son air virginal,
Sachez que la bougresse
A mon vit donna certain mal

Qui lui fait faire l'S . . .
Ah ! il m'en souviendra,
Larira,
D'aimer une Lucrèce.
ANONYME.

LUNE, *f.* The breech.

J'ai pincé n'importe quoi. J'ai cru
que c'était dans la figure. — En voilà
une bonne ! il a pris la lune de Pétro-
nille pour sa figure.—PAUL DE KOCK.

— CONFRÈRE DE LA LUNE =
a cuckold. [RABELAIS].

LUNE DE MIEL, *f.* The honey-
moon.

LUPANAR, *m.* A brothel. Also
LUPINAIRE. [RABELAIS].

J'ai rêvé que j'étais au fond d'un
lupanar !
C'était comme un immense et splendide
bazar

Dans lequel enculeurs, enculés, maquerelle,
Maquereaux et putains se ruaient pêle-
mêle.
LOUIS PROTAT.

Je suis roublard
Et j' pourrais écrir' les mémoires
Du lupanar.
LEMERCIER DE NEUVILLE.

LUTINER. To employ the blandishments of venery; 'to tickle';
'to hug'.

LUTTER. To copulate. Also LITTER.

Et puis il l'appelle : la belle,
Jouons nous et luttons bien fort.
Ancien Théâtre français.

LUTTEUR, *m.* A man in the act
of kind.

Je ne vous vis jamais un tel lutteur
en tête.—J. DE SCHÉLANDRE.

LYCE, *f.* A dissolute woman.
[RABELAIS].

AC (or MEC). *See*
MAQUEREAU.

MACA, *f.* A bawd;
a woman well vers-
ed in vice.

MACCHABÉ, *m.* A ponce of years; a
lover who gives more than he receives; a Jew wencher. [DELVAU].

MACCHOUX, *m.* A ponce.

MACÉRATION DE LA CHAIR, *f.* The
act of kind.

Ce que fray Scillino, prieur de Saint-
Victor lèz-Marseille, appelle macération
de la chair.—RABELAIS.

MACHIN, *m.* The *penis.*

Secrets appats, embonpoint et peau fine,
Fermes tetons et semblables ressorts,
Eurent bientôt fait jouer la machine.
                    LA FONTAINE.

Que mettras-tu dans mon con, en
m'enfilant?—Mon machin.—H. MONNIER.

Fiez-vous à ma cuisine,
Célibataires blasés,
Pour remonter la machine,
Et flatter vos goûts usés.
                    L. FESTEAU.

Mais finis donc, imbécile,
Sacré nom de Dieu d' gredin!
Si tu n'me laiss's pas tranquille,
J' vas pisser sur ton machin.
                    Parnasse satyrique.

— MACHINE A PLAISIR = a woman who abandons herself to
prostitution for mere gain.

Ces sortes de femmes ne sont absolument que des machines à plaisir.—CH.
DE LACLOS, *Liaisons dangereuses.*

MADAME, *f.* Generic for a bawd.

Ce sont nos petits bénéfices, à nous,
pauvres filles ... Madame nous prend
tout et ne nous laisse rien.—LEMERCIER
DE NEUVILLE.

MADAME DIOGÈNE, *n. p.* A prostitute.

MADAME MINICON. A generic appel-
lation for a midwife. Also MA-
DAME TIRE-MONDE (-POUSSE, or
-MÔME); MADAME MANICON, and
MADAME DU GUICHET.

MAGASIN DE BLANC, *m.* A brothel.

MAHOMET, *m.* The *penis.*

— SE SECOUER LE MAHOMET =
to masturbate.

MAHOMÉTISER. 1. To masturbate.

— 2. To sodomise or pederastise.

MAI. *See* PLANTER.

MAILLAUX, *m. pl.* The *testes.* [Old
French = *maillet*].

Et des maillaux, ne dis-je pas,
Qui li sont au cul attachiés.
                    Anciens Fabliaux.

MAIN. *See* ÊTRE, PASSER, etc.

— AVOIR LA MAIN EXPERTE = to be a professional masturbator or 'shagster'. Also AVOIR LA MAIN LÉGÈRE.

J'ai les deux mains expertes,
Entrez dans mon boudoir.
A. MONTÉMONT.

MAISON A GROS NUMÉRO, *m.* A brothel. Also MAISON DE TOLÉRANCE, MAISON DE SOCIÉTÉ.

C'est l'infecte maison où l'effroi se
promène,
L'auberge dont l'enseigne est un gros
numéro.
A. GLATIGNY.

— MAISON A PARTIES (or DE PASSE) = a house of accommodation.

MAITRE-AUTEL, *m.* The mount of Venus.

Elle est belle, ma Joséphine! elle a un chouette maître-autel!... un riche tabernacle!...—TISSERAND.

MAJESTÉ (PETITE), *f.* The *penis.* [RABELAIS].

MAL. *See* METTRE A MAL.

MALADIE (LA). The *lues veneris;* 'the pox'. Also MAL D'ACCIDENT.

Le soir, ils vont voir des gueuses
Qu'ils baisent dessus leurs lits.
Pour leurs femm's (les malheureuses!)
Ils y donn'nt la maladie.
GUICHARDET.

Sur l'Océan, ta main évangélique,
Du vieux Neptune a saisi le trident,
Tu conduisis Colomb en Amérique,
D'où nous revint certain mal d'accident...
E. DEBRAUX.

MALLIER, *m.* The female *pudendum;* 'the spit-fire'.

Les femmes de même veulent toujours avoir à leur coucher, quoiqu'il en soit, la mesure de leur mallier.—BRANTÔME.

MAMAN, *f.* 1. A woman who, notwithstanding the approach of age and a certain stoutness, is still desirable.

...On songe à me faire épouser la dame Popinel? — Certainement, vous n'aurez pas du neuf, du joli, mais c'est une succulente maman, malgré sa quarantaine...—*Monrose.*

— 2. The chaperone of a high-class harlot.

MANCHE, *m.* The *penis.* [RABELAIS].

Les hommes qui n'ont guère de manche sont plus courtois et gracieux.—BÉROALDE DE VERVILLE.

Il lui bailla auparavant son manche à tenir.—BONAVENTURE DESPERRIERS.

Mais, belles, sachez qu'un beau manche,
Réchauffe aussi bien qu'un manchon.
THÉOPHILE.

Je l'empoignai par le manche et le menai au pied du lit, où je me couchai à la renverse, l'attirant dessus moi; je m'enconnai moi-même son vit dans mon con jusques aux gardes.—MILILOT.

MANCHON, *m.* The pubic hair.

Et la tribune de Florence
Au cant choqué montre Vénus
Baignant avec indifférence
Dans son manchon ses doigts menus.
TH. GAUTHIER.

Je n' prêt' pas mon manchon.
Mignon
Je n' prêt' pas mon manchon.
LAUJON.

MANGER. MANGER L'ANGUILLE SANS LA SAUCE = to retire a man at the moment of ejaculation.

Prenez donc des précautions!
Sans la sauce mangez l'anguille!
Beau moyen et bien éprouvé:
J'en suis pour un enfant trouvé.
BÉRANGER.

— MANGER DE LA CHAIR CRUE. = to copulate; 'to have a bit of meat'. Also MANGER DE LA VIANDE LE VENDREDI.

Si elles savaient ce que c'était de manger de la chair crue la nuit.—Marguerite de Navarre.

— Manger le fruit d'une femme = to gamahuche a woman. Also Manger un enfant.

Mangeur de blanc, *m.* A ponce; a man living on the proceeds of prostitution.

Mangeons du blanc! mangeons du blanc!
Ça vaut mieux que manger du flan!
Mangeons du blanc jusqu'à l'aurore,
Et que Phœbus nous trouve encore
       Mangeant du blanc!
             Lemercier de Neuville.

Je voulais tâter du métier de miché, mais je vois que celui de mangeur de blanc est encore le meilleur.—Lemercier de Neuville.

Mangeuse de pommes, *f.* A woman: generic; 'a daughter of Eve'.

Et l'on verra toujours des mangeuses de pommes.—Th. de Banville, *La Pomme.*

Manicon. A midwife. [Rabelais].

Manier. 1. To copulate; 'to labour leather'.

Souvent à souhait maniées
Sans être délaissées tout à plat.
             G. Coquillart.

— 2. To caress hips, lips, thighs— all; 'to touch'. Also Manier les breloques.

Mais, monsieur, vous baisez mes fesses à tout moment; vous me maniez partout!—La Popelinière.

Viens, que j' te manie ton outil.— H. Monnier.

On ne peut donc sans scandale, manier un peu les breloques du monde! — Sacrebleu! quelles breloques! c'est bien aussi la montre! ma foi.—A. de Nerciat.

Manieuse, *f.* A professional masturbator.

Manipulatrice, *f.* A professional masturbator.

Manipuler. To copulate.

Manne céleste, *f.* The semen.

Mannequins. *See* Jouer.

Manœuvrer du cul. To play with the hips in the act of kind: of women.

Fait l'étroite pour lui, même quand elle
                               est large,
Et manœuvrant du cul, jouit quand il
                               décharge.
             Louis Protat.

Manquer. To fumble in performance: of men.

Quand par Chandos au combat provoquée,
Elle se vit abattue et manquée.
             Voltaire.

Par un sot qui fait le galant
    Je fus brusquée,
C'est un petit insolent
    Qui m'a manquée.
             Collé.

— Manquer a ses devoirs = to cuckold.

— Manquer de voix = to copulate feebly; to weaken before ejaculation.

Manuéliser. To masturbate: of men.

Du bon Guillot le vit se roidissait
Et le poignait si fort concupiscence,
Que dans un coin se manuélisait.
             Piron.

C'est le seul moyen d'être sage au couvent, puisqu'on ne peut l'être sans se clitoriser ou se manuéliser.—Mercier de Compiègne.

Manuéliseuse, *f.* A professional masturbator.

MANUÉLISME, *m.* Masturbation.

MANUFACTURE DE BOUCHONS, *m.*
A brothel.

MAPPEMONDE, *f.* 1. The breech.

— 2. The paps.

Pour jouir plus voluptueusement. . .
il demeure inactif, et s'amusant de la
plus belle mappemonde imaginable, il
attend la fin de l'heureux anéantissement
de Célestine.—A. DE NERCIAT.

MAQUEREAU, *m.* A ponce. Also
MAC or MEC. [RABELAIS].

Sang-dieu, vous estes maquereau
De trestoutes, je le soutiens.
Farces et Moralités.

Venez tous, vrais maquereaux,
De tous estats, vieux et nouveaux.
F. VILLON.

Ce critique changeant d'humeur et de
cerveau,
De son pédant qu'il fut, devint son
maquereau.
REGNIER.

Et qu'à la ville et surtout en province,
Les gens grossiers ont nommé maquereau.
VOLTAIRE.

Ça me f'ra p't être rigoler un brin,
de changer d'rôle, et de mac devenir
miché.—LEMERCIER DE NEUVILLE.

MAQUERELLAGE, *m.* Procuration.
Also LA MAQUERELLER and LA
MAQUERELLERIE.

Et qu'on l'appelle comme l'on
voudra, art de flatterie, boufonnerie,
maquerellage ou autrement.—TOURNEBU.

Le premier Camus fit faire ce
maquerellage.—TALLEMENT DES RÉAUX.

Le troisième privilège des châtrés,
c'est qu'ils sont fort renommés en leur
fidélité en fait de maquerellage.—
Variétés hist. et littér.

Tenant par acte misérable
Le maquerellage honorable.
Cabinet satyrique.

MAQUERELLE, *f.* A bawd.

Aussi n'épargne-t-il pas les mères
qui sont maquerelles de leurs propres
filles.—H. ESTIENNE.

Car l'honneur d'une femme souffre
beaucoup quand elle est vue avec une
maquerelle.—P. DE LARIVEY.

Je jure Dieu qui fait la nue,
L'orde vilaine maquerelle,
Contera toute la sequelle.
Farces et Moralités.

Tant qu'elle conta sa querelle
A une vieille maquerelle.
MATHÉOLUS.

Et puis dites que les moustiers
Ne servent point aux amoureux,
Bonne maquerelle pour eux
Est ombre de dévotion.
CL. MAROT.

MAQUILLAGE, *m.* The art of hiding
the ravages of time.

Celle-ci, une fois entrée, relève la
mèche de la lampe posée sur la cheminée, mais pas trop cependant, afin de
ne pas trahir son maquillage.—LEMER-
CIER DE NEUVILLE.

MAQUILLÉE, *f.* A harlot. [As *adj.* =
painted].

MARANE, *f.* A harlot. [RABELAIS].

MARCHANDISE, *f.* 1. The female
pudendum; 'the commodity'.
[SHAKSPEARE].

Fors la marchandise de Vénus, laquelle tant plus coûte, tant plus plaît.—
BRANTÔME.

Il n'y avait en toute la cité, fût-il
riche ou pauvre, gentilhomme ou ren-
tier, qui ne voulut prendre et goûter de
sa marchandise.—P. DE LARIVEY.

J'ouvre boutique, et faite plus savante
Vous mets si bien ma marchandise en
vente.
J. DE BELLAY.

Je veux une Philis entre l'haut et le bas,
Qui ne fasse pas trop valoir sa mar-
chandise.
BUSSY-RABUTIN.

Voyons, montre-moi ta marchandise,
mon petit couillon chéri.—J. LE VALOIS.

Y a d' la marchandise à tout prix.
—L. FESTEAU.

— 2. The female sex.

— 3. The semen.

— LA PAUVRE MARCHANDISE = the *penis*. [RABELAIS].

— MARCHANDISE DE NAPLES = the pox. [RABELAIS].

MARCHE. *See* JOUER.

MARCHER. MARCHER A QUATRE PIEDS = to be pregnant.

MARCHEUSE, *f.* A procuress : specifically a harlot who, past service herself, acts as chaperone or instructor to others.

Je fus bientôt instruite, par une de mes marcheuses, qu'il y avait une nouvelle débarquée chez Labille, extrêmement jolie. Je m'y rendis, sous prétexte d'acheter quelques chiffons de femme. Je vis la plus belle créature qu'il soit possible de voir . . .—*Anecd. sur la comtesse Du Barry.*

MARGAUDER. To copulate. [RABELAIS].

MARGOT (or MARGOTON), *f.* A harlot : generic. LA MARGOT = the world of whores.

Villon sut le premier dans ces siècles grossiers
Débrouiller l'art confus de nos vieux romanciers,
Redonner le mouchoir aux filles de bon ton,
Et laisser la province enfiler Margoton.
L'Art priapique.

Nous le tenons : nous savons où demeure sa margot.—EUGÈNE SUE.

J'ai peu d'estime pour l'argot ;
Mais au besoin, je le tolère.
Si je rencontre une margot,
Je la regarde sans colère.
PHIL. DAURIAC.

O toi, qui chantes à gogo,
Des r'frains qui plais'nt à la Margot
Et sont prisés de tout' la tine . . .
J. CH.-X.

Priape dérogea, Vénus fit la catin,
Cette contagion infecta les provinces,
Du clerc et du bourgeois passa jusques aux princes ;

La plus mauvaise garce eut ses adulateurs,
Et jusqu'à la Margot, tout trouva des fouteurs.
L'Art priapique.

MARIAGE. *See* CHAUSSE-PIED, PAQUET, etc.

— MARIAGE DE LA MAIN GAUCHE = concubinage.

MARIÉ COMME LES HANNETONS (ÊTRE). To live in concubinage.

MARITORNE, *f.* and *adj.* An uncouth woman—little desirable. Also MALITORNE.

MARJOLLER. To copulate. [RABELAIS].

MARJOLLES (LES). The *testes*. [RABELAIS].

MARLOU, *m.* A ponce. Also MARLOUPIN.

La plus sublime de ces positions, c'est celle du marlou.—FRÉDÉRIC SOULIÉ.

C'est des marlous, n'y prends pas garde.—H. MONNIER.

MARMITE, *f.* A harlot : specifically the mistress of a ponce.

Tu es un crâne fouteur . . . et . . . si tu y consens, ce n'est pas toi qui me donneras de la braise, c'est moi qui serai ta marmite.—LEMERCIER DE NEUVILLE.

MARMOTTE, *f.* The female *pudendum ;* 'the brown madam'.

Un soir, ma sœur me dit : Si nous étions dans le même lit, tu pourrais faire entrer ta petite broquette qui est toujours raide dans la bouche de ma petite marmotte que tu aimes tant à sucer.—*Anti-Justine.*

MAROLLES. *See* PUCELLE.

MAROQUIN, *m.* The female *pudendum ;* 'the cut-and-come-again'.

Plus vous battrez le maroquin, plus
e cuir s'enflera.—TABARIN.

MAROTTE. *See* JOUER.

MARQUE DE LA VAISSELLE, *f.* The
penis. [RABELAIS].

MARQUER (NE PLUS). To cease
menstruation: through change of
life or pregnancy.

MARQUISE, *f.* A mistress.

MARRONS, *m. pl.* The *testes.*

. . . Tire de sa poche une longue
ficelle, lui lie les deux marrons que vous
savez.—*Nouvelles de Grazzini.*

Dam' Putiphar, sans médire,
Les aimait, je crois, assez;
Pourtant Joseph, on doit l' dire,
N'avait qu' des marrons glacés.
Marrons, marrons,
Bien pleins et bien ronds,
Tout l' monde en voudra,
Ils brûl'nt, ces gros-là!
ALPHONSE.

MARTEAU, *m.* The female *pudendum;* 'the everlasting wound'.

La femme recherche toujours l'homme, comme le voulant prier de lui faire la
courtoisie de lui remmancher son marteau.
—TABARIN.

MARTELER. To copulate.

Lessant les œuvres de ses mains
Pour marteler dessus vos rains.
Anciens Fabliaux.

Je vous mettrai en tel état que jamais
vous n'aurez volonté de marteler sur
enclume féminine.—*Les Cent Nouvelles
nouvelles.*

MARTINGALE, *f.* A harlot. [RABE-
LAIS].

MARTYRE, *m.* The sexual embrace.

Je les vis tous deux pasmés
Après un si doux martyre.
GAUTIER-GARGUILLE.

MASCARET, *m.* Ejaculation. [Literal-
ly, a tidal wave noticeable in
certain rivers].

Si bien qu'il fallait que l'autre fut
sage, et qu'il épiât le temps du mascaret,
quand il allait venir.—BRANTÔME.

MAT, *m.* The *penis;* 'the staff of
life'.

Car il faut pour vrai confesser,
Que le navire branle et flotte,
Quand le mât ne peut plus dresser.
Le Cabinet satyrique.

MATACINS. DANSER LES MATACINS
= to copulate. [RABELAIS].

MATIÈRE (LA), *f.* Physical or sensual
love.

Oh! oui, je personnifie les joies ardentes de la matière, les joies brûlantes
de la chair.—*Gamiani.*

MATINÉE. Deflowered, or willing to
be femininised.

MATINES. *See* RETOUR.

MAUJOINT, *m.* The female *pudendum;* 'the cave of harmony'.

Qu'à ce méchant, vilain et ord
Eut abandonné son maujoint.
Farces et Moralités.

Mes chambrières sont condamnées
à se couvrir et à ne montrer leur maujoint.—NOEL DU FAIL.

Pour suppléer au pucelage pris depuis
dix ans, et resserrer maujoint.—P. DE
LARIVEY.

MAXIMA, *f.* A harlot. [RABELAIS].

MAYER (UN), *m.* A rich and generous client. [From a M. Mayer].

MÈCHE, *f.* The *penis.*

Pensez qu'elle alluma la mèche en
ce premier tison.—BRANTÔME.

MÉDAILLON, *m.* The breach.

MÉDECINE, *f.* The act of kind.

Car souvent elle feignait être malade pour recevoir la médecine.—*Les Cent Nouvelles nouvelles.*

MÉFAIT, *m.* The sexual embrace; 'the naughty'.

Le mari trouva la brigode en présent méfait.—*Les Cent Nouvelles nouvelles.*

Vous l'avez prise en ce méfait?—J. GREVIN.

MÊLÉE, *f.* The act of kind; 'the double fight'.

Ce que de loin avisant un passant,
Il fut d'avis de quitter la mêlée.
COLLÉ.

MEMBRE, *m.* 1. The *penis.* Also MEMBRE VIRIL. [RABELAIS].

Femme, dit-il, si Dieu m'ait,
Je ne vis oncques si grant membre.
Anciens Fabliaux.

Il jurait sur son honneur qu'il portait le plus beau membre, le plus gros et le plus carré qui fut en toute la marche d'Avesnes.—*Les Cent Nouvelles nouvelles.*

— 2. The female *pudendum.*

Comment sais-tu que les membres honteux des femmes sont à si bon marché?—RABELAIS.

— *See* EXERCER, METTRE, etc.

— MEMBRE DE LA CARAVANE = a harlot: *cf.* CHAMEAU.

MEMBRU. Well-hung. Also MEMBRÉ.

Et nous qui sommes fort membrus.
—*Farces et Moralités.*

MENACER (UNE FEMME). To get an *erectio penis.*

Et, Alcide, comme il est amoureux? Vois! il te menace.—ALFRED DE MUSSET.

MÉNAGE, *m.* The female *pudendum;* 'the cuckoo's nest'.

Il entre en si violente et âpre présomption qu'on avait remué le ménage de sa femme.—NOEL DU FAIL.

— *See* DROIT.

— MÉNAGE A TROIS = the *personnel* of adultery.

MÉNAGER SA POUDRE. To fully experience the sexual paroxysm.

MÉNESSES, *f. pl.* 1. Women in general; also (2) the world of harlotry.

MENIN, *m.* A wencher.

La petite comtesse, à côté du prélat, lui serrait de temps en temps la main par-dessous la nappe, pour lui faire comprendre combien elle le préférait pour menin à son peu naturel ami.—*Le Diable au corps.*

MENSONGES COTONNEUX, *m. pl.* Artificially made-up breasts.

Il dévoilera les mensonges cotonneux de madame.—THÉOPHILE GAUTIER.

MENTON RENVERSÉ, *m.* The *mons veneris.*

Ils lui arrachèrent poil à poil la barbe du menton renversé.—*Variétés historiques et littéraires.*

MENTULE, *f.* The *penis.*

En tirant sa mentule en l'air, les compissa.—RABELAIS.

MERCI. *See* DON.

MERCURE, *m.* A ponce. [RABELAIS].

MÈRE ABBESSE, *f.* The mistress of a brothel; also MÈRE D'OCCASION.

Sortez vite et rentrez souvent,
Le jour baisse,
Servez votre abbesse;
Mes filles, malgré pluie ou vent,
En avant, pour l'honneur du couvent.
BÉRANGER.

MER ROUGE (LA), *f.* The menses. [RABELAIS].

Trois lustres et rien de plus, don-
naient aux yeux d'Agnès une nouvelle
vie ; on y lisait à quelle époque les
flux et reflux de la mer rouge avaient
pour la première fois offert leur tribut
à l'ordre naturel des choses ; ses formes
se développaient . . .—Mercier de C.

Messe. *See* Chanter.

Messire Luc. The breech. [Ana-
gram of *cul*].

Mesure, *f.* The act of kind.

Elles n'oubliaient jamais de demander à l'hôte la mesure de leur mallier.—
Brantôme.

Métairie, *f.* The female *pudendum;* 'the freehold'.

Et pourvu, je dis, que vous ména-
giez · bien vos métairies naturelles.—
Béroalde de Verville.

Métier, *m.* 1. The act of kind. Also
bas-métier. [Rabelais].

Et tu voudras que je te face
Ce joli métier amoureux.
         Anciens Fabliaux.

Lui laisse trois gluyons de feurre
Pour étendre dessus la terre,
A faire l'amoureux mestier.
         F. Villon.

Quand une femme est au métier,
Et sa voisine l'accompagne,
Elle a sa part au bénitier
Par la coutume de Champagne.
        Béroalde de Verville.

On lui fit fille épouser
Qui était faite au métier.
       Recueil de poésies françaises.

Cousin, c'est pardieu la plus belle
Et qui entend mieux le métier,
Que femme qui soit au quartier.
        J. Grévin.

Le métier d'amour en effet
Est une assez plaisante affaire ;
Ce métier là plus on le fait,
Et moins on est propre à le faire.
        Daceilly.

Et dans cet amoureux métier
De maître il devient écolier.
        Parny.

Renonçant en tout à l'usage du bas
métier.—P. de Larivey.

— 2. A life of prostitution or
debauchery: *e.g.* Elle est du
métier, or Elle fait le métier.

— *See* Fille, Mettre, etc.

Métromanie. *See* Fureur utérine.

Mets Couvert (jouer a). To
masturbate. [Rabelais].

Mettre. Le mettre = to copulate.
Also se mettre a la besogne,
se mettre a la juchée, se
mettre a l'ouvrage, se mettre chair vive en chair vive,
mettre dedans, mettre en
besogne, mettre en œuvre,
mettre en presse, mettre
andouille au pot, mettre
la queue entre les jambes,
mettre le corps en presse,
mettre ses reins en besogne,
mettre un membre dans un
autre, se mettre sur le dos,
mettre du lard en bouteille.

Et par crainte de perdre le temps
il se mit à la besogne.—T. Desaccords.

Monsieur notre maître se mit à la
juchée.—Béroalde de Verville.

Sur le dos nonchalamment
Vous recevez votre amant ;
Pas le moindre mouvement,
    Autant, ma foi,
Sentir sa femme auprès de soi.
        Béranger.

Réveille-toi, petite gueuse : je veux
te le mettre encore une fois au moins.—
La Popelinière.

Notre héros se forma vite . . .
Le mit-il, ou le lui mit-on ?
N'y eut pas d'affront.
        Al. Pothey.

Adam voulut le mettre :
Ève le sentit mettre.
    Viens, bande-à-l'aise,
    Vite, mets-le-moi.
        Collé.

Cela fait, ils se mirent à l'ouvrage
de par dieu.—*Les Cent Nouvelles
nouvelles.*

Il lui mit chair vive en chair vive.—
Béroalde de Verville.

Elle n'a tout ce temps là rien mis
dedans.—Béroalde de Verville.

Voilà comme plusieurs femmes ne
pensent faire faute à leurs mains en
mettant dedans.—Brantôme.

Il l'amena devant celle qui tantôt
le mit en besogne.—*Les Cent Nouvelles
nouvelles.*

Elle manda secrètement le fils d'un
cordonnier son voisin, et le fit venir en
l'étable des chevaux de son père, et le
mit en œuvre comme les autres.—*Les
Cent Nouvelles nouvelles.*

Et à la vérité on en met de bien
pires en œuvre.—T. Desaccords.

Et en disant cela il la mit en œuvre.—
D'Ouville.

Mais chacune puis ne confesse,
Comme elle a été mise en presse.
MATHÉOLUS.

Pour être un petit mise en presse,
Je n'en serai que plus marchande.
Recueil de poésies françaises.

Moi qui suis tant gentil, tant dispos,
 tant allègre,
Et qui sais proprement mettre l'andouille
 au pot,
Et larder le connin, je fais ici du sot.
TROTTEREL.

La couarde est celle qui met la
queue entre les jambes.—*Recueil de
poésies françaises.*

Bannissez donc toute vergogne
Et mettez vos reins en besogne.
Le Cabinet satyrique.

Il vous a mis le corps en presse?—
Farces et Moralités.

Tu m'as promis de mettre un de
mes membres dans un des tiens.—
Béroalde de Verville.

Je voudrais bien avoir mis un de
mes membres dans un des vôtres.—
D'Ouville.

— METTRE A MAL = to debauch
a woman. Also METTRE AU
MÉTIER, METTRE UNE FEMME
DANS LA CIRCULATION.

Ce fut lui qui mit Marion à mal.—
Tallement des Réaux.

Tout ainsi la femme vieillette,
Met au métier mainte fillette.
MATHÉOLUS.

Il avait mis à mal toutes les femmes
qu'il avait entreprises.—Richelet.

— METTRE EN GOÛT = to cause
erection. Also METTRE EN RUT.

Mais sa chair ne pouvant le mettre
en goût, il la repoussa en riant.—
Ch. Sorel.

Elle faisait de la farouche et de la
dédaigneuse, le mettant plus en rut.—
Brantôme.

Chevaucher trois ou quatre coups
ne fait que mettre en appétit; il faut
continuer tant qu'il y en a, pour nous
donner du passe-temps.—Mililot.

Il n'est rien qu'une femme trouve
plus mauvais que quand l'homme la met
en appétit, sans la contenter.—Bonaventure Desperriers.

— SE METTRE AU FAIT = to
become expert in action with a
man.

Tu as bien tort; si tu ne te mets
pas au fait, ton mari te prendra pour
une bête.—La Popelinière.

— METTRE LE FOUTRE A LA
BOUCHE = to excite to venery
by word or act. Also METTRE
UN HOMME EN ÉTAT.

C'est dans ce moment-là, pour le mettre
 en état
Et pouvoir arriver à quelque résultat,
Qu'il faut de son métier connaître les
 roueries
Et n'être pas novice en polissonneries.
Louis Protat.

Ingrat! tu m'as mis le foutre à la bouche!
J'allais presque entrer dans le paradis!
Parnasse satyrique.

— LE METTRE DANS LE PETIT
= to sodomise.

— METTRE LA TÊTE A L'ÉTAL
= to gamahuche a woman.

— METTRE LE PAPE. *See* PAPE.

MEUBLANT, *m.* A ponce or fancy
man.

MICHÉ, *m.* A client : prostitutes ; a man who pays for the favor in contradistinction to one who receives it *con amore.*

Allumer tous les soirs la chandelle de l'hyménée en faveur d'un tas de gonzesses et d'autant de michés.—LEMERCIER DE NEUVILLE.

— MICHÉ DE CARTON = the reverse of MICHÉ SÉRIEUX (*q. v.*).

— MICHÉ SÉRIEUX = a man who frequently visits a particular woman.

Fichtre ! c'est un miché sérieux.— LEMERCIER DE NEUVILLE.

MIGNON, *m.* 1. A pederast (subject). [RABELAIS].

Et j'abandonne au vicaire de Dieu
Ses trois clefs d'or, ses fulminantes bulles,
Son Vatican, son cardinal neveu,
Ses beaux mignons, ses nièces et ses mules.
PARNY.

Petit fils, petit mignon,
Mâle ou femelle, je sais ton nom.
BÉRANGER.

Ce qu'il est le plus naturel de faire aux femmes, est précisément ce dont elle se soucie le moins ; . . . tantôt elle veut qu'on la traite comme un mignon . . . tantôt, etc., etc.—A. DE NERCIAT.

— 2. An endearment = 'darling'.

— MIGNON D'AMOURETTE = the female *pudendum ;* 'Love's dainty'. [RABELAIS].

Parce qu'il sera le petit mignon d'amourette.—BÉROALDE DE VERVILLE.

MIGNONNE, *f.* A harlot.

Quelque petit espace de temps après vinrent deux mignonnes.—BÉROALDE DE VERVILLE.
Il me faut donc chercher quelque jeune mignonne,
Que pour fille de chambre, en gaussant je lui donne.
J. DE SCHÉLANDRE.

Il voulait avoir une somme de dix mille livres tous les ans pour ses mignonnes.—TALLEMENT DES RÉAUX.

. . . Les riches seigneurs et les financiers ne se faisaient pas faute d'entretenir plusieurs mignonnes à la fois dans différents quartiers de la ville, ou même de les réunir ensemble comme dans un sérail . . .—P. DUFOUR.

— AVOIR GAGNÉ LA MIGNONNE = to be poxed or clapped.

J'irai gagner la mignonne. Eh bien, je l'enverrai à l'hôpital.—CASANOVA.

MIJAURÉE, *f.* A woman of affected manners ; a prude of prudes.

Ne vas pas avec moi faire la mijaurée.—REGNARD.

Fi des coquettes maniérées !
Fi des coquettes du grand ton !
Je préfère à ces mijaurées,
Ma Jeannette, ma Jeanneton.
BÉRANGER.

MILIEU, *m.* 1. The female *pudendum ;* 'the Midlands'. Also (2) the breech.

Et la pauvrette s'est donnée
D'un vit par le milieu du corps.
COLLÉ.

Ce n'était que l'enjeu, nom de Dieu !
Pour luron de ma sorte.
Je fêtai son milieu ! nom de Dieu !
Trois fois avant que j' sorte, nom de Dieu !
J'fous l'quatrième à la porte, nom de Dieu ! . . .
J'fous l'quatrième à la porte.
F. DE CALONNE.

— *See* PIÈCE.

MILLE (METTRE DANS LE). To sodomise a woman by surprise.

MILORD, *m.* A rich lover.

MIMI, *f.* A mistress.

— FAIRE MIMI = to gamahuche a woman.

MINETTE, *f.* Gamahuchery.

Allons, ma fille, une minette pour
que je bande.—J. LE VALLOIS.

Le bougre lui fait minette.—GUS-
TAVE NADAUD.

> Elle a l'étrange goût
> Qu'on la foute en levrette,
> Elle vous fait minette
> Et puis avale tout.
> > JOACHIM DUFLOT.

MINON, *m.* The female *pudendum;*
'the pussy'. [RABELAIS].

Le vôtre n'est qu'un petit minon.—
BÉROALDE DE VERVILLE.

— FAIRE MINON-MINETTE. *See*
FAIRE.

MINOTAURISER. To cuckold.

Quand une femme est inconséquente,
le mari doit être, selon moi, minotaurisé.
—H. DE BALZAC.

MIRELY, *m.* The female *pudendum;*
'Love's bull's-eye'.

> Un homme ayant pris une veufve
> Pensant avoir troué la febve,
> Voulait donner au mirely.
> *Recueil de poésies françaises.*

MIRLITON, *m.* 1. The female *puden-*
dum; 'the pipe'. Also (2) the
penis. [RABELAIS].

> Vos mirlitons, mesdames, à présent
> Sont grands trois fois plus qu'ils ne de-
> > vraient être.
> > GRÉCOURT.

> Je ne connais sur la terre
> Que deux séduisants objets:
> Ce vin qui remplit mon verre
> Et d'un tendron jeune et frais,
> > L'étroit mirliton, etc.
> Le cynique Diogène
> Blâmait toujours le plaisir,
> Et lui-même, dans Athènes,
> Il empoignait pour jouir
> > Son vieux mirliton, etc.
> > > J. CABASSOL.

MIROIR, *m.* The breach. [RABE-
LAIS].

MISÈRE, *f.* The *penis;* 'the tickle-
gizzard'.

Êtes vous circoncis?
Vous allez voir. Lors sa misère nue
Le compagnon étale à découvert.
> > LA MONNOYE.

MISTIGOURI, *m.* The *penis.* [RA-
BELAIS].

MITAN, *m.* The female *pudendum;*
'the Middle Kingdom'. [Old
French = *milieu*].

Aux unes on demandait si elles ne
sentaient rien qui les piquât au mitan
du corps pour cela.—BRANTÔME.

MOCHÉ, *f.* A harlot. [RABELAIS].

MODE DE BERLIN (FOUTRE A LA).
To sodomise or pederastise.

De là, ma chère maîtresse, l'habitude familière que j'ai contractée de
favoriser à la mode de Berlin ceux de
mes galants qui peuvent avoir cette
fantaisie ....—*Mon Noviciat.*

MOELLE, *f.* The semen.

Parce qu'elle en avait tiré le matin
la moëlle d'un.—BÉROALDE DE VERVILLE.

MOIGNON, *m.* The *penis.*

MOINEAU, *m.* The *penis.* Also LE
MOINEAU DE LESBIE. [RABE-
LAIS].

Ouvre... ouvre tes cuisses, prends
mon moineau, mets-le en cage.—LA
POPELINIÈRE.

MOLLIR. To weaken.

> Quelque soit le jupon sous lequel on
> > s'escrime,
> Bander est un devoir, et mollir est un
> > crime.
> > *Art priapique.*

MOMAQUE, *m.* A child.

MÔME, *f.* A harlot of tender years.
Also MÔMERESSE.

J'vas la r'lever, la môme a l'air
gironde...—*Chanson nouvelle.*

— MÔME D'ALTÈQUE = a young
Adonis.

MÔMIÈRE, *f.* A midwife.

MÔMIR. To be brought to bed.

MOMISER. To sodomise a girl of tender years.

MONDE RENVERSÉ, *m.* 1. A position in venery: the woman uppermost and the man on his back; [RABELAIS]; and (2) the same as SOIXANTE-NEUF (*q.v.*).

MONICHE (or **MONIQUE**), *f.* The Mount of Venus.

> Lorsque Vénus vint au monde,
> Elle avait la motte blonde,
> Les tetons bien relevés
> Et les poils du cul frisés.
> En voyant cette moniche,
> Le grand Jupin s'écria :
> Heureux celui qui se niche
> Dans un con comm' celui-là.
> ANONYME.

> Après cela, c'est son tour de fêter toutes ces petites moniches.—*Aphrodites.*

MONSIEUR (LE). A regular client: the man who pays and keeps a woman as opposed to the MICHÉ (*q.v.*).

> On ne peut pas parler à mademoiselle. Et le monsieur... n'y est pas.—GAVARNI.

> Suivant le degré de distinction d'une femme, elle dit; mon époux, — mon homme, — mon monsieur, — mon vieux, — monsieur chose, — mon amant, — monsieur, — ou enfin monsieur un tel. — Sauf dans la haute aristocratie, où l'on dit : monsieur un tel, ce mot : mon époux est général ; il se dit dans toutes les classes.—CADOL.

— **MONSIEUR LEBON** = a client who pays well.

MONT. MONT DE VÉNUS, *m.* The *pubes.* [RABELAIS].

> Car il faut des oublis antiques
> Et des pudeurs d'un temps châtré
> Venger dans des strophes plastiques,
> Grande Vénus, ton mont sacré !
> TH. GAUTIER.

— **MONT FENDU,** *m.* The female *pudendum ;* 'the mount of desire'. [RABELAIS].

> Du mont-fendu en vain je veux franchir la route.—*Théâtre du Bordel.*

MONTÉ. Well-hung.

> C'est que t'as l'air d'en avoir pour deux... T'es bien monté... mâtin !—LEMERCIER DE NEUVILLE.

> Elle en fut quitte pour faire élection des plus gros montés qui se pouvaient trouver.—BRANTÔME.

MONTER. To copulate; 'to ride'. Also MONTER A L'ASSAUT, MONTER SUR LA BÊTE. [Lit. 'go upstairs'. In brothels the *salon* where women are in waiting for clients is usually on the ground floor, the bedrooms on the first. So that *monter* is really 'go upstairs to copulate'].

> Il trouve la brèche toute faite et qu'un autre ou plusieurs avaient monté à l'assaut.—*La France galante.*

> Car il abat, c'est chose prompte
> La femme alors, puis l'homme monte.
> *Farces et Moralités.*

> Quand on veut monter sur une femme, on la couche.—TABARIN.

> Il se repent d'avoir monté
> Aussi souvent dessus la bête.
> *Recueil de poésies françaises.*

> Rester ici au lieu d'aller au salon avec toutes ces dames...; toujours descendre et ne jamais monter.—LEMERCIER DE NEUVILLE.

> Pute ne tient conte
> Qui sur son cul monte,
> Toz li sont igual.
> *Anciens Fabliaux.*

> Le vin si fort le surmonta
> Que sur ses deux filles monta.
> *Recueil de poésies françaises.*

> Monsieur, je vous entends bien; vous voulez monter sur moi.—NOEL DU FAIL.

— **MONTER LA TÊTE A UN HOMME** = to cause erection by word or deed. Also MONTER LE COUP

AUX HOMMES (which latter also, of women only = to be content with simply arousing desire). [The usual meaning of MONTER LA TÊTE A UN HOMME = to rouse anger and hatred by true or false reports about another].

> Mais rien ne monte la tête,
> Non, rien n'est plus polisson
> Qu'une langue toujours prête
> A vous lécher le bouton.
> LEMERCIER DE NEUVILLE.

— SE MONTER LE COUP = 1. to be credulous; to believe that all women are virtuous, or that the favor is given without price; and (2) to congress with a woman who is little desirable.

> Un souvenir fatal me poursuit et m'op-
> presse...
> Toujours à mon regard apparaît Serre-
> fesse,
> Et, si je veux baiser, je ne bande, à
> présent,
> Qu'en pensant en moi-même à son cul
> séduisant...
> Que cette garce-là doit être belle, nue!
> Sa gorge est dure et blanche et sa fesse
> charnue!...
> Que je serais heureux de la gamahucher!
> De fourrer dans son cul ma langue! de
> lécher
> L'entre-doigt de ses pieds! son nom-
> bril! son aisselle!
> Tout effort serait vain pour me détacher
> d'elle...
> Il faut que je la baise et cela sans tarder!
> Tiens! rien que d'y penser cela me fait
> bander?
> L. P., *Serrefesse, Act. III, sc. Ire.*

MONTEUR, *m.* A man in the act of kind.

> Mais çà était un pauvre monteur que ce monsieur le Dauphin.—TALLEMENT DES RÉAUX.

MONTRE, *f.* The breach.

> Le pitre d'un tireur de cartes, rece-vant un coup de pied de son maître, s'écriait toujours en portant la main à son cul: — Ah! monsieur, vous avez failli casser le verre de ma montre.

MONTRER SA BOUTIQUE (or SON DEGRÉ DE LONGITUDE). To expose the person: the former of women, and the latter of men, only.

> Je vis après ce polisson
> En si fière attitude
> Qui m'enflamme en me montrant son
> Degré de longitude.
> COLLÉ.

> En tombant, elle a montré toute sa boutique.—D'HAUTEL.

MONTRETOUT, *m.* Any place where sacrifices to Venus are made.

> Pierre, par jour, fait coup sur coup
> Six voyages avec Jeannette,
> Sur la route de Montretout.
> EUG. GUÉMIED.

MONTS (LES), *m. pl.* The paps; 'the hemispheres'.

> Entre deux monts de roses et de lis
> Était placée une rose naissante,
> Qui relevait leur blancheur ravissante.
> PIRON.

MONTURE, *f.* A woman consenting to (or in) the sexual congress.

> Mais quand je fis de ma bourse ouver-
> ture
> Je ne vis onc plus paisible monture.
> MAROT.

> Or allons donc, et je m'assure
> Que vous trouverez la monture
> Aussi gaillarde et bien en point.
> J. GRÉVIN.

> Il n'y a si vieille monture, si elle a le désir d'aller et veuille être piquée, qui ne trouve quelque chevaucheur malotru.—BRANTÔME.

> De qui les femmes aux courtisans
> Servent bien souvent de montures.
> *Recueil de poésies françaises.*

> Notre rustre n'eut pas sur sa monture si
> douce
> Fait trois voyages seulement,
> Qu'il sentit du soulagement.
> LA FONTAINE.

Un aumônier n'est pas si difficile ;
Il va piquant sa monture indocile,
Sans s'informer si le jeune tendron
Sous son empire a du plaisir ou non.
                                    VOLTAIRE.

MORCEAU, *m.* 1. The *penis.*

Car sa peur la plus grande
De perdre était, le voyant animé,
Le bon morceau dont elle était friande.
                                    RABELAIS.

Un ami ne vend pas si cher
Son petit morceau de chair.
La Comédie des chansons.

Nous ne voulons pas seulement avoir
part à un morceau, nous le voulons tout
entier.—CH. SOREL.

Et quelle qu'en soit la longueur,
Aucun morceau ne lui fait peur.
Chanson anonyme moderne.

— 2. The female *pudendum;* ' the
bit '.

Et la pressant d'en obtenir ce bon
petit morceau gardé pour la bouche du
mari.—BRANTÔME.

Je suis par étrange usage
Une fille en son veuvage,
Qui a sous le bout du busc
Un morceau de bonne prise.
Le Cabinet satyrique.

— 3. A girl; 'a piece': usually
with a qualifying adjective, as
'beau', 'joli' etc.

Nous allons voir si l'état d'miché
vaut l'mien, et si je s'rai assez chançard
pour tomber sur un bon morceau . . .—
LEMERCIER DE NEUVILLE.

— MORCEAU DE SALÉ = a newly
born infant, or very young child.

MORDILLER LES TÉTONS. To titillate the nipples: to arouse desire.

Procédez avec ordre, et pour ouvrir la
                                        voie
De vos lèvres en feu, mordillez les tétons.
Que le bout, sous la dent, se gonfle, se
                                    raidisse
Et communique au corps d'ardentes
                            voluptés . . .
                                        X.

MOREL, *m.* The female *pudendum.* [Old French = *cheval
noir*].

Et que demandât de l'avaine
Pour morel chascune semaine.
Anciens Fabliaux.

MORSURE, *m.* The rosy mark left
on the flesh by an amorous kiss.

Lorsque j'abandonne aux morsures
mon buste.—CH. BAUDELAIRE.

MORTAISE, *f.* The female *pudendum;* 'the Mother of All Souls'.

Le charpentier le fait en la mortaise.
—NOEL DU FAIL.

MORT-BOIS. *See* FORÊT.

MORT-DANS-LE-DOS, *m.* A man
without parts in venery ; a fumbler.

MORTIER, *m.* The female *pudendum.* [RABELAIS].

MORUE, *f.* A harlot—the lowest
of the low.

Vous voyez, Françoise, ce panier
de fraises qu'on vous fait trois francs ;
j'en offre un franc, moi, et la marchande
m'appelle . . . — Oui, madame, elle vous
appelle . . . morue !—GAVARNI.

MOSLE, *m.* The female *pudendum ;*
'the half-moon'. [KILLIGREW].
[Old French = *meule*].

Semble qu'il y ait conjoncture
Que la femme ait été d'accord
D'entretenir la nature
Prescer le mosle à la pasture.
                            G. COQUILLART.

MOTTE, *f.* The *pubes ;* [the MOUNT
OF VENUS].

La motte et les choses secrettes
Quoi a la nature faites.
                            MATHÉOLUS.

J'en ai pris une douzaine en vingt-
quatre heures sur la plus belle motte,
qui soit ici à l'entour.—BRANTÔME.

Et quand il trouve la chemise, il la
lève et m'appuie la main sur la motte,
qu'il pince et frise quelque temps avec
les doigts.—MILILOT.

Le mécréant se reculotte
Et regagne ses bataillons;
L'un va pleurer sur une motte,
Et l'autre hélas! sur des couillons.
                        B. DE MAURICE.

Ces petits cons à grosse motte,
Sur qui le poil encor ne glotte,
Sont bien de plus friands boucons.
                        Cabinet satyrique.

Mais toutes ces beautés, mon Aline,
                        crois-moi,
Cèdent à la beauté de ta motte vermeille.
                        THÉOPHILE.

MOUCHE-PINE, *m.* A fellatrix.

MOUCHER (SE). To effect ejaculation
by self-abuse.

Pourtant, on fout cette latrine!
Ne vaudrait-il pas mieux, cent fois
Moucher la morve de sa pine
Dans le mouchoir de ses cinq doigts?
                        TH. GAUTIER.

Le vieux maréchal de Villeroi ayant
été envoyé à Lyon, en 1717, pour apaiser une sédition, ce ne furent pendant
son séjour que réjouissances et fêtes
continuelles. Une grande dame de Paris,
ayant appris que les Lyonnaises s'em-
pressaient fort d'écrire au maréchal, écrivit à l'une d'elles: Mandez-moi donc à
qui M. le Maréchal a jeté le mouchoir.
La vieille madame de Bréault, qui ha-
bitait Lyon et qui avait été autrefois des
amies de Villeroi, vit cette lettre et dit
à celle qui la lui montrait: Ecrivez à
votre amie qu'il y a longtemps que le
maréchal ne se mouche plus.—P. LA-
ROUSSE.

— MOUCHER LA CHANDELLE ==
to retire before ejaculation.

Comment, disait-il,
D'un mari, ma belle,
Malgré la chandelle
Tromper l'œil subtil?
— Mouchez, disait elle.
                        VICTOR MABILLE.

MOU DE VEAU, *m.* Breasts, flabby
and pendulous.

L'autre dit que sa gorge était un
mou de veau.—LOUIS PROTAT.

MOUDRE. To copulate; 'to grind'.

Et moulait au moulin de la dame
toujours très-bien, sans y faire couler
l'eau.—BRANTÔME.

Et en jouant et passant le temps
ensemble commencèrent à moudre fort
et ferme.—P. DE LARIVEY.

Elle ne fout pas, elle moud: elle
travaille et je jouis.—LEMERCIER DE NEU-
VILLE.

MOUILLER. To ejaculate.

La nature entière se pâme
Sous un basier mystérieux,
Et se mouille comme une femme,
Sous le vit du plus beau des dieux.
                        Parnasse satyrique.

Va... va... va... petit homme
Ah! cela vient... Tu me mouilles..
Ah...—H. MONNIER.

— MOUILLER SES DRAPS == to
experience nocturnal emission;
'to have a wet dream'.

Il n'est que toi, V***, ma toute belle,
Qui seule, hélas! te chatouillant le sein,
Fais chaque nuit des rêves de pucelle,
Et sans plaisir mouilles ton traversin.
                        JOACHIM DUFLOT.

MOULE, *m.* 1. The *penis.*

Elle faisait élection des plus gros
moules qu'elle pouvait trouver.—BRAN-
TÔME.

— 2. The female *pudendum;*
'the spleuchan'. [BURNS].

Avancez-vous, et commencez dès
cette heure, je suis prête à livrer le moule.
Les Cent Nouvelles nouvelles.

Les femmes des anciens Perses pré-
sentaient leurs moules d'humanité à leurs
enfants et parents qui fuyaient.—*Le Synode nocturne des tribades.*

— MOULE A MERDE == the breech.

MOULIN A VENT, *m.* The breach.
Also VENTÔSE. [RABELAIS].

MOURIR. To experience the sexual
spasm.

Laisse Roger baiser ta gorge ronde
Et Louis se mourir dans tes bras.
J. DUPFOT.

Tu ne pourras plus me satisfaire...
ma tête brûle... Voyons! que peux-tu?
Je veux mourir d'excès, je veux jouir
enfin!.. jouir!... jouir!...
...Je vais te mettre en feu, te porter
au comble de la vie sensuelle! Tu re-
tomberas morte encore, mais morte de
plaisir et d'excès!—A. DE M.

— MOUP'R AU CUL DE LA PRIN-
CESSE = to weaken at the
moment of ejaculation.

MOUSTACHE, *f.* The pubic hair.

MOUVEMENT PERPÉTUEL, *m.* The
act of kind.

Son magister lui apprend la philosophie qui parle et traite du mouvement
perpétuel.—BRANTÔME.

MOUVOIR DES REINS. To copulate.

Li valès ne fust pas vilains,
Il commence à mouvoir des rains.
Anciens Fabliaux.

MOUZU (or **MOUSSU**), *m.* The breast.

MOYSE, *m.* A cuckold. [RABE-
LAIS].

MULET. *See* TENIR.

MUNI. Well-hung.

MUSARDINE, *f.* A prostitute plying
at the Concerts-Musard.

MUSCLE, *m.* The *penis.*

Dieu sait si la chaleur de cette nouvelle
Ève
De mon muscle allongé ferait monter la
sève.
PIRON.

MUSELIÈRE, *m.* An artificial *penis;*
'a dildo'.

Le bijoutier revint et présenta à
mes dévotes deux muselières des mieux
conditionnées.—DIDEROT.

MUSEQUINE, *f.* A harlot. [RABE-
LAIS].

MUTINUM, *m.* The *penis.* [RABE-
LAIS].

MUTO, *m.* The *penis.* [RABELAIS].

MYSTÈRE, *m.* The act of kind.

Tout va bien mieux, comme m'ont assuré
Ceux que l'on tient savants en ce
mystère.
LA FONTAINE.

Quand sur le déclin du mystère
Le galant transporté du plaisir qu'il
ressent.
GRÉCOURT.

Voulez-vous qu'au tendre mystère,
Nous puissions tous deux nous former?
PANNARD.

ACELLE, *f.* The female *pudendum;* 'the boat'.

> Vérifiait, et sitôt qu'à
> son gré
> Propre au dehors il
> trouvait la nacelle.
> GRÉCOURT.

NACHE, *f.* The breach; the buttock. [RABELAIS].

> En dementiers que il le tâte,
> Le prêtre saisait par la nache.
> *Anciens Fabliaux.*

NAGE. *See* NACHE.

NANAN, *m.* Sexual pleasure.

NARCISSE, *m.* A masturbator.

NATURE DE LA FEMME, *f.* The female *pudendum.* Also NATURE.

> Car il ne se trouve pas de mémoire
> d'homme que leur nature, bien qu'elle
> soit fendue de demi-pied, se soit cassée.—
> TABARIN.

> Mais le monstre, avec joie inspectant
> ma nature,
> Semblait chercher comment et de quelle
> façon
> J'allais être foutue; en cul, con ou téton
> Qu'il regardait déjà comme étant sa
> pâture.
> LOUIS PROTAT.

> Si vit une noire take ke elle avoit
> entre la diestre ainne austre priès de
> sa nature.—*Nouvelles du XIIIe siècle.*

— NATURE DE L'HOMME. The *penis.*

NATUREL. *See* TIRER.

NAVETTE, *f.* The *penis.*

> D'un vieux je tenais la navette,
> La sonde en main et la cuvette.
> *Chanson.*

— JOUER DE LA NAVETTE = to copulate. [RABELAIS].

NAVIEAUX, *m.* The *penis.*

> Nos chemises étaient si courtes
> Que l'on voyait nos navieaux,
> Filourette, etc.
> *Ancienne chanson.*

NAVIRE, *m.* The female *pudendum;* 'the covered way'. [STERNE].

> Je ne reçois jamais personne dans
> mon navire, sinon quand il est chargé
> et plein.—BRANTÔME.

NAVIS, *m.* The female *pudendum.* [RABELAIS].

NÉ COIFFÉ (ÊTRE). To be born cuckold.

> De ma vive et juste colère
> Pour avoir ainsi triomphé,
> Il faut, en vérité, ma chère,
> Que votre époux soit né coiffé.
> ÉT. JOURDAN.

NECTAR, *m.* The semen.

> Le piston à la main trois fois mon jeune
> chouart
> Dans ses canaux ouverts seringua son
> nectár.
> PIRON.

NÉGOCIER. To copulate.

Il se plaignait un jour de la capacité de la nature des femmes et filles avec lesquelles il avait négocié.—BRANTÔME.

NÉNETS, *m. pl.* The paps.

Tiens, vois mes nénets, comme ils sont engraissés.—H. MONNIER.

Petite maman s'est fait des nénets avec du coton.—GAVARNI.

NERF, *m.* The *penis.* Also LE NERF CAVERNEUX. [RABELAIS].

Il me troussa incontinent et, sans parler, me renversa là sur le lit, me le fit là sur-le-champ et me fit tâter son gros nerf, qui était extrêmement dur.—MILILOT.

NERVUS, *m.* The *penis.* [RABELAIS].

NEUVE, *adj.* Virgin.

Aux filles les moins neuves
Nous donnons la fraîcheur
Et la fleur.
COLLÉ.

Femme ou veuve,
Faites en l'épreuve,
Fille neuve,
Prenez frère Roch.
VADÉ.

NEZ, *m.* 1. The clitoris.

Plus gros con, mais il avait si grand nez.—*Les Cent Nouvelles nouvelles.*

— 2. The *penis.*

Belles, jamais ne prenez
Ceux qui n'ont pas un grand nez.
COLLÉ.

NICHE DU DÉMON, *f.* The female *pudendum.*

NICHONS, *m. pl.* The paps.

NID. *See* CHRÉTIENS and FOSSETTES.

NIGUER. To copulate. [RABELAIS].

N'IMPORTE QUOI, *m.* 1. The female *pudendum.*

Du paradis, lorsque le premier homme
Se fit chasser, qui causait son émoi ?
La bible veut que ce soit une pomme,
Et moi je dis : c'est un . . . n'importe quoi.
G. CHEVALIER.

— 2. The *penis.*

NIPHLESETH. The *penis.* [From the Hebrew: RABELAIS].

NOC, *m.* The female *pudendum;* 'the tenuc'. [An anagram = *con*]. [RABELAIS].

Si votre noc savait parler,
Il démentirait votre bouche.
GOMBAULD.

NOCE (FAIRE LA). To spend one's time in venery and drinking.

Faut s' dire eune chose, il en est des prêtres comme des gens qui s' marient : l'homme n'est tranquille, dans un ménage, que d'autant qu'il a fait la noce ; donc, un prêtre qui l'a faite ne la fait plus.—H. MONNIER.

NOCTUINUS, *m.* The *penis.* [RABELAIS].

NŒUD (LE), *m.* The *penis.*

La femme n'est pas au monde pour lire !
Le nœud d'un goujat vaut celui d'un roi.
Parnasse satyrique.

NOIR, *m.* The female *pudendum;* 'the dark'.

Le procureur, qui avait la braguette bandée, ne laissa pas de donner dans le noir.—BONAVENTURE DESPERRIERS.

Bref, je veux qu'elle ait tant de beautés que le galant soit déjà perdu d'aise et de transport avant que d'être arrivé jusqu'au noir.—MILILOT.

NONCONFORMIST, *m.* A pederast.

NON SUNT. Eunichised. [RABELAIS].

NOTE. *See* DANSER.

NOTRE FEMME. A prostitute. Also NOTRE HOMME = a whoremonger.

NOURRICE, *f.* A well-bosomed woman.

NOYER UN GOSSE. *See* GOSSE.

NU. *See* LOGER.

NUIT. *See* CHOSE.

NUMÉROTÉE (ÊTRE). To be registered as a harlot.

Du beau quartier, plus d'un' bell' dame
Qui pour un cach'mire ouvr' ses draps,
Épous' d'ultras, nièc' de prélats,
Tout ça travaille et n' se numérot' pas.
E. DEBRAUX.

NYMPHE, *f.* A prostitute.

Une nymphe, jeune et gentille
Par un matin déménageait.
GRÉCOURT.

Nous entrâmes dans la salle où se trouvaient renfermées beaucoup de nymphes.—LOUVET.

Chez nos nymphes gentilles,
Aller négocier ;
Avoir toutes les filles,
Quand on est financier . . .
COLLÉ.

Il avait pris je ne sais quelle habitude vituperosa avec une nymphe de la rue des Gravilliers.—TALLEMENT DES RÉAUX.

Et ce pour cette fausseté,
La nymphe doit être punie.
G. COQUILLART.

— **LES NYMPHES** = the *labia minora.*

Il faut que chacun manie,
Le sein de ces nymphes-ci,
Pour apaiser son souci.
CH. SOREL.

NYMPHOMANE, *f.* A woman given to the abuse of her own sex: a tribade.

Que faire de mes deux recluses, que j'ai laissées la bouche béante et attendant les promesses de l'amour ? Les voilà nymphomanes et tribades ; elles vont se dessécher et périr avant le temps comme une fleur qui soupire après la rosée.— MERCIER DE COMPIÈGNE.

BÉLISQUE, *m*. The *penis*.

OBJET, *m*. The *penis;* 'the thing'.

Je verrais, sans frémir, périr l'objet que j'ai le plus aimé.—DIDEROT.

— PRENDRE L'OBJET A REBOURS = to sodomise.

T'en trouv'ras qu'auront bien des caprices,
Plus d'un vaurien prend l'objet à rebours;
De ces Judas, déroutes les malices
En leur offrant le ruisseau des amours.
                                    L. FESTEAU.

— OBJET VÉREUX = a woman a little *passé*.

OBLIGER. To copulate.

OBSTACLE, *m*. The maidenhead.

Du vin que l'on buvait alors
La vertu tenait du miracle,
Puisque Loth, sans beaucoup d'efforts,
Sut triompher d'un double obstacle.
                                    PARNY.

OBTENIR TOUT D'UNE FEMME. To receive the favour.

Il y a une dame de considération dans le monde qui veut faire châtier un jeune homme, pour l'avoir méprisée après avoir tout obtenu d'elle.—LA POPELINIÈRE.

OCTAVE (FAIRE L'). To digitate, at the same time, the *pudendum* and *anus*.

OCTROYER LA COURTOÌSIE. To consent to the act of kind.

Il pouvait bien en chercher une autre pour lui octroyer la courtoisie.—CH. SOREL.

ŒILLADE AMÉRICAINE, *f*. A wanton glance; 'pricks in the eyes'.

L'œillade américaine est grosse de promesses: elle promet l'or du Pérou, elle promet un cœur non moins vierge que les forêts vierges de l'Amérique, elle promet une ardeur amoureuse de soixante degrés Réaumur.—EDOUARD LEMOINE.

ŒILLET (L'). The *anus*.

... Laurette, qui a fortement à cœur le gain du pari, dérobe lestement la boutonnière, et, d'un temps, fait trouver à l'engin dans l'œillet son véritable calibre.—A. DE NERCIAT.

ŒIL MARÉCAGEUX, *m*. A voluptuous glance.

Tu ras's la planch' comme un' varlope,
Quand on t' racle du Boieldieu!
Mais que tu dans's bien la galope,
Avec ton œil marécageux.
                                    DOUVÉ.

ŒUF, *m*. The virginity.

Mais un mari plus sensé
Eût pu connaître à la coquille,
Que l'œuf était déjà cassé.
                                    BÉRANGER.

— *See* CASSER.

ŒUVRE, *m*. The act of kind; 'the divine work of fatherhood'. [WHITMAN].

Qu'autant de fois que la fillette
Commettrait l'œuvre de la chair.
Le Cabinet satyrique.

Or les œuvres de mariage
Étant un bien, comme savez.
LA FONTAINE.

Ces mécréants, au grand œuvre attachés,
N'écoutaient rien, sur leurs nonnains
juchés.
VOLTAIRE.

— *See* ÊTRE, METTRE, etc.

OFFICIER. To copulate.

Ils ne furent pas plutôt enfermés qu'ils
commencèrent à officier.—D'OUVILLE.

Pour elle encor Guignolet officie. —
PARNY.

OFFRE-A-TOUS (S'), *f.* A harlot.

— ABBAYE DE S'OFFRE-A-TOUS
= a brothel.

OIE (LA PETITE), *f.* 1. Caresses
antecedent to the act of kind.

Or, n'est-il pas certain que l'homme
qui triche et ceux qui, comme nous,
jouissent des plaisirs de la petite oie, ne
font rien de plus que ces moines, que
ces religieuses, que tout ce qui vit dans
le célibat? Ceux-ci conservent dans leurs
reins, en pure perte, une semence que
les premiers répandent en pure perte.—
Thérèse philosophe.

La petite oie, enfin ce qu'on appelle
En bon français les préludes d'amour.
LA FONTAINE.

— 2. The female *pudendum;* 'the
Thatched House'. [STEVENS].

Elle avait déjà laissé prendre la petite
oie à un homme qui la cajolait.—TALLE-
MENT DES RÉAUX.

Et il fut maître de ce que nous
appelons en France la petite oie.—*La
France galante.*

Je ne vis pas dessous la soie
Jambes, cuisses et la petite oie.
THÉOPHILE.

OIGNEMENT, *m.* The semen. [Old
French = *onguent*].

OISEAU, *m.* 1. The *penis.* [RA-
BELAIS].

Pour récompense à leur oiseau
Je prête mon auget pour boire.
Recueil de poésies françaises.

Madame, je vous donne un oiseau pour
étrenne,
Duquel on ne saurait estimer la valeur.
Le Cabinet satyrique.

Tu n'es qu'un hableur, je ne suis pas
viande pour ton oiseau.
La Comédie des proverbes.

Mais Philin, qui de plus beau
Veut rattaquer l'entreprise,
Trouve là que son oiseau
Est poltron à la remise.
GAUTIER-GARGUILLE.

— 2. A cuckold.

J'ajoutai que j'avais fait un oiseau.
—BÉROALDE DE VERVILLE.

Femmes, qui transformez vos maris en
oiseaux
Ne vous en lassez point, la forme en
est très-belle.
REGNIER.

Je vous dirai, sans fourbe aucune,
Que Jeanne vous a fait gros oiseau de
printemps.
LA FONTAINE.

— 3. Virginity.

L'époux, quelle disgrâce!
De l'oiseau qu'il cherchait
N'a trouvé que la plume.
BÉRANGER.

OLIVES DE POISSY, *f. pl.* The
testes. [RABELAIS].

OMNIBUS, *m.* 1. A whoremonger;
and (2) a common harlot.

ONANISME, *m.* Masturbation.

Judas, dit l'Écriture Sainte,
De sa postérité jaloux,
A Thamar, qu'il veut voir enceinte,
Donne ses trois fils pour époux.
Her s'épuise, Sela s'échine;
Homme impuissant et sans pitié,
Onan, auprès de sa moitié,
Chaque nuit se branle la pine,

Il est certains ribauds dont les pines
glacées
Par un coup de poignet veulent être
excitées,
On voit devant un con leur verge se
baisser,
Et sous leur propre main aussitôt se
dresser.
. . . .
Pour vous justifier n'offrez pas à mes
yeux
De l'impudique Onan l'exemple vicieux...
L'Art priapique.

ONCLE, *m.* A dildo.

ONCTION, *f.* 1. The act of kind;
'a bottom-wetter': of women.

J'avais toujours dit qu'elle s'apaise-
rait quand elle sentirait l'onction.—P.
DE LARIVEY.

Aux voyageurs cette onction est bonne;
Reçois-la donc, et pars: adieu, friponne.
PARNY.

— 2. The semen.

OPÉRATION, *f.* The act of kind;
'the game of prick the garter'.

ORAISON. *See* DIRE.

ORDINAIRES, *m. pl.* The menses.

ORDURES, *f. pl.* Indecent talk:
'smut'.

Les femm's n'aim' pas les ordures,
Ni les couplets de chansons
Polissons.
COLLÉ.

Il fait nuit. Mots confus, romances or-
durières,
Se croisent sous le toit du logis ténébreux.
A. GLATIGNY.

— *F. sing.* = a harlot. [RA-
BELAIS].

OREILLE. *See* LEVER.

— AVOIR L'OREILLE AU BAS DU
VENTRE = to be really amorous
though outwardly cold of nature:
of women.

ORGANE, *m.* 1. The *penis;* (2)
the female *pudendum;* and (3)
the breach.

Ah ! chambre-toi, ma divine sultane,
Et sous les plis que tu sais ramener,
Fais ressortir le vigoureux organe,
Que la pudeur me défend de nommer.
G. NADAUD.

ORGUE, *m.* A breach broad in the
beam.

. . . Quand on veut désigner, chez
une forte dame, cette partie du corps
sur laquelle on s'assied, on dit très bien :
Cette dame a un bel orgue.
A. HUMBERT.

ORIENT (L'), *m.* Female charms in
front of the person.

ORTEILS. *See* SAIGNER.

OS A LA MOËLLE (L'), *m.* The *penis.*

OSIÈRE, *f.* The female *pudendum.*
[RABELAIS].

OSTIL. *See* OUTIL.

OSTIUM, *m.* The female *pudendum.*
[RABELAIS].

A défaut d'ostium, il te reste le
cul.—*Théâtre du Bordel.*

OTER. OTER LE PETIT CHAPEAU
= to retire the foreskin in masturbation.

OURSER. To copulate.

A la Courtille, où le beau sexe abonde,
J'étais allé dans l'intention d'ourser.
DUMOULIN.

Monter chez une fille en lui disant:
Oursons !
Est une expression commune, saugrenue,
Propre aux palefreniers . . .
LOUIS PROTAT.

OURSON, *m.* The pubic hair.

Thomas est un monsieur sans gêne :
Malgré mon r'fus, il va son train ;
Dans mon ourson couleur d'ébène,
Sans façon il glisse la main.
LAUJON.

OUTIL, *m.* 1. The *penis ;* 'the tool'.
Also OUTIL PRIAPESQUE, OUTIL
A FAIRE LA PAUVRETÉ and
OUTIL A FAIRE LA BELLE JOIE.
[RABELAIS].

Qui dit que rien ne haoit tant,
Qui fust en ce siècle vivant,
Com el fesoit son ostil.
Anciens Fabliaux.

Toutefois vous n'y entrerez que je
ne sache à la vérité quel outil vous
portez.—*Les Cent Nouvelles nouvelles.*

C'est fait, hélas ! du pauvre outil.
Mon dieu, il était si gentil,
Et si gentiment encresté !
Ancien Théâtre français.

Lise couchée au retour de l'église,
Disait à Jean : Mon Dieu, le bel outil !
GRÉCOURT.

Un jour Robin vint Margot empoigner,
En lui montrant l'outil de son ouvrage.
CL. MAROT.

Le jeune homme puceau l'appelle son
affaire
L'ouvrier son outil.
LOUIS PROTAT.

— 2. The female *pudendum ;* 'the
tool-chest'.

Ils rejettent l'outil des femmes
comme fève dont ils portent la figure.—
BÉROALDE DE VERVILLE.

Femme qui a bel outil,
N'a pas faute de babil.
Satyre Ménippée.

OUTILLÉ, *adj.* Well-hung.

OUVERTURE, *f.* The female *pudendum ;* 'the chink'.

Il en retourne quérir abondamment
pour clore la grande ouverture.—
RABELAIS.

Ah ! divine ouverture !
Ravissante nature !
Qu'il est petit ! ...
MARC-CONSTANTIN.

OUVRAGE, *m.* The act of kind;
'fancy work'.

Mais prenant goût à ce charmant ouvrage,
Elle oublia de conserver les siens.
PARNY.

J'te laisse ta nuit, j' vas m'coucher,
travaille ... — Du froid qui fait ?
Merci ! j' voudrais t'y voir, tu rirais ...
Pus souvent que j'vas en avoir, à
l'heure qu'il est, d' l'ouvrage.—
H. MONNIER.

Je lui remontrai qu'il fallait achever
l'ouvrage que nous avions commencé.—
CH. SOREL.

Quand La Ferté eut cuvé son vin,
elle voulut le lendemain matin le faire
retourner à l'ouvrage.—*La France
galante.*

— *See* METTRE.

OUVRIER, *m.* A wencher.

— L'OUVRIER DE NATURE = the
penis.

Je suis pour le faire court
Bon ouvrier scieur de planche
Qui travaille, nuict et jour,
D'un outil qui point ne tranche.
Chansons folastres.

Ombragée au-dessous du nombril
d'un poil large et épais, du milieu duquel on voit sortir un bel ouvrier de
nature, fort bandé, qui à bon droit
mérite d'être appelé membre.—MILILOT.

OUVRIR SES DRAPS. To spread.
Also OUVRIR LES GENOUX.

Qui faites tant les resserrées,
Quand on veut ouvrir vos genoux.
TABARIN.

Du beau quartier plus d'un' bell' dame
Qui pour un cach'mire ouvr' ses draps.
EMILE DEBRAUX.

OUVROIR, *m.* The female *pudendum ;* 'Nature's workshop'. [RA-
BELAIS].

La bonne fille fut tant pressée qu'il
lui convint dire qu'on n'avait encore
rien besoigné en son ouvroir.—*Les
Cent Nouvelles nouvelles.*

Fermez l'ouvroir, madame, il est
fête.—BÉROALDE DE VERVILLE.

OVALE, *m.* The female *pudendum.*

Entre deux colonnes d'un albâtre lisse et arrondies, est situé cet ovale charmant, protégé par une petite éminence et une jolie motte.—*Veillées du couvent.*

Dès qu'il passa par un certain ovale,
A l'instant même à sa mère on cria :
Soyez tranquille, allez, c'est bien un mâle:
    Dieu ! quelle tête il a !
                    E. DEBRAUX.

La grande Jeanne de l'échiquier d'Alençon l'appelait son ovale.—NOEL DU FAIL.

RACQUET DE MA-RIAGE, *m.* 1. The *penis.* [URQUHART and RABELAIS]. Also (2) the *penis* and *testes.*

PAF, *m.* The *penis.* [A factitious word; usually = drunk or boozy].

J'vas licher un poisson d'eau d'af,
Pour donner du nerf à mon paf.
                         J. CH.

PAFFER. To copulate.

PAILLARD, *m.* A libertine. Also PAILLARDE = a wanton. [RABELAIS].

Ma foi, il ne vaut pas un hart,
Et si c'est le plus fin paillart
Que sçauriez veoir ne rencontrer.
                Ancien Théâtre français.

Où est la vieille maquerelle
Qui va disant que suis paillarde.
                Farces et Moralités.

Pourvu qu'il rencontre en son erre
Ma damoiselle au nez tortu,
Il lui dira sans enquerre,
Orde paillarde, d'où viens-tu?
                         F. VILLON.

PAILLARDER. To copulate; 'to roger'.

Sous elle geins, plus qu'un ais me fait
                                    plat,
De paillarder tant elle me détruit,
En ce bordel où tenons nostre estat.
                         F. VILLON.

Mais celui qui paillarde, hélas! que fait-il?—BÉROALDE DE VERVILLE.

S'il va gaudir ou paillarder
Parjure et larron le répute.
                Recueil de poésies françaises.

Elle ne faisait tout le jour que paillarder avec lui.—BRANTÔME.

PAILLARDISE, *f.* Lechery.

Se pendit pour sa paillardise.—MATHÉOLUS.

Si le dire du poète est vrai, l'oisiveté est mère de paillardise.—*Le Synode nocturne des tribades.*

L'abbé mon cousin me voyant
En paillardise fourvoyant.
                         JODELLE.

— *See* LIEU.

PAILLASSE, *f.* A harlot; 'a bed-fagot'.

En avant, la femm' du sergent,
Balancez, la femm' du fourrier,
Demi-tour, la femm' du tambour,
Restez-là, paillasse à soldat...
La Leçon de danse — chant guerrier.

— Eh! titi! oh! eh! là bas.
Tiens! est-c' que tu déménages?
— Pourquoi qu' tu tiens ce langage?
— C'est qu' t'as ta paillass' sous l'bras.
— Eh! non, mon vieux, c'est ma femme...
                Chanson populaire.

PAILLASSON, *m.* 1. A libertine.

PAILLASSONNER. To whoremonger.

PAILLE, *f.* The *penis.*

Et il fallut que monsieur l'apothicaire lui passât cette paille sur le ventre.—BRANTÔME.

PAILLORE, *m.* A brothel. [RABELAIS].

PAIN, *m.* The *penis; cf. le dévo-rant* = female *pudendum.*

Il vous faut donc du même pain qu'à moi.—LA FONTAINE.

— PRENDRE UN PAIN SUR LA FOURNÉE = to get a woman with child before marriage. [RABELAIS].

— *See* EMPRUNTER.

— LE PAIN QUOTIDIEN = the act of kind; 'daily bread'.

Le mari et la femme, cela est bon, vois-tu, mais il n'est pas encore si bon que les autres, à cause qu'il est plus ordinaire et que c'est leur pain quotidien. —MILILOT.

La plus aimable des comtesses,
Ne refusez pas votre peu;
Tous les jours quatre politesses
Seront votre pain quotidien.
COLLÉ.

PAIRE. PAIRE DE LUNETTES, *f.* The buttocks.

— PAIRE DE COUILLES SUR L'ES-TOMAC (AVOIR UNE BELLE). To have well developed paps.

PALETTE, *f.* The *penis.*

Vous me faites appétit
En faisant dresser la palette.
Farces et Moralités.

PALUS, *m.* The *penis.* [RABELAIS].

PANACHE, *m.* The horns of cuckol-dry. [RABELAIS].

PANNANESSE, *f.* A harlot. [RABE-LAIS].

PANNIER, *m.* The female *puden-dum;* 'the confessional'.

Et quand elle vit qu'elle n'aurait pas son pannier percé.—*Les Cent Nou-velles nouvelles.*

— PANNIER AUX CROTTES (or AUX CROTTINS) = the breach and environments.

PANTAME, *f.* A harlot.

PAPE. METTRE LE PAPE DANS ROME = to effect intromission. [RABELAIS].

PAPILLON, *m.* A libertine. Also (in *fem.*) PAPILLONNE = a wanton.

Tout l'enchante, rien ne l'arrête,
Et si vous faites sa conquête,
Vous n'aurez pris qu'un papillon.
DE CHAZET.

PAPILLON D'AMOUR, *m.* A crab-louse.

Je me grattais à mon tour.
Or, Suzon me déculotte,
Je la trousse sans détour;
Nous étions pleins, vit et motte,
De papillons de l'amour.
HIP. CHATELIN.

PAQUET, *m.* The *penis* and *testes.* Also PAQUET D'AMOUR and PAQUET DE MARIAGE.

Toutefois il est mâle, car j'ai tenu son paquet.—P. DE LARIVEY.

Adonc la damoiselle qui regardait le paquet d'amour.—BÉROALDE DE VER-VILLE.

Peu de soin avait du paquet de leur mariage.—RABELAIS.

T'as un beau paquet, mon chéri!—LEMERCIER DE NEUVILLE.

Sur cet insolent paquet,
Je lâche un vigoureux pet.
Parnasse satyrique.

— *See* FAIRE.

PARADIS (LE), *m.* The female *pu-dendum;* 'Paradise'.

De ses doigts tremblants et hardis
Il prend le sombre paradis,
Qui donne l'enfer à nos âmes.
GRÉCOURT.

— PARADIS PROFANE, *m.* A brothel.

PARALYSIE, *m.* Impotence.

J'avais dessein, il n'y a qu'une heure ou deux, d'envoyer savoir comment vous vous portiez de votre paralysie.—*La France galante.*

PARCHEMIN, *m.* The female *pudendum;* 'the solution of continuity'.

Dessus le parchemin pelu
Avons si bien tambouriné,
Que de nous trois le plus goulu
De vérole est enfariné.
Recueil de poésies françaises.

PARENTHÈSE, *f.* The female *pudendum.*

PARLER. To copulate; 'to play at cock·in-cover'.

PARTICULIÈRE, *f.* 1. A mistress; and (2) a harlot.

PARTIE, *f.* 1. The *penis;* (2) the female *pudendum;* and (3) in *pl.* the *testes.* Also PARTIES CASUELLES, and PARTIES HONTEUSES. [RABELAIS].

Elle l'atteint par l'énorme partie,
Dont cet Anglais profana le couvent.
VOLTAIRE.

Et je suis mort en la partie,
Qui fait la garce et le cocu.
MAYNARD.

De sorte que l'on pouvait voir sans difficulté ses parties.—CH. SOREL.

— PARTIE CARRÉ = a party of four—two men and two women—associated in debauchery: either to dine *in naturalibus*, or for copulation.

— FAIRE LA PARTIE DE ROUSCA (or ROUSCAILLE) = to copulate.

— FAIRE UNE PARTIE DE JAMBES EN L'AIR = 1. to copulate; and (2) to disport oneself wantonly on a bed.

— ÊTRE EN PARTIE FINE = to be alone with a woman in a *cabinet particulier.*

PARTIR. To ejaculate.

Et galant il attend,
Tant, tant, tant,
Que l'on part au même instant.
COLLÉ.

PASCAL, *m.* The *penis.*

Pourvu qu'on loge Pascal,
Le reste n'importe guère.
COLLÉ.

. . . Il ne m'importe guère
Que Pascal soit devant, ou Pascal soit
derrière.
SCARRON, *Don Japhet d'Arménie.*

PAS GRAND'CHOSE, *m.* and *f.* A libertine: a wanton.

Ah ! y en a, y en a, y en a,
Que c'est vraiement des Pas grand'
chose.
GUICHARDET et DE NEUVILLE.

PASNAISE, *f.* The *penis.* [Old French = *carotte*].

Tant est èle à greigner mesaise,
Quand elle sentoit la pasnaise
Sur ses cuisses et sur ses hanches.
Anciens Fabliaux.

PASSADE, *f.* The act of kind; 'a little of one with t'other'.

Votre sale roman ne peut plus être écouté. — Si quelque mendiante vous demandait la passade au lieu d'aumône, je vous vois homme à la servir sur une borne, en plein jour.—*Monrose.*

Et à qui l'on ne se donne seulement pas la peine de déguiser les passades qu'on leur fait.—DIDEROT.

Je n'ai, camarades,
Jamais que des passades;
Mais je les aime mieux
Que des amours trop vieux.
COLLÉ.

PASSAGE, *m.* The female *pudendum;* 'the way-in'.

Parmi tout ce qui plus m'engage
Est un certain petit passage.
VOLTAIRE.

PASSE, *f.* The act of kind when bought.

— FAIRE UNE PASSE = to select a woman for copulation : in brothels.

PASSE-PARTOUT, *m.* The *penis.* [RABELAIS].

PASSEPORT. *See* SCELLER.

PASSER. PASSER LE PAS = to copulate. Also, PASSER LES DÉTROITS, PAR LA, PAR LES MAINS, PAR LES PIQUES, PAR L'ÉTAMINE, SA FANTAISIE, SON APPÉTIT, SON ENVIE, SUR LE VENTRE.

Autrefois si y en avait-il aucunes qui passaient le pas.—BRANTÔME.

Ainsi je passai le pas.—CH. SOREL.

Le rustre la culbuta fort bien, et on dit qu'elle passa le pas.—TALLEMENT DES RÉAUX.

Après revient quelque mignon
Qui paie et passe les détroits.
G. COQUILLART.

L'opéra n'eut jamais de danseuse ou
d'actrice
Qui ne lui passât par les mains.
SÉNECÉ.

Bien que trois ou quatre les aient passé par les piques.—BRANTÔME.

Par mon âme, elle a passé par les piques.—P. DE LARIVEY.

La fille qui n'était pas des plus niases du village, et qui avait passé par l'étamine. —D'OUVILLE.

Chacun d'eux à son tour m'eut passé sur le ventre.—THÉOPHILE.

Et je m'assure qu'il n'y a pas jusqu'aux palfreniers qui ne t'aient passé par dessus le ventre.—CH. SOREL.

Si vous aimez ce garçon, eh bien ! ne pourriez-vous en passer votre envie ? —TALLEMENT DES RÉAUX.

Car le roi n'eut pas plutôt passé la fantaisie avec la princesse de Monaco, qu'il pardonna à monsieur de Lauzun.— *La France galante.*

Et pour votre présidente, ce ne sera pas apparemment en restant à dix lieues d'elle que vous vous en passerez la fantaisie.—DE LACLOS.

Voilà ; quand je suis amoureux,
J'en passe incontinent l'envie.
J. GRÉVIN.

Car sans cesser, ou sur banc, ou sur lit,
Elle voulut en passer son envie.
CL. MAROT.

Elle a passé par les armes.—CH. SOREL.

Enfin il revint en convalescence et paya tout au long les arrérages d'amour. —CH. SOREL.

— Y PASSER LE PAS : *e.g.* 'Il a bien fallu qu'elle y passât le pas,' said of a woman who, first offering resistance to the embrace, finally yields.

— SE PASSER D'HOMMES = to produce the sexual spasm by means of masturbation or the dildo : of women.

Comment peuvent-elles donc faire pour se passer d'hommes, quand l'envie leur en prend et les surmonte si fort que, le con étant tout en chaleur, il n'y a aucune allégeance, de quelque façon que vous le frottiez.—MILILOT.

— SE PASSER DE FEMMES = to masturbate.

— PASSER LA NUIT = to sleep at a brothel, or with a prostitute.

Combien qui faut t'rend', mon bibi ? — Garde tout, j' passe la nuit.—H. MONNIER.

— PASSER PAR LES MAINS D'UN HOMME (or D'UNE FEMME) = to sleep together.

Est-ce qu'ils ne font pas tous des listes vraies ou fausses des femmes qui leur ont passé par les mains.—LA POPELINIÈRE.

L'Opéra n'eut jamais de danseuse ou
d'actrice
Qui ne lui passât par les mains.
SÉNECÉ.

Toute la jeunesse de la cour lui passa par les mains.—*La France galante.*

— PASSER DEVANT LA MAIRIE = to live in concubinage; 'to go tally'.

PASSE-TEMPS. *See* PRENDRE.

— PASSE-TEMPS D'AMOUR = the act of kind; 'to have a bit of fun'. Also PASSE-TEMPS DE MARIAGE.

J'avais un mari si habile
Aux plus doux passe-temps d'amour,
Qu'il me caressait nuit et jour.
REGNIER.

Pour accomplir de bon courage
Le passe-temps de mariage.
Ancien Théâtre français.

— PASSE-TEMPS DES DEUX. *See* JOUER.

PASSION. PASSION ANTI-PHYSIQUE, *f.* Sodomy. UN HOMME A PASSIONS = a man who revels in unnatural pleasures and caresses.

PASSIONNÉ (or PASSIONNÉE), *m.* and *f.* A sexually passionate man or woman; 'one who loves it'.

PASTENADE, *f.* The *penis.* [Old French = *carotte*]. [RABELAIS].

Pour la rendre plus gaillarde
Je lui mets ma pastenade
Dedans son petit bassin.
GAUTIER-GARGUILLE.

PASTROILLES, *f. pl.* The *testes.* [Old French].

Ses pastrailles vit découvertes
Entre ses deux jambes ouvertes.
MATHÉOLUS.

PATE, *f.* The *penis.*

Le four est toujours chaud, mais la pâte n'est pas toujours levée.—BÉROALDE DE VERVILLE.

PATIENT (-E), *subs.* (and *adj.*). A sodomist: subject.

PATINAGE, *m.* Groping.

Mais quand Bacchus vient m'attabler
Près de fille au gentil corsage;
Je me plais à gesticuler:
J'aime beaucoup le patinage.
L. FESTEAU.

PATINER. To touch; 'to grope'.

Quand ils ont tout mis dans la nôtre, ils se délectent encore, en faisant, à nous sentir la main qui leur patine par derrière les ballottes.—MILILOT.

Parmi les catins du bon ton,
Plus d'une, de haute lignée,
A force d'être patinée
Est flasque comme du coton.
E. DEBRAUX.

PATINEUR, *m.* A groper of women.

Car les principaux se démènent fort et sont grands patineurs.—SCARRON.

Ah! doucement, je n'aime point les patineurs.—MOLIÈRE.

PATRIMOINE, *m.* The *testes.* [RABELAIS].

PATROUILLER. To grope a woman.

PATTE D'ARAIGNÉE (FAIRE LA). To cause erection by softly handling the *membrum virile:* of women.

J'avais beau patiner sa couille renfrognée,
Lui faire avec cinq doigts la patte d'araignée,
Sa pine, peu sensible à mes soins superflus,
Demeurait flasque et molle et ne rebandait plus.
LOUIS PROTAT.

PATURE. *See* DEMANDER, PRENDRE etc.

PAUTONIER, *m.* A wencher; 'a mutton-monger'.

Le pautonier fut grant et gras,
Si tint la main dessous les dras.
Anciens Fabliaux.

PAUTONIÈRE, *f.* A woman given to sexuality. [RABELAIS].

Ains apèle sa chambrière,
Une gorlée pautonière.
Anciens Fabliaux.

PAUVRE CAS, *m.* The *penis.* [RABELAIS].

PAUVRETÉ, *f.* The *penis.*

Il montra toute sa pauvreté.— *Moyen de parvenir.*

N'avez-vous pas honte de montrer ainsi votre pauvreté ?—CERVANTES.

— *See* FAIRE.

PAXILLUS, *m.* The *penis.* [RABELAIS].

PAYER. PAYER LA BIENVENUE. To copulate; 'to use benevolence to'. Also PAYER LES ARRÉRAGES DE L'AMOUR, SON ÉCOT.

Et se devesti toute nue,
Por mieux payer la bienvenue.
Anciens Fabliaux.

Il faut payer nuit et jour,
Les arrérages de l'amour.
La Comédie des chansons.

— PAYER LA COMÉDIE A FERDINAND = to copulate.

PAYS-BAS, *m.* The female *pudendum* and *anus* jointly : also either severally. EXPLOITER AU PAYS-BAS = to copulate. [RABELAIS].

L'amour publie à son de trompe,
Qu'il ne faut pas que l'on se trompe,
Aux pays-bas.
COLLÉ.

Ce ne sont point ses draperies,
Son tabac ni ses broderies
Dont on fait cas ;
Mais chemise fine et de Frise
Donne goût pour la marchandise
Des Pays-Bas.
COLLÉ.

PEAUTRE, *m.* A brothel. [RABELAIS].

PÉCHÉ, *m.* The act of kind ; 'the naughty'. Also PÉCHÉ DE TURELURE.

Bien valant un péché ou deux.— RABELAIS.

Si le cœur vous en dit, et si votre âme goûte,
Les appas d'un si doux péché,
Achetez un galant.
DE BENSERADE.

Combien de fois s'est commis le péché ?
Trois fois sans plus, répond le camarade.
GRÉCOURT.

Il est des cas d'ailleurs où ce joli péché cesse d'en être un.—PIGAULT-LEBRUN.

La beauté a un grand pouvoir,
Sur ce péché de turelure.
La Comédie des chansons.

...Ma fille et ce jeune homme
Sont dans cet âge où, n'en déplaise a Rome,
Il faut pécher, si l'on veut être heureux.
COMTE DE CHEVIGNÉ.

— *See* FAIRE.

— PÉCHÉ PHILOSOPHIQUE = 1. masturbation; also (2) sodomy and pederasty. Also PÉCHÉ DÉSORDONNÉ. [RABELAIS].

PÉCHER. To copulate; 'to dance the reels o' Bogie'. [SCOTS].

PÉCHIÉ. FEMME DE PÉCHIÉ = a woman of loose morals. [RABELAIS].

PECULIUM, *m.* The *penis.* [RABELAIS].

PÉDARASTE (or PÉDERASTE), *m.* A man given to unnatural coition. [RABELAIS].

PELÉE, *f.* The *penis;* 'the bald-headed hermit'.

Par saint gens, revoicy bon jour ;
Encor pourra paistre pelée.
Ancien Théâtre français.

PÈLERIN DE CYTHÈRE, *m.* An ardent man.

Mais à vingt ans, c'est l'île de Cythère,
Que bien souvent, jeune ou vieux pèlerin
Vient traverser, à l'ombre du mystère,
Front découvert et le bourdon en main.
FÉLIX ROVIE.

PELERINE DE VÉNUS, *f.* A harlot. [RABELAIS].

PELISSON, *m.* The female *pudendum;* 'the placket-box'. [DURFEY). [Old French = *jupe de peau*].

Elle en donnait une paire pour récompense à celui qui était le plus mâtin, et lui rembourrait mieux son pelisson.—P. DE LARIVEY.

— *See* SECOUER.

PELLICE, *f.* A harlot. [RABELAIS].

PELOTER LES COUILLES. To titillate the *testes.*

La femme, d'une main lui pelote la
couille ;
L'autre, dans mille endroits en tous sens
le chatouille.
LOUIS PROTAT.

PELOTONS, *m. pl.* The *testes.* [RABELAIS].

PENART, *m.* The *penis.* [RABELAIS].

PENDAISON (EFFET DE LA). 'Strong erection, high enjoyment, and copious ejaculation'.

Mais voilà, à la grande surprise de ces furies, que la pendaison produit son effet ordinaire. Emerveillée de la démonstration nerveuse, la supérieure monte sur un marchepied et s'accouple dans l'air avec la mort et s'encheville à un cadavre.—A. D. M., *Gamiani.*

Pour viol, un jour, — certain vieux
pandour,
Sans miséricorde, — fut mis à la corde;
L'heureux effronté, — de par son sup-
plice
Goûta le délire — de la volupté . . .
CHANU et E. BERTHIER.

PENDANTS (LES DEUX), *f. pl.* The paps.

PENDARDS, *m. pl.* Flabby, pendulous breasts.

Petits fripons sont devenus grands pendards.—VOLTAIRE.

PENDELOCHE, *f.* The *penis.* [RABELAIS].

PENDILLANTES, *f. pl.* The *testes.*

PENDILLOVIES, *f. pl.* The *testes.*

PENDILOCHES, *f. pl.* The *testes.* [RABELAIS].

Et telles sont les pendiloches naturelles des hommes.—BÉROALDE DE VERVILLE.

PENDOIRES, *m. pl.* The *testes.* Also PENDOISES. [RABELAIS].

Je connaîtrai bientôt ces cambrouses
sournoises
Qui se font un plaisir de couper nos
pendoires.
Théâtre du Bordel.

PÉNILLIÈRE, *f.* 1. The female *pudendum;* 'the carnal-trap'. [RABELAIS and URQUHART]. [Old French = *pénil*].

Et puis se redressant un peu,
Rouge comme un tison de feu,
L'enfonça dans sa pénillière.
Le Cabinet satyrique.

Et sans cacher sa pénillière
Fut des fillettes chambrière.
Recueil de poésies françaises.

— 2. The pubic hair. [RABELAIS].

Mais, grands dieux oublier ton joli cripsimen, ta brune pénillière et ton dur abdomen, ton ostium et ces fessons d'albâtre!—*Théâtre du Bordel.*

PÉNIS, *m.* The *membrum virile.* [RABELAIS].

PÉNITENCE. *See* FAIRE.

PERC, *m.* The female *pudendum;* 'Bushey Park'. [Old French = *parc*].

Qui vous fist mon perc dépecier
Sans congié, quant je me donmoie.
Anciens Fabliaux

PERCER. To copulate; 'to go quim-wedging'.

Il me dit qu'elle avait été percée trop jeune.—BRANTÔME.

La perceriez-vous pas bien, comme on perce les femmes?—P. DE LARIVEY.

— PERCER LE TONNEAU = to deflower; 'to leap over the hedge'.

On dit qu'il perçait lui-même le tonneau avant de donner à boire à ses gendres.—TALLEMENT DES RÉAUX.

PERCHAUT, *m.* The *penis.*

Et au lieu du doigt de la main boute son perchaut dur et roide dedans.—*Les Cent Nouvelles nouvelles.*

PERDRE. *See* CELUI.

— PERDRE LA CLEF DE SON DRESSOIR = to fail in erection.

Car mon mari chaque soir
Perd la clef de son dressoir.
Ancien Théâtre français.

PERFORER. To deflower.

PERFOREUR, *m.* A seducer.

PERRIN-BOUTE-AVANT, *m.* The *penis.* [RABELAIS].

PERROQUET, *m.* The *penis.* [RABELAIS].

Elle m'a prêté sa cage
Pour loger mon perroquet.
GAUTIER-GARGUILLE.

PERSUASIF, *m.* The *penis;* 'the solicitor-general'. [RABELAIS].

Celui-là a un grand persuasif.—BÉROALDE DE VERVILLE.

PERTUIS, *m.* 1. The *anus.*

Et vit au tiers nœud de l'eschine
Qu'il n'y avait qu'un seul pertuis.
Anciens Fabliaux.

Il vit qu'au derrière était encore un autre pertuis.—RABELAIS.

— 2. The female *pudendum;* 'the water-gate'.

Si le pertuis ils emportaient
Je dis bien que bien le forceraient.
Ancien Théâtre français.

Tant qu'il soit à droit de ce petit pertuis que vous avez au bas du ventre.—BÉROALDE DE VERVILLE.

PESTEL, *m.* The *penis.* [RABELAIS].

PET. FAIRE UN PET A VINGT ONGLES = to be brought to bed. [RABELAIS].

PÉTARD, *m.* The breach. Also PÉTEUX.

Je n' fais ni z'un' ni deux :
J'avance sans crainte,
J'lui fais un' feinte,
Le v'là sur son péteux.
AL. TAILHAND.

PÉTASSE, *f.* A harlot.

PETIOT-DELECTATION, *m.* The female *pudendum.* [RABELAIS].

PETIT (LE), *m.* The *anus.* METTRE DANS LE PETIT = to sodomise.

PETIT CADEAU (FAIRE SON). To pay beforehand.

Je compris qu'un petit cadeau
N'était qu'une vétille ;
Bref, je tombe dans le panneau,
Puis, de fil en aiguille,
Ell' montre tout son petit jeu :
Qu'abat la quille à Mayeux...
Qu'abat (*bis*) la quille?
ALEX. MARIE.

PETIT CENTRE (LE), *m.* 1. The female *pudendum;* and (2) the *anus.*

Elle est sourde ainsi comme un sourd
A ceux qui lui parlent d'amour ;
Mais, touchez-lui son petit centre,
Cela s'endure doucement,
Et pour écouter son amant.

PETIT COMITÉ, *m.* The sexual congress; and (*verbally*) to 'talk naughty' when alone with a woman.

J'aime à dir' des bêtises
En petit comité.
AD. JOLY.

PETIT PAUVRE, *m.* The *penis.*
Also PETIT BONHOMME and PETIT
BOUT.

Et il tenait son pauvre petit, étant
toujours à la fenêtre.—BÉROALDE DE
VERVILLE.

Le plus grand est celui qui se courbe
le plus.—V. HUGO, *Ruy-Blas.*
Quand, par hasard, il n'est pas à son
gré,
Fanchon l'arrange, et je lui dis : en
somme,
Puisque tu sais que j' n'ai tapis fourré,
Ni lit-divan, ni fauteuil rembourré,
Viens t'asseoir sur mon p'tit bonhomme.
JUL. CHOUX.
Il vaut mieux n'en avoir qu'un petit bout,
Que de n'en pas avoir du tout.
J. CHOUX.

PETITE CHAPELLE (FAIRE LA). To
sit before the fire with petticoats
raised to the knees; 'to warm
the husband's supper': of women.

PETITE FLUTE (LA), *f.* The *penis.*

PETITE MAISON, *f.* A brothel.

Mener des femmes de nom
A sa petite maison,
Voilà les belles manières.
COLLÉ.

PETITE OIE. *See* OIE.

PETIT FRÈRE, *m.* The *penis.*

Chez la mariée, au matin
Une prudente mère
Lui doit du plus heureux destin
Confier le mystère.
La mariée, en soupirant,
Attend le petit frère,
Vraiment,
Attend le petit frère.
DUCRAY-DUMINIL.

PETIT-JE-NE-SAIS-QUOI, *m.* The
female *pudendum;* the 'little
what's-its-name'.

Je gagerais bien que je te dirai
comment ton petit-je-ne-sais-quoi est fait.
—D'OUVILLE.

PETIT JEUNE HOMME, *m.* The
penis.

PETIT LAPIN, *m.* The female *pudendum;* 'the coney'.

PETITS CHEVEUX, *m. pl.* The pubic
hair.

Que de grâce dans sa tournure !
Et quel maintien majestueux !
J'aime sa longue chevelure,
Mieux encor ses petits cheveux.
GUILHEM.

PETIT TROU (LE), *m.* The female
pudendum.

Vilaine ! tu prétends faire entrer
cela dans ton petit trou ? Je t'en défie.
LA POPELINIÈRE.
O petit trou, trou mignard, trou velu,
D'un poil follet mollement crespelu,
Qui, à ton gré domptes les plus rebelles.
Cabinet satyrique.

PETIT VASE, *m.* The female *pudendum.*

Bien connaissez, ami lecteur,
Une espèce de coquillage,
Conque de mer, qu'on nomme un puce-
lage ?
Hé bien ! de ce vase enchanteur
Tels sont les bords, qui de la rose
Ou plutôt du plus fin corail
Ont la couleur . . . . .
PLANCHER-VALCOUR.

PETIT VOLTIGEUR (LE), *m.* The
penis.

Dieux ! qu'il sera beau sous les armes,
Quand l'Amour, ce dieu protecteur,
Mouillera, pour doubler ses charmes,
Le front du petit voltigeur.
GUILLEMÉ.

PHALLE, *m.* The *penis.* [Greek
φαλλος]. Also PHALLUS. [RA-
BELAIS].

Mais sois juge du camp, ô généreux
saint Phalle.—THÉOPHILE.

PHILOSOPHIE HORIZONTALE, *f.*
Harlotry.

PIBLE, *f.* The *penis.* [RABELAIS].
Also PIBOL.

PICHE, *f.* The *penis.* In *pl.* =
the *testes.* [RABELAIS].

PICOTIN, *m.* The act of kind; 'a
little bit of corn'. Also PICOTIN
D'AVOINE. [RABELAIS].

> Je trouvai Guillot Martin
> Avec que sa nièce Sabine,
> Qui vouloit pour son butin
> Son beau petit picotin,
> Non pas d'orge ni d'avoine.
> C. MAROT.

— *See* DONNER.

PIÈCE, *f.* 1. The *penis.* Also PIÈCE
DE GÉNÉRATION (or DU MILIEU).
[RABELAIS].

> Mademoiselle ennuyée qu'il ne
> venait point, regarda par la fenêtre, et
> vit à côté le curé, qui, ayant pissé,
> serrait sa pièce . . .—B. DE VERVILLE.

— 2. The female *pudendum;* 'the
belle-chose'. [CHAUCER].

> Le dieu d'amour se pourrait peindre
> Tout aussi grand qu'un autre dieu,
> N'était qu'il lui suffit d'atteindre
> Jusqu'à la pièce du milieu.
> REGNIER.

> Elle sautait dans le lit sans craindre
> de montrer ses pièces.—D'OUVILLE.

> Et faisant en même temps exhibition
> de ses pièces, elle s'attendait que le
> chirurgien allait au moins se montrer
> pitoyable.—*La France galante.*

— PIÈCE DE DIX SOUS = the
anus.

PIED. *See* FAIRE.

— PIED-DE-ROI, *m.* The *penis.*
Specifically a *penis* of parts.
Also PIED DE VIT.

> Sans bruit accourez à moi ;
> Avec un bon pied-de-roi
> Vous serez tôt secourue.
> *Variétés historiques et littéraires.*

> — Alors, dit Cloris tout allègre,
> Un pied de mouton au vinaigre
> Est bon selon mon appétit.
> Mais Charlotte ces mots rehausse :
> — J'ayme mieux un bon pied de vit ;
> Il n'y faut point chercher de sauce.
> *Épigramme sur les différents appétits
> de quelques dames.*

— UN PIED DE CON = a *pudendum* of capacity.

> J' crois ben qu' la seul' médecine
> Qui pourrait m' guérir tout d'bon
> Et m'empêcher d' fair' bâton,
> Ce s'rait d' fair' sombrer ma pine,
> Capitain', dans un pied d' con.
> G. DE LA LANDELLE.

PIERRE. PIERRE A CASSER LES
ŒUFS = the *penis.* [RABELAIS].

PIEU, *m.* 1. The *penis.*

> Jamais mon pieu ne ballotte,
> Et sitôt qu' je l' pouss' d'un bord,
> Crac ! il se dress' comme un r'ssort.
> G. DE LA LANDELLE.

> Elle voulait un peu, nom de Dieu !
> R'tirer l' cul, pousser l' ventre ;
> Mais ferme comme un pieu, nom de Dieu !
> Je vise droit au centre, nom de Dieu !
> Et plus ell' recul' plus j'entre, nom de
> Dieu !
> Et plus ell' recul', plus j'entre.
> FABIUS DE CATONNE.

— 2. A bed.

PIGEONNIER, *m.* Any resort devoted to venery.

— PIGEONNER LA MIGNOTISE
D'AMOUR = to make love. [RA-
BELAIS].

PIGNE, *f.* Syphilus. [RABELAIS].

PIGNON, *m.* The *penis.* [RABE-
LAIS].

PILER DES POIS. To sodomise.

PILON, *m.* The *penis;* 'the pestle'. [RABELAIS].

> On me dit que veux-tu faire?
> Gros lourdaud d'apothicaire,
> Mets le pilon au mortier.
>   GAUTIER-GARGUILLE.

PILUM, *m.* The *penis.* [RABELAIS].

PIMIACULA. The *labia majora.* [RABELAIS].

PINAGE, *m.* The act of kind.

> ...Elle me dit qu'elle était fort étonnée qu'à mon âge, je ne fusse pas plus instruite que cela sur le pinage, et que si je voulais être discrète, elle m'instruirait parfaitement.—*Anaïs.*

PINCE-CUL, *m.* A low public-house frequented by both sexes, or any place where men and women can take liberties together.

PINCER LE CUL. To grope the buttocks.

> Il lui pince amoureusement le cul.—H. MONNIER.

> Godefroy, la nuit, après boire,
> Pinça le cul, sournoisement,
> A Renaud encor presque imberbe.
>   B. DE MAURICE.

PINCE-VIT, *m.* The neck of the vagina. Also PINÇOIR.

PINE, *f.* The *penis.*

> L'autre la nommait sa pine.—RABELAIS.

> En notre troupe il y avait un prêtre breton qui avait la pine si offensée.—BÉROALDE DE VERVILLE.

> Ton valet a mal à la pine,
> Ton anus est en désarroi,
> Fort aisément je m'imagine
> Ce qu'il a pu faire avec toi.
>   *Epigrammes.*

> Attends que je défasse tout cela; nous verrons la pine après.—LA POPELINIÈRE.

> Dieu ...
> Pour les sétons et les cautères
> Il fit les pois,
> Et pour les pines solitaires
> Il fit les doigts.
>   *Parnasse satyrique.*

PINE D'OFFICHER, *f.* A *penis:* of great power of erection.

PINER. To copulate.

> ...Piner est le mot des maçons.—L. PROTAT.

PINERIE, *f.* Harlotry.

PINETTE, *f.* A *penis:* of small degree. Also PINOCHE, *f.*

> Pour lors, un bracquemart du plus fort calibre la finit et la venge cinq ou six fois de l'insuffisante pinette qui vient de l'émoustiller.—*Aphrodites.*

PINOCHE. *See* PINETTE.

PIQUAGE, *m.* The act of kind.

PIQUE, *f.* The *penis;* 'the pike-staff'. [RABELAIS].

> Lors la lascive imprudemment applique
> Son savoir grec pour redresser ma pique.
>   *Le Cabinet satyrique.*

> Mais voyez ce brave cynique,
> Qu'un bougre a mis au rang des chiens,
> Se branler gravement la pique
> A la barbe des Athéniens.
>   PIRON.

— *See* PASSER.

PIQUER. To sodomise.

> De vieilles bigornes qui n'épargnent ni or ni argent pour se faire piquer.—MOLIÈRE.

> C'est parce qu'il piquait les pages,
> Au lieu de piquer les chevaux.
>   AGRIPPA D'AUBIGNÉ.

PIQUET (JOUER AU). To copulate. [RABELAIS].

PIROUETTE SUR LE NOMBRIL (FAIRE UNE). To copulate.

Jusqu'à ce que Vénus passe sur le disque du soleil, ou que la sultane Moscha fasse une pirouette sur le nombril de Sa Hautesse : ce qui revient au même.—Du Laurens, *Compère Mathieu.*

Quand j' rencontre un' gourgande,
J' brave encor le péril,
Et j' lui fais fair' si j' bande
La pirouett' sur l'nombril.
Chanson d'étudiants.

PIS, *m.* The *penis.* [RABELAIS].

PISSAT, *m.* Urine.

En suif et poix destrempée de lessive,
Faite d'estroncs et de pissat de juive.
F. VILLON.

PISSE-FROID. *See* BANDE-A-L'AISE.

PISSER. PISSER DES OS. To be brought to bed: also PISSER DES ENFANTS, and PISSER DUR. [RABELAIS].

Ils lui feront enfler la panse,
Et, comme à moi, pisser des os.
Cabinet satyrique.

— PISSER DES LAMES DE RASOIR = to have gonorrhœa ; 'to have a clap'.

PISSEUSE, *f.* A woman.

De la chatouillarde amourette,
Soudain en la quête on se jette,
Tant qu'on revienne tout tari
Par ces pisseuses de Paris.
JODELLE.

A chaqu' pisseus' qu'il rencontrait,
Le petit bandit répétait...
Chanson anonyme moderne.

PISSOT, *m.* The *penis ;* 'the garden-engine'. Also PISSOTIÈRE.

Egoutter faut la pissotière.
Farces et Moralités.

Quelque jour le rencontrant sa pissotière au poing.—RABELAIS.

PISTOLANDIER, *m.* The *penis.* [RABELAIS].

PISTOLET, *m.* The *penis.*

Une fille de village
M'a prins en affection ;
Je lui donnay mon pistolet
Qu'elle a mis comme relique
Dans le tronc de sa boutique.
Chansons folastres.

PISTON, *m.* The *penis.*

Il s'incline, il a honte, au revoir beau piston, ton sperme est bon.—*Théâtre du Bordel.*

— JOUER DU PISTON = to copulate.

PIVOT, *m.* The *penis.*

PLACE, *f.* The female *pudendum ;* 'the beauty place'.

J'aime mieux vous rendre ma place par amour que par force.—*Les Cent Nouvelles nouvelles.*

PLAIE, *f.* The female *pudendum ;* 'the everlasting wound'.

Car c'est tout mon désir qu'en la plaie fendue,
Ma lancette j'applique par subtils mouvements.
THÉOPHILE.

PLAISIR, *m.* 1. The act of kind. Also PLAISIR AMOUREUX, PLAISIR D'AMOUR, PLAISIR DE VÉNUS, and PETIT PLAISIR. [RABELAIS].

Un jeune gars s'accusait d'avoir pris,
Le grand plaisir, à qui tout autre cède.
GRÉCOURT.

Je dois au grand sénéchal les prémices de mes plaisirs.—DIDEROT.

Mais du plaisir avant cette aventure,
Léda connut le trait doux et fatal.
PARNY.

Elle lui commanda de venir en amoureux plaisir avec elle.—BRANTÔME.

Que la première nuit que l'amour nous joindra,
Des plaisirs de Vénus son amant s'abstiendra.
NICOLLE.

Sans goûter les plaisirs d'amour
Veux-tu passer ta vie?
CHARLELAL.

Époux, dans les bras de vos dames,
Vous goûtez les plaisirs des dieux!
CHANU.

Plaisirs d'amour ne durent qu'un moment,
Chagrins d'amour durent toute la vie.
La Chanson de Fortunio.

— 2. Masturbation.

Mes regards ne sauraient souffrir
Ce ridicule et sot plaisir,
Qui sera celui des écoles.
PARNY.

— PLAISIR ANTI-PHYSIQUE = sodomy.

— PLAISIR DES DIEUX = strong sexual pleasure.

— *See* ACCOMPLIR, AVOIR, COUPE, DONNER, FAIRE, PRENDRE, SATIS-FAIRE and TRÔNE.

PLANÈTE, *f.* A woman meagre in breach and breast.

PLANTER. PLANTER DES HOMMES (or DES FEMMES) = to copulate. Also PLANTER LE CRESSON and LE MAI.

Il en voulait user à la manière de Diogène qui plantait des hommes en plein marché.—TALLEMENT DES RÉAUX.

Qui t'a si bien dissous les méthodes de planter le mai au trou d'antan?—NOEL DU FAIL.

Que fais-tu donc là? demandait un passant à Diogène, qui, en sa qualité de cynique, n'avait pas craint de trousser une fille en plein Agora et était en train de besogner avec elle. — Tu le vois, je plante un homme, répondit-il.—A. FRANÇOIS.

— PLANTER DES CORNES = to cuckold.

— PLANTER LA = to desert a mistress; 'to bury a moll'.

PLAQUER. To jilt a lover; to desert a mistress.

PLEINE. *See* ÊTRE.

— PLEINE-LUNE = a breach broad in the beam.

PLEURER. To ejaculate.

— PLEURER SES PÉCHÉS = to be infected.

Las! si ce membre eut l'arrogance
De fouiller trop les lieux sacrés,
Qu'on lui pardonne son offense,
Car il pleure assez ses péchés.
REGNIER.

PLEURS DU DÉSIR, *m. pl.* Involuntary ejaculation.

Maman, j'ai plus d'une fois
Trouvé ma couche trempée:
Mon cœur était aux abois:
Je fus bientôt détrempée.
Je fis cesser mes alarmes:
Ces pleurs qui mouillaient mon lit,
Ces pleurs n'étaient pas des larmes...
Ah! ma mère! mon petit doigt me l'a dit.
V. COMBES.

PLOMB, *m.* The venereal disease.

Le plus marlou peut attraper le plomb.
—DUMOULIN.

PLOMBER. 1. To stink: said of women lacking cleanliness in person. Also (*v. a.*) = to infect: *e.g.*, 'Elle m'a plombé,' or 'elle a été plombée.'

Nom d'un' trombe!
Comm' ça plombe
Dans ta vieille catacombe!
Parnasse satyrique.

PLUME CHARNELLE, *f.* The *penis.*

C'est peut-être ce qui vous donne envie d'appuyer votre plume charnelle sur le parchemin vierge de ma fille.—TABARIN.

PLUVIÖSE, *m.* The female *pudendum;* 'the eye that weeps the more it's pleased'.

POCQUES, *m.* The pox; syphilis. [RABELAIS].

POIGNARD, *m.* The *penis;* 'the bayonet'.

Car mon poignard n'a plus de pointe.
—REGNIER.

Qui trompant sa jalouse mère,
Peut saisir un poignard si doux.
GRÉCOURT.

POIGNÉE. *See* PRENDRE.

POIL, *m.* The pubic hair.

Leur montra qu'étant blonde elle avait le poil noir.—LOUIS PROTAT.

Je ne suis pas curieux, mais je voudrais
bien savoir
Pourquoi les femmes blondes ont le poil
du cul noir;
Et pourquoi les nègres, à quatre-vingt-
dix ans,
Ont les cheveux tout noirs et les poils
du cul blancs.
Chanson anonyme moderne.

POINÇON, *m.* The *penis.* [RABELAIS].

POINIL, *m.* The *penis.* Also POINILLE.

Dame répondez-moi sans guile,
A point du poil à vos pounille.
Anciens Fabliaux.

POINT, *m.* 1. The act of kind.

Ce pitaud doit valoir pour le point sou-
haité
Bachelier et docteur ensemble.
LA FONTAINE.

Venons au point, au point qu'on n'ose dire.—CL. MAROT.

— 2. The clitoris; 'the centre of bliss'.

Le point précis où naît la volupté;
Ce point secret, délicat et timide
Dont le doux nom des Grecs est em-
prunté.
TARNY.

— *See* ÊTRE.

— POINT CONJUGAL = the female *pudendum;* 'the daisy'.

Monsieur enrage que le point conjugal paraisse au grand jour.—PIGAULT-
LEBRUN.

POINTE, *f.* The *penis.* POUSSER SA POINTE = to copulate.

POISSON, *m.* 1. The *penis.*

Mon cas, qui se lève et se hausse,
Bave d'une estrange façon;
Belle, vous fournistes la sauce,
Lorsque je fournis le poisson.
RÉGNIER.

Vous avec un poisson? dit la belle en
riant;
Montrez-le-moi, je vous en prie,
Car de le voir je meurs d'envie.
LA FONTAINE.

— POISSON D'AVRIL = a pro-curer.

Camille Fontallord, des poissons le monarque.—DUMOULIN.

POITRINE (AVOIR DE LA). To have a well-developed bosom.

Ces belles filles qui ont de la poitrine et rien dessous!—A. DELVAU.

Elle a dix-huit ans et pas de poitrine;
Sa robe est très close et monte au menton;
Rien n'en a gonflé la chaste lustrine:
Elle est droite ainsi qu'on rêve un bâton.
A. GLATIGNY.

POIVRER. To infect.

Toi, louve, toi, guenon, qui m'as si bien
poivré,
Que je ne crois jamais en être délivré.
SAINT-AMAND.

POIVRIÈRE DE SAINT-CÔME, *f.* A woman who, infected herself, in-fects others.

Va, poivrière de Saint-Côme,
Je me fiche de ton Jérôme.
VADÉ.

POLAIN. *See* POULAIN.

PÔLE, *m.* The female *pudendum;* 'the fountain of life'.

Si je n'eusse fait toucher son aiguille
au pôle où elle tendait.—CH. SOREL.

POLICHINELLE, *m.* The *penis.*

> Papa, mon époux abuse
> De ce titre solennel:
> Croirais-tu qu'il me refuse
> Jusqu'à son polichinel?
> ÉM. VANDERBUCK.

— AVOIR UN POLICHINELLE DANS
LE TIROIR = to be pregnant.

POLIR LE CHINOIS (SE). To masturbate. Also SE BALANCER LE
CHINOIS.

> Le noir cocu que la chair aiguillonne,
> Tranquillement se polit le chinois.
> *Chanson anonyme moderne.*

POLISSON, *m.* A wanton, male
or female: (in *fem.*) UNE POLIS-
SONNE.

> Tâche que ta chanson soit leste et
> polissonne.—LOUIS PROTAT.

> Aujourd'hui, Sophie est, je crois,
> Aussi polissonne que toi.
> BÉRANGER.

POLITESSE, *f.* The act of kind;
'the culbutizing exercise'.

> Il avait voulu de quelque politesse
> Payer au moins les soins de son hôtesse.
> VOLTAIRE.

> Tous les jours quatre politesses
> Seront le pain quotidien.
> COLLÉ.

> J' m'offre à lui faire un' politesse:
> Ell' m' répond oui modestement.
> *Chanson anonyme moderne.*

> On n'offense pas une belle,
> Quand on s'y prend si poliment.
> AL. DUVAL.

— *See* FAIRE.

POLLUER. To copulate; 'to womanize'.

— SE POLLUER = to masturbate.
Also SE POLLUER LE DARD.

> Notre cocher, sans vergogne et sans fard,
> Sur ses coursiers laissait flotter les rênes
> Et des deux mains se polluait le dard.
> ANONYME.

POMME, *f.* 1. The act of kind.

> Eve est si belle!
> La pomme est si douce avec elle.
> PARNY.

— 2. in *pl.* The paps. Also
POMMES D'AMOUR. [RABELAIS].

> Un beau bouquet de roses et de lis
> Est au milieu de deux pommes d'albâtre.
> VOLTAIRE.

> Il montre aux regards de l'amour
> Abricot mignon qui s'entr'ouvre,
> Et plus haut deux pommes d'amour.
> FÉLIX.

> Quand tu fripais mes jupons,
> Poussé par trent'-six rogommes,
> N' t'ai-j' pas fait trouver des pommes
> Où tu n' cherchais qu' des chiffons?
> *Parnasse satyrique.*

— OFFRIR (or DONNER) LA POMME
= to choose; 'to throw the
handkerchief'.

— POMMES DE CAS PENDU = the
testes. [RABELAIS].

POMMEAU, *m.* The *penis.*

> Et sa main pouvait s'accrocher
> Parfois au pommeau de la selle.
> PIRON.

POMPE ASPIRANTE, *f.* The *penis.*
Also POMPE FOULANTE.

> Qu'il déteste l'instant où sa pompe
> aspirante,
> Tira le suc mortel de sa cruelle amante.
> PIRON.

> Le membre de l'homme fait l'effet
> d'un piston de pompe dans la matrice
> de la femme.—*Aphrodites.*

POMPER LE DARD. To tongue a
man. Also POMPER LE GLAND
and POMPER LE NŒUD.

> L'Espagnol amoureux se fait pomper
> le dard.—LOUIS PROTAT.

Et rien qu'en lui pompant l'extrémité
du gland,
Fait jaillir de son tronc un foutre ruis-
selant.
LOUIS PROTAT.

Les largues nous pompent le nœud,
Mais nous, nous le pomperions mieux,
Si, comme la race canine,
Nous pouvions, sans gêne et sans mal,
Nous gamahucher le canal.
DUMOULIN-DARCY.

— POMPER UNE FEMME = to
copulate. [RABELAIS].

POMUS, *m.* The *penis.* [RABE-
LAIS].

PONANT, *m.* The *anus.* [RABELAIS].

A mesure qu'elles ferment la
bouche, elles ouvrent le ponant.—
TABARIN.

PONIFLE, *f.* A prostitute.

PONIFLER. To copulate.

PONT-NEUF, *m.* A harlot. [The
bridge in question is one of the
main arteries of Paris].

Il nous appela des grivoises,
Des ponts-neufs, des fines matoises,
De ces filles, et cætera,
Qui pour cinq sols feraient cela....
JACQUES MOREAU.

— PONT DU COIL ET LE COIL
DU PONT = a 'tongue-twister',
which, repeated several times
quickly, becomes *Le poil du
con, le con du poil.* Another,
*Six petites pipes fines dans un
sac* becomes *Six petites pines* etc.

PONTONIÈRE, *f.* A foundered whore,
working under bridges etc.

PORCUS, *m.* The female *pudendum;*
'Venus's hogstye'. [RABELAIS].

PORGIR. To violate. [RABELAIS].

PORT, *m.* The female *pudendum;*
'Love's harbour'. Also PORT
DE CYTHÈRE, PORTUS and PORTA.
[RABELAIS].

Dix fois Trufaldin a touché au port,
sans pouvoir y entrer.—PIGAULT-LEBRUN.

PORT D'ARMES (ÊTRE AU), *m.* To
have an *erectio penis.*

PORTAIL, *m.* The female *pudendum;* 'the front door'.

Pendant ce jeu, vers un jeune taillis
L'amour lorgnait un portail de rubis,
Fief en tout lieu relevant de Cythère.
PIRON.

PORTE, *f.* The female *pudendum;*
'the fate of Life'. [BURNS]. Also
PORTE DE LA VIE.

Dieu a fait la porte au ventre
Afin que Priapus y entre.
MATHÉOLUS.

Si est-ce pourtant qu'elles y ont
trouvé assez de remède, et en trouvent
tous les jours pour rendre leur porte
plus étroite.—BRANTÔME.

Du cabinet des dieux la porte plus jolie
Ne se peut égaler à cette porte ici;
Avant qu'entrer en l'une il faut quitter
la vie,
Et sans vit on ne peut entrer en celle-ci.
THÉOPHILE.

Il va de porte en porte
Et ne fait aucun passe-droit.
COLLÉ.

— PORTE OUVERTE = a *pudendum* lacking virginity.

Il se trouva qu'il enfonça une porte
ouverte.—D'OUVILLE.

— PORTE DE DERRIÈRE = the
anus.

Si par cas fortuit elles veulent
ouvrir la porte de derrière, elles ser-
rent les lèvres.—TABARIN.

Il n'y a rien que la porte de derrière qui soit ouverte.—CH. SOREL.

PORTÉ AU PLAISIR (ÊTRE). To be
amorous.

Mais, la force d'un tempérament que je ne pouvais réprimer, et qui me rendant les plaisirs de la jouissance préférables à ceux d'exister, m'ayant souvent trahie, je tombai à la fin dans la nécessité d'être le partage du public.— *Mém. de Miss Fanny.*

PORTEFEUILLE, *m.* The female *pudendum.*

. . . Ne sachant aucune position, avec ses deux mains, il écarta les deux lèvres de mon portefeuille et introduisit son joli vit dans le boudoir de la jouissance . . . —*Anaïs.*

PORTER A DROITE (or A GAUCHE). To 'dress' to the right (or left).

— PORTER UNE BOTTE = to copulate.

PORTÉ SUR LA MINETTE (ÊTRE). To be addicted to gamahuchery: of men.

Ce derrière n'est pas l'idéal que rêva
Mon gendre, lequel est porté sur la
minette.
A. GLATIGNY.

POSSÉDER. To possess a woman; to obtain the favour.

Je l'ai possédée, j'ai pris ses dernières faveurs.—MILILOT.

POSTE, *f.* 1. The act of kind: specifically when completed. [RABELAIS].

Quoiqu'il en soit avant que d'être au
bout
Gaillardement six postes se sont faites.
LA FONTAINE.

Il lui dit que s'il était couché avec elle, il entreprendrait de faire six postes la nuit.—BRANTÔME.

— 2. The female *pudendum* or *anus.*

— *See* COURIR.

POSTER (SE). To arrange oneself for the act of kind, or for sodomy; 'to spread'.

Allons, ma mie, postez-vous, que je chante l'agréable introït de notre messe amoureuse.—SEIGNEURGENS.

POSTÈRE, *m.* The breach.

L'abbesse lui dit chastement,
En couvrant son postère :
Par un trou fait dans mon drap blanc,
Mettez-moi ce clystère.
COLLÉ.

POSTICHES, *subs.* and *adj. m.* or *f.* Anything artificial amongst women; *e.g.* teeth, hair, paps, etc.

Chez nous, on vend des mollets et des
hanches
Et quantité d'autres moëlleux coussins,
Dont les plus gros, attachés sous nos
manches,
Nous font des bras comme des traver-
sins . . .
MME FLEURY.

POSTILLON (FAIRE). To digitate the *anus* during coition. Also POSTIL-LONNER.

Je te branlerai, je te sucerai, je te ferai postillon . . . tu jouiras!—LEMERCIER DE NEUVILLE.

L'homme, de sa main droite, ou lui fait
postillon,
Ou la glisse en dessous et lui branle le
con.
LOUIS PROTAT.

La petite folle allonge un bras et postillonne l'hercule Trottignac . . .—A. DE NERCIAT.

POSTIQUEUSE, *f.* A harlot. [RABELAIS].

POT, *m.* The female *pudendum;* 'the piss-pot'.

Et qui ferait bien ceci et cela, s'il trouvait le pot découvert.—NOEL DU FAIL.

— POT AU LAIT = the *testes.* [RABELAIS].

— POT-AU-FEU = 1. the buttocks of a woman : when of dimensions.

Mais tournez-vous donc un peu...
Quel superbe pot-au-feu !
C'est d' la fière marchandise,
    Mam'zelle Lise !
                F. DE CALONNE.

— 2. A woman who, disliking change, seeks the rôle of a concubine.

— POT DE CHAMBRE (or POT DE NUIT) = a woman.

La femme n'est pour moi, d'ailleurs,
            qu'un pot de chambre
Où j'aime à décharger la liqueur de mon
            membre.
            LOUIS PROTAT.

— POT AU NOIR = the breach.

Moi, dit l'un, j'ai donné droit dans le pot au noir.—*Les deux Rats.*

— POT BOUILLASSER = to live in concubinage.

POTA, *f.* The female *pudendum*. [RABELAIS].

POTENCE, *f.* The *penis*. [RABELAIS].

POUFFIASBOURG. *See* GADOUE-VILLE.

POUFIASSE, *f.* A harlot of the lowest grade.

POULAILLER, *m.* A brothel; any place where sacrifice to Venus is made.

Elle n'était pas du tout farouche,
Et j' l'emmène à mon poulailler....
            Lice chansonnière.

POULAIN, *m.* 1. The *penis*.

— 2. A venereal tumour in the groin.

Des deux côtés du con tu nourris deux
            poulains,
Et de pus malfaisants tous tes vaisseaux
            sont pleins.
    Un troupier au clou.

POULES, *f. pl.* Prostitutes living in a brothel.

POULETTE, *f.* A young wanton.

POUPÉE, *f.* A harlot.

Je m'en fus rue Saint-Honoré pour y trouver ma poupée. Je lui dis : Ma petite femme...—VIDAL.

POUPOULE, *f.* A mistress. [A diminutive of *poule :* used as an endearment].

POURFENDEUR, *m.* A libertine, valiant in action.

POURFENDRE. To force one's way.

POURVOIR. To copulate.

POUSSAVANT. JEU DE POUSSAVANT = the act of kind. [RABELAIS].

POUSSE-MOU. *See* BANDE-A-L'AISE.

POUSSER. To effect intromission. Also POUSSER SA POINTE, POUSSER L'AVENTURE A BOUT, and POUSSER UNE MOULURE.

Celui-là poussait en ami.—RÉGNIER.

Oh! va... va !... mais va donc !.... Pousse, 'tit homme... pousse !... mais pousse donc !—H. MONNIER.

Ah! chien... chien !... que tu me fais mal !... Ah ! mes fesses... mes pauvres fesses... Tu pousses si fort que tu me crèves... ah !—LA POPELINIÈRE.

POUSSOUER, *m.* The *penis*. [RABELAIS].

PRAIAU, *m.* The *mons veneris*. [Old French = *pré*].

Par Dieu, qui fist et mer et onde,
C'est li plus beau praiau du monde.
            Anciens Fabliaux.

PRATIQUE, *f.* The act of kind.

Car en l'amoureuse pratique
Toutes deux n'entendent point l'art.
                COLLÉ.

PRÉ, *m.* The *mons veneris ;* 'the Garden of Eden'.

Auxquelles on leur fauche leur pré.—*Recueil de poésies françaises.*

PRÉCEPTEUR D'AMOUR, *m.* A woman, past service herself, who instructs others in the arts of venery.

Non seulement elle a soigné l'enfant de celui-ci, mais elle s'est faite son précepteur d'amour.—A. DE NERCIAT.

PRÉCIPICE, *m.* The female *pudendum.*

Avez-vous, d'un beau con contemplant
             l'orifice,
Senti pareil parfum sortir du précipice?
La lavande, l'œillet, la rose et le jasmin
Embaument les contours de leur joli
             conin.
         Théâtre du Bordel.

PRÉCURSEUR (LE), *m.* The *penis.*

Il emploie avant cela,
     Là, là, là,
Le précurseur que voilà !
Ce doigt, toujours honnête,
Qui prépare tout ça,
     Va, va, va,
Avant que l'on entre là !
               COLLÉ.

PRÉLIMINAIRES DE L'AMOUR (LES), *m. pl.* Sexual blandishments.

Quand vous me promîtes, un jour,
D'abjurer vos séminaires,
Je vous accordai de l'amour
Tous les préliminaires.
Vous auriez eu tout le surplus,
Sans cette robe affreuse.
               COLLÉ.

PRÉMICES, *f. pl.* The virginity: male or female.

Quand il a eu seize ans, elle lui a ravi ses désirables prémices.—*Les Aphrodites.*

PREMIER. PREMIER BAISER = the virginity, male or female. Also PREMIER BOUILLON DE L'AMOUR,

Embrasés d'une ardente flamme
Vous ne pourrez plus l'apaiser ;
Heureux encore si d'une femme
Vous prenez le premier baiser.
               GUILHEM D.

— J'connais ta position :
T'as un bédouin dans l'ventre ;
Comment trouv's-tu l'bouillon ? . . .
               CH. COLMANCE.

— LA PREMIÈRE CAMPAGNE = the first child-bed.

Je veux que vous sortiez de mes mains sans la moindre trace de cette première campagne ; mais, ne faites pas la folie de recommencer : à chaque enfant, il peut y aller de votre vie.—*Joies de Lolotte.*

— LE PREMIER PAS = the loss of virginity.

— LE PREMIER ROLE = the *penis.*

PRENDRE. PRENDRE CHARNELLE LIESSE = to copulate. Also PRENDRE LE DÉDUIT, PATURE, PASSETEMPS, PROVENDE, SES ÉBATS, SES RAFRAICHISSEMENTS, SON DÉDUIT, SON DÉLIT, SON PLAISIR, SOULAS, UNE POIGNÉE.

Elle se jeta à son col, et le mena dans sa chambre, où il prit le déduit avec elle.—D'OUVILLE.

M'a dit que vous veniez sitôt qu'il fera
               nuit
Coucher avecques elle, et prendre le
               déduit.
               TROTTEREL.

Si le mignon qui prenait passetemps avec elle était gentilhomme.—P. DE LARIVEY.

Femme à son mari bas devant
Qui prend à d'autres lieux provende,
Soit-il de lui en faire autant?
               G. COQUILLART.

Cette putain ne manque pas,
Car la nuit prenant ses ébats
Avecque lui dedans sa couche.
               THÉOPHILE.

Quand dans nos amoureux combats,
Nous avons pris nos ébats,
Nous dormirons au bruit des eaux.
       La Comédie des chansons.

Deux jeunes cœurs je veux contraindre
A prendre charnelle liesse.
Recueil de poésies françaises.

Et là prenant leurs petits rafraî-
chissements avec elles, les payaient
très-bien.—Brantôme.

Avec madame sur un lit
Où très-bien prendra son délit.
Farces et Moralités.

Lui prêta sa femme à minuit
Afin d'en prendre son déduit.
Les Caquets de l'accouchée.

Blaise le magister, le marguillier Lucas
M'ont juré sur leur conscience,
Que quand tu voulais prendre avec eux
tes ébats,
Tu les payais toujours d'avance.
F. Bertrand.

Il estimait que rire et prendre le
déduit avec sa femme en temps sec lui
était contraire.—B. Desperriers.

Ayant assez de loisir pour prendre
leurs ébats ensemble à une autre heure.—
Ch. Sorel.

C'est de cette façon que Blaise et
Péronnelle
Prirent ensemble leurs ébats.
La Fontaine.

Mais pourtant, petit cœur, quand
vous m'eussiez laissé prendre un peu
mon plaisir.—Trotterel.

Elle était dans les bras de Chastel
avec qui elle avait pris son plaisir au
son du luth.—Ch. Sorel.

— Prendre des précautions
= to retire at the point of
ejaculation.

Vivez donc de privations !
Prenez donc des précautions !
Béranger.

— Prendre du fruit = to
conceive.

Avec Lycas, l'autre jour,
La jeune innocente
A cueilli des fleurs d'amour :
Mais trop imprudente,
Elle tremble d'avoir pris
Parmi les fleurs quelques fruits . . .
Goguette du bon vieux temps.

— Prendre feu = to get an
erectio penis.

— Prendre le cul = to grope
a woman in the intercrural trench.

— Prendre un homme au
saute-dessus = to levy black-
mail for sodomy.

Après avoir provoqué à la débauche
celui qui a eu le malheur de les aborder,
ils changent tout à coup de ton, le pren-
nent, comme ils disent, au saute-dessus,
et se donnant pour des agents de l'autorité, le menacent d'une arrestation . . .
—A. Tardieu.

— Prendre l'hostie a la chapelle = to tongue a woman.

— Prendre un pain sur la
fournée = to seduce under
promise of marriage.

— Prendre Vénus au toupet
= to grope the pubic hair.

A peine avions-nous réparé notre
désordre, que mon Mars, de nouveau
sous les armes . . . vous reprend Vénus
au toupet, et pan ! là, comme un hou-
sard, au moment où je lève le cul de
dessus le bidet . . . me voilà prise en
levrette à la volée.—A. de Nerciat.

Présentière, *f.* A harlot. [Ra-
belais].

Presse. *See* Mettre.

Prêter (se). To prostitute oneself.
Also Prêter son cul.

Se preste à un des deux
C'est tout un.
Ancien Théâtre français.

Pourtant l'on l'a un peu prêté,
Quand le chemin est abaissé,
Y peut qu'on n'y ait été.
Farces et Moralités.

D'un autre on dira que c'est signe,
D'une parfaite ménagère,
Prêter, pour garder sa cuisine,
Son cul plutôt que son chaudron.
G. Coquillart.

— S'y prêter = to facilitate
intromission; 'to lend oneself
to it'.

— PRÊTER SA ROSETTE = to be sodomised.

Je prête même à l'enculeur ma rosette ... dont il s'honore.—*Parnasse satyrique.*

PRÊTRESSE DE VÉNUS, *f.* A prostitute. [RABELAIS].

Elle rougit; chose que ne font guère,
Celles qui sont prêtresses de Vénus.
LA FONTAINE.

— PRÊTRESSE DE LESBOS = a woman given to abuse with her own sex.

Vous m'entendez, prêtresses de Lesbos,
Vous de Sapho disciples renaissantes.
PARNY.

PREUVE D'AMOUR, *f.* The act of kind; 'the favour'.

Je m'en souviens encore comme si j'y étais, dit incontinent le bijou de Thélis: neuf preuves d'amour en quatre heures.—DIDEROT.

Qu'on nous dise qu'un' veuve fait cas
Des preuves d'amour les plus fortes,
Et sans nombre et de toutes sortes,
Cela ne me surprend pas.
COLLÉ.

Et puis des preuves de mon amitié, si vous voulez, parce que vous êtes bien gentil.—LOUVET.

— *See* DONNER.

PRIAPE, *m.* The *penis;* Priapus. [RABELAIS].

Et aussi bien sur la paille et sur la dure messire Priape hausse la tête.—BRANTÔME.

Si ce gros priape charnu,
Je puis voir une fois tout nu.
Le Cabinet satyrique.

O que l'examen de tes doigts,
Pour un priape est redoutable!
LA MONNOYE.

Là par dessein ou par hasard,
Elle empoigna ce dieu cornard,
Ce chaud priape de la fable.
GRÉCOURT.

Un priape, à travers le feuillage d'un arbre,
Ouvrait en souriant ses prunelles de marbre.

PRIAPISME, *f.* Venery in general, erection in particular. [RABELAIS].

Théodore a déjà eu sous les yeux plusieurs actes de priapisme.—*Enf. du Bordel.*

PRIER. To copulate; 'to sacrifice to Venus'.

Vois du taureau la fougue et la vigueur:
A la génisse il vole ... autre prière —
Prions comme eux.
PARNY.

PRIÈRE, *f.* The act of kind.

Tout propre à faire la prière,
Qu'on trouve ès heures de Cythère.
PIRON.

PRINCE. *See* AMI.

PRINCESSE, *f.* A mistress.

— PRINCESSE DE L'ASPHALTE = a prostitute.

PRISES. *See* ÊTRE and VENIR.

PRIVAUTÉS. *See* FAIRE.

PRIX DE L'AMOUR, *m.* The sexual favor.

Quand le prix de l'amour est enfin accordé,
Souvent dans nos esprits l'illusion détruite,
Laisse d'affreux dégoûts, qu'elle traîne à sa suite.
COLARDEAU.

PROMISCUITER. To copulate.

PRÔNER. To give or receive the sexual favor.

PROPORTION, *f.* The *penis.*

PROPORTIONÉ, *adj.* Well-hung. Also (of women) well-made.

PROPOS, *m.* The act of kind; 'Love's duet'.

PROSE, *m.* The breach. EMPROSER = to pederastise or sodomise.

PROUESSE, *f.* The act of kind.

Surtout, quelque ardeur qui vous presse,
Ne faites point trop de prouesse.
VOITURE.

Coups tirés avec une femme, à la satisfaction de celle-ci. Faire des prouesses : se surpasser au lit, avec une femme, — qui en est agréablement étonnée.—A. DELVAU.

— PROUESSES VILLÉTIQUES = acts of sodomy.

Est-ce bien toi, ce même homme si fameux chez nous pour ses villétiques prouesses? Est-ce lui qui peut bouder à la vue de ce joli cul.—*Les Aphrodites.*

PROVENDE. *See* PRENDRE.

PROVERBES ÉROTIQUES.

L'amour est une affection
Qui par les yeux dans le cœur entre,
Et par forme de fluxion
S'écoule par le bas ventre.
REGNIER.

Une andouille et deux œufs
La pitance d'un religieux.
BÉROALDE DE VERVILLE.

Qui donne un bijou,
À moins qu'il soit fou,
En demande un autre.
DE CAILLY.

Les bréhaignes sont plus heureuses que les fécondes, parce que le cas ne leur pue point.—BRANTÔME.

Qui a froid aux pieds, la roupie au nez et le cas mol, s'il demande à le faire est un fol.—BÉROALDE DE VERVILLE.

Le cas d'un fille est fait de chair de ciron, il démange toujours.—BRANTÔME.

Le cas d'une femme est de terre de marais, on y enfonce jusqu'au ventre.—BRANTÔME.

Il ne faut jamais sentir un œuf, ni une huître, ni un con.—BÉROALDE DE VERVILLE.

Un con bien ménagé, à Paris surtout, vaut mieux que deux métairies.—BÉROALDE DE VERVILLE.

Chemin jonchu et con velu sont fort propres à chevaucher.—BRANTÔME.

D'une herbe de pré tondue et d'un con foutu le dommage est bientôt rendu.—BRANTÔME.

Le matin le con est bien confit à cause du doux chaud et feu de la nuit.—BRANTÔME.

Coucher un à un est bon.—BÉROALDE DE VERVILLE.

Depuis que la couille passe le vit, adieu vous dis.—BÉROALDE DE VERVILLE.

Un seul coup n'est que la salade du lit.—BRANTÔME.

Cul chaud ne gâte jamais linge.—BÉROALDE DE VERVILLE.

Vin échauffé et cul frotté
Ne tendent qu'à pauvreté.
BÉROALDE DE VERVILLE.

Il n'y a point de lignage en cul de putain.—BÉROALDE DE VERVILLE.

Ja cul de putain
Au soir ne au matin
Ne sera sans merde.
Anciens Fabliaux.

L'estré des femmes est de soi insatiable.—RABELAIS.

Une femme ira plus pour un coup de vit qu'un âne pour dix coups de bâton.—BÉROALDE DE VERVILLE.

Les femmes sont anges à l'église, diables en la maison, singes au lit.—BÉROALDE DE VERVILLE.

Les femmes sont du naturel des hydropiques ou d'une fosse de sable, qui d'autant plus qu'elle avale d'eau, plus elle en veut avaler.—BRANTÔME.

Toute belle femme s'étant essayé au jeu d'amour ne le désapprend jamais.—BRANTÔME.

Par commun proverbe on dit,
Qu'on connaît femme à la cornette
S'elle aime d'amour le déduit.
G. COQUILLART.

Homme goulu, femme fouteuse
Ne désirent rien de petit.
THÉOPHILE.

La femme qui ne frétille
En ce monde est inutile.
GAYETTE.

Les femmes vous donnent toujours deux gros jambons pour une andouille.—TABARIN.

De femmes qui montrent leurs sains,
Leurs tétins, leurs poitrines froides,
On doit présumer que tels saincts
Ne demandent que chandelles roides.
G. COQUILLART.

Plus vous couvrirez une femme, plus il y pleuvra.—TABARIN.

Femme qui fait ses cuisses voir,
Et se montre en sale posture,
A tout homme fait à savoir
Que son con demande pâture.
                            Théophile.

Femme qui se laisse baiser,
Et tâter la fesse en jouant,
Est-il pourtant à présumer
Qu'elle souffre le demeurant.
                            G. Coquillart.

Du devant d'une femme il faut se méfier.—Trotterel.

Les femmes sont comme gueux, elles ne font que tendre leur écuelle.—Brantôme.

Femme pour embourrer son bas
Perdra plainement la grant messe.
                            G. Coquillart.

Femme au chapeau avallé
Qui va les crucifix rongeant,
C'est signe qu'elle a estalé,
Et autrefois hanté marchand.
                            G. Coquillart.

Femme qui met quand elle s'habille
Trois heures à être coiffée,
C'est signe qu'il lui faut l'estrille
Pour être mieux enharnachée.
                            G. Coquillart.

Femme qui souvent se regarde,
Et polit ainsi son collet,
C'est présomption qu'il lui tarde
Qu'elle ne fasse le saut de Michelet.
                            G. Coquillart.

La femme a toujours une fontaine devant elle.—Tabarin.

Femme qui a robe devant
Fendue, qui se ferme à crochet,
Elle peut bien porter enfant
Car elle aime bien le hochet.
                            G. Coquillart.

Femme qui en ses jeunes saulx
A ayné le jeu un petit,
(Le mortier sent toujours les aulx)
Encore y prent-elle appétit.
                            G. Coquillart.

Quant une femme est au métier
Et sa voisine l'accompagne,
Elle a sa part au bénitier
Par la coutume de Champagne.
                            Béroalde de Verville.

Quand on veut monter sur une femme, on la couche.—Tabarin.

Femme qui a bel outil
N'a pas faute de babil.
                            Satyre Ménippée.

Les femmes sont plus blanches que les hommes parce qu'on les savonne tous les jours par dedans.—Tabarin.

Femme qui ses lèvres mord,
Et par les rues son aller tord,
Elle montre qu'elle est du métier ord,
Ou ses manières lui font tort.
                            Leroux de Lincy.

Femme qui prend elle se vend;
Femme qui donne s'abandonne.
                            Leroux de Lincy.

Folles femmes n'ayment que pour pasture.—Leroux de Lincy.

La femme a semence de cornes.—Leroux de Lincy.

Quand femme dit souvent hélas,
Elle demande d'ailleurs soulas.
                            Leroux de Lincy.

Quand la jeune femme se plaint sans occasion
N'est servie à foison.
                            Leroux de Lincy.

Belle fille et méchante robe
Trouvent toujours qui les accroche.
                            Leroux de Lincy.

Fille à laquelle la bouche pleure, le con lui rit.—Béroalde de Verville.

Le four est toujours chaud mais la pâte n'est pas toujours levée.—Béroalde de Verville.

Il vaut mieux dépuceler une garce que d'avoir les restes d'un roi.—Brantôme.

Amour de garce et ris de chiens
Tant n'en vaut rien qui me dit tiens.
                            Béroalde de Verville.

Bien de ribaud et chair de garce
Étant unis ont bonne grâce.
                            Béroalde de Verville.

Il a mis son blé au grenier du prêtre.—Béroalde de Verville.

Les beaux hommes au gibet, les belles femmes au bourdeau.—Brantôme.

Jannot est le vrai nom d'un sot.—*Ancien Théâtre français.*

Les mains féminines sont grils sur lesquels la chair revient.—Béroalde de Verville.

Froides mains, chaudes amours.—Leroux de Lincy.

Mais, belles, sachez qu'un beau manche
Réchauffe aussi bien qu'un manchon.
                            Théophile.

La marchandise de Vénus tant plus coûte, tant plus plaît.—Brantôme.

Regarde au nez et tu verras combien
Grand est celui qui aux femmes fait
bien.
BÉROALDE DE VERVILLE.

L'outil de mariage est le plus sale
drogueux de tous, parce qu'après avoir
bien pilé dans son mortier, il crache
dedans.—BÉROALDE DE VERVILLE.

L'oisiveté est mère de paillardise.—
Le Synode nocturne des tribades.

Regarde au pied pour au rebours connaître
Que le vaisseau d'une femme doit être.
BÉROALDE DE VERVILLE.

Petit pied, grand con.—BRANTÔME.

Le poil est un signe de force,
Et ce signe a beaucoup d'amorce
Parmi les femmes du métier.
REGNIER.

Pâle putain et rouge paillard.—
BRANTÔME.

Quand maître coud et putain file
Petite pratique est en ville.
BÉROALDE DE VERVILLE.

La putain qu'on fout
Y prent autre goût
Si l'argent ne dure.
Anciens Fabliaux.

La pute est perdue
S'el n'est bien batue
Et souvent foulée.
Anciens Fabliaux.

Pute ne tient conte
Qui sor son cul monte,
Toz li sont igual.
Anciens Fabliaux.

Il est comme les poireaux, il a la
tête blanche et la queue verte.—TALLE-
MENT DES RÉAUX.

Qui joue des reins en jeunesse
Il tremble des mains en vieillesse.
BÉROALDE DE VERVILLE.

L'amour est le chemin du cœur,
Et le cœur l'est du reste.
Mlle DE SCUDÉRY.

Et quand on a le cœur,
De femme honnête, on a bientôt le reste.
VOLTAIRE.

Les durs tétins de nourrice font les
enfants camus.—RABELAIS.

Juin et juillet la bouche mouillée et
le vit sec.—BRANTÔME.

PROVISION, *f.* The *penis.*

PROVOCANT, *adj.* Enticing: *e.g.*
'un œil provocant', 'une allure
provocante'.

PROVOQUER. To solicit.
Une jeune lorette
A minois séduisant,
D'une œillade discrète
Provoquait le passant.
A. MONTÉMONT.

PRUNES, *f. pl.* The *testes.*
Si malgré les vœux de madame,
Les prunes de monsieur m'ont plu,
On doit excuser une femme
Que tenta le fruit défendu.
MARCILLAC.

PRUSSIEN, *m.* The breach.
Le général Kléber
A la barrier' d'Enfer
Rencontra z'un Prussien
Qui lui montra le sien.
Chanson du quartier Latin.

— CHEMINER A LA PRUSSIENNE
= to sodomise.

PUCEAU, *m.* A youth retaining his
virginity.
Le jeune homme puceau l'appelle
son affaire.—LOUIS PROTAT.

PUCES. PUCES DE SAINT PAUL =
concupiscence, 'a thorn in the
flesh'. [RABELAIS].

PUCELAGE, *m.* The maidenhead.
[RABELAIS].
Enfin dans un petit village
On trouva l'heureux pucelage,
Qui près du roi devait coucher.
PARNY.

Le roi impatient et ne goûtant pas
qu'un autre ait un pucelage qu'il payait.
—TALLEMENT DES RÉAUX.
Heureux cent fois qui trouve un puce-
lage!
C'est un grand bien.
VOLTAIRE.

Avoir dans un bordel perdu son
pucelage.—A. GLATIGNY.

Je me fous de ce météore
Qui de pucelage a le nom.
Parnasse satyrique.

— PUCELAGE ACTIF = a man's virginity when brought to action. Also PUCELAGE OCCIDENTAL.

PUCELLE, *f.* A maid.

Puis donc que vous voulez toujours être
pucelle,
Sans jamais ressentir l'amoureuse étin-
celle.
TROTTEREL.

Et pissa roide comme une pucelle
qui n'ose.—BÉROALDE DE VERVILLE.

Mademoiselle Charlotte du Tillet ne
fut jamais mariée, mais on dit qu'elle
n'était plus pucelle pour cela.- TALLE-
MENT DES RÉAUX.

Veuve de huit galants, il la prit pour
pucelle;
Et dans son erreur par la belle
Apparemment il fut laissé.
LA FONTAINE.

— Combien dureront nos amours?
Dit la pucelle, au clair de lune.
L'amoureux répond : — O ma brune,
Toujours, toujours!
A. PRIVAT D'ANGLEMONT.

— PUCELLE DE MAROLLES = a girl who has lost her virginity. Also PUCELLE DE BELLEVILLE.

Les trois pucelles de marolles se
couchent, et les maris après.—BONAVEN-
TURE DESPERRIERS.

Et comment êtes-vous cette belle
pucelle de marolles, si serrée et si étroite
qu'on me disait.—BRANTÔME.

PUDENDES (LES). The organs of generation : male or female. [RABELAIS].

PUITS D'AMOUR, *m.* The female *pudendum;* 'the Sportsman's Hole'.

Pourrait-on voir meilleur soudart
Pour au puits d'amour honneur faire?
Recueil de poésies françaises.

PUNAISE, *f.* A harlot.

PUPITRE, *m.* A woman's breast and stomach.

S'il faut entonner l'épitre,
J'étendrai mon livre saint
Sur cet élégant pupitre
Que forme ton joli sein.
CASIMIR MÉNÉTRIER.

PUTAGE, *m.* Lechery. [Old French].

On dit c'est siyne du putage,
Por ce li tient on à non sape.
Anciens Fabliaux.

PUTAIN, *f.* A harlot. [RABELAIS].

La putain qu'on fout
Y prent autre goût
Si l'argent ne dure.
Anciens Fabliaux.

Notre péché nous a attains,
Car nous irons sans demourée
En enfer avec ces putains.
F. VILLON.

Que cette femme ne vienne donc
pas céans, car si elle s'évanouit pour ouir
parler de putains, elle mourra à trac
pour en voir.—BRANTÔME.

Eh bien! madame la putain, quel
marché avez-vous fait?—TABARIN.

Il m'est comme aux putains mal aisé
de me taire.—RÉGNIER.

De toutes ses putains la Lebrun
entourée.—L. PROTAT.

J'avais résolu dans l'âme,
Pour n'être plus libertin,
De prendre une honnête femme
Qui ne fût pas trop putain.
COLLÉ.

— See DANSE.

PUTANISME, *m.* Harlotry.

Allons, Eugénie, faites acte de putanisme sur ce jeune homme; songez que
toute provocation faite par une fille à
un garçon, est une offrande à la nature,
et que votre sexe ne la sert jamais mieux
que quand il se prostitue au nôtre.—
MARQUIS DE SADE.

PUTASSER. To copulate; 'to whore'.

Tu as voulu me pourchasser,
Mâtine, pour te putasser.
THÉOPHILE.

PUTE, *f.* A woman given to de-bauchery.

Toutes estes, serez ou fustes,
De fait ou de volonté putes.
JEAN DE MEUNG.

Qu'est-ce, double pute fole,
Dit Brunatin, que as-tu fait?
Anciens Fabliaux.

Laissant la pute qui ne tient
Compte de l'amant tout aimable.
JODELLE.

Car aussi bien que vous j'eusse fait
l'amour, et j'eusse été pute comme vous.
BRANTÔME.

PUTEFY, *m.* A brothel. [RABE-LAIS].

PUTERIE, *m.* Debauchery.

Pute, où avez-vous tant été?
Vous venez de vo puterie.
Anciens Fabliaux.

PUTIER, *m.* A whoremonger. Also PUTASSIER.

PUTINER. To wanton: of women.

PUTIPHARISER. To encourage to lechery: of women.

PYRAMIDE, *f.* The *penis.*

Qu'on ne vous voie point près d'elle
dresser la pyramide à son intention. —
CYRANO DE BERGERAC.

UARTIER, *m.* The female *pudendum;* 'the quaver case'. [SCOTT].

QUATRE PIEDS. *See* ÊTRE.

QUELQUE CHOSE DE CHAUD, *m.* I. The *penis:* (2) the female *pudendum;* and (3) the semen. Also QUELQUE CHOSE DE COURT = *penis.*

Tout l'mond' connaît bien l'aventure
Qui m'a fait rire si souvent:
Un certain paillard par nature,
D'une nonn' prit l'habillement
Et s'en alla droit au couvent
Que d'victimes il aurait faites,
Si la mère abbess' le mêm' jour,
N'avait pas, grâce à ses lunettes,
Vu qu'il portait quéqu' chos' de court.
BAPT. LAMÔME.

Lis' que veux-tu qu'on t'apporte,
Des huitr's ou d' la têt' de veau?
— Non, non, ferme nous la porte,
J'aim' mieux quelque chos' de chaud.
CH. COLMANCE.

QUENOUILLE, *f.* The *penis.* [RABELAIS].

Lise y procède, et saute à la quenouille
Avec laquelle Ève nous a filés.
GRÉCOURT.

Avec une autre quenouille,
Non, vous ne filerez pas.
BÉRANGER.

QUÉQUETTE, *f.* The *penis:* specifically (1) a child's, and (2) a fumbler's member.

Partout on lui fait bon accueil,
Elle a fait plus d'une conquête . . .
Cependant elle n'a qu'un œil,
Mademoiselle Quéquette.
STAN. TOSTAIN.

QUEUE, *f.* I. The *penis:* 'the tail'.

Mademoiselle, ma queue est assez levée pour votre service.—D'OUVILLE.

Il serait monsieur sans queue.—RABELAIS.

Je m'en étonne, puisque la queue, à ce que je vois, frétillait à cet Égyptien. —*Le Synode nocturne des tribades.*

Je vous laisse à penser en quel état se trouvait le pauvre malheureux, lequel peu s'en fallut qu'il ne restât sans queue. —P. DE LARIVEY.

Je suis comme les poireaux, j'ai la tête blanche et la queue verte.—TALLEMENT DES RÉAUX.

Messire Jean, je n'y veux point de queue!

— FAIRE UNE QUEUE (or DES QUEUES) = to be sexually unfaithful: said by women only.

Ah! oui, je sais . . . c'est pour l'autre jour, avec ta madame Machin, que vous avez été à Meudon me faire des queues.—H. MONNIER.

QUILLE, *f.* The *penis.* [RABELAIS].

Elle a tant dressé sa quille,
Qu'il lui a fait une fille.
GAUTIER-GARGUILLE.

— *See* ABATTEUR, JOUER, JOUEUR.

QUILLER. To copulate; 'to play at the loose-coat game'. [RABE-LAIS and URQUHART].

QUONIAM, *m.* The female *puden-dum ;* 'the best-worst part'. Also QUONIAM BONUS. [RABE-LAIS].

Pendant lequel temps de son voyage sa bonne femme ne fut par si oiseuse qu'elle ne presta son quoniam à trois com-pagnons.—*Les Cent Nouvelles nouvelles.*

Pour faire charnellement croître,
Leur quoniam.

MATHÉOLUS.

QUOUAILLER. To copulate. [RABE-LAIS].

ABILLEUR DE BAS, *m.* A man in the act of kind.

Un rabilleur de bas,
qui sert plusieurs mé-
nages,
N'en a tant rabillé que toi de pucelages.
Le Cabinet satyrique.

RACCOINTER. To know a woman. [RABELAIS].

RACCROCHER. To solicit.

J'ai été un an à l'hôpital. Une autre que moi, en sortant de là, aurait rac-croché.—RÉSTIF DE LA BRETONNE.

RACCROCHEUSE, *f.* A street-walker who solicits.

RACINE, *f.* The *penis;* 'the man-root'.

RACOLER. To solicit.

RACOLEUSE, *f.* A street-walker who solicits.

RACOUPI, *m.* A cuckold. [RABELAIS].

RACOUTRER. To copulate.

Le clerc d'un procureur assez gentil
garçon,
Qui depuis peu faisait la charge princi-
pale,
Racoutrait quelquefois une assez belle
cale.

RADIN, *m.* The *penis.*

Un sinve tombe sous sa main,
Elle frise son radin.
DUMOULIN-DARCY.

RADIS NOIR, *m.* The *penis* of a negro.

RAFAITIÈRE, *f.* A harlot. [RABE-LAIS].

RAFRAICHISSEMENT. *See* PRENDRE.

RAGASIE, *f.* A harlot. [RABELAIS].

RAGE. *See* AVOIR.

RAGOÛT, *m.* Refinement in venery.

Ces petits ragoûts,
Ces exercices gentils,
Les connaissent-ils?
Non; tant, dans le sacrement,
Se fait maussadement
Et gauchement.
COLLÉ.

— RAGOÛT D'ITALIE, *m.* Sodomy.

Monsieur de Vendôme a toujours été accusé depuis du ragoût d'Italie.—TALLEMENT DES RÉAUX.

— RAGOÛT DE BOUGRE = a Ganymede.

— RAGOÛT DE POITRINE = paps of quality.

RAIDE, *adj.* Stiff; in erection.

Quand, plus raide que la justice,
Nez en l'air et gros de courroux,
Il s'élance pour le service,
On croit qu'il fera les cent coups.
EUG. VACHETTE.

RAIE, *m.* 1. The intercrural trench.

Adonc sailli sur li à moult grant joie,
Sur le vis lui assit son orde roie.
Anciens Fabliaux.

Sauf votre grâce, madame, j'ai pris
une puce à la raie de mon cul.—
BÉROALDE DE VERVILLE.

Il commanda à tous les autres de
venir boire au bas de la raie comme à
un ruisseau.—CH. SOREL.

Trois mignons de la cour se tuèrent jaloux
Pour le bien prétendu d'une raie publique.
THÉOPHILE.

— 2. The female *pudendum*.

Mais mon billart est usé par le bout,
C'est de trop souvent frapper dans la raie.
Farces et Moralités.

Pour ne trouver la raie nette de la
dame avec qui l'on s'ébat, on y gagne
bonne vérole.—BRANTÔME.

RAINS. *See* REINS.

RALENTIR SA BRAISE. To copulate.

Laissons, mon cher ami, ce beau prince
à son aise,
Pour aller comme lui ralentir notre braise.
J. DE SCHÉLANDRE.

RAMENEUSE, *f.* A harlot.

RAMONER. 1. To copulate; 'to have
a wipe at the place'. [RABE-
LAIS].

Mes belles, c'est vous que je cherche
Pour vous montrer une leçon ;
Et croyez-moi, vos cheminées
Seront promptement ramonées,
Si vous éprouvez ma façon.
*Ballet des Chercheurs de midi à
quatorze heures.*

— 2. To sodomise.

RAMONEUR, *m.* A man in the act
of kind.

Il est vrai que pendant ce temps je
ne verrai pas le ramoneur de ma
cheminée.

RAQUETTE, *f.* The *penis;* 'the
old man'.

RAT, *m.* 1. The *penis;* 'the pec-
noster'. Also RATON.

En lui faisant naturellement étrangler le rat de nature.—BÉROALDE DE
VERVILLE.

— 2. The female *pudendum*.

RATACONNICULER. To copulate.
[Old French = *raccommoder*].

Et si personne les blâme de soi
faire rataconniculer.—RABELAIS.

RATER. To fumble in the act of
kind.

Non, mais tout de bon, je vous
rate. . . Vous n'êtes plus qu'une comtesse ratée.—LA POPELINIÈRE.

Je rate, hélas ! également,
Le poisson, ma belle et ma muse.
BÉRANGER.

RATEUR, *m.* A fumbler.

Quand il fait le séducteur,
Sur mon honneur ! ça me vexe;
Car à l'endroit du beau sexe
Il n'est pas à d'mi rateur.
JULES POINCLOUD.

RATISSER. To copulate; 'to do a
rasp'.

Et quant elle sera à point
Elle en ratissera maujoint.
Farces et Moralités.

RATOIRE, *f.* The female *pudendum.* [RABELAIS].

Ce noble et beau seigneur m'a douze
fois baisée,
Douze fois ma ratoire a reçu sa rosée.
Théâtre du Bordel.

RAVIGOTER. To cause erection.

D'un tour de main ell' ravigote
Le plus p'tit, le plus maigre jeu.
E. DEBRAUX.

RAVOIR (SE). To come, or cause
to come, again to erection.

Toutefois comme les jeunes gens
reviennent de loin, et qu'il était de bon
tempérament, il commença de se ravoir.—
BUSSY-RABUTIN.

RECEVOIR UN CLYSTÈRE. To copulate; 'to go scouring'. Also RECEVOIR UNE LEÇON.

RECEVOIR L'ASSAUT. To copulate: of women only.

RECHARGER. To engage in the sexual embrace a second time.

RÉCLAMER SES GANTS. To ask for glove money over and above the price agreed: of prostitutes.

RECOGNER. To copulate; 'to do a rootle'.

Ma mie, dit-il, afin de garder votre devant de choir, le remède si est, que au plutôt que vous le pourrez, le fort et souvent faire recoigner.—*Les Cent Nouvelles nouvelles.*

RECOIGNER. *See* RECOGNER.

RECUEILLIR LA JOUISSANCE (or LE FRUIT D'AMOUR). To copulate; 'to enjoy the pleasures of love'.

J'ai connu une honnête dame, laquelle, en une bonne occasion qui s'offrit pour recueillir la jouissance de son ami.—BRANTÔME.

Ayant recueilli les premiers fruits de son amour.—BRANTÔME.

Il se mit si fort à dormir, que, sans recueillir le dernier fruit d'amour, le jour vint.—P. DE LARIVEY.

RÉCURER (SE FAIRE). To undergo treatment for venereal infection.

REDINGOTE ANGLAISE, *f.* A cundum.

REDRESSER. To come, or cause to come, again to erection.

J'ai l'herbe qui les vits redresse,
Et cel qui les cons estresse.
Les dicts de l'erberie.

REDRESSEUSE, *f.* A harlot. [RABELAIS].

RÉDUIT, *m.* The female *pudendum ;* 'the rest-and-be-thankful'.

Elle était parvenue à écraser l'insecte contre une des parois du charmant réduit.—PIGAULT-LEBRUN.

RÉGALER. To copulate; 'to play at tops-and-bottoms'.

Quatre fois l'an, de grâce spéciale,
Notre docteur régalait sa moitié
Petitement.
LA FONTAINE.

REGARDER CONTRE BAS. *See* CELUI.

RÈGLES (LES), *f. pl.* The menses.

Pour ces règles que tu débines
Et traites de déjections,
Ce sont les sources purpurines
Des saintes fécondations.
ANONYME.

REHAUSSER LE LINGE. To copulate; 'to go under-petticoating'.

Pourvu qu'on rehausse mon linge
Je m'y emploitrai fermement.
Recueil de poésies françaises.

Et dans son cœur déjà se proposait
De rehausser le linge de la fille.
LA FONTAINE.

REINS. *See* JEU, JOUER, METTRE, MOUVOIR and REMUER.

RÉJOUIR (SE). To copulate; 'to have a drop-in'.

RELEVER. To come, or cause to come, again to erection.

Ne pouvant s'émouvoir, ni relever sa nature baissante sans ce sot remède.
BRANTÔME.

RELIGIEUSE, *f.* A harlot.

Et pour ne pas s'ennuyer en attendant le dîner, elles dirent à la Dupré de leur faire passer ses religieuses en revue.—*La France galante.*

RELIQUE, *f.* The *penis.*

Du grand saint Nicolas,
Dans vos draps,
Prenez donc la relique.
BÉRANGER.

Gage de ses travaux
Pendait sous sa tunique
Cette belle relique,
Chère aux tendrons dévots.
J. CABASSOL.

REMBOURRER. To copulate; 'to sew up '.

Et tout premier un gentil écuyer qui rembourra son bas à son chier coust et substance.—*Les Cent Nouvelles nouvelles.*

REMOUCHITER. To prowl in search of venery; 'to grouse'.

REMPELLER. To copulate; 'to dance the cushion dance'.

REMPLIR LE VENTRE. To get with child.

Puis tôt après una la dame
Vous avez jà rempli le ventre?
Recueil de poésies françaises.

REMPUCELLER. To apparently restore virginity.

Et puis avec une drogue,
Ma mère qui faisait la rogue
Quand on me parlait de cela,
En trois jours me rempucela.
RÉGNIER.

REMUER. To copulate; 'to be amongst the cabbages'. Also REMUER LES FESSES and LES REINS. Properly (of women) to play with the hips and thighs during coition.

Tu n'es point orde à tes drapeaux
Car tu es souvent remuée.
Ancien Théâtre français.

Enfin, à force de frotter et de remuer le cul de part et d'autre, il arrive que tous deux viennent à s'échauffer d'aise par une petite démangeaison et chatouillement qui leur vient le long des conduits.—MILILOT.

Elle passa dans un bois avec un jeune compagnon dans l'espérance d'y bien remuer les fesses.—D'OUVILLE.

Le garçon en avertit la fille et elle le garçon; cela les oblige à frotter plus fort et à remuer plus vite les fesses.—MILILOT.

Que j'étais jeune, que j'avais les reins souples, et que je les pouvais remuer!
—P. DE LARIVEY.

Tous vos baisers sont contraints;
Mais remuez donc les reins!
Que faites-vous de vos mains?
BÉRANGER.

RENDRE (SE). To grant the favor. Also RENDRE HEUREUX.

A nul autre ne me rendrai
Sinon qu'à l'abbé votre maître.
JODELLE.

Et enfin quand elle se rendit, elle en fit toutes les avances.—BUSSY-RABUTIN.

Oh! oh! oh! ah! ah! ah!
Rendez heureux ce monsieur-là,
La, la.
BÉRANGER.

— RENDRE LE DEVOIR = to copulate: of married men only.

RÈNE, *f.* The *penis.*

Ne vois-tu pas comment elle tient chacun d'eux par la rène?—*Les Cent Nouvelles nouvelles.*

RENTOILER (SE). To be given to the use of aphrodisiacs.

RENTRER. To re-engage in the sexual congress after resting. Also RENTRER EN LICE.

Mais l'amant est charmant
Justement dans le moment,
Qu'il rentre.
COLLÉ.

— RENTRER BREDOUILLE = to return from a soliciting tour without success.

Plus j'y songe et plus je m'embrouille;
Comment, ils ont vu tes appas,
Et tu reviens ici bredouille!
COLLÉ.

RENVERSER. To cause to lie down for copulation; 'to go star-gazing on one's back' (of women).

> C'est là que Michau,
> Renverse Isabeau,
> Sur le cul d'un tonneau.
> COLLÉ.

RÉPANDRE SA SEMENCE. To ejaculate.

> Un proverbe chinois dit qu'il ne faut pas répandre sa semence sur la mer; il a raison: c'est sur les filles.—A. FRANÇOIS.

REPASSER. To copulate; 'to dance the goat's jig'.

> Et notez que la moindre bagasse peut en dire autant à un grand roi ou prince s'il l'a repassée.—BRANTÔME.

REPOUSSER LES CROTTES. To sodomise.

REPOUSSOIRS, *m. pl.* Hard, well-rounded paps.

RÉSERVOIRS (LES). The *testes*.

RESSUSCITER. To get an *erectio penis*.

RESTAPER. *See* RETAPER.

RESTE, *m.* The female *pudendum;* 'the leading article'.

> L'amour est le chemin du cœur,
> Et le cœur l'est du reste.
> Mlle DE SCUDÉRY.

> Car vous m'aimez, et quand on a le cœur
> De femme honnête, on a bientôt le reste.
> VOLTAIRE.

— **FAIRE LE RESTE.** To copulate.

> Il l'embrasse et la baise à son plaisir, puis il tâche de faire le reste.—CH. SOREL.

RESTER COURT. To weaken at the moment of ejaculation.

> Rester court
> A la neuvième politesse!
> COLLÉ.

RESTER L'OREILLE BASSE. To have lost all power of erection.

RÉSURRECTION, *f.* An *erectio penis.*

> Alors toutes les grandes filles de l'île peuvent s'approcher et s'occuper de la résurrection du mort.—DIDEROT.

RETAPE. FAIRE LA RETAPE = 'to walk the streets'.

RETAPER. To copulate; 'to go drabbing'.

> Et bien voient qu'il l'a corbée,
> Et rebesiée et restapée.
> *Anciens Fabliaux.*

RETAPEUSE, *f.* A street-walker.

> Ce sont les jeunes retapeuses
> Qui font la gloire de Paris.
> A. GLATIGNY.

RETIRER. To take a woman a second, third, or fourth time running.

— **SE RETIRER.** To devaginate.

> Thémire, feignant le contraire,
> Disait toujours: Ménage-moi;
> J'ai peur de rencontrer... ma mère..
> Ah! cher Colin, retire-toi...
> G. GARNIER.

> Ah! tu te retires!... Pourquoi ne l'as-tu pas laissée dans moi? je ne l'aurais pas mangée, va?—H. MONNIER.

> Voulez-vous un ami prudent
> Qui ménage vos craintes;
> Vite, ouvrez-moi vos... sentiments,
> Je sais me retirer à temps.
> *Chanson anonyme moderne.*

RETOUR DE MATINES. To copulate; 'to have an ejectment in Love Lane'.

> Tant lui donna du retour de matines,
> Que maux de cœur vinrent premièrement.
> LA·FONTAINE.

RETOURNER LA MÉDAILLE. To sodomise after copulation.

Chacune des trois filles fut foutue deux fois en con ; ensuite comme de concert, les trois bougres retournèrent la médaille . . .—RÉSTIF DE LA BRETONNE.

RÉTRÉCIR (SE). To use astringents: of women.

A se rétrécir elle excelle
Et joint aux airs d'une pucelle
La plus profonde instruction.
H. RAISSON.

REVELEUSE, *f.* A harlot. [RABELAIS].

REVENIR. *See* FAIRE.

RÉVERBÉRATION, *f.* The act of kind; 'the game of pully-hauly'. [GROSE].

REVERSIS. *See* JOUER.

RHUME DE CERVEAU (AVOIR UN). To be infected. Also RHUME ECCLÉSIASTIQUE. [RABELAIS].

RIBAUD, *m.* A debauchee. Also, in *fem.* RIBAUDE. Also RIBAULDE. [RABELAIS].

Eh ! vieille ribaude, c'est de toi que je veux me venger.—P. DE LARIVEY.

Je suis la grande Gargouillaude,
Garce du souverain Gugoux,
Chaude putain, fière ribaude,
Pleine de vérole et de loups . . .
LE S. DE SYGOGNES.

RIBAUDER. To copulate; 'to go mutton-mongering'.

Elle fut soupçonnée par son mari d'aller ribauder ailleurs.—BRANTÔME.

Et puis quand elle aurait ribaudé un tantinet.

Trois femmes s'y trouvaient, trois femmes accomplies dans l'art de ribauder, parfaites, accomplies.—*Théâtre du Bordel.*

RIBAUDIE, *f.* Debauchery.

Je ne veux pas qu'on me maudie
Pour parler de la ribaudie.
MATHÉOLUS.

RIBLER. To be given to debauchery. [RABELAIS].

RICALDE, *f.* A harlot. [RABELAIS].

RIEN, *m.* The *penis.*

Biau ami, ni metomes nom
A votre rien et à mon con ?
Anciens Fabliaux.

Est-il vrai, monsieur? on dit qu'ils n'ont rien ; cela est bien déparant pour un homme.—DIDEROT.

RIGOBAGE, *m.* Harlotry. [RABELAIS].

RIGOBETTE, *f.* A harlot. [RABELAIS].

RIPONS (LES). The *testes.* [RABELAIS].

RIRE. To copulate; 'to play at the same old game'.

Un jour qu'elle riait avec un président.—BÉROALDE DE VERVILLE.

La nuit le bonhomme joyeux,
Et voulant rire avec sa femme.
PIRON.

RISETTES (FAIRE DES). To wanton with the eyes.

RIVAL, *m.* The *anus.*

On dit que mon rival aurait des autels au delà des Alpes.—DIDEROT.

RIVANCHER. 1. To make love: and (2) to copulate.

RIVER. RIVER LE BIS. To copulate; 'to go to Hairyfordshire'.

La belle fille entre les bras,
Et river le bis à plaisance
Dix fois la nuit.
Ancien Théâtre français.

— RIVER SON CLOU. *See* FAIRE.

RIVETTE, *f.* A sodomist.

Rivette. Jeune sodomite. Les voleurs de province donnent ce nom aux filles publiques.—VIDOCQ.

RIVIÈRE, *m.* 1. The *anus;* and (2) the *pudendum:* of women.

Car on dirait que les deux rivières s'assemblant et se touchant quasi ensemble, on est en danger de laisser l'une et de naviguer à l'autre.—BRANTÔME.

ROBE, *f.* A harlot; 'a bona-roba'.

Et lui fit fête d'avoir trouvé la meilleure robe qu'il avait jamais vue.—MARGUERITE DE NAVARRE.

ROBINET. ROBINET DE L'AME = the *penis.* [RABELAIS].

ROIDE, *m.* The *penis.*

ROIE. *See* RAIE.

ROIT, *m.* An *erectio penis.*

Un jour avoit qu'il fust à roit,
Et que son vit fort lui tendoit.
Anciens Fabliaux.

ROMPRE UNE LANCE. To copulate; 'to have a tumble-in'.

L'un avait rompu trois lances, l'autre quatre, l'autre six.—*Les Cent Nouvelles nouvelles.*

RONCHINER. *See* ROUSSINER.

ROSE, *f.* 1. The female *pudendum;* 'the rose'.

Là sur l'albâtre on voit naître l'ébène,
Et sous l'ébène une rose s'ouvrir.
PARNY.

Ma fille, avant d'céder ta rose,
Retiens bien ce précepte-là.
E. DEBRAUX.

Tu n'auras pas ma rose,
Car tu la flétrirais...
Vieille chanson.

— 2. The virginity. [RABELAIS].

Taisez-vous, mon enfant, mensonge,
Vous avez perdu votre rose ;
Mais on ne peut faire autre chose.
Ancien Théâtre français.

Par Jezabel sera cueillie
Cette rose, qu'il croit jolie.
PARNY.

Tu·n'auras pas ma rose,
Car tu la flétrirais.
BÉRANGER.

— *See* CUEILLIR, FAIRE, and FEUILLE.

ROSÉE, *f.* The semen. Also ROSÉE CÉLESTE (or DIVINE), ROSÉE DE VIE (or VIT).

Et le détestable Fa-tutto a fait pleuvoir dans mon sein la brûlante rosée du crime.—VOLTAIRE.

Mon amie, reçois encore cette preuve de mon amour. Gamiani, excitez-moi, que j'inonde cette jeune fille de la rosée céleste.—A. DE M.

Notre adorable conquérant fait des siennes à toute outrance et darde la rosée de vie sans le moindre ménagement.—DE NERCIAT.

ROSETTE. The orifice of the *anus.* CHEVALIER DE LA ROSETTE = a sodomist or pederast.

Travaille bien, prends ta lichette,
La lichette donne du cœur ;
Et s'il le faut, tends ta rosette,
Cela te portera bonheur.
A. DUMOULIN.

ROSSIGNOL, *m.* The *penis.*

Aussitôt qu'elle eut aperçu
Le rossignol que tenait Catherine.
LA FONTAINE.

ROTI, *m.* A mistress. ORDINAIRE = wife.

ROUBIGNOLLES, *m. pl.* The *testes.*

ROUBLARD. A libertine, half ponce, half wencher.

ROUCHE, *f.* A harlot.

ROUCHI, *m.* 1. A man of loose morals; and (2) a ponce.

ROUCINER. *See* ROUSSINER.

Et ils roucinaient comme homme.—
RABELAIS.

Puisque j'ai parlé ci-devant des
vieilles dames qui aiment à roussiner.—
BRANTÔME.

Il n'eut envie de rouciner de plus de
six heures et un quart.—*Le Synode
nocturne des tribades.*

ROUGETS (LES). A woman's periods.
[RABELAIS].

ROULEAUX, *m. pl.* The *testes.*

Si pour nisco
J'attrappe l'asticot,
Tant pis pour mes rouleaux ! . . .
Voilà l'turco *(bis)* bono.
    Chant guerrier, retour d'Afrique.

    La peau de mes rouleaux
    Pour les municipaux . . . .
        Chanson républicaine.

ROUPETTES (LES), *f. pl.* The *testes.*
[RABELAIS].

Ses roupettes étaient grosses et rebondies,
Et de poil longs et noirs abondamment
                            fournies.
        LOUIS PROTAT.

    Sur les roupettes granitiques
    De l'indomptable Sarrazin
    Il pleut . . .
        B. DE MAURICE.

ROUSCAILLER. To copulate. [RABE-
LAIS].

ROUSSE-CAIGNE, *f.* A harlot. [RA-
BELAIS].

ROUSSINER. To copulate; 'to have
a bed-ward bit'. [DURFEY and
RABELAIS].

ROUSTISSEUSE, *f.* A harlot-thief.

ROUSTONS (LES), *m. pl.* The *testes.*

Votre main, doucement chatouille ses
                            roustons,
Tandis qu'il vous pelote et vous prend
                        les tétons.
        LOUIS PROTAT.

ROUTE, *f.* The female *pudendum;*
'the way in'.

Ma foi, j' vous avoûrai, voisine,
Qu'la première nuit, certain bobo
M'empêcha de faire dodo.
Jean, bien qu'il me vit effrayée,
S' trémoussait comme un épagneul ;
Aujourd'hui, qu'la route est frayée,
    Ça va tout seul.
        TOSTAIN.

RUBAN, *m.* A cundum or 'French
letter'.

    Je sais attacher un ruban
    Selon la grosseur d'une pine.
        Chanson anonyme moderne.

RUBENS, *m.* The *penis.*

Voyagez avec assurance,
De Venise aux pays albains ;
Mais, si vous passez à Florence,
Prenez garde à votre rubens.
        A. MONTÉMONT.

RUDIMENT, *m.* The act of kind ;
'houghmagundie'. [BURNS].

— RUDIMENT DE CYTHÈRE (LE).
The art and craft of venery.

Jeanne, sotte au monastère,
Sotte au sortir du couvent,
Plaisait sans savoir comment.
Le précepteur de son frère
Lui montre le rudiment
Que l'on enseigne à Cythère :
Son esprit s'ouvre à l'instant.
        COLLÉ.

RUFFIAN. *See* RUFIEN.

RUFIEN, *m.* A debauchee ; also a
procurer.

    Vous êtes, lui dit-elle, aussi un vrai
rufien.—BÉROALDE DE VERVILLE.

    César aussi savait combien vaut l'aune
de ces choses, car il avait été un fort
grand rufien.—BRANTÔME.

Et tu causes pourtant tout comme son
                            rufien ;
Si jamais je t'y prends, je te ferai bien
                            taire.
        DUFOUR.

    Elle introduit dans ma maison,
    Son rufien, qui sait fort bien
    Faire son profit de mon bien.
        J. GREVIN.

RUSÉE AU JEU (ÊTRE). To be expert in venery.

Tu me portes la mine d'être un jour bien fine et rusée à ce jeu.—MILILOT.

RUT, *m.* Salacity.

L'écoutant il m'a mis en rut,
Et il n'y a moins qui n'y fut.
J. GREVIN.

Te voilà tout d'un coup en rut.—PIRON.

Le corps en rut, de luxure enivré,
Entre en jurant comme un désespéré.
VOLTAIRE.

Si son esprit l'eût arrêté,
Elle eût mis en rut le conclave
Et fait bander sa sainteté.
COLLÉ.

Mais Jeanne tout en rut s'approche et me recherche
D'amour ou d'amitié, duquel qu'il vous plaira.
REGNIER.

— *See* METTRE.

ABLE (ÊTRE SUR LE). Said of a prostitute's bully when jilted. Also ÊTRE A LA CÔTE.

SABOULER. To copulate; 'to play at two-handed put'.

Les laquais de cour, par les degrés entre les huis, saboulaient sa femme à plaisir.—RABELAIS.

SAC, *m.* 1. The female *pudendum;* 'the sack'. [DURFEY].

La jeune garce en eut plein son sac.—MARGUERITE DE NAVARRE.

— 2. The stomach.

— SAC A AVOINE = the *testes*.

Dame, c'est li sac a avoine.—*Anciens Fabliaux.*

— SAC DE NUIT = a harlot. [RABELAIS].

SACCADER. 1. To copulate; 'to have a wallop-in'.

Et par dieu, je les faisais saccader encore une fois devant qu'elles ne meurent.—RABELAIS.

— 2. To sodomise or pederastise.

Le bougre lui mit le ventre en l'air, et pendant que Brise-Motte la saccadait en cul, Cordaboyau la saccadait en con.—RÉSTIF DE LA BRETONNE.

SACREMENT, *m.* The *penis.*

Voyez fille qui dans un songe
Se fait un mari d'un amant :
En dormant, la main qu'elle allonge
Cherche du doigt le sacrement.
Mais faute de mieux, la pauvrette,
Glisse le sien dans le joyau . . .
BÉRANGER.

SACREMENT D'AMOUR, *m.* The sexual embrace.

Là où se font d'amour les sacrements,
De jour et nuit, sans aucune lumière.
C. MAROT.

— SACREMENT DE L'ADULTÈRE = adultery.

Le sacrement de l'adultère.—COLLÉ.

SACRIFICATEUR, *m.* A man in the act of kind.

SACRIFICE, *m.* The sexual embrace —when given, not sold.

La compagnie qui, pendant notre sacrifice, avait gardé un profond silence, me complimenta de l'hommage que mes charmes avaient reçu, par la double décharge que j'avais subie dans une seule jonction.—*Mémoires de Miss Fanny.*

J'étais trop jeune encore pour multiplier les plus doux sacrifices.—PIGAULT-LEBRUN.

SACRIFIER. To copulate; 'to get stabbed in the thigh': of women. Also FAIRE UN SACRIFICE.

Versac triche à la dérobée avec sa femme. Simpronie s'en aperçoit d'autant moins, qu'en rentrant Versac lui fait un ample sacrifice.—*Nouvelle Académie des dames.*

SACSACBEZEVEZINEMASSER. To copulate. [Nonce-word: RABELAIS].

SADINET, *m.* The female *puden-
dum;* 'the palace of pleasure'.
[Old French = *petit plaisir*].
[RABELAIS].

Ces larges reins, ce sadinet
Assis sur grosses fermes cuisses,
Dedans son joli jardinet.
                                  F. VILLON.

Ce n'est plus la façon de tâter sadinet,
Le rebondi devant et le dur tétinet.
            Recueil de poésies françaises.

SAFRETTE, *f.* A prostitute. [RABE-
LAIS].

SAGE-FEMME, *f.* A midwife; 'a
fingersmith'.

SAIGNER. SAIGNER BLANC = to
ejaculate.

— SE FAIRE SAIGNER A BLANC
= to cause ejaculation. Also
SAIGNER SON CYCLOPE.

— SAIGNER ENTRE DEUX AYNETS.
To copulate; 'to get touched
up'. Also SAIGNER ENTRE LES
DEUX ORTEILS.

Pour les saigner droit entre les deux
orteils.—RABELAIS.

SAILLIR. To know a woman.
[RABELAIS].

SAINT, *m.* The female *pudendum;*
'the Holy of Holies'.

Si l'église n'était plus neuve
Le saint n'en fut pas moins fêté.
                                  BÉRANGER.

SAINT-ESPRIT DE LA CULOTTE, *m.*
The *penis.*

Près d'moi, j'entendis qu'on prenait
Le doux plaisir de la pelotte :
M'approchant, je vis un minet
Qui, pleurant, mettait un bonnet
Au Saint-Esprit de la culotte.
                      Gaudriole, 1834.

SAINT LUC. The breech. [An anagram of *cul*].

SAINT NOC. The female *pudendum;*
'the tenuc'. [Anagram of *con*].

Soit que vous ayez, Madame, pro-
jeté de vous le faire incruster, soit que
vous proposiez de l'incruster à vos
amies (il s'agit ici du godemiché double),
il est bien arrêté dans votre esprit que
saint Noc et saint Luc peuvent être
fêtés à la fois.—*Le Diable au corps.*

SAINT SERAIL, *m.* A company of
women; in convent or brothel.

SALADIER DE L'AMOUR, *m.* The
female *pudendum.*

SALÉTÉS. *See* S'ADONNER.

SALIÈRES (AVOIR DES). To be thin
and skinny of bust; 'to have salt-
cellars'.

SALIVER. To salivate.

Tout visage de femme à bon droit m'est
                                  suspect . . .
Quiconque a salivé doit fuir à son
                                  aspect . . .
                                  PIRON.

SALON DU PLAISIR, *m.* The female
pudendum.

SALOPE, *f.* A harlot.

— *Adj.* Expert in venery.

SALOPERIES, *f. pl.* All that per-
tains to venery.

Mais, du reste, j'aurais moi-même
appelé pour avoir de quoi nous purifier
de nos saloperies.—*Les Aphrodites.*

SALSIFIS, *m.* The *penis.* Specifically
a member of little account.

SALTUS, *m.* The female *pudendum.*
[RABELAIS].

SANCTUAIRE, *m.* The female *pudendum;* 'the housewife'.

Présent fatal! cette fleur étrangère
Des voluptés toucha le sanctuaire.
PARNY.

A peine des doigts de rose ont-ils entr'ouvert l'entrée du sanctuaire.—PI-GAULT-LEBRUN.

— SANCTUAIRE DU TEMPLE DES PLAISIRS = the neck of the vagina.

Vois-tu, Chauvin, c'est comme qui dirait . . . un deuxième con que l'on rencontre au fond du premier . . . Dès qu'il s'entr'ouvre, il vous prend le bout de la pine, vous serre le gland pour ne pas perdre une goutte de sperme et fait tout son possible pour vous empêcher d'en sortir . . . As-tu une grande pine? oui... alors tu pourras t'expliquer cela.—J. CH. *Caporal Branlard.*

SANGLER. To copulate; 'to get juice for jelly': of women. [RA-BELAIS].

Adonc il l'embrasse,
Et la sangle le moins mal qu'il peut.
Recueil de poésies françaises.

C'est pour avoir dix ans chevauché sans
croupière,
Et sanglé les nonnains en âne débâté.
AGRIPPA D'AUBIGNÉ.

Il demande grâce pour avoir sanglé cette fille.—SAINT-AMAND.

SANGSUE. DÉGORGER (or FAIRE) SA SANGSUE = to ejaculate.

SANGSURER. To bleed a man of money. SE SANGSURER = to ruin oneself by generous gifts to a harlot or mistress.

SANNION, *m.* The *penis.* [From the Greek: RABELAIS].

SAPHISME. *See* TRIBADIE.

SAQUEBONTÉ. *See* JOUER.

SAQUER LE CUL. To play with the hips and thighs during coition.

SARABANDE. *See* DANSER.

SATISFACTION. *See* DONNER.

SATISFAIRE (SE). To copulate; 'to give content'. Also SATISFAIRE A SON PLAISIR.

Il se satisfit aisément.—VADÉ.

Il aime par-dessus tout
La volupté roturière;
Pour satisfaire son goût
Il faut une couturière.
ÉM. DE LA BÉDOLLIÈRE.

Des houris toujours belles,
Qu'on satisfera bien,
Et qui, toujours pucelles,
N'arrêteront sur rien.
COLLÉ.

Chez ce libertin cagot
Qu' j'ai tant d' mal à satisfaire,
Je suis entré' pour tout faire:
Aussi j'y fais mon magot.
J. POINCLOUD.

SATYRIASIS (LE), *m.* Extreme sexuality: of men. [RABELAIS].

Ces abbés poupins et débauchés, ces fléaux de la virginité, seront condamnés à un satyriasis éternel.—A. DULAURENS.

Penchant irrésistible à l'acte vénérien, quelquefois avec la faculté de le soutenir longtemps sans épuisement.—Dr. B. LUNEL.

SAUCE D'AMOUR, *f.* The *semen.*

Il lui faut un gros vit, et lequel soit
toujours
Bien roide et bien fourni de la sauce
d'amour.
THÉOPHILE.

SAUCISSE, *f.* The *penis;* 'the live sausage'. Also SAUCISSON.

N'est-ce pas user d'artifice,
Pour avoir un plaisir plus cher,
A Margot d'avoir la saucisse
Et le vit du fils d'un boucher?
THÉOPHILE.

SAUGE. *See* FEUILLE.

SAUT. *See* FAIRE and FRANCHIR.

— SAUT DE MICHELET. *See* FAIRE.

SAUTER (SE FAIRE). 1. To be sodomised : of women ; to be pederastised : of men.

— 2. To copulate.

— 3. To be fond of the sexual embrace : of women.

SAUTEUR, *m.* A wencher.

SAUTOIR. To copulate.

SAUVAGE (SE METTRE EN). To strip ; 'to be in buff'.

... Alors, Jupin, prenant l' parti d' la
                     dame,
Dit au Cyclope : Un mot va t'apaiser :
Si tu n'veux pas qu'on reconnaiss' ta
                     femme,
En sauvage faut la déguiser.
               EM. DEBRAUX.

SAUVER LA MISE. To return the fee paid on entering : of girls in brothels who desire to entertain a lover *con amore.*

SAVANTE (ÊTRE). To be expert in venery.

SAVOIR DES POSES. To be expert in venery.

SAVONNER. To copulate ; 'to supple both ends of it'. Also DONNER UNE SAVONNADE.

A laquelle il savonna bien et beau les faubourgs des fesses.—BÉROALDE DE VERVILLE.

Les femmes sont plus blanches que les hommes parce qu'on les savonne tous les jours par dedans.—TABARIN.

Et je lui donnai une savonnade à laquelle son mari ne l'avait pas habituée.—SEIGNEURGENS.

SCALDRINE, *f.* A harlot. [From the Italian : RABELAIS].

SCAPUS, *m.* The *penis.* [RABELAIS].

SCELLER UN PASSEPORT SUR LE VENTRE. To copulate.

Ce godelureau te scellera un passeport sur le ventre.—BÉROALDE DE VERVILLE.

SCEPTRE, *m.* The *penis.*

La fortune pour moi fit moins que la
                     nature
M'ayant mis dans la main un sceptre
                     méconnu.
         TALLEMENT DES RÉAUX.
Priape accourt, ce dieu n'était pas loin ;
Son sceptre seul parut propre à l'affaire.
               GRÉCOURT.
Pères, préparez-vous, voici l'instant fatal
Qu'il faut mettre au grand jour le sceptre
                     monacal.
              PIRON.

... Caressée par une langue habile, je sentis approcher un incroyable plaisir, que j'achevai en m'asseyant glorieusement sur le sceptre que je tenais. Je donnai et je reçus un déluge de volupté. —A. DE M.

SCHNOC, *m.* The female *pudendum.* [An anagram of *con* + *sch*].

SCHTIV, *m.* The *penis.* [*Sch* + anagram of *vit*].

SCIENCE FATALE, *f.* Tribadism.

Mon tempérament était de feu, il fallut le satisfaire. Je ne fus guérie plus tard de l'onanisme que par les doctes leçons des filles du couvent de la Rédemption. Leur science fatale m'a perdue ...—A. DE M.

SEAU, *m.* The female *pudendum ;* 'the milking-pail'.

SECOUER. To copulate ; 'to jumble'. Also SECOUER LE PÉLISSON. [RABELAIS].

Je te secouerai bien un peu entre l'huis et la muraille.—P. DE LARIVEY.

Au moins si je tenais entre mes bras ce jeune garçon qui me sait si bien secouer le pélisson sur la montée.—P. DE LARIVEY.

Mon cher Adam, mon vieux et triste père, Je crois te voir en un recoin d'Eden

Grossièrement former le genre humain,
En secouant madame Eve, ma mère.
GRÉCOURT.

— SECOUER LA CARTOUCHE (SE)
= to masturbate. Also SECOUER
LE CHINOIS or LA HOULETTE.

Sans mot dire il se fait secouer la
houlette.—LOUIS PROTAT.

SECOUSSE. *See* DONNER.

SEIGNEUR. *See* VIGNE.

SEMENCE, *f.* The seminal fluid.

Vous eussiez eu de la semence
D'un vit dont la grandeur immense
N'eut jamais de comparaison.
F. DE MAYNARD.

Dix-huit jours après qu'elles avaient
reçu la semence.—CH. SOREL.

SEMER. 1. To jilt a lover; (2) to
discard a mistress.

Mon protecteur m'ennuie, mais je
le garde pour payer mon terme.
— Ah! bah!... sème-le.
— Passe pour semer, mais il faut
recueillir.—*La Malice des femmes.*

SÉNÉGAL. The female *pudendum;*
'India'. [RABELAIS].

SÉNER. To castrate. [RABELAIS].

SENS DESSUS-DESSOUS (ÊTRE).
Said of a woman when in the
voluptuous *déshabille* of the act of
love.

Gai, gai, l'on est chez nous
Toujours en fête,
Cul par-dessus tête
Et sens dessus-dessous.
BÉRANGER.

SENTINELLE D'AMOUR, *f.* A bawd.
[RABELAIS].

SENTIR DOUCEUR D'HOMME. To
copulate; 'to use benevolence to'.
Also SENTIR DE LA VOLUPTÉ.

Il y a plus de quarante ans que je
n'ai senti douceur d'homme.—T. DESAC-
CORDS.

— J'y suis!
Le sens-tu, Philis?
— Oui, Lycas, poursuis;
Tu te raidis
Contre l'obstacle.
COLLÉ.

SÉRAIL, *m.* Any resort of venery.

SERIN, *m.* The *penis.*

— VOYAGER POUR SON SERIN =
to seek the favor: 'commercial
travellers'.

SERINGUE, *f.* The *penis.* Also SE-
RINGUE A PERRUQUE, or A POIL.
[RABELAIS].

Il tire de sa pochette
Sa seringue et deux pruneaux.
GAUTIER-GARGUILLE.

SERINGUER. To copulate.

...Jusqu'alors, je n'avais ressenti
pareille jouissance. Il me seringua trois
fois de suite de son nectar délicieux: le
foutre s'en allait à gros bouillons de la
tête de son gros vit, il me sautait jusqu'au
cœur.—*Anaïs, ou dix ans de la vie,* etc.

SERRE CROPIÈRE. *See* JOUER.

SERRER. To copulate; 'to scrouge'.

Un jour pourtant d'humeur un peu trop
chaude
Serrait de près sa servante aux yeux doux.
BOILEAU.

— LE SERRER. *See* CASSE NOI-
SETTE.

Sens-tu comme je te le serre?
H. MONNIER.

SERRURE, *f.* The female *puden-*
dum; 'the lock'. [RABELAIS].

Comment pensez-vous qu'on puisse
garder une serrure, à qui toutes sortes
de clefs sont propres?—D'OUVILLE.

SERVANTE-MAITRESSE, *f.* A smock-
servant.

Hélas! mon ménage est petit,
Dis-je aussitôt à l'innocente;
Vous n'aurez à faire qu'un lit!

D'un air doux elle répondit :
Monsieur, je suis votre servante !
F. FOUGERAIS.

SERVICE. *See* FAIRE.

SERVIR, *m.* To copulate ; 'to serve'.
Also SE SERVIR.

Que chacune d'èle por rente
Servirait chevaliers cinquante.
Anciens Fabliaux.

Et voyre assez bon écuyer.
Pour, prenant gaîment mon délit,
Servir ma Madelon au lit.
J. GREVIN.

Tu as servi à plus de mille
Des crocheteurs de cette ville.
TABARIN.

Elle choisit ce jeune galoureau pour
la servir à loisir.—CH. SOREL.

Servons-nous de ce maître sot,
Il vaut bien l'autre ; que t'en semble ?
LA FONTAINE.

— SE SERVIR DE SA MAIN = to
masturbate. Also SE SERVIR DE
SES DOIGTS.

La volupté me pénètre soudain.
Mon trépignoir trépignait dans sa cage :
Pour l'apaiser, je n'avais que ma main.
Je m'en servis pour écumer sa rage.
ANONYME.

— SE SERVIR DE SA LANGUE =
to tongue.

O que la gamahuche a pour moi de
douceur :
Quand je suce ton con, je suce le bonheur !
Démosthènes, cité pour sa belle haran-
gue,
Ne sut pas, mieux que moi, se servir de
sa langue.
Devise de bonbon.

SERVITEUR, *m.* A lover. *Cf.* Old
English use of 'servant'.

Que l'innocent fabrique,
Au lieu de son méchant flûteur,
Un serviteur
D'un beau moule, et bien élastique.
COLLÉ.

SEXE, *m.* I. Womankind.

Celle en femme était vêtue de blanc ;
en homme, madame Dubarry était en
espèce d'habit de Gilles. Ce dernier
plaisant plus généralement au sexe, et
le premier aux hommes.—*Anecdotes sur
la Comtesse Dubarry.*

— 2. The *penis.* [RABELAIS].

SIÈCLE. EILLE DU SIÈCLE. A harlot [RABELAIS].

SIFFLET, *m.* The *penis.*

SIGISBE, *m.* The friend of the family ;
'a tame cat'.

SILLON MAGIQUE, *m.* The female
pudendum.

... Il a fourré sa tête sous les jupes
de Célestine et entre ses jambes. Tandis
qu'il gravit pour atteindre au magique
sillon, il attaque l'équilibre de la nymphe
et lui fait ployer le jarret...—*Les
Aphrodites.*

SIMULACRE, *m.* A dildo.

SINVE, *m.* A client : prostitutes'.

Jadis, pour filter la plus chouett' des
catins,
Tous les sinves s'mettaient en planque.
Chanson anonyme.

SIRÈNE, *f.* A harlot.

SIROP, *m.* The semen. Also SIROP
DE NAVET.

Laissez remplir la seringue,
Et vous aurez du sirop.
GAUTIER-GARGUILLE.

Sans donner l' temps qu'ell' réfléchisse,
J' lui r'passe, afin qu'à s' rafraîchisse,
D' la liqueur du nœud conjugal
Et l' sirop d' navet pectoral.
Chanson anonyme moderne.

SIXIÈME SENS, *m.* I. The female
pudendum; and (2) the *penis.*

SOCRATISER. To pederastise.

SODOMISER. To sin against nature.

Sodomise deux coups et deux fois déchar-
geant,
Il retire du cul deux fois son vit bandant.
PIRON.

Quoi, disent-elles, si les flammes
Sodomites brûlent les âmes,
On ne le fera plus qu'aux garçons.
COLLÉ.

SODOMITE, *adj.* Sodomite.

Tout Africain est sodomite,
Ainsi l'exige le climat :
On comprend ça.
ALEX. POTHEY.

— *Subs. m.* = A man given to
unnatural connection.

SŒUR, *f.* A wanton ; a mistress.

Aussi était-elle de nos sœurs, faisant
souvent plaisir aux amis.

Nos sœurs du peuple, pour désigner
certaines victimes cloîtrées, qui ne se
plaignent pas de l'être. Au XVIe siècle,
on disait : nos cousines.—A. DELVAU.

— SŒUR DU CUL = 1. a half-
sister ; and (2) the sister of a
lover or mistress.

SOIXANTE-NEUF (FAIRE). *See* TÊTE-
BÊCHE.

Que fait Bacchus quand, accablé d'ivresse,
Son vit mollit et sur le con s'endort?
Soixante-neuf... et son vit se redresse,
Soixante-neuf ferait bander un mort !
Parnasse Satyrique.

SOLACIER. To copulate ; 'to enjoy'.
[Old French = *se réjouir*].

Trouvai la rue à Fauconniers,
Où l'on trouve bien pour deniers,
Femme pour son con solacier.
GUILLOT DE PARIS.

SOLAZ, *m.* The act of kind.

Mais je ne demande que solaz,
En l'accolant de mes deux bras.
Farces et Moralités.

— *See* AVOIR and PRENDRE.

SOLENNISER LA SAINT-PRIAPE. To
copulate.

Or, un jour que Sa Sainteté
Solennisait la Saint-Priape
Sur l'autel de la volupté...
B. DE MAURICE.

SOLIVES. FAIRE COMPTER LES SO-
LIVES = to put a woman on
her back for copulation. [RA-
BELAIS].

SOLUTION DE CONTINUITÉ, *f.* The
female *pudendum ;* 'the Mother
of All Saints'. [RABELAIS].

Bref aussitôt qu'il aperçut l'énorme
Solution de continuité,
Il demeura si fort épouvanté,
Qu'il prit la fuite.
LA FONTAINE.

SONDER. To copulate ; 'to plug'.

Quand on les sonde pour savoir si
elles ont la matrice close.—BÉROALDE
DE VERVILLE.

SONDEUR, *m.* A wencher.

SONNER AU BOUTON (or AU TOCSIN).
To masturbate the clitoris (or
penis).

Tout aussitôt sur son lit il la couche,
Sonne au bouton !
La reine alors, déchargeant dans sa
bouche,
Dit que c'est bon !
La Gastibelzade.

SONNETTES (LES), *f. pl.* The
testes. [RABELAIS].

Et au pied deux belles sonnettes,
Tant belles et tant joliettes.
Ancien Théâtre français.

Notre oiseau ne se perdra point,
Il a de fort belles sonnettes.
GAUTIER-GARGUILLE.

SOT, *m.* A cuckold. [RABELAIS].

SOTTISES (FAIRE DES). 1. To grope ;
and (2) to copulate.

Enfin, finalement, avez-vous été
contents ? — Oui. — Il n'a pas fait
d'sottises ?—Si tu veux . . .—H. MONNIER.

SOUDRILLARD, *m.* A libertine.

SOUFFLER EN CUL. To copulate; 'to swive'. [CHAUCER].

SOUGNANT. A concubine. [RABELAIS].

SOUILLER SON CORPS. To masturbate.

J'appelle encor l'amour ... Vos cellules
infâmes
Etouffent sans pitié ma brûlante oraison ;
Et je souille mon corps au souvenir des
femmes.
Epargnez ma raison !
V. RABINEAU, *La Prison cellulaire.*

SOUILLON, *f.* A soldier's trull.

SOULAGER (SE). To ejaculate.

Pauvre chat ! Eh bien, tu vas te
soulager, mon chéri, je te le promets.—
LEMERCIER DE NEUVILLE.

SOULER LA VOLONTÉ. To copulate;
'to wap'.

Que sais-je, si ayant soulé d'elle
la volonté, il n'est pas homme à lui
bailler du pied par le cul.—D'OUVILLE.

SOULIER, *m.* The *penis.*

Doutant qu'il ne soit pas bien soulier
à son pied.—*Les Cent Nouvelles
nouvelles.*

SOUMETTRE. 1. To copulate; 'to
vault'. Also SOUMETTRE A SES
DÉSIRS.

Fatmé disait, en montrant le cime-
terre de Kersel, l'infâme l'a levé dix
fois sur ma tête pour me soumettre à
ses désirs.—DIDEROT.

— 2. To pederastise.

Son dos, tourné par pudeur, étalait
Ce que César sans pudeur soumettait
A Nicomède, en sa belle jeunesse.
VOLTAIRE.

SOUPE ET LE BŒUF (LA). The
act of kind between man and
wife; 'the conjugal ordinary'.

Parce qu'enfin, voyez-vous, du nec-
et de l'ambroisie, c'est toujours la
même chose que de l'ambroisie et du
nectar. Junon, Flore, etc...., tout ça est
bel et bon ; mais c'est toujours la soupe
et le bouilli ; tandis qu'il y a là-bas,
chez le papa Desnoyers, des brunettes
et de la piquette qui nous ravigoteront.—
EMILE DEBRAUX.

SOUPENTE, *f.* A woman's stomach.

SOUPEUSE, *f.* A variety of prostitute well-known in certain restau-
rants provided with private rooms.
They dress well, are amusing,
but are not necessarily young.

SOUPIRAIL MERDIQUE, *m.* The *anus.*

Vous devez mettre votre tête entre
mes fesses, et approcher votre nez du
soupirail merdique.—TABARIN.

SOUPIRANT, *m.* A licentiate in
venery who pretends ignorance.

SOURDITTE, *f.* A harlot. [RABE-
LAIS].

SOURIS, *f.* The female *pudendum.*
[RABELAIS].

SOUS. SOUS LE LINGE = naked.

Je suis pourtant curieuse de voir
comment elle est sous le linge.—LA PO-
PELINIÈRE.

— SOUS LES ARMES = in a
state of erection; ready for the
act of kind.

SOUS-PRÉFET (LE), *m.* The *penis.*

— AGACER LE SOUS-PRÉFET =
to masturbate.

SOUTENEUR, *m.* A prostitutes'
bully; 'a fancy man'.

J' suis le roi des souteneurs !
Je connais la savate !
Il rôde dans les environs du Casino,
de ces messieurs qui protègent les amours

de ces dames, et que la police a décoré du gracieux nom de souteneurs.—A. D'AUNAY.

SOUTENIR LE CHOC. To indulge without fear: of women.

SPERMATIQUE. *See* CONFITURE, ESSENCE, VASE.

SPERME, *m.* The seminal fluid of a man.

Voyant jaillir ce sperme merveilleux.—PIRON.

Le sperme n'est pas l'or potable
Qui vous nourrit au lieu de pain;
Durant que votre con tient table
Votre ventre crie à la faim.
THÉOPHILE.

Et lorsque du plaisir est arrivé le terme,
Dans ma bouche je sais encor garder le sperme.
LOUIS PROTAT.

SUBLIME CRISE, *f.* The sexual spasm.

[Le moment suprême de l'amour, le summum de la fouterie, qui est celui où l'homme et la femme mêlent leurs spermes et jouissent.—A. DELVAU.]

Près de la sublime crise, ils paraissent tous deux.—*Les Aphrodites.*

SUBSTANCE, *f.* The semen.

Rien n'est plus vrai, mesdames; j'en ai usé, moi qui vous parle, pour une déperdition de substance. DIDEROT.

SUCCUBE, *m.* A pederast: the subject. [RABELAIS].

Quand il consommait son Kabyle,
On entendait sous le gourbi
Au milieu de la nuit tranquille,
Le succube pousser ce cri...
AL. POTHEY.

SUCER. To tongue. Also FAIRE MINETTE.

Que les chiens sont heureux!
Ils se sucent la pine,
Ils s'enculent entre eux!
TH. GAUTIER.

Je voudrais être chien,
Car du soir au matin
Je pourrais me sucer la pine.
DUMOULIN.

Cependant, en suçant, il est bon que la main
Joue autour des roustons un air de clavecin.
LOUIS PROTAT.

Pourtant il leur manque, en somme
(Ce qui vaut bien un écu),
De savoir sucer un homme.
DE LA FIZELIÈRE.

Il te faut, à tout prix,
Sucer des clitoris,
Et si l'antiquité
Ne l'eût pas fait, tu l'aurais inventé.
J. DUFLOT.

SUCEUSE, *f.* A fellatrix.

SUCRE, *m.* The semen. [RABELAIS].

Trouvant mon linceul tout souillé,
Et mon pauvre vit barbouillé
De sucre plus blanc que l'albâtre.
Le Cabinet satyrique.

Comment, vous appelez donc cela du sucre, mademoiselle?—D'OUVILLE.

SUCRE D'ORGE (LE), *m.* The *penis*.

SUCRERIE, *f.* Venery.

Car vous aimez la sucrerie,
Si j'en juge d'après vos yeux.
Gaudriole de 1833.

SUCRIER, *m.* A dildo.

Regardé comme le meuble le plus essentiel d'une toilette et celui qui est le plus cher aux dames: en un mot, c'est ce que les nonnes appellent: un sucrier...—MEURSIUS FRANÇAIS.

SUÈDE. ALLER EN SUÈDE = to salivate for the pox. [RABELAIS].

SUEUR. *See* GAGNER.

SUFFIRE A SOI-MÊME (SE). To masturbate in secret.

SUFFRAGES (MENUS). The caresses preceding the act of love.

> Époux, quand ils sont sages,
> Ne prennent garde à ces menus suffrages.
> La Fontaine.

SUIVANTE DE VÉNUS, *f.* A whore. [Rabelais].

SUPPOSER. To copulate. [Rabelais].

SURPLUS, *m.* The act of kind.

> Car qui un baiser doux reçoit
> Volontiers du surplus s'approche.
> *Recueil de poésies françaises.*

> Bien est-il vrai qu'en rencontre pareille
> Simples baisers font craindre le surplus.
> La Fontaine.

TABERNACLE, *m.* The female *pudendum;* 'the Holy of Holies'.

Elle est belle, ma Joséphine! elle a un chouette maître-autel!... un rude tabernacle!...—TISSERAND.

TABLE, *f.* The female *pudendum;* 'smock-alley'.

Cette fille toute folastre
S'assit dessus un oreiller,
Et m'ouvrant sa table d'albâtre,
Me fit près d'elle agenouiller.
Le Cabinet satyrique.

TABLIER DE SAPEUR, *m.* The mount of Venus; also the pubic hair.

Clara, elle, avait une gorge superbe, des fesses splendides, et un adorable petit con, protégé par un formidable tablier de sapeur.—J. LE VALLOIS.

— SON TABLIER LÈVE = pregnant.

TABOURDER. *See* TABOURER.

TABOURDEUR. *See* TABOUREUR.

TABOURER. To copulate; 'to toby-tickle'. [Old French = *battre du tambour*].

Et il entra en soupçon qu'elle se faisait tabourer les fesses d'ailleurs.—RABELAIS.

Ce monsieur la tabourdait si fort avec un lance à deux boutes.

TABOUREUR, *m.* A man in the act of kind. [Old French = *joueur de tambour*].

TACHER (UNE FEMME). Ta copulate.

Mais v'là que j' vous tache, mam'zelle,
C'est la faute de vot' bretelle:
Plus qu' mon amour elle tenait.
BÉRANGER.

TAILLÉ POUR LA COURSE (ÊTRE). To be ardent and physically strong.

TAILLER UNE PLUME. To tongue the *penis*.

TAIS-TOI-DONC (UNE PAIRE DE). The paps: a euphemism.

Joséphine?... une belle brune!... et qui vous a une paire de tais-toi-donc... qui se posent là!...—J. C., *Souvenirs de carnaval.*

TALENT. *See* FAIRE.

TALOCHER. To copulate. [RABELAIS].

TALONS. *See* AVOIR.

— AVOIR LES TALONS COURTS = to be approachable.

TAMBOURINER. To titillate a woman with the *membrum virile;* 'to play daddy-mammy'.

Ma foi, s'il se perd sous ma jupe,
Nous le ferons tambouriner.
Chanson anonyme moderne.

TAMISER. To copulate. [RABELAIS].

TANTARER. To copulate. [RABE-LAIS].

TANTE, *f.* A pederast taking the rôle of subject.

Enfants, on les appelle mômes ou gosselins; adolescents, ce sont des cousines; plus âgés, ce sont des tantes.— MOREAU CHRISTOPHE.

TAPER (SE). To masturbate. Also SE TAPER LA COLOQUINTE.

— TAPER DANS L'ŒIL. To please by word, gesture etc.

TAPEUR, *m.* A wencher.

TAQUINER LE BOUTON. To titillate the clitoris or nipple.

La gauche, autour du con bien douce-
ment passée,
Taquine le bouton de la gorge agacée.
LOUIS PROTAT.

TAQUINER LE HANNETON. To mas-turbate.

...Le Suédois, dit-on,
Aime qu'on lui taquine un peu le han-
neton.
LOUIS PROTAT.

TARABUSTER. To copulate; 'to thrum'.

Par force de tarabuster,
Notre lit ne put arrester;
Car l'hôtel si fort en trembla
Que notre lit à terre tomba.
Ancien Théâtre français.

TATER. To copulate; 'to tool'. Also TATER DE LA CHAIR or DE LA SAUCE.

Arde! monsieur, madame n'en a jamais tâté, que je n'aie fait l'essai auparavant.—TALLEMENT DES RÉAUX.
Et depuis ce temps-là, quoi qu'il puisse
coûter,
Tout le monde veut en tâter.
F. BERTRAND,

Il ne put venir que longtemps après, ce qui fâcha fort la femme qui s'ennuyait de rester si longtemps sans tâter de la sauce.—D'OUVILLE.

TATONNER. To touch; 'to grope'.

Ce petit paillard tâtonnait ses gou-vernantes sens dessus-dessous—RABELAIS.

TAURUS, *m.* The *penis.* [RABE-LAIS].

TÉMOINS, *m. pl.* The *testes.*

....L'abbé....avait en ses jeunes ans perdu ses deux témoins instrumentaires... en descendant d'un bellocier: c'est un prunier sauvage.—*Contes d'Eutrapel.*

Les dames rirent assez de Castor, qui était resté sans témoins.—P. DE LARIVEY.
Suivant les témoins à décharge,
Le vol doit être récusé,
— Les imposteurs! répond Glycère,
N'écoutez pas leurs faux rapports.
Ils n'ont rien vu, c'est bien sincère,
Car tous les deux étaient dehors.
VAUBERTRAND.

TEMPLE, *m.* The female *puden-dum;* 'the Temple of Venus'. Also TEMPLE DE CYPRIS. [RA-BELAIS].

Lors il n'y a tétons, ni fesse rebondie,
Cuisse, ventre, nombril, ni temple cyprien,
Que je ne baise, ou tâte, ou retâte, ou
manie.
THÉOPHILE.

TENDRE. To have an *erectio penis.*

— TENDRE SA ROSETTE = to be sodomised.

TENIR. TENIR LA CHANDELLE = to stand by at an act of kind; to procure. Also TENIR LE MULET.

Quand vous venez, à Fabrice dit-elle,
Me faire tenir la chandelle
Pour vos plaisirs jusque dans ma maison.
LA FONTAINE.

Durant qu'il attendait dans le car-rosse, pour ne pas tenir le mulet il s'accosta d'une voisine.—TALLEMENT DES RÉAUX,

A son destin j'abandonne la belle,
Et me voilà; des esprits comme nous
Ne sont pas faits pour tenir la chandelle.
PARNY.

Tu m'as pris pour un imbécile...
Comment! moi j'irais tenir la chandelle.
—JAIME fils.

— TENIR UNE MAISON = to keep a brothel.

TERRE, *m.* 1.The female *pudendum;* 'the old hat'. [FIELDING and STERNE].

Et principalement, ô ma vieille, à cette
heure
Que votre terre chaume, et qu'aucun
n'y labeure.
TROTTEREL.

— 2. Excrement. AIMER LA TERRE JAUNE = to sodomise or pederastise; AMATEUR DE TERRE JAUNE = a sodomist or pederast.

TERRIER, *m.* The female *pudendum;* 'Cupid's alley'. [RABELAIS].

Vous-même adressâtes et mîtes son
furon, qui s'ébattait à l'entour de votre
terrier.—*Les Cent Nouvelles nouvelles.*

TERRINIÈRE, *f.* A whore without a settled home.

Fille qui, n'ayant pas de domicile,
entraîne ses conquêtes abruties dans les
lieux déserts, dans les terrains vagues.
—CANLER.

TESNIÈRE, *f.* The female *pudendum;* 'the dark-hole'. [Old French = *tanière*].

Fame, s'èle n'avait tesnière
Mise près de la créponnière.
Anciens Fabliaux.

TESNIERS PELUS, *m. pl.* The *testes.*

Adieu, gentils tesniers pelus.—*Ancien Théâtre français.*

TESTICULES (LES). The *testes.* [RABELAIS].

TÉTASSES, *f. pl.* Pendulous paps.

D'autres sont opulentes en tétasses
avalées, pendant plus que d'une vache
allaitant son veau.—BRANTÔME.

Et non point de ces poupes et tétasses à la périgourdine, propres à charger
sur l'épaule comme une besace.—*Variétés historiques et littéraires.*

Les tétons deviennent tétasses.—
COQUILLART.

Cette mère des gueux, cette vieille car-
casse
D'un linge sale et noir resserre sa tétasse.
THÉOPHILE.

TÊTE-BÊCHE (FAIRE). To engage one the other as fellator and fellatrix: also between tribades.

Mais quand parfois il trouve une motte
bien fraîche,
Ce qu'il aime avant tout, c'est faire
tête-bêche.

Comme Narcisse n'était pas grand
fouteur, chaque fois qu'il venait me voir,
il commençait par me faire minette, ce
qui le faisait bander, et pendant que
nous étions tête-bêche, je lui suçais son
gros vit et le fis plusieurs fois décharger
dans ma bouche.—*Anaïs.*

TÉTER. To copulate; 'to blow the groundsels'.

— TÉTER UN CON = to gama-huche. Also ALLER AU CAFÉ.

— TÉTER UNE PERCHE = to tongue the *penis.*

Qui est-ce qui veut téter une perche
pour se dégraisser les queniques? (les
dents).—F. VOLLET, *du Châtelet.*

TÉTINS, *m. pl.* The paps. Also TÉTINES (*f. pl.*). Likewise, in *sing.* = *penis.* [RABELAIS].

Les durs tétins des nourrices font
les enfants camus.—RABELAIS.

Vos tétins longs comme des gaules.

Et la façon de sa poitrine
Parée d'une noble tétine.

TÉTONNER. To develop a bosom.

TÉTONNIÈRE, *f.* A woman with well-developed breasts.

Dans le cabaret où ils soupaient servait une grosse tétonnière d'Andalousie.

La tétonnière a des tétons,
Qui feraient de nobles roustons...
F. DESNOYERS.

La Brideconin... avait fait venir une sœur de son mari, fort grêlée, mais la plus provocante tétonnière de dix-huit ans qu'on puisse voir.—RÉSTIF DE LA BRETONNE.

TETONS, *m. pl.* The paps. [RABELAIS].

Elle faisait litière à ses tetons, qui paraissaient mignons et beaux.—BÉROALDE DE VERVILLE.

Quand j'ai mis la main sur ce teton.—
La Comédie des chansons.

Et l'on peut faire état qu'on est à la besace
Quand on vous tâte le teton.
DE BENCERADE.

De pudiques tétons
Bien séparés, bien fermes et bien ronds.
PARNY.

Sur un col blanc, qui fait honte à l'albâtre,
Sont deux tetons, séparés, faits au tour,
Allant, venant, arrondis par l'amour.
VOLTAIRE.

Donne-moi tes tétons.
LA POPELINIÈRE.

Comme le gland d'un vieux qui baise
Flotte son teton ravagé.
Parnasse satyrique.

Si son cœur est de roche,
Ses tetons n'en sont pas.
J. DUFLOT.

TETTES, *f. pl.* The paps.

Mammelles, quoi? toutes retraictes;
Telles les hanches que les tettes.
F. VILLON.

THÉÂTRE DE LA NATURE, *m.* The female *pudendum;* 'Nature's workshop'.

THERMOMÈTRE, *m.* 1. The *penis.*

Alors deux prêtres étendirent une des filles sur l'autel; un troisième lui applique le thermomètre sacré.—DIDEROT.

— 2. The female *pudendum.*

Plus souvent le thermomètre ne peut s'appliquer au garçon, parce que son bijou indolent ne se prête pas à l'opération.—DIDEROT.

THERMOMÉTRISER. To copulate; 'to bumbaste'.

J'ai publié un diplôme qui fixe le temps, l'âge et le nombre de fois qu'une fille sera thermométrisée, avant que de prononcer ses vœux.—DIDEROT.

TIERS-ORDRE. *See* FILLE.

TIMON, *m.* The *penis.*

Claude la débusqua, s'emparant du timon.—LA FONTAINE.

TIRE-BOUCHON AMÉRICAIN, *m.* The act of kind, the man on a chair and the woman seated straddlewise.

Quoique Cornélie soit partie, le plaisir n'est pas parti avec elle; monte chez moi, je serai bien aimable, et je ferai le tire-bouchon américain.—*Fantaisiste,* I, 179.

TIRELIRE (BRISER SA). To be deflowered. TIRE-LIRE. [RABELAIS] = female *pudendum.*

Maman, apprenez qu'un voleur
M'a pris la pièce qu'on admire;
Mais ce qui me met en fureur,
C'est qu'en brisant ma tirelire,
Tout haut chantait le sacripant,
Zi, zi, pan, pan!
L. FESTEAU.

TIRER. TIRER A LA CORDELLE = to copulate; 'to dibble'. Also TIRER AU BLANC, AU NATUREL, SA LANCE, SON PLAISIR, DU NERF, and UNE VENUE. [RABELAIS].

Ayant tiré ses plus grands coups de lance,
Eut son recours à sainte remontrance.
PASSERAT.

Quant on peut à sa cordelle
Tirer la femme d'autrui.
Le Cabinet satyrique.

Et me disait tout en allant
Que l'exercice des champs
Était de tirer au blanc.
La Comédie des chansons.

Et dans un bois, je savais la tirer.
—Debraux.

Aimes-tu mieux en gamine,
Tirer l'coup du macaron?...
Saunière.

— Tirer sa dague = to get
an *erectio penis*.

A ce prix-là, dans toute la boutique
De faire un choix j'eus la permission
Et je montai pour tirer une chique ...
Chanson anonyme moderne.

Je vais tirer mon coup, ma crampe, ou
bien ma chique,
Dit un futur Gerbier ...
L. Protat.

Réclamant aux vieillards libidineux ses
gants,
Et tirant tous les jours des coups extra-
vagants.
A. Glatigny.

J' vois que vous y prenez goût,
Mais je n' tir' jamais qu'un coup.
F. de Calonne.

— Tirer sa poudre aux moi-
neaux = to discharge after
masturbation.

Tireuse, *f.* A woman expert in
venery; 'a hen of the game'.
Also Tireuse de vinaigre.
[Rabelais].

Je gage qu'il n'aura pas servi deux
mois quelques-unes de nos tireuses du
grand genre, qu'on ne le reconnaîtra
plus.—A. de Nerciat.

Tirliberly, *m.* The *penis.*

Et retroussé jusqu'au tirliberly,
En laissa voir un tout des plus superbes.

Tirlirette, *f.* The female *pudendum.*

Que donne la tendre Emma?
Que vend l'effrontée Irma?
Que prête la bonne Annette?
Turlurette, c'est la tirlirette.

Quel est le coussin moelleux,
Le doux compagnon des jeux,
L'étui de la bistoquette?...
Turlurette... c'est la tirlirette.
L. Festeau.

Tiv, *m.* The *penis.* [Anagram of
vit].

Polidor, amoureux d'une beauté sauvage,
Prit en sa main son tiv rouge comme
un tison,
Et dit: Faut-il, hélas! que je meure en
servage,
Ayant dedans ma main la clef de ma
prison!

Toilette (Faire sa). 1. To make
ablutions before or after the act
of coition.

— 2. To gamahuche a woman.

A ma droite un vieux sénateur,
Fait la toilette à mam'zell' Rose :
Je n'vous dirai pas, par pudeur,
Comment il pratique la chose:
Mais, en argot d'chambre à coucher,
Ça s'appelle: gamahucher.
Chanson anonyme.

Toison, *f.* 1. The female *pudendum;* 'the fleece'.

Pour garder certaine toison,
On a beau faire sentinelle,
C'est temps perdu, lorsqu'une belle
Y sent grande démangeaison.
La Fontaine.

Au soleil tirant sans vergogne
Le drap de la blonde qui dort,
Comme Philippe de Bourgogne
Vous trouveriez la toison d'or.
Th. Gautier.

Va sur Acomat au poil raide,
Sur Fatime, à la toison d'or.
B. de Maurice.

— 2. The *mons veneris*.

Quand la toison fut bien mouillée.
Recueil de poésies françaises.

Tomates (Ecraser des). To have
one's menses.

Eh bien! va te coucher avec Mélie...
—Peux pas, elle écrase des tomates de-
puis deux jours, que ça en est dégoutant.
—Seigneurgens.

TOMBER. To copulate; 'to fall on one's back'. Also TOMBER A LA RENVERSE, and TOMBER SUR LE DOS.

> El est près qu'au mourir
> Si el ne tombe à la renverse.
> *Farces et Moralités.*

> Mais aussi qui ne tombe pas
> Au premier mot qu'on lui dise.
> BUSSY-RABUTIN.

Ce sont filets et pièges pour donner le saut et faire tomber à la renverse les femmes et les filles.—NOEL DU FAIL.

TONNEAU. *See* PERCER.

TONNEL. *See* AFORER.

TONSURE, *f.* The female *pudendum;* 'the central office'.

> Le curé s'excuse beaucoup;
> Et pour apaiser son murmure,
> Lui dit: Je la tiens pour le coup,
> Car j'ai le doigt dans la tonsure.
> PIRON.

TONTON, *f.* A mistress.

> C'est sa tonton que l'on marie.—
> LA FONTAINE.

TORCHE, *f.* The *penis.*

TORCHON (LEVER LE). To raise a woman's petticoat or chemise for the act of kind.

TORDIONS (LES), *m. pl.* The play of the body in the act of kind. [RABELAIS].

Il semble à ce pauvre homme qu'elle avait appris ces tordions d'un autre maître que de lui.—BONAVENTURE DESPERRIERS.

Elle ne se put en garder de faire un petit mobile tordion de remuement non accoutumé de faire aux nouvelles mariées. —BRANTÔME.

Elle a pour le moins trente-cinq ans sur la tête, ce qui me fait croire qu'elle a oublié tous ces petits tordions et gaillards remuements qui chatouillent la jeunesse.—P. DE LARIVEY.

TORTILLER DU CUL (or DES FESSES). 1. to play with the hips in coition (or in walking); (2) to act the prude; and (3) to show one's frills (*cf.* the petticoat or 'love-ladder'.)

> Quand on va boire à l'Écu
> N'faut pas tant tortiller du cu.
> VADÉ.

> Quand tout sommeille aux alentours,
> Hortense, se tortillant d'aise,
> Dit qu'elle veut que je la baise
> Toujours, toujours.
> A. PRIVAT D'ANGLEMONT.

> Au miché je sais battre un ban;
> Je sais tortiller de l'échine.
> *Chanson anonyme moderne.*

TORTS DE LA NATURE (RÉPARER LES). To masturbate or tongue a man in order to renew erection.

TOTON, *m.* The *penis.*

> Je tirai mon toton d'ivoire,
> Marqué de branches de corail.
> *Le Cabinet satyrique.*

TOTOQUINI, *m.* The *penis.* [RABELAIS].

TOUCHE D'ALEMANT, *f.* The *penis.*

> Qui baillera soudain la touche,
> D'alemant au gentil maujoint.
> *Farces et Moralités.*

TOUCHER. To copulate; 'to clicket'.

La belle fille qui voulait être touchée au bas du ventre.—BÉROALDE DE VERVILLE.

> Écoute, mon mignon, contemple
> Du bon Joseph les saints exemples,
> Qui ne toucha sa sainte dame.
> JODELLE.

> Mais si quelque amoureux la touche,
> Elle répartira du cu,
> Encore mieux que de la bouche.
> *Le Cabinet satyrique.*

Il ne lui touche point, vit dedans l'abstinence.—LA FONTAINE.

> Phébus, au même état où je me suis couchée,
> Me trouve le matin sans que l'on m'ait touchée.
> *Épigrammes.*

Où le mari, parce qu'il la touchait quelquefois, pensait avoir part.—BRANTÔME.

N'ayant touché que vous, je n'en puis rien savoir.
J. DE SCHÉLANDRE.

Mais il ne lui touchait que quand la fantaisie lui en prenait.—TALLEMENT DES RÉAUX.

Elle lui dit que s'il la touche, elle criera.—CH. SOREL.

Femme gentille et sage
Est un trésor ; mais il n'y touche point.
PARNY.

— SE TOUCHER = to masturbate.

— TOUCHER LA GROSSE CORDE= to grope the *penis* and 'beat daddy-mammy'.

TOUPET (AVOIR DU). To possess a well-garnished Mount of Venus.

Ce n'est point là le conin que vous aviez au couvent ; il n'y avait que du poil follet, du duvet, et je tiens là un toupet, un vrai toupet.—LA POPELINIÈRE.

TOUPIE, *f.* A low-class harlot. [RABELAIS].

Misère et corde ! c'est déjà des histoires pour des toupies.—GAVARNI.

TOUR. TOUR DE CUL. *See* FAIRE.

— TOUR DE REINS = the jut of the hips in walking.

— TOUR DE FESSE = the act of kind.
Pour mieux couvrir ses tours de fesse,
Voulait épouser un cocu.
THÉOPHILE.

— TOUR DE BITUME = a walk for the purposes of solicitation.
Allons ! voilà mon tour de bitume arrivé... Au persil ! au persil !...—LEMERCIER DE NEUVILLE.

TOURNER LE FEUILLET. To be sodomised.

Si quelquefois il me prend fantaisie,
Comme l'on dit, de tourner le feuillet,
Vous me refusez net.
PIRON.

— TOURNER LE GROS BOUT = to lie back to back ; or buttocks to *pudendum* (or *vice versâ*).

TOURNOI DE NATURE, *m.* The act of kind ; 'the lists of Love'.

TOURTERELLE, *f.* A mistress, half or wholly kept.

TOUS. TOUS POUR TOUS, *m.* A sodomist.

TOUSE, *f.* A woman (generic); also a harlot. [RABELAIS].

TRABES, *m.* The *penis.* [RABELAIS].

TRACAS DE POLICHINELLE, *m.* The act of kind. [RABELAIS].

TRACASSER. To copulate; 'to busk'.

TRAFARCIER. To copulate; 'to fettle'.

TRAHI (ÊTRE — PAR LA NATURE).
1. To be impotent.

— 2. To be sexually aroused.
.... Je sentais déjà la nécessité d'abréger. Cependant, trahie par la nature, déjà la belle donnait des preuves non équivoques de l'impression que je faisais sur ses sens ; — je donne l'assaut, je suis vainqueur....—A. DE N., *Félicia.*

TRAHIR. To weaken.
Ah ! tu te rends, tu cèdes à ma flamme,
Mais la nature, hélas ! trahit mon cœur.
BÉRANGER.

TRAIN, *m.* The *penis.*
Il est vrai, dit-elle, monsieur, mais je ne savais pas que vous eussiez si petit train.—BONAVENTURE DESPERRIERS.

TRAINÉE, *f.* A harlot.

Elle sera heureuse avec lui; elle
ne fait pas la traînée avec lui, par
exemple. —Eug. Vachette.

Trainer son boulet (or sa chaine).
To be faithful in conjugal relations.

Trait, *m.* The *penis.*

— Faire des traits = to cuckold a husband; to deceive a
lover or mistress.

Traite, *f.* The act of kind; 'what
Adam did to Eve'.

Notre amoureux fournit plus d'une traite ;
Un muletier à ce jeu vaut trois rois.
La Fontaine.

Tranchée, *m.* The female *pudendum;* 'the trench'.

Nous sommes bien fournis de pics
Pour besogner à vos tranchées.
Le Cabinet satyrique.

Trançon. *See* Faire.

Trappe, *f.* The female *pudendum;*
'the trap-door'.

Garde ta trappe, ma fille ;
Garde ta trappe d'en bas.
La Comédie des chansons.

Travail, *m.* Prostitution.

Au nom de Dieu, dedans le tête-à-tête,
A ton flaneur donne de l'agrément ;
Dans le travail, rappelle-toi, Jeannette
Que t'es pas là pour ton amusement.
L. Festeau.

— Travail des doigts = masturbation.

— Le grand travail = artistic
caresses : *e.g.* 'Je te ferai le
grand travail' = I shall lick and
tongue you all over : of women
only. Also beau travail.

Travailler. 1. To copulate ; 'to do
Nature's work'. Also travail-
ler a la vigne, and du cul.
[Rabelais].

Jà ai-je été trop travaillié
Si je ne pooie être sainié.
Anciens Fabliaux.

Que tu travailles bien aussi !... fort !
fort !... ma mignonne tu me ravis !...—
La Popelinière.

Tu passes toutes tes soirées
Chez Dautun le marchand de vin :
Les autres femmes, plus rusées,
Travaillent du soir au matin.
Dumoulin.

Épous's d'ultras,
Nièc's de prélats,
Tout ça travaille et n' se numérot' pas.
Béranger.

O femelle divine,
Crois-moi !
Fais travailler ma pine
Sur toi !
Eug. Vachette.

Comme le bonhomme Hauteroue
disait, travaillant sa première femme.—
Béroalde de Verville.

Ah ! dit-il, c'est que vous étiez en
train de travailler.—Louvet.

Un pauvre séraphique indigne
Est surpris, à son grand malheur,
Travaillant à force à la vigne.
Grécourt.

— 2. To go on the streets in
search of clients.

— Se travailler = to masturbate.

— Travailler sur le dos =
to play the whore.

Bref, le travail vint à nous manquer,
et nous nous sommes vues obligées à
user de nos charmes pour vivre : nous
travaillons sur le dos.—*Anaïs.*

Travailleuse, *f.* A harlot.

Trébillons (les), *m. pl.* The
testes. [Rabelais].

Couper les trébillons de ce jeune homme
aimable
Serait un crime affreux, un crime épouvantable.
Tour du Bordel.

C'est-à-dire lui ôter les trébillons d'entre les jambes.—BÉROALDE DE VER-VILLE.

TRÈFLE (LE), *m.* The breach.

TREHANS, *m.* The *penis.* [RABE-LAIS].

TREIZIÈME ARRONDISSEMENT. *See* VINGT-ET-UNIÈME.

TRÉMOUSSER (SE). To play the hips during coition.

> Amusez-vous, trémoussez-vous,
> Amusez-vous, belles;
> Amusez-vous, ne craignez rien,
> Trémoussez-vous bien.
> DÉSAUGIERS.

> Quoiqu'usé, le vieux Mondor
> Pour Lisette soupire;
> L'âge a rouillé son ressort,
> Mais il se trémousse encor'. . .
> PIRON.

TREPER. To copulate. [RABELAIS].

TRÉSOR, *m.* I. The female *puden-dum;* 'the treasure'. Also (2) the virginity.

TRÈVE. *See* FAIRE.

TRIBADE, *f.* A woman who abuses her sex with another woman.

> Les tribades s'adonnent à d'autres femmes ainsi que les hommes mêmes.—BRANTÔME.

> Tribades, mes amours,
> Sacrifions toujours
> Dans ce temple où Vénus
> Garde pour nous ses trésors inconnus.
> JOACHIM DUFLOT.

Tribadie; amour d'une femme pour une autre, très répandu dans les pensionnats de jeunes filles et dans les couvents de femmes.—COMTESSE DE N**.

TRIBADERIE, *f.* The rôle of a tribade.

> Sublime tribaderie! trop profanée par la satire des sots! comment, au contraire, se fait-il que la terre ne soit pas couverte de tes autels!—*Joies de Lolotte.*

TRICHER. To force a man to retire at the moment of ejaculation by means of a jut of the hips.

> Pour nous, femmes sages,
> Hors de nos ménages,
> Il faut jouir peu,
> Ou tricher au jeu.
> Tricher! quelle gêne!
> On conçoit sans peine,
> Quand on est expert,
> Tout ce qu'on y perd.
> BÉRANGER.

TRICOTAGE, *m.* The act of kind.

TRICOTER DES FESSES. I. To play vigorously with the hips during connection.

— 2. To dance the can-can.

> Nom d'un nom! v'là l'crincrin qui jure!
> Paméla, flanquons-nous tous deux
> De l'agrément par la figure
> Et tricotons à qui mieux mieux.
> ED. DONVÉ.

TRIMAR (FAIRE SON or ALLER SUR LE). To solicit on the streets.

TRIPIÈRE, *f.* A woman with large breasts.

> . . . . Le Plessy-Guénégaud s'amusait à payer cette grosse tripière comme un tendron, parce qu'elle était de qualité.
> P. DUFOUR, *Hist. de la Prostitution.*

TRIPOTER. To grope a woman in the thighs and paps.

TRIQUEBILLES (LES). The *testes.* [RABELAIS].

> Il a été bien battu pour avoir montré ses triquebilles aux bourgeoises qui faisaient collation à l'île Louvier.—*Variétés historiques et littéraires.*

> Qu'on me coupe les triquebilles.—*Cabinet satyrique.*

TROISIÈME SEXE, *m.* The world of passive sodomites.

TROMPER D'ENDROIT (SE). To sodomise a woman.

Comm' c'est chaud ! comm' c'est étroit !
Tiens ! je m' suis trompé d'endroit !
J'ai fait un' fameus' bêtise,
    Mam'zell' Lise. . .
            A. DE CALONNE.

Se voyant traité d' la sorte,
Il dit qu'il s'est trompé d' porte,
Et veut m' fourrer son outil
Dans un trou qu' j'ai sous l' nombril.
            Parnasse satyrique.

— TROMPER LA NATURE = to
masturbate.

. . . Il eut toutes les jouissances ex-
térieures, capables de le conduire à la
suprême jouissance. Elle ne se refusa à
rien de ce qui pouvait le satisfaire, hors
ce dernier point, et lui laissa suppléer à
ce qu'elle désirait elle-même, par les
divers secours que l'art a inventés pour
tromper la nature.—*Anecd. sur la Dubarry.*

TRONCHER. To copulate.

TRÔNE DU PLAISIR, *m.* The female
pudendum; 'the dearest bodily
part'. [SHAKSPEARE].

Si mes vœux près d'Églé sont toujours
                        superflus,
Du trône du plaisir si sa main me re-
                        pousse.
            COLLARDEAU.

TROTTEUSE, *f.* A street-walker.

    Allons trotte, trotte,
        Javotte,
        Et toujours
    Revends tes amours.
            CHANU.

TROU, *m.* The female *pudendum;*
'the hole'. Also, TROU CHAR-
NEL, TROU DE SERVICE and
TROU QUI PISSE. [RABELAIS].

    Autrement dit le trou de service.—
BÉROALDE DE VERVILLE.

    J'aimerais mieux être mort que de
l'avoir par le moyen du trou que vous
l'avez.—BRANTÔME.

    Les grands trous leur sont odieux,
déplaisants et désagréables.—*Variétés
historiques et littéraires.*

Nenni, non. Et pourquoi ? Pour ce
Que six écus sauvés m'avez,
Qui sont aussi bien dans ma bourse
Que dans le trou que vous savez.
            COLLÉ.

Le pape lui donna licence,
De marier sans délayer,
Pour le charnel trou payer.
            MATHÉOLUS.

Le bout était trop gros, ou le trou
trop petit.—PIRON.

Moi, j'aurais chanté seulement
        Le joli trou
        Dont je suis fou,
    Le joli trou qui pisse.
            J. CABASSOL.

Le trou par où elle pisse.—MILILOT.

— LE TROU A LA TERRE JAUNE
= the *anus.* Also TROU D'AIX,
TROU FIGNON, TROU DE BALLE,
TROU DE BISE, TROU DU SOUF-
FLEUR, TROU DE LA SYBILLE,
TROU DU CUL, and TROU QUI
PÈTE. [RABELAIS].

    Aurais-tu, par hasard,
Du trou de la sybille arboré l'étendard ?
            Tour du Bordel.

Du Florentin, blâmons le jeu,
Car le trou qui pète est son Dieu ;
    Je fuis cet orifice . . .
Quand, par erreur, j'y vais frapper,
Je me hâte de rattraper
    Le joli trou qui pisse.
            J. CABASSOL.

Je m'y pris avec tant d'adresse
Qu'elle me dit, plein' de tendresse :
Je t'accord' le droit marital.
Puis elle ajouta pour final :
Tu sais le côté qui me blesse,
Ah ! ne va pas dans le trou d' bal' !
            Chanson anonyme.

TROUFIGNON, *m.* The *anus.* Also
TROUFIGNARD.

    Et des deux premiers doigts vous
ouvrirez le troufignon.—BÉROALDE DE
VERVILLE.

TROU-MADAME (JOUER AU). To copulate. [RABELAIS].

TROUSSEQUIN, *m.* The breach.

TROUSSER. To copulate; 'to sew up'.

> Mais aux champs une fillette
> Se fait volontiers trousser.
> DE LA FIZELIÈRE.

> Lise, indignée en sentant qu'il la trousse,
> Sans doute alors se livrait aux sanglots.
> BÉRANGER.

TROUVER EN ÉTAT DE GRACE (SE). To have an *erectio penis*.

TRUANDE, *f.* A woman living in debauchery.

> Je ne puis souffrir qu'une truande s'engraisse à mes dépens.—*Variétés historiques et littéraires.*

> Mais où est allée cette truande?— P. DE LARIVEY.

TRUC, *m.* The female *pudendum.*

— FAIRE LE TRUC = to solicit.

TRUCSIN, *m.* A brothel.

TRUELLE, *f.* The *penis.*

> Sans qu'un autre que lui besogne à cet atelier, où la truelle d'autrui ferait ruiner tout le bâtiment.—NOEL DU FAIL.

> Et le maçon, chaud comme braise,
> Lui mit sa truelle à la main.
> E. DEBRAUX.

TU AUTEM, *m.* The female *pudendum;* 'the chink'.

> Quelle différence mettez-vous entre le tu autem d'une femme et la coquille d'une jeune fille?—TABARIN.

TUER. To copulate; 'to spike-and-shaft'.

> Adonc il la prend, la renverse sur l'échine, lui écarquille les jambes, se jette sur elle et lui fiche en bas du ventre son couteau naturel, et la tue de la douce mort. — BÉROALDE DE VERVILLE.

> Vous la jette sur le gazon,
> Obéit à ce qu'elle ordonne;
> A la tuer du mieux apprête ses efforts.
> LA FONTAINE.

— TUER LE MANDARIN = to masturbate.

TUNNEL DE LA MOTTE, *m.* The female *pudendum.*

> On songe, en pleurant,
> Au tunnel de la motte.
> *Anonyme.*

TURLUPINER. To grope; 'to girky-toodle'.

> J' n'aim' pas ainsi qu'on m' turlupine.
> BLONDEL.

TURLUPIN (or **TURLUPINEAU**), *m.* The *penis.*

> L'oiseau qui plaît à ma brune,
> Est comme la trinité;
> En trois corps son âme est une:
> Cette âme est la volupté.
> Je le chante, bien qu'en somme
> Le sujet soit peu nouveau;
> Voici comment il se nomme:
> Turlupin, turlupineau.
> HACHIN.

TURLUTUTU, *m.* The *penis.*

> La musique instrumentale
> Est mon fort, et maintenant
> Qui que ce soit ne m'égale
> Pour le fifre au régiment.
> Je vais chanter la vertu
> De mon p'tit turlututu,
> R'lututu, r'lututu,
> R'lututu, chapeau pointu.
> LASSAGNE.

LTRAMONTAIN, *m.*
A sodomist.

L'ultramontain, à son
culte fidèle,
La refusait, et même
avec dédain.
PIRON.

UN (L'), *m.* The female *pudendum;*
'the copyhold'.

USAGE, *m.* The act of kind.

USAGÈRE, *f.* A harlot. [RABELAIS].

USER. To copulate; 'to scrorperise'.

Lorsque Jean veut se reposer,
S'il me plaît encor d'en user.
BÉRANGER.

Comme si ce n'était rien que d'en-
lever en une soirée une jeune fille à son
amant, et d'en user ainsi tant que l'on
veut.—DE LACLOS.

— USER DES DOIGTS = to masturbate.

Pour vous en prendre à votre sexe,
Avez-vous mis l'autre aux abois ?
C'est peu que votre main me vexe,
Vous usez pour vous de mes doigts.
BÉRANGER.

USTENSILE, *m.* The female *pudendum.* Also [RABELAIS] = the
penis.

Une sienne voisine qui ne l'osa accommoder de son ustensile.—BÉROALDE
DE VERVILLE.

 VACHE, *f.* A harlot of no class.

> Avoue, Zidore, que ta Fifine est une bonne vache, et une vache à lait encore.—Lireux.

— **Prendre la vache et le veau** = to wed a woman, pregnant by another.

VACHERIE, *f.* A group or company of harlots: specifically, a bar where the maids drink, play with, and make love to the clients; the same as **Brasserie de femmes**.

VADROUILLE, *f.* A low-class prostitute; also of men: applied to a man given to women and drink.

VADROUILLER. To 'grouse'.

VA-ET-VIENT. The 'come-and-go' of the act of kind.

VAGIN, *m.* The female *pudendum*. Also **vagina**. [Rabelais].

> Le Grec se sauve en Italie;
> Le morpion grimpe au vagin
> D'une fillette assez jolie.
>   B. de Maurice.

VAGUE. **Aller au vague** = to walk the streets. Also **vaguer**.

VAINQUEUR. *See* Être.

VAISSEAU, *m.* The female *pudendum;* 'the boat'. Also **vaisseau charnel**.

> A cinq cents diables la vérole,
> Et l'ord vaisseau où je la prins.
>   *Recueil de poésies françaises.*

> Le vaisseau charnel lui appreste,
> En disant je suis toute preste.
>   Mathéolus.

— **Vaisseau du désert** = a prostitute: *cf.* **Chameau**.

VALLÉE PAPHIENNE, *f.* The female *pudendum*.

> Ce n'est que pour enseigner le grand chemin par où il faut passer pour descendre dans la vallée paphienne.—Tabarin.

> Le prince a le plaisir d'y voir les monts rosés dans la vallée desquels il se perd.—*Aphrodites.*

VALLON, *m.* The female *pudendum;* 'the treasury of love'.

> Et tenant clos votre vallon,
> Craignant l'enflure du bouton,
> Vous vous ébattez d'une quille.
>   *Le Cabinet satyrique.*

VALOIR LE COUP. To be desirable, *i.e.*, 'fuckable'.

VALSE, *f.* The act of kind.

> La valse est le pas de charge de l'amour.—Commerson.

VAQUER AUX BESOINS DE NATURE. To ejaculate. Also 'to stool'.

VASE, *m.* The female *pudendum ;* 'the honey-pot'.

Car, lorsque l'on se vient avecque vous
                                        conjoindre,
On ne vous ôte rien, mais au contraire
                                        on met,
Toujours en votre vase.
                              TROTTEREL.

— VASES SPERMATIQUES = the *testes.* [RABELAIS].

VAU-PUTE, *m.* Sodomy.

VAUTRER (SE). To wallow in debauchery.

VÊLER. To be brought to bed; 'to calf'.

VELLÉITÉS (AVOIR or SE SENTIR DES). To be amorous; 'to be hot'.

Ma chère amie, mes velléités sont passées : vous voudrez bien attendre qu'elles reviennent. Pour l'instant, laissez-moi dormir.—J. LE VALLOIS.

VELU, *m.* I. The *penis.*

Environnée de la custode,
Et après avoir prié Dieu,
Velu sur velu j'accommode,
Et mets le plus vif au milieu.
                              THÉOPHILE.

— 2. The female *pudendum ;* 'the hairy oracle'.

Ainsi le passant et repassant par son velu d'entre les orteils.—BÉROALDE DE VERVILLE.

VENDANGER. To copulate; 'to gaffer'.

Mets à profit sa négligence,
Et sans alarmes jusqu'au jour,
Viens vendanger en son absence
Des fruits de plasir et d'amour.
                              PARNY.

VENDANGEUSE D'AMOUR, *f.* A harlot.

Ces femmes...
Sont des vendangeuses d'amour.
Lorsque des vignes de Cythère
On revient, c'est au petit jour,
A pas pressé, avec mystère.
                              A. DELVAU.

VENDRE SA FLEUR. To sell one's maidenhead.

Ces ouvrièr's au gent minois
Qu'on voit parfois,
En tapinois,
Vendre leur fleur jusqu'à cent fois par
                                        mois.
                              EMILE DEBRAUX.

VÉNÉRABLE, *m.* The breach.

VENIR (EN). To copulate. Also VENIR A L'ABORDAGE, VENIR AU CHOC, EN VENIR AU FAIT, EN VENIR AUX PRISES, and VENIR LA.

C'est assez parlementé,
Il faut en venir aux prises.
            La Comédie des chansons.
Il la baisa pour en avoir raison,
Tant et si bien, qu'ils en vinrent aux
                                        prises.
                              LA FONTAINE.

Mais cependant, quand ce vient au fait, elles éprouvent le contraire.—MILILOT.

Une jeune beauté s'étant rendue amoureuse d'un jeune homme bien fait, lui donna tant de libertés qu'ils en vinrent à l'abordage.—D'OUVILLE.

Qu'avec l'abbesse un jour venant au choc.—LA FONTAINE.

Il parle trop, dit Émilie,
Et jamais il ne vient au fait.
            DAILLANT DE LA TOUCHE.

Votre robe par le derrière
Est toute pleine de poussière,
Vos cheveux sont mal atournés,
Je le connais, vous en venez.
            Le Cabinet satyrique.

Grand signe qu'elles en venaient.—BRANTÔME.

Elles disent qu'elles désirent être servies, que c'est leur félicité, mais non de venir là.—BRANTÔME.

Le valet de là-dedans s'amouracha d'elle et elle de lui, de sorte qu'ils en vinrent aux prises.—D'OUVILLE.

La belle, quand ce vint aux prises, fit ouf.—TALLEMENT DES RÉAUX.

A peine lui donna-t-il le temps de se recoucher pour en venir aux prises.—*La France galante.*

VENT EN POUPE. *See* AVOIR.

VENTÔSE, *m.* The *anus.*

Trop rapprochés sont ces deux trous;
Si le vit manque Pluviôse,
Il se fout tout droit dans Ventôse...
           Chanson anonyme.

VENTOUSER. To copulate; 'to do over'.

C'était une singerie remarquable que celle de la procureuse du Châtelet, laquelle se faisait ventouser par son clerc.—*Variétés historiques et littéraires.*

VENTRE, *m.* The female *pudendum;* 'the belly-entrance'. Also PETIT VENTRE.

Il faut savoir autre chose que cela, car on n'emplit pas de vent le ventre des femmes.—P. DE LARIVEY.

— *See* AVOIR, COURIR, PASSER and SCELLER.

VENTROUILLER. To copulate.

VENUE, *f.* The act of kind. [RABELAIS].

— *See* DONNER, TIRER, etc.

VÉNUS, *n. p.* The female *pudendum.*

— *See* PLAISIR, PRÊTRESSE, etc.

— LA VÉNUS POPULAIRE = a street-harlot.

Amour, empoisonne mes sens,
Et toi, Vénus la populaire,
A toi mon hymne et mon encens.
           A. BARBIER.

VERDIR. To be infected.

VERGE, *f.* The *penis;* 'the *arbor vitæ.* Also VERGE DE SAINT-BENOIT. [RABELAIS].

L'académicien dit: mon vit. Le médecin: Ma verge....
           LOUIS PROTAT.

Laurence, le trouvant frais et gras, eût bien voulu qu'il l'eût fouettée avec les verges de St.-Benoît, dont il ne faut qu'un brin pour faire une poignée...—B. DE VERVILLE.

VERGER, *m.* The female *pudendum;* the orchard.

Permettez que ma vive source,
Arrose votre beau verger.
           THÉOPHILE.

— VERGER DE CYPRIS = the *mons veneris.* [RABELAIS].

Lors elle lui donna,
Je ne sais quoi qu'elle tira,
Du verger de Cypris, labyrinthe des fées.
           LA FONTAINE.

— *Verb.* = to copulate.

VERMINAGE. *See* FAIRE.

VERMINER. To copulate. [RABELAIS].

VÉROLE, *f.* The venereal disease.

Cent escoliers ont pris la vérole, avant que d'être arrivés à leur leçon d'Aristote la Tempérance.—MONTAIGNE.

Si j'suis paumé' j'enquille aux Capucins,
Ricord guérira ma vérole.
           DUMOULIN.

Vingt couches, autant de véroles
Ont couturé son ventre affreux.

VÉROLER. To pox.

VÉROLEUSE, *f.* An infected whore.

VERPE, *m.* The *penis.* Also VERPA. [RABELAIS].

N'estimez pas aussi que je vous veuille entretenir de matrices bourgeoises, charitables, entrelardées de verpes monacales.—*Le Synode nocturne des tribades.*

VERETILLE, *f.* The *penis.* [RABELAIS].

VERETRE, *m.* The *penis.* [RABELAIS].

VERGAUDER. To violate; to de-flower; to know carnally. [RABE-LAIS].

VERVIGNOLER. To copulate. [RA-BELAIS].

VESSE, *f.* A debauched woman.

Mais vraiment pour mieux dire cette femme devait être une belle grande vesse.—BÉROALDE DE VERVILLE.

Le bon Marc-Aurèle ayant Faustine sa femme une bonne vesse.—BRANTÔME.

Une autre grosse vesse de la même rue.—*Variétés historiques et litté-raires.*

VESSIES (LES), *f. pl.* 1. The *testes.*

Les hommes nagent mieux que les femmes parce qu'ils ont deux vessies au bas du ventre, qui les soutiennent en nageant.—TABARIN.

— 2. The paps.

Un homme descendant un escalier mal éclairé faillit tomber et se retint après les tétons d'une grosse femme qui montait. — Imbécile ! tu ne peux donc pas faire attention ? — Dam, c'est pas ma faute, y n' fait pas clair ; j' peux pourtant pas prendre des vessies pour des lanternes.—*Recueil d'Anas.*

Sous les plis d'un épais fichu
Repose une double vessie,
Dont le bout semble, étant velu,
Une framboise à l'eau-de-vie.
Gaudriole, 1834.

— In *sing.* = a harlot.

VESTALE, *f.* A harlot.

Déjà la vestale,
Aux passants fatale,
Librement étale
De trompeurs appas...
VAUBERTRAND.

VÉTILLER. To copulate; 'to bitch'. [RABELAIS].

VEUVE POIGNET, *f.* The hand in masturbation; or, specifically, (of women) the index finger.

Pour l'apaiser, je n'avais qu'une main :
Je m'en servis pour écumer sa bile.
Veuve Poignet, sans vous, qu'aurais-je
fait ?
Mais avec vous, c'était chose facile.
ANONYME.

VÉZON, *m.* A prostitute.

Mon père est maquereau, ma mère était
vézon,
Moi j'ai reçu le jour sous les toits d'un
boxon.
LOUIS PROTAT.

VIAGÈRE, *f.* A harlot. [RABELAIS].

VIANDE, *f.* A whore; 'meat'.

Je vais connaître cette maison et savoir quelle viande il y a à son étal, à cette boucherie-là.

— MONTRER SA VIANDE = to expose the paps.

— VIANDE DU DEVANT, *f.* The *penis.* Also = female *pudendum.*

Mais sans un bon morceau de viande,
Fille a toujours le ventre creux.
MARCILLAC.

Ainsi que l'a dit un grand saint,
A l'homme s'il faut du bon vin,
A la femme il faut de la viande.
A. WATRIPON.

Pour moi, je ne suis point friande
De tout ce gibier que l'on vend,
Ne m'importe quelle viande
Pourvu qu'elle soit du devant.
THÉOPHILE.

Tu n' me l' mettras pas, Nicolas,
Je n'aim' que la viand' fraîche.
J. E. AUBRY.

— ÊTRE DE CORVÉE A LA VIANDE = to copulate : military.

VIATIQUE (ADMINISTRER LE SAINT). To be tongued by a woman who through infection or menses is debarred from the act of kind.

— As *subs.* = the semen.

VIBREQUIN, *m.* The *penis.* [RA-BELAIS].

VICON, *m.* The *penis.* [RABELAIS].

VICTOIRE, *f.* The act of kind.

VIDER. To ruin.

— SE VIDER = to pump ship.

VIE. FEMME DE VIE, *f.* A harlot. [RABELAIS].

VIEUX MONSIEUR. *See* MONSIEUR.

VIGILE ET JEUNE. In menses.

Tout doux, mon cher, c'est aujour-d'hui chez moi vigile et jeune.—*Aphro-dites.*

VIGNE DU SEIGNEUR, *f.* The female *pudendum;* 'the wanton ace'.

Et dans la vigne du seigneur
Travaillant ainsi qu'on peut croire.
LA FONTAINE.

Et son bras et sa jambe, et sa cuisse et ses reins,
Polis comme de l'huile, onduleux comme un cygne,
Passaient devant mes yeux clairvoyants et sereins;
Et son ventre et ses seins, ces grappes de ma vigne,
S'avançaient plus câlins que les anges du mal ...
CH. BAUDELAIRE.

Ainsi le noble nom des Coquencu s'éteindrait ! .. En vain je travaille comme un consciencieux vigneron à la vigne conjugale, en vain je sarcle et bine ... depuis dix ans, Mme. de Coquencu n'a pas montré les moindres traces de fécon-dité.—J. DUBOYS.

— *See* TRAVAILLER.

VILLETTE. A sodomist.

VILLOTIÈRE, *f.* A harlot. [RABE-LAIS].

VIN DE L'ADIEU, *m.* The act of kind.

Ce ne fut pas sans le vin de l'adieu.
LA FONTAINE.

VIOLON, *m.* The *penis.*

Je jouais si vivement
En c'moment,
Qu' fatiguant mon bras,
J'ai pour ses appas,
Tant j' mettais d'action,
Rompu mon vi (*ter*) olon.
LAURENT.

VIRADE. *See* FAIRE.

VIRETON, *m.* The *penis.* [RABE-LAIS].

VIRGINAL, *f.* The female *puden-dum.* [RABELAIS].

VIRGULE, *f.* The *penis.* ENGAINER SA VIRGULE = to copulate.

Demain quand descendra l'ombre du crépuscule,
Tu pourras tout à l'aise engaîner ta virgule.
Tour du Bordel.

— FAIRE DES VIRGULES = to wipe one's fingers on the walls of a W.C., after using them instead of paper.

VIROLET, *m.* The *penis.* [Old French = *vilebrequin*].

Car il faut que le virolet trotte.—RABELAIS.

Ainsi elle lui tira la main, qui em-porta aussi le virolet.—BÉROALDE DE VERVILLE.

VISAGE, *m.* The backside; 'the blind cheeks'. Also VISAGE SANS NEZ.

Et ce visage gracieux,
Qui peut faire pâlir le nôtre,
Contre moi n'ayant point d'appas,
Vous m'en avez fait voir un autre
De quoi je ne me garde pas.
VOITURE.

Car si cela seulement vous retarde,
J'ai bien pour vous un visage sans nez.
Le Cabinet satyrique.

Aussitôt il représenta son visage qui n'avait point de nez.—D'OUVILLE.

VIT, *m.* The *penis.*

> S'il faut baiser, à ce qu'on dit,
> Tout ce qu'aux dames on présente,
> Je ne saurais baiser mon vit,
> Je le garde pour la savante.
> > BÉROALDE DE VERVILLE.

> Juin et juillet la bouche mouillée et
> le vit sec.—BRANTÔME.

> Si je quitte le rang de duchesse de
> > Chaulne,
> Et le siège pompeux qu'on accorde
> > à ce nom,
> C'est que Giac a le vit long d'une
> > aune,
> Et qu'à mon cul je préfère mon con.
> > COLLÉ.

> Et en la rue de Chartron,
> Où maintes dames en chartre ont
> Tenu maint vit.
> > GUILLOT DE PARIS.

VITAULT, *f.* The *penis.* [RABELAIS].

VITICULTURE, *f.* Harlotry.

VITŒUVRER. To copulate.

VIVANDIER DU NATURE, *m.* The *penis.* [RABELAIS].

VOIR. 1. To copulate; 'to see the wolf'.

> J'ai le bras cassé, je suis morte;
> Faut-il me battre de la sorte
> Pour avoir vu le seul Hilas?
> > LA-MONNOYE.

> Vous avez été pour le moins six
> mois à la voir journellement.—CH. SOREL.

> Vous languissez quelquefois
> A la cour plus de trois mois,
> Sans que l'heure se présente,
> Et moi, bienheureux, je vois,
> Quand il me plaît ma servante.
> > *Cabinet satyrique.*

> Il dit que si je la vois
> En un mois plus d'une fois,
> Il m'en coûtera la vie.
> > SAINT-PAVIN.

> Le dernier homme que voit Fulvia,
> c'est toujours celui qu'elle croit destiné
> par le ciel à perpétuer sa race.—DIDEROT.

— 2. To have one's menses. Also VOIR SOPHIE.

VOISIN, *m.* 1. The female *pudendum;* and (2) the *anus.*

VOIX, *m.* Sexual vigour.

> Avec moi que de fois
> Il a manqué de voix.
> > BÉRANGER.

> Vous avez la courte-haleine:
> Parler d'amour une fois,
> C'est me donner la migraine!
> Monsieur n'a donc pas de voix
> > COLLÉ.

VOLAILLE, *f.* A wanton.

> . . . Eh bien, canaille!
> Va donc la retrouver, et que cette vo-
> > laille
> (C'est mon plus cher désir) cède à ta
> > passion.
> > LOUIS PROTAT.

> Ma danseus' m'a traité d' pochard,
> Moi j' l'ai traité' d' volaille.
> > J. MOINAUX.

VOLONTÉ. *See* FAIRE, SOULER, etc.

VOMER, *f.* The female *pudendum.* [RABELAIS].

VOUÉ AU BLANC, *m.* A ponce.

VOULOIR. *See* FAIRE.

VOYAGE A CYTHÈRE, *m.* The act of kind.

> Le marquis, qui croit qu'il s'agit
> d'un petit voyage à Cythère . . .—JEAN
> DU BOYS.

VOYAGÈRE, *f.* A harlot. [RABELAIS].

VULCANISER. To cuckold. [RABELAIS].

VULVA, *f.* The female *pudendum.* [RABELAIS].

AGON, *m.* A low-class whore.

ÈBRE, *m*. A *penis* of parts.

> Dit le Turco
>> Bono.
> Lella, tu le dis faible,
>> et ce grand point j'ignore,
> Je connais le moyen de rendre un zèbr'
>> hardi.
>
> EM. DELORME, *Chanson arabe.*

ZIGUER. To copulate.

ZIGEUR (-SE). A devotee of Venus.

ZIQUET, *m*. The breach.

ZIST, *m*. The *penis*.

ZIZETTE (FAIRE LA). To copulate. Also ZIZOTTER.

ZON (FAIRE). I. To copulate. Also (2) to sodomise.

> Vous avez l'œil fripon,
> Ma charmante voisine;
> Si vous ne faites zon...
> Vous en avez la mine...
> Et zon zon zon, etc.
>> LATTAIGNANT.

> Plusieurs, vifs et légers,
> Courent sur ta couchette :
> Te donnent des baisers
> Et te font en cachette :
> Zon, mariette, zon marion,
> Zon, mariette, marion, zon, zon!
>> JULES CHOUX.